Camilla Läckberg
Die Eisprinzessin schläft

KU-360-523

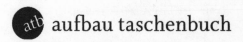

atb aufbau taschenbuch

CAMILLA LÄCKBERG, geb. 1974 in Fjällbacka, ist verheiratet und Mutter zweier Kinder. Sie lebt heute in Stockholm. Nach ihrem Marketingstudium arbeitete sie in der freien Wirtschaft. Sie wird als neue »Königin des Kriminalromans« gefeiert und ihre Bücher verkauften sich in Schweden millionenfach.

Im Aufbau Verlag sind außerdem ihre Romane *Der Prediger von Fjällbacka* und *Die Töchter der Kälte* lieferbar.

www.camillalackberg.com

Die junge Frau war besonders erfolgreich, schön und reich. Sie hieß Alexandra Wijkner, und keiner im Ort kann sich ihr Ableben erklären. Zufällig wird die Schriftstellerin Erica Falck in den Fall hineingezogen. Gemeinsam mit dem Kriminalassistenten Patrik Hedström holt sie Informationen über die Verstorbene ein. Gleichermaßen ins Visier des Paares, das sich nicht nur beruflich näherkommt, geraten die Familie des reichen Konservenfabrikanten Lorentz, der stadtbekannte Säufer Anders, der ungeliebte Ehemann der Toten sowie deren Freundin Francine. Offenbar verbirgt sich eine alte Geschichte hinter der Tat – es gibt jemanden, der Alexandra von klein auf kannte und nun der Eisprinzessin ein eisiges Totenbett bereitet hat.

Camilla Läckberg

Die Eisprinzessin schläft

Kriminalroman

*Aus dem Schwedischen
von Gisela Kosubek*

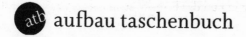 aufbau taschenbuch

Titel der Originalausgabe
Isprinsessan

ISBN 978-3-7466-2299-6

Aufbau Taschenbuch ist eine Marke der Aufbau Verlag GmbH & Co. KG

7. Auflage 2010
© Aufbau Verlag GmbH & Co. KG, Berlin
Die deutsche Erstausgabe erschien 2005 bei Gustav Kiepenheuer;
Gustav Kiepenheuer ist eine Marke der Aufbau Verlag GmbH & Co. KG
© Camilla Läckberg 2004
Published by agreement with Bengt Nordin Agency, Sweden,
and Literatur Agentur, Berlin
Umschlaggestaltung gold, Anke Fesel und Kai Dieterich
Druck und Binden CPI Moravia Books, Pohořelice
Printed in Czech Republic

www.aufbau-verlag.de

1

Das Haus war trostlos und leer. Die Kälte drang in alle Ecken. Eine dünne Eishaut hatte sich in der Wanne gebildet. Dort lag sie, und ihr Körper hatte eine leicht bläuliche Farbe angenommen.

Er fand, sie sah aus wie eine Prinzessin. Eine Eisprinzessin.

Der Boden, auf dem er saß, war lausekalt, aber die Kälte kümmerte ihn nicht. Er streckte die Hand aus und berührte sie.

Das Blut an ihren Handgelenken war längst geronnen.

Nie war seine Liebe zu ihr stärker gewesen. Er streichelte ihren Arm, so als würde er die Seele streicheln, die jetzt den Körper verlassen hatte.

Als er ging, drehte er sich nicht um. Es war kein Lebewohl, es war ein Auf Wiedersehen.

Eilert Berg war kein glücklicher Mensch. Sein Atem ging schwer und drang in kleinen weißen Wölkchen aus seinem Mund. Aber nicht die Gesundheit betrachtete er als sein größtes Problem.

Svea war in der Jugend so schön gewesen, und er hatte es kaum abwarten können, mit ihr ins eheliche Bett zu steigen. Sanft, freundlich und ein wenig schüchtern war sie ihm erschienen. Ihre wahre Natur hatte sich schon nach allzu kurzer Zeit voll jugendlicher Lust gezeigt. Seit nunmehr fast fünfzig Jahren hielt sie ihn eisern unterm Pantoffel. Aber Eilert hatte ein Geheimnis. Zum erstenmal sah er eine Möglichkeit, im Alter ein bißchen Freiheit zu genießen, und diese Möglichkeit wollte er sich keinesfalls entgehen lassen.

Sein Leben lang hatte er sich mit der Fischerei abgeplagt, und die Einnahmen hatten gerade ausgereicht, um Svea und die Kinder zu versorgen. Seit er in Pension gegangen war, lebten sie ausschließlich von ihren mageren Renten. Ohne irgendwelches Geld in der Tasche bestand keine Chance, anderswo neu anzufangen, und zwar ohne sie. Diese Gelegenheit hier war ihm wie ein Geschenk des Himmels erschienen. Hinzu kam, daß das Ganze auch noch lächerlich einfach war. Aber wenn jemand unverschämt hohe Summen für ein, zwei Stunden Arbeit pro Woche bezahlen wollte, dann war das nicht sein Problem. Er hatte nicht die Absicht, sich zu beschweren. Die Geldscheine in der Holzkiste hinterm Kompost waren in nur einem Jahr zu einem ansehnlichen Häufchen angewachsen, und bald besaß er genug, um sich in wärmere Gefilde abzusetzen.

Eilert blieb stehen, um auf dem letzten steilen Stück der Steigung Luft zu holen, er massierte seine schmerzenden Gichthände. Spanien oder vielleicht Griechenland könnten die Kälte auftauen, die irgendwie von innen kam. Er rechnete damit, daß ihm wenigstens noch zehn Jahre blieben, bevor er ins Gras beißen mußte, und die Zeit wollte er, so gut es ging, nutzen. Nicht im Traum dachte er daran, sie mit der Alten hier zu Hause abzusitzen.

Der tägliche Spaziergang am frühen Morgen waren die einzigen Minuten, die er in Ruhe und Frieden verbrachte, und außerdem bescherte er ihm die dringend notwendige Bewegung. Eilert schlug immer denselben Weg ein, und diejenigen, die seine Gewohnheiten kannten, schauten häufig aus der Tür und ließen sich auf einen Schwatz ein. Besonderes Vergnügen hatte er an dem Gespräch mit dem hübschen Mädel, das im Haus ganz oben auf dem Hang gleich bei der Håkebackenschule wohnte. Sie war nur an den Wochenenden hier, kam immer allein, aber nahm sich gern die Zeit, über Wind und Wetter zu plauschen. Dieses Fräulein Alexandra interessierte sich auch für das Fjällbacka früherer Zeiten, ein Thema, das Eilert nur zu gern erörterte. Schön anzusehen war das Mädel obendrein. Das war etwas, worauf er sich noch immer verstand, obwohl er alt war. Sicher hatte es eine ganze Menge Tratsch über die Kleine gegeben, aber wenn man erst anfing, auf Weibergewäsch zu hören, blieb einem bald keine Zeit mehr für andere Dinge.

Vor ungefähr einem Jahr hatte sie ihn gefragt, ob er sich vorstellen könnte, da er ja morgens ohnehin hier vorbeiging, jeden Freitag nach dem Rechten zu sehen. Das Haus war alt, und es sei kein Verlaß auf Heizkessel und Wasserleitungen. Sie wollte an den Wochenenden ungern ein kaltes Haus vorfinden. Er würde einen Schlüssel bekommen, damit er hier vorbeischauen und kontrollieren konnte, ob alles in Ordnung war. In der Gegend hatte es einige Einbrüche gegeben, also sollte er auch nachsehen, ob es vielleicht Beschädigungen an Fenstern und Türen gab.

Die Aufgabe war keine große Belastung, und einmal im Monat lag ein Kuvert mit seinem Namen in ihrem Briefkasten, und darin befand sich eine in seinen Augen fürstliche Summe. Außerdem gefiel es ihm, sich ein wenig nützlich zu machen. Es ist schwer, untätig zu sein, wenn man sein Leben lang gearbeitet hat.

Das Zauntor hing schief und protestierte, als er es zum Gartenweg hin aufdrückte. Der war nicht vom Schnee freigeschippt, und er überlegte, ob er einen der Jungen bitten sollte, ihr dabei zu helfen. So was war keine Frauensache.

Er suchte nach dem Schlüssel, aber paßte auf, daß der ihm nicht in den Schnee fiel. Wäre er gezwungen, sich hinzuknien, würde er nie wieder hochkommen. Die Vortreppe war vereist und glatt, und er mußte sich am Geländer festhalten. Eilert wollte gerade den Schlüssel ins Schloß stecken, als er bemerkte, daß die Tür nur angelehnt war. Verblüfft öffnete er sie ganz und trat in die Diele.

»Hallo, ist jemand zu Hause?«

Vielleicht war sie heute etwas früher gekommen? Niemand antwortete. Er sah seinen eigenen Atem aufsteigen und wurde sich plötzlich bewußt, daß im Haus Kälte herrschte. Mit einemmal wurde er unschlüssig. Hier stimmte etwas absolut nicht, und er hatte den Verdacht, daß es sich nicht nur um einen kaputten Heizkessel handelte.

Eilert durchquerte die Zimmer. Alles schien unberührt. Das Haus war genauso sauber und ordentlich wie sonst. Videorecorder und Fernseher standen auf ihren Plätzen. Nachdem er das gesamte Erdgeschoß kontrolliert hatte, nahm er die Stufen ins obere Stockwerk hinauf. Die Treppe war steil, und er mußte sich am Geländer festklammern. Oben angekommen, ging er zuerst ins Schlafzimmer. Das wirkte sehr weiblich, war aber erlesen eingerichtet und genauso ordentlich wie der Rest des Hauses. Das Bett war gemacht, und am Fußende stand ein Koffer. Nichts schien ausgepackt worden zu sein. Er kam sich auf einmal ein bißchen idiotisch vor. Vielleicht war sie eher als sonst gekommen, hatte festgestellt, daß der Kessel nicht funktionierte, und war losgegangen, um jemanden zu finden, der ihn reparierte. Dennoch glaubte er selbst nicht an diese Erklärung. Irgend etwas stimmte einfach nicht. Er spürte es auf die gleiche Weise in den Knochen wie manchmal bei einem aufziehenden Sturm. Vorsichtig setzte er seinen Weg durch das Haus fort. Das nächste Zimmer war ein großer Loft mit Holzbalken und Dachschräge. Zwei Sofas standen sich vor dem Kamin gegenüber. Ein paar Zeitungen lagen auf dem Couchtisch verstreut, sonst aber befand sich alles an seinem Platz. Er ging wieder nach unten. Jetzt war nur noch das Bad übrig, doch etwas ließ ihn zögern. Noch immer war alles ruhig und still. Einen Augenblick lang stand er unschlüssig da, fand sich dann ein bißchen lächerlich und schob die Tür resolut auf.

Sekunden später rannte er, so schnell es sein Alter zuließ, auf die Haustür zu. Im letzten Moment fiel ihm ein, daß die Vortreppe glatt war, und er konnte gerade noch das Geländer packen, um nicht kopfüber die Stufen hinunterzustürzen. Dann stapfte er durch den Schnee auf dem Gartenweg und fluchte, als sich das Gartentor sperrte. Auf dem Bürgersteig blieb er zögernd stehen. Ein Stück die Straße hinunter entdeckte er eine Gestalt, die mit raschem Schritt näher kam, und kurz darauf erkannte er Tores Tochter Erica. Er rief ihr zu, sie möge stehenbleiben.

Sie war müde. Todmüde. Erica Falck schaltete den Computer aus und ging in die Küche, um sich Kaffee nachzugießen. Sie fühlte sich von allen Seiten unter Druck gesetzt. Der Verlag wollte die erste Version des Buches im August haben, und bisher hatte sie kaum damit begonnen. Das Buch über Selma Lagerlöf, ihre fünfte Biographie einer schwedischen Autorin, sollte ihr bestes werden, aber sie hatte alle Lust am Schreiben verloren. Mehr als einen Monat war es her, daß ihre Eltern gestorben waren, doch die Trauer war noch immer genauso frisch wie an jenem Tag, als sie die Nachricht erhalten hatte. Das Aufräumen des Elternhauses ging ihr auch nicht so schnell von der Hand, wie sie gehofft hatte. Alles weckte Erinnerungen. Jede Kiste, die sie packte, dauerte Stunden, weil alles eine Flut von Bildern auslöste, die manchmal ganz nah und dann wieder ungeheuer weit weg zu sein schienen. Aber das Packen mußte so viel Zeit beanspruchen, wie nötig war. Ihre Wohnung in Stockholm war bis auf weiteres vermietet, und sie ging davon aus, daß sie ebensogut hier in ihrem Elternhaus in Fjällbacka schreiben konnte. Es lag ein wenig abseits, in Sälvik, und die Umgebung war ruhig und friedlich.

Erica setzte sich auf die Veranda und blickte auf die Schären hinaus. Die Aussicht verschlug ihr immer wieder den Atem. Jede Jahreszeit zeigte eine neue spektakuläre Szenerie, und der heutige Tag hatte mit strahlender Sonne begonnen, die glitzernde Lichtkaskaden aufs Eis warf, das eine dicke Schicht auf dem Meer bildete. Ihr Vater hätte einen solchen Tag geliebt.

Die Kehle schnürte sich ihr zusammen, und die Luft im Haus erschien ihr mit einemmal stickig. Sie entschloß sich, einen Spaziergang zu machen. Das Thermometer zeigte fünfzehn Grad minus, und so zog sie mehrere Kleidungsstücke übereinander. Dennoch war ihr kalt, als sie aus der Tür trat, aber sie brauchte nicht lange zu gehen, bis das schnelle Tempo für Wärme sorgte.

Draußen war es befreiend still. Niemand war zu sehen. Das einzige Geräusch, was sie hörte, waren ihre eigenen Atemzüge. Der Kontrast zu den Sommermonaten, wenn hier das Leben pulsierte, war gewaltig. Erica zog es vor, sich im Sommer von Fjällbacka fernzuhalten. Obwohl sie wußte, daß der Ort nur durch den Tourismus überleben konnte, wurde sie das Gefühl nicht los, daß Sommer für Sommer ein riesiger Heuschreckenschwarm über Fjällbacka herfiel. Ein vielköpfiges Monster, das langsam das alte Fischerdorf verschlang, da die wassernahen Häuser von Sommergästen aufgekauft wurden und die Ortschaft dadurch neun Monate im Jahr zum Geisterort verkam.

Jahrhundertelang hatte Fjällbacka sein Brot mit der Fischerei verdient. Die karge Landschaft und der ständige Kampf ums Überleben, bei dem alles davon abhing, ob der Hering kam oder ob er ausblieb, hatte ein rauhes, starkes Völkchen erschaffen. Doch seitdem Fjällbacka als malerisch galt und Touristen mit dicken Brieftaschen anzog, während zugleich die Fischerei ihre Bedeutung als Einnahmequelle verlor, meinte Erica zu bemerken, daß sich die Nacken der Ansässigen Jahr für Jahr tiefer beugten. Die Jungen zogen weg, und die Älteren träumten von vergangenen Zeiten. Sie war selber eine von vielen, die es vorgezogen hatten, diese Gegend zu verlassen.

Jetzt erhöhte sie das Tempo noch mehr und bog nach links zur Steigung ab, die zur Håkebackenschule führte. Als sich Erica dem Kamm näherte, hörte sie Eilert Berg etwas schreien, doch verstand sie nicht, was er wollte. Er fuchtelte mit den Armen und lief ihr entgegen.

»Sie ist tot.«

Eilert atmete in kurzen raschen Stößen, und ein häßlicher pfeifender Laut entwich seiner Brust.

»Beruhige dich, Eilert, was ist passiert?«

»Sie liegt tot dort drinnen.«

Er wies auf das große hellblaue Holzhaus ganz oben auf dem Kamm und schaute sie auffordernd an.

Es dauerte ein Weilchen, bis Erica seine Worte registriert hatte, doch erst als sie die störrische Gartentür aufschob und durch den Schnee auf den Eingang zustapfte, drangen sie ihr ins Bewußtsein. Eilert hatte die Tür offengelassen, und sie trat vorsichtig über die Schwelle, unsicher, was sie dort wohl erwarten würde. Aus irgendeinem Grund war ihr nicht eingefallen, genauer danach zu fragen.

Eilert folgte ihr abwartend und zeigte stumm auf das Badezimmer im Erdgeschoß. Erica wollte nichts überstürzen, sie drehte sich um und blickte Eilert fragend an. Er war fahl im Gesicht, und seine Stimme klang ganz dünn, als er sagte: »Dort drinnen.«

Es war lange her, daß Erica dieses Haus betreten hatte, aber früher kannte sie sich hier gut aus, und deshalb wußte sie, wo das Bad lag. Trotz ihrer warmen Kleider schauderte es sie in der kalten Luft. Die Tür zum Badezimmer schwang langsam nach innen auf, und sie ging hinein.

Sie wußte nicht genau, was sie nach Eilerts knappen Angaben erwartet hatte, doch nichts hatte sie auf das hier vorbereitet. Das Badezimmer war völlig weiß gefliest, was die Wirkung all des Blutes in und um die Badewanne noch verstärkte. Eine Sekunde lang fand sie den Kontrast sogar schön, doch dann begriff sie, daß tatsächlich ein Mensch in der Wanne lag.

Trotz der unnatürlich weißen und blauen Farbschattierungen des Körpers erkannte Erica die Frau sofort wieder. Es war Alexandra Wijkner, geborene Carlgren, Tochter jener Familie, der dieses Haus gehörte. Als Kinder waren die beiden Mädchen eng befreundet gewesen, doch das schien eine Ewigkeit her zu sein. Jetzt war die Frau in der Wanne für Erica fast eine Fremde.

Barmherzigerweise waren die Augen der Leiche geschlossen, aber die Lippen leuchteten in einem scharfen Blau. Eine dünne Eiskruste umschloß den Rumpf und verbarg den Unterleib. Der rechte, von roten Rinnsalen gezeichnete Arm hing schlaff auf den Boden hinunter, und die Finger waren in die geronnene Blutlache getaucht. Eine Rasierklinge lag auf dem Wannenrand. Der andere Arm war nur bis kurz über dem Ellenbogen zu sehen, der Rest lag unter dem Eis verborgen. Auch die Knie ragten aus der gefrorenen Oberfläche auf. Alex' helles Haar lag wie ein Fächer über das Kopfende der Badewanne gebreitet, doch wirkte es in der frostigen Luft spröde und starr.

Erica stand lange da und sah sie an. Sie fror vor Kälte und vor Einsamkeit. Langsam zog sie sich aus dem Zimmer zurück.

Hinterher war ihr, als hätte sich alles wie in einem dicken Nebel abgespielt. Sie hatte den Notarzt auf ihrem Handy angerufen und zusammen mit Eilert gewartet, bis er und der Krankenwagen eingetroffen waren. Sie erkannte die Anzeichen des Schockzustands wieder, genauso war es gewesen, als sie die Nachricht vom Tod ihrer Eltern erhalten hatte, und sobald sie nach Hause kam, goß sie sich einen großen Kognak ein. Vielleicht nicht gerade das Mittel, was der Doktor verschrieben hätte, aber es tat seine Wirkung, und ihre Hände hörten auf zu zittern.

Der Anblick von Alex hatte sie in ihre Kindheit zurückversetzt.

Es war mehr als fünfundzwanzig Jahre her, daß sie beide allerbeste Freundinnen geworden waren, und obwohl Erica seitdem vielen Menschen begegnet war, hatte Alex in ihrem Herzen noch immer einen besonderen Platz. Aber sie waren ja damals noch Kinder gewesen, später als Erwachsene blieben sie sich fremd. Dennoch fiel es Erica schwer, sich mit dem Gedanken abzufinden, daß Alex sich das Leben genommen hatte. Zu dem Schluß war sie nach dem, was sie gesehen hatte, unweigerlich gekommen. Die Alexandra, an die sie sich erinnerte, war eine der lebendigsten und ausgeglichensten Personen gewesen, die sie kannte. Eine schöne, selbstbewußte Frau mit einer Ausstrahlung, die andere Menschen dazu brachte, sich nach ihr umzudrehen. Nach allem, was Erica zu Ohren gekommen war, hatte es das Leben – genau wie sie es sich immer gedacht hatte – äußerst gut mit ihrer Schulfreundin gemeint. Alex führte eine Kunstgalerie in Göteborg, war mit einem Mann verheiratet, der nicht nur blendend aussah, sondern auch Erfolg hatte, und sie wohnten auf der Insel Särö in einem Haus, das an einen Herrensitz erinnerte. Aber irgend etwas war offenbar nicht in Ordnung gewesen.

Erica spürte, daß sie sich ablenken mußte, und wählte daher die Nummer ihrer Schwester.

»Hast du geschlafen?«

»Machst du Scherze? Adrian hat mich seit drei Uhr morgens wach gehalten, und als er gegen sechs endlich eingeschlafen ist, wachte Emma auf und wollte spielen.«

»Konnte nicht ausnahmsweise mal Lucas aufstehen?«

Eisiges Schweigen am anderen Ende der Leitung, und Erica biß sich auf die Zunge.

»Er hat heute eine wichtige Sitzung, und da muß er ausgeruht sein. Im Moment ist außerdem die Situation in der Firma äußerst turbulent, ihnen steht eine kritische strategische Phase bevor.«

Annas Stimme wurde lauter, und Erica konnte einen Unterton von Hysterie vernehmen. Lucas hatte immer eine gute Entschuldigung parat, und Anna hatte ihn wahrscheinlich wortwörtlich zitiert. Ging es nicht um eine wichtige Sitzung, dann war Lucas von all den schwerwiegenden Entscheidungen gestreßt, die er ständig zu treffen hatte, oder er war völlig mit den Nerven am Ende, weil man als erfolgreicher Geschäftsmann – Originalton Lucas – immer unter Druck stand. Die ganze Verantwortung für die Kinder, eine lebhafte Dreijährige und ein vier Monate altes Baby, lag somit bei Anna. Als Erica sie bei der Beerdigung der Eltern getroffen hatte, sah sie zehn Jahre älter aus, als sie mit ihren dreißig Jahren war.

»Honey, don't touch that.«

»Also im Ernst, meinst du nicht, es wäre an der Zeit, mit Emma schwedisch zu sprechen?«

»Lucas findet, wir sollten hier zu Hause englisch reden. Er sagt, daß wir ohnehin schon wieder in London sein werden, bevor sie in die Schule kommt.«

Erica war es leid, ständig diese Floskel zu hören: »Lucas findet, Lucas sagt, Lucas ist der Meinung, daß …« In ihren Augen war der Schwager ein typisches Beispiel für einen Dreckskerl Erster Klasse.

Anna hatte ihn in London kennengelernt, wo sie als Au pair gewesen war, und sie hatte sich umgehend von dem stürmischen Werben des zehn Jahre älteren erfolgreichen Börsenmaklers Lucas Maxwell umgarnen lassen. Ihre Studienpläne gab sie auf und widmete sich statt dessen der Aufgabe, die perfekte repräsentative Ehefrau zu sein. Das Problem war nur, daß Lucas ein Mensch war, der sich nie mit etwas zufriedengab. Anna hatte von klein auf immer nur das gemacht, wozu sie selbst Lust hatte. Doch seit sie Lucas kannte, war ihre eigene Persönlichkeit wie ausradiert. Bis die Kinder geboren wurden, hatte Erica immer noch gehofft, daß die Schwester Vernunft annehmen, Lucas verlassen und ein eigenes Leben beginnen würde, aber als erst Emma und dann Adrian zur Welt kamen, hatte sie begriffen, daß der Schwager leider gekommen war, um zu bleiben.

»Ich schlage vor, daß wir das Thema Lucas und seine Ansichten zur Kindererziehung beiseite lassen. Was haben Tantes Lieblinge seit dem letzten Mal so angestellt?«

»Tja, nur das Übliche, du weißt ... Emma hatte gestern eine Wahnsinnsidee, und es ist ihr gelungen, Kindersachen im Wert eines kleinen Vermögens zu zerschneiden, bis ich sie dabei erwischt habe, und Adrian hat drei Tage lang ununterbrochen geschrien oder sich erbrochen.«

»Das klingt, als könntest du einen Tapetenwechsel gebrauchen. Kannst du nicht die Kinder nehmen und für eine Woche herkommen? Außerdem hätte ich nichts gegen ein bißchen Hilfe, um das eine oder andere durchzugehen. Wir müssen uns ja auch bald um die Papiere und all das kümmern.«

»Jaa, wir wollten sowieso mit dir über die Sache reden.«

Wie immer, wenn Anna sich gezwungen sah, etwas Unangenehmes zur Sprache zu bringen, begann ihre Stimme spürbar zu zittern. Erica war sofort auf der Hut. Dieses »wir« hörte sich unheildrohend an. Sobald Lucas die Hand im Spiel hatte, ging es normalerweise um etwas, das ihn selber begünstigte und allen anderen Beteiligten zum Schaden gereichte.

Erica wartete, daß Anna weitersprach.

»Lucas und ich haben doch die Absicht, nach London zurückzuziehen, sobald er die Filiale hier in Schweden ordentlich etabliert hat. Irgendwie hatten wir ja nicht geplant, uns um ein Haus sorgen zu müssen, das man schließlich nicht sich selbst überlassen kann. Auch für dich wird es doch nicht gerade ein Vergnügen, wenn du so ein großes Haus in der Provinz am Hals hast, ich meine ohne Familie und so ...«

Das Schweigen war undurchdringlich.

»Was willst du damit sagen?« Erica drehte eine Strähne ihrer lockigen Haare um den Zeigefinger, eine Angewohnheit aus Kindertagen, der sie, wenn sie nervös wurde, nicht ausweichen konnte.

»Jaa ... Lucas findet, wir sollten das Haus verkaufen. Wir sehen keine Möglichkeit, uns darum zu kümmern. Außerdem würden wir, wenn wir zurückziehen, ein Haus in Kensington kaufen wollen, und auch wenn Lucas mehr als gut verdient, wäre das mit dem Geld, was wir für Fjällbacka bekommen, schon ein Unterschied. Ich meine, Häuser an der Westküste in dieser Lage gehen ja für mehrere Millionen weg. Die Deutschen sind wie verrückt nach Meeresluft und Seeblick.«

Anna argumentierte immer weiter, aber Erica fühlte, daß sie genug hatte, und sie legte den Hörer langsam, mitten in einem Satz, auf. Ablenkung hatte sie wirklich bekommen.

Sie war für Anna immer mehr eine Mutter als eine große Schwester gewesen. Schon als sie noch klein waren, hatte Erica sie beschützt und auf sie aufgepaßt. Anna war ein richtiges Naturkind gewesen, ein Wirbelwind, der den eigenen Impulsen nachgab, ohne sich Gedanken über die Folgen zu machen. Erica hatte die Schwester öfter, als sie zählen konnte, aus Situationen gerettet, in die sie sich selbst gebracht hatte. Doch Lucas hatte ihr alle Spontaneität und Lebensfreude ausgetrieben. Das war es vor allem, was Erica ihm nicht verzeihen konnte.

Am nächsten Morgen erschien ihr der vergangene Tag irgendwie unwirklich. Erica hatte tief und traumlos geschlafen, trotzdem hatte sie das Gefühl, kaum ein Auge zugemacht zu haben. Sie war so müde, daß sie sich wie zerschlagen fühlte. Ihr Magen knurrte bedenklich, doch ein rascher Blick in den Kühlschrank überzeugte sie, daß ein Besuch in Evas Supermarkt unumgänglich war, damit sie etwas zu sich nehmen konnte.

Drinnen im Ort war kein Mensch zu sehen, und am Ingrid-Bergman-Platz gab es keinerlei Spuren des lebhaften Betriebs, der hier in den Sommermonaten herrschte. Die Sicht war gut, es war weder neblig noch diesig, und Erica konnte bis zur äußersten Landzunge von Valön sehen, die sich am Horizont abzeichnete und die zusammen mit Kråkholmen jene schmale Öffnung begrenzte, durch die man in die äußeren Schären gelangte.

Erst als sie die Steigung von Galärbacken ein gutes Stück hinaufgekommen war, traf sie auf den ersten Menschen. Auf diese Begegnung hätte sie gern verzichtet, und instinktiv sah sie sich nach einem Fluchtweg um.

»Guten Morgen.«

Elna Perssons Stimme war von einem unverschämt munteren Zwitschern. »Geht hier unsere eigene kleine Schriftstellerin in der Morgensonne spazieren?«

Erica ächzte stumm. »Ja, ich wollte zu Evas Laden und ein bißchen einkaufen.«

»Du Ärmste, du mußt ja völlig am Boden zerstört sein nach dem schrecklichen Erlebnis.«

Elnas Doppelkinn schwabbelte vor Erregung, und Erica fand, daß sie wie ein kleiner fetter Sperling aussah. Der Wollmantel hatte einen Stich ins Grüne, umhüllte Elnas Körper von den Schultern bis zu den Füßen und hinterließ den Eindruck, daß es sich um eine einzige unförmige Masse handelte. In den Händen hielt Elna die Handtasche mit festem Griff. Auf dem Kopf balancierte ein unverhältnismäßig kleiner Hut. Das Material sah aus wie Filz, und wie der Mantel war der Hut von unbestimmbarer, irgendwie moosgrüner Farbe. Die kleinen Augen lagen tief in eine schützende Fettschicht gebettet. Jetzt blickten sie Erica auffordernd an. Offenbar wurde erwartet, daß sie die Behauptung kommentierte.

»Ja, sicher, das war nicht besonders schön.«

Elna nickte verständnisvoll. »Ja, ich bin zufällig Frau Rosengren begegnet, und die hat erzählt, daß sie an Carlgrens Haus vorbeigefahren ist und dich und einen Krankenwagen davor gesehen hat, und wir haben ja sofort begriffen, daß was Schreckliches passiert sein mußte. Und als ich dann am Nachmittag zufällig bei Doktor Jacobsson angerufen habe, erfuhr ich von dem tragischen Ereignis. Ja, natürlich nur ganz im Vertrauen. Ärzte haben ja Schweigepflicht, und so was muß man schließlich respektieren.«

Sie nickte oberschlau, um zu zeigen, wie sehr sie auf Doktor Jacobssons Schweigepflicht Rücksicht nahm.

»So eine junge Frau noch und all das. Da fragt man sich doch, was dahintersteckt. Ich persönlich war ja immer der Meinung, daß Alex mächtig überspannt war. Ich kenne ja ihre Mutter Birgit von früher, und die war doch schon immer ein einziges Nervenbündel, und man weiß ja, daß so was erblich ist. Hochnäsig ist sie auch geworden, Birgit meine ich, als Karl-Erik

16

in Göteborg so einen feinen Direktorsposten bekam. Da war Fjällbacka plötzlich nicht mehr gut genug. Nein, es mußte die Großstadt sein. Aber ich sag dir, Geld macht keinen glücklich. Hätte das Mädel hier aufwachsen dürfen, statt mit der Wurzel ausgerissen und in die Großstadt verpflanzt zu werden, dann wäre es sicher nicht dazu gekommen. Ich glaube sogar, man hatte die Ärmste in irgendeine Schule in der Schweiz gesteckt, und wie es an solchen Orten zugeht, das weiß man ja schließlich. Ja, ja, so was hinterläßt Spuren fürs ganze Leben. Bevor sie von hier weggezogen sind, war die Kleine das fröhlichste und munterste Mädel, das es überhaupt gab. Habt ihr nicht als Kinder zusammen gespielt? Ja, ich meine wirklich, daß ...«

Elna fuhr mit ihrem Monolog fort, und Erica, die kein Ende des Ärgernisses absehen konnte, begann fieberhaft nach einem Grund zu suchen, um sich aus dem Gespräch, das immer unangenehmere Formen annahm, zu verabschieden. Als Elna eine Pause einlegte, um nach Luft zu schnappen, sah Erica ihre Chance gekommen.

»Es war wirklich sehr nett zu reden, aber jetzt muß ich leider gehen. Da ist eine Menge zu erledigen, wie du sicher verstehst.«

Sie setzte einen äußerst dramatischen Gesichtsausdruck auf und hoffte, Elna auf das verlockende Nebengleis führen zu können.

»Ja, selbstverständlich, meine Liebe. Ich habe nicht darüber nachgedacht. Das hier muß ja für dich schrecklich schwer sein, so kurz nach eurer eigenen Familientragödie. Entschuldige die Unbedachtsamkeit einer alten Frau.«

Zu dem Zeitpunkt war Elna von sich selber fast zu Tränen gerührt, und Erica nickte deshalb nur gnädig und verabschiedete sich eilig. Mit einem Seufzer der Erleichterung setzte sie ihren Weg zu Evas Supermarkt fort und hoffte, von weiteren neugierigen Damen verschont zu bleiben.

Aber das Glück war ihr nicht hold. Unerbittlich wurde sie von der Mehrzahl aufgeregter Fjällbacka-Bewohner in die Mangel genommen, und sie wagte nicht aufzuatmen, bis sie in Reichweite ihres eigenen Zuhauses war. Eine Bemerkung aber, die jemand gemacht hatte, ließ sie nicht mehr los: Alex' Eltern seien spät am gestrigen Abend im Ort angekommen und wohnten jetzt bei Birgits Schwester.

Erica stellte die Einkaufsbeutel auf den Küchentisch und begann die Lebensmittel auszupacken. Trotz aller guten Vorsätze waren die Tüten nicht mit so viel gesunden Dingen gefüllt, wie sie geplant hatte, bevor sie in den Laden ging. Aber wenn sie sich selbst an einem derart fürchterlichen Tag nicht ein paar Leckerbissen gönnen konnte, ja wann denn dann? Wie auf Bestellung knurrte ihr Magen, und sie legte wohl an die zwölf rote Weightwatcher-Punkte in Form zweier Zimtschnecken auf einen Teller und genehmigte sich das Ganze zusammen mit einer Tasse Kaffee.

Es war ein schönes Gefühl, hier zu sitzen und die wohlbekannte Aussicht aus dem Fenster zu genießen, doch an die Stille des Hauses hatte sie sich noch immer nicht gewöhnt. Zwar hatte sie auch früher manchmal allein daheim gesessen, aber das war nicht dasselbe gewesen. Da spürte man die Anwesenheit, man war sich bewußt, daß jeden Moment jemand zur Tür hereinkommen konnte. Jetzt aber war es, als hätte das Haus seine Seele verloren.

Am Fenster lag Vaters Pfeife und wartete darauf, mit Tabak gestopft zu werden. In der Küche hing der Pfeifengeruch noch in der Luft, doch Erica fand, daß er mit jedem Tag schwächer wurde. Sie hatte diesen Geruch immer geliebt. Als sie klein war, saß sie oft auf Vaters Schoß, legte den Kopf an seine Brust und hielt die Augen geschlossen. Der Rauch hatte sich in seiner Kleidung festgesetzt, und in ihrer Kinderwelt hatte dieser Geruch immer Geborgenheit bedeutet.

Ericas Verhältnis zur Mutter war unendlich komplizierter gewesen. Ihr fiel keine einzige Gelegenheit ein, bei der die Mutter ihr, dem Kind, mit Zärtlichkeit begegnet war. Keine Umarmung, kein Streicheln, kein Wort des Trostes. Elsy Falck war eine harte, unversöhnliche Frau gewesen, die ihr Zuhause in tadellosem Zustand hielt, sich aber nie gestattete, über irgend etwas im Leben Freude zu empfinden. Sie war tief religiös, und wie so viele andere Bewohner der Küstenorte von Bohuslän war sie in einer Gesellschaft aufgewachsen, die noch immer von den Lehren des Pastors Schartau geprägt war. Die Mutter hatte von klein auf lernen müssen, daß das Leben ein einziges langes Leiden war und man die Belohnung erst im Leben danach erhielt. Erica hatte sich oft gefragt, was der Vater, der so gutmütig und humorvoll war, an Elsy gefunden hatte, und einmal, als Teenager, hatte sie ihm die Frage im Zorn an den Kopf geworfen. Er war nicht böse geworden, sondern hatte sich nur hingesetzt und ihr den Arm um die Schulter gelegt. Dann hatte er gesagt, sie solle ihre Mutter nicht so hart verurteilen. Manchen Menschen falle es schwerer als anderen, ihre Gefühle zu zeigen, erklärte er und strich ihr über die Wangen, die noch immer vor Wut gerötet waren. Sie hatte damals nicht zugehört und war noch heute überzeugt, daß er nur die Tatsache bemänteln wollte, die für Erica offensichtlich war: Ihre Mutter hatte sie nie geliebt, und das war etwas, was sie den Rest des Lebens mit sich herumschleppen mußte.

Erica beschloß, ihrer Intuition zu folgen und Alexandras Eltern aufzusuchen. Eine Mutter oder einen Vater zu verlieren war schwer, doch entsprach das dennoch einer gewissen natürlichen Ordnung. Ein Kind zu verlieren mußte entsetzlich sein. Außerdem waren Alexandra und sie sich früher einmal so nahe gewesen, wie es zwei Busenfreundinnen nur sein konnten. Auch wenn das jetzt schon lange zurücklag, so war doch ein großer Teil ihrer fröhlichen Kindheitserinnerungen eng mit Alex und ihrer Familie verknüpft.

Das Haus wirkte verlassen. Alexandras Tante und ihr Onkel wohnten in der Tallgatan, auf halbem Weg zwischen Fjällbakkas Zentrum und dem Campingplatz von Sälvik. Die Häuser lagen hoch am Hang, und die Rasenflächen fielen steil zur Straße ab, auf jener Seite, die zum Wasser wies. Der Eingang befand sich auf der Rückseite des Hauses, und Erica zögerte, bevor sie läutete. Das Klingelzeichen ertönte und erstarb dann. Kein Laut war von innen zu hören. Sie wollte gerade kehrtmachen, als die Tür langsam aufging.

»Ja?«

»Guten Tag, ich bin Erica Falck. Ich war es, die …«

Sie ließ den Rest des Satzes in der Luft hängen. Es war idiotisch, sich so formell vorzustellen. Alex' Tante Ulla Persson wußte sehr wohl, wen sie vor sich hatte. Ericas Mutter und Ulla waren viele Jahre zusammen im Kirchenverein aktiv gewesen, und an manchen Sonntagen war Ulla auf eine Tasse Kaffee mit zu ihnen gekommen.

Jetzt trat sie zur Seite und ließ Erica in den Flur. Im Haus brannte nicht eine Lampe. Zwar fehlten noch ein paar Stunden bis zum Abend, aber die Nachmittagsdämmerung war bereits angebrochen, und die Schatten fielen weit. Aus dem Zimmer, das geradeaus lag, erklang gedämpftes Schluchzen. Erica zog Schuhe und Mantel aus. Sie ertappte sich selbst dabei, alles äußerst leise und vorsichtig zu tun, denn die Stimmung im Haus gestattete nichts anderes. Ulla verschwand in der Küche und ließ Erica allein weitergehen. Als sie das Wohnzimmer betrat, verstummte das Weinen. In einer Polstergarnitur, die vor einem riesigen Panoramafenster stand, saßen Birgit und Karl-Erik Carlgren und hielten sich krampfhaft aneinander fest. Über ihre Gesichter zogen sich nasse Streifen, und Erica hatte das Gefühl, einen sehr privaten Bereich zu betreten. Einen Raum, in den sie vielleicht nicht hätte eindringen sollen. Doch jetzt war es zu spät, um es sich anders zu überlegen. Vorsichtig setzte sie sich auf das Sofa gegenüber und faltete die Hände im Schoß. Noch immer hatte niemand ein Wort gesagt.

»Wie hat sie ausgesehen?«

Erica hatte Birgits Frage zuerst fast nicht verstanden. Die Stimme klang dünn wie die eines Kindes. Sie wußte nicht, was sie antworten sollte. »Einsam«, brachte sie schließlich heraus und bereute es sofort.

»Ich habe nicht gemeint ...« Der Satz brach ab und ging im Schweigen unter.

»Sie hat sich nicht das Leben genommen!« Birgits Stimme hatte mit einemmal Kraft. Karl-Erik drückte die Hand seiner Frau und nickte zustimmend. Vermutlich sahen sie die Skepsis in Ericas Gesicht, denn Birgit wiederholte noch einmal: »Sie hat sich nicht das Leben genommen! Ich kenne sie besser als irgendwer sonst, und ich weiß, daß sie nie imstande gewesen wäre, sich das Leben zu nehmen. Dazu fehlte ihr der Mut! Du mußt es doch auch wissen. Du hast sie doch gekannt!«

Mit jeder Silbe richtete sie sich ein bißchen mehr auf, und Erica sah, daß sich in ihren Augen ein Funken entzündete. Immer wieder öffnete und schloß Birgit die Hände und schaute Erica direkt in die Augen, bis eine von ihnen gezwungen war, den Blick abzuwenden. Es war Erica. Sie sah sich statt dessen im Zimmer um. Nur um die Trauer von Alexandras Mutter nicht sehen zu müssen.

Das Zimmer war gemütlich eingerichtet, aber ein bißchen zu herausgeputzt für Ericas Geschmack. Die Gardinen hatten eine raffinierte Aufhängung und dicke Volants, und sie paßten zu den Sofakissen, deren Bezüge aus demselben großblumigen Stoff genäht waren. Auf jeder freien Fläche stand irgendein Zierat. Geschnitzte Holzschalen in Kunstgewerbeart, mit bestickten Dekorationsbändern geschmückt, teilten sich den Raum mit Porzellanhunden, deren Augen ewig feucht schienen. Was das Zimmer rettete, war das Panoramafenster, durch das man eine phantastische Aussicht hatte. Erica hätte diesen Moment am liebsten festgehalten, sie wünschte, einfach weiter durch das Fenster schauen zu können, statt in die Trauer dieser Menschen hineingezogen zu werden. Dennoch sah sie die Carlgrens erneut an.

»Birgit, ich weiß wirklich nicht. Es ist ja fünfundzwanzig Jahre her, daß Alexandra und ich befreundet waren. Ich weiß eigentlich nichts darüber, wie sie gewesen ist. Manchmal kennt man jemanden ja auch nicht so gut, wie man denkt …«

Als die Worte gegen die Wände prallten, hörte Erica selbst, wie lahm ihr Einwand klang. Diesmal antwortete Karl-Erik. Er löste sich aus Birgits Griff und beugte sich vor, als wollte er sichergehen, daß Erica nicht ein Wort von dem verpaßte, was er zu sagen hatte.

»Ich weiß, es klingt, als wollten wir das Geschehene nicht wahrhaben, und vielleicht machen wir im Moment auch nicht gerade einen gefaßten Eindruck, aber selbst wenn sich Alex aus irgendeinem Grund das Leben nehmen wollte, hätte sie es nie, ich wiederhole: *nie*, auf diese Weise getan! Du erinnerst dich doch noch, was für fürchterliche Angst Alex vor Blut hatte. Selbst wenn sie sich nur ein kleines bißchen geschnitten hatte, wurde sie vollkommen hysterisch, bis endlich ein Pflaster auf der Wunde klebte. Sie wurde sogar ohnmächtig, wenn sie Blut sah. Deshalb bin ich vollkommen überzeugt, daß sie sich zum Beispiel eher für Schlaftabletten entschieden hätte. Es ist absurd, anzunehmen, daß Alex es fertiggebracht hätte, eine Rasierklinge zu benutzen und sich selber damit die Adern aufzuschneiden, erst an einem Arm und dann am anderen. Außerdem ist es genau so, wie meine Frau gesagt hat. Alex war schwach. Sie war keine mutige Person. Dieser Schritt, das eigene Leben zu beenden, erfordert innere Kraft. Sie hat diese Kraft nicht besessen.«

Seine Stimme klang eindringlich, und obwohl Erica noch immer überzeugt war, daß das, was sie hier hörte, der Hoffnung zweier verzweifelter Menschen entsprang, konnte sie einen leisen Zweifel nicht abwehren. Wenn sie genau nachdachte, hatte sie gestern morgen, als sie das Badezimmer betrat, das Gefühl verspürt, daß irgend etwas nicht stimmte. Wenn man auf eine Leiche stieß, war natürlich etwas faul, aber trotzdem war die Atmosphäre des Raumes irgendwie merkwürdig gewesen. Man hatte den Eindruck einer Anwesenheit, eines Schattens. Besser konnte sie es beim besten Willen nicht beschreiben. Sie glaubte noch immer, daß Alexandra Wijkner von irgend etwas in den Selbstmord getrieben worden war, dennoch konnte sie nicht leugnen, daß das hartnäckige Insistieren des Ehepaars Carlgren sie nicht völlig unberührt ließ.

Ihr fiel plötzlich auf, wie sehr die erwachsene Alex im Aussehen ihrer Mutter geglichen hatte. Birgit Carlgren war klein und schlank, hatte dasselbe hellblonde Haar wie die Tochter, doch statt Alex' langer Mähne trug sie einen eleganten kurzen Pagenschnitt. Jetzt war sie ganz in Schwarz gekleidet, und trotz ihrer Trauer schien sie sich ihrer auffallenden Erscheinung bewußt, die auf dem Kontrast zwischen Hell und Dunkel beruhte. Kleine Gesten offenbarten ihre Eitelkeit. Die Hand, die vorsichtig über die Frisur strich, der Kragen, der perfekt gerichtet wurde. Erica erinnerte sich, daß Birgits Garderobe für sie als

Achtjährige, die sich im Verkleidungsalter befand, das reinste Mekka gewesen war, und das Schmuckkästchen hatte beide Mädchen dem Himmel auf Erden so nahe gebracht, wie sie ihm in jener Zeit überhaupt kommen konnten.

Neben Birgit sah ihr Gatte äußerst alltäglich aus. Keineswegs unattraktiv, aber dennoch unauffällig. Er hatte ein schmales, längliches Gesicht, in dem feine Linien eingeritzt waren, und der Haaransatz hatte sich weit den Scheitel hinaufgeschoben. Auch Karl-Erik war ganz in Schwarz gekleidet, doch im Unterschied zu seiner Frau wirkte er dadurch noch grauer. Erica spürte, daß es an der Zeit war aufzubrechen. Sie fragte sich, was sie mit diesem Besuch eigentlich bezwecken wollte. Sie erhob sich, und dasselbe taten die Carlgrens. Birgit schaute ihren Mann auffordernd an, ermahnte ihn mit dem Blick, etwas zu sagen.

»Wir hätten gern, daß du einen Nachruf für Alex schreibst. Einen Artikel, der in der ›Bohuslän Tidning‹ veröffentlicht werden soll. Über ihr Leben, ihre Träume – und ihren Tod. Eine Wertschätzung ihrer Person, das würde Birgit und mir ungeheuer viel bedeuten.«

»Aber wollt ihr es nicht lieber in die ›Göteborgsposten‹ setzen? Ich meine, dort in der Stadt hat sie doch gewohnt? Und ihr wohnt ja auch dort.«

»Fjällbacka war und wird immer unser Zuhause sein. Und das galt auch für Alex. Du kannst als erstes mit ihrem Mann Henrik reden. Wir haben mit ihm gesprochen, und er steht zur Verfügung. Du bekommst selbstverständlich eine Vergütung all deiner Auslagen.«

Damit hielten sie offenbar das Gespräch für beendet. Ohne den Auftrag eigentlich akzeptiert zu haben, stand Erica, als die Haustür hinter ihr ins Schloß fiel, auf der Vortreppe und hielt Henrik Wijkners Telefonnummer und Adresse in der Hand. Obwohl sie, wenn sie ehrlich sein sollte, diesen Auftrag eigentlich nicht hatte annehmen wollen, begann ein Gedanke in ihr zu keimen, der der Gedanke einer Autorin war. Erica verjagte ihn und fühlte sich als schlechter Mensch, weil sie ihn überhaupt zugelassen hatte, aber er war hartnäckig und weigerte sich zu verschwinden. Der Stoff zu einem eigenen Buch, nach dem sie so lange gesucht hatte, lag direkt vor ihr. Die Geschichte über den Weg eines Menschen ins Verhängnis. Die Erklärung, was es war, das eine junge, schöne und offenbar privilegierte Frau in den selbstgewählten Tod trieb. Ja, natürlich würde Alex' Name nicht fallen, aber es wäre eine Geschichte, die auf dem basierte, was sie über ihren Weg in den Tod in Erfahrung bringen würde. Erica hatte bislang vier Bücher publiziert, aber es hatte sich um Biographien großer Autorinnen gehandelt. Den Mut, eigene Geschichten zu schreiben, hatte sie noch immer nicht aufbringen können, aber sie wußte, daß in ihr ganze Bücher darauf warteten, aufs Papier gebracht zu werden. Diese Sache hier könnte vielleicht den Anstoß geben, die Inspiration sein, nach der sie so lange gesucht hatte. Daß sie Alex früher einmal gekannt hatte, war nur von Vorteil.

Als Mensch wand sie sich vor Unbehagen bei diesem Gedanken, aber die Autorin jubelte.

Der Pinsel setzte breite rote Striche auf die Leinwand. Seit dem Morgengrauen hatte er gemalt, und jetzt, nach Stunden, trat er das erste Mal einen Schritt zurück, um sich anzusehen, was er geschaffen hatte. Für ein ungeübtes Auge waren nur breite Felder in Rot, Orange und Gelb auszumachen, unregelmäßig angeordnet auf der großen Leinwand. Für ihn selbst bedeuteten sie Demütigung und Resignation, wiedererschaffen in den Farben der Leidenschaft.

Er malte stets mit denselben Farben. Die Vergangenheit schrie, verhöhnte ihn von der Leinwand, und sein Malen wurde immer frenetischer.

Nach einer weiteren Stunde kam er zu dem Schluß, daß er sich das erste Bier des Vormittags verdient hatte. Er nahm die Dose, die am nächsten stand, und ignorierte, daß er sie gestern abend irgendwann als Aschenbecher benutzt hatte. Aschenkrümel blieben ihm am Mund hängen, dennoch trank er gierig weiter von dem abgestandenen Bier und warf die Büchse auf den Boden, nachdem er den letzten Tropfen von den Lippen geleckt hatte.

Die Unterhose, mit der er lediglich bekleidet war, hatte an der Vorderseite gelbe Flecken von Bier oder eingetrocknetem

Urin. Die fettigen Haare hingen ihm ein Stück auf die Schultern hinunter, und seine bleiche Brust war eingesunken. Das Gesamtbild von Anders Nilsson war das eines Wracks, aber das Gemälde, das auf seiner Staffelei stand, zeugte von einem Talent, das im scharfen Gegensatz zum Verfall des Künstlers stand.

Jetzt sank er auf den Boden und lehnte sich dem Bild gegenüber an die Wand. Neben ihm lag eine ungeöffnete Bierdose, und er genoß das puffende Geräusch beim Aufziehen des Verschlusses. Die Farben schrien ihm von der Leinwand entgegen und erinnerten ihn an das, was er hatte vergessen wollen. Den größten Teil seines Lebens hatte er genau darauf verwandt. Warum, zum Teufel, mußte sie jetzt alles kaputtmachen! Warum konnte sie die Sache nicht einfach so lassen, wie sie war? Die egoistische blöde Hure dachte nur an sich selber. Kühl und unschuldig wie eine verdammte Prinzessin. Aber er wußte genau, was unter der Oberfläche gärte. Sie beide waren aus einem Guß. Jahre der gemeinsamen Qual hatten sie geformt und zusammengeschweißt, und plötzlich glaubte sie, sie könne die Ordnung des Ganzen selbsttätig ändern.

»Scheiße.«

Er brüllte das Wort heraus und schleuderte die noch immer halbvolle Dose direkt in die Leinwand. Das Bild ging nicht kaputt, was ihn noch mehr reizte, es federte nur zurück, und die Bierbüchse fiel zu Boden. Die Flüssigkeit war über das Gemälde gespritzt, und Rot, Orange und Gelb fingen an zu zerlaufen und sich zu neuen Nuancen zu mischen. Er betrachtete zufrieden die Wirkung.

Nach dem gestrigen, rund um die Uhr dauernden Besäufnis war er immer noch nicht nüchtern, und das Bier zeigte schnell Wirkung trotz der hohen Alkoholverträglichkeit, die er sich durch jahrelanges hartes Training zugelegt hatte. Langsam glitt er in die wohlbekannten Nebel hinein, in der Nase den Geruch von altem Erbrochenem.

Sie hatte einen eigenen Schlüssel zur Wohnung. Im Flur trat sie sich ordentlich die Schuhe ab, obwohl sie wußte, daß es völlig sinnlos war. Draußen war es sauberer als drinnen. Sie stellte die Einkaufstüten ab und hängte ihren Mantel sorgfältig auf einen Bügel. Es hatte keinen Sinn zu rufen. Zu diesem Zeitpunkt war er vermutlich schon nicht mehr bei sich.

Die Küche lag links vom Flur und befand sich in ebenso erbärmlichem Zustand wie immer. Der Abwasch mehrerer Wochen stapelte sich nicht nur in der Spüle, sondern auf Tisch und Stühlen und sogar auf dem Boden. Kippen, Bierbüchsen und leere Flaschen standen und lagen überall herum.

Sie öffnete die Kühlschranktür, um die Lebensmittel hineinzustellen, und sah, daß es diesmal höchste Zeit war. Es herrschte gähnende Leere. Nachdem sie eine Weile herumhantiert hatte, war wieder alles gefüllt. Sie blieb einen Moment stehen, um Kraft zu sammeln.

Das hier war nur eine kleine Einzimmerwohnung, weshalb derselbe Raum als Wohn- und Schlafzimmer diente. Die wenigen Möbel, die es hier gab, hatte sie herbringen lassen, aber es war nicht sehr viel gewesen, was sie hatte beitragen können. Im Zimmer dominierte statt dessen die große Staffelei vor dem Fenster. In der einen Ecke lag eine schäbige Matratze auf dem Boden. Sie hatte es sich nie leisten können, ihm ein ordentliches Bett zu kaufen.

Anfangs hatte sie versucht, ihm zu helfen, sein Zuhause und sich selbst ansehnlich zu halten. Hatte gewischt, geräumt, seine Sachen gewaschen und mindestens genausooft auch ihn selbst. Damals hatte sie noch gehofft, daß sich alles bald ändere. Daß sich die Sache von ganz allein geben würde. Das war jetzt viele Jahre her. Irgendwann auf diesem Weg hatte sie keine Kraft mehr gehabt. Jetzt begnügte sie sich damit, ihn wenigstens mit Lebensmitteln zu versorgen.

Sie wünschte oft, daß sie noch imstande wäre, mehr zu tun. Die Schuld lastete schwer auf Brust und Schultern. Wenn sie früher auf dem Boden gekniet und sein Erbrochenes weggewischt hatte, war ihr manchmal so gewesen, als würde sie in dem Moment ein wenig von der Schuld abbezahlen. Jetzt trug sie diese Schuld ohne jede Hoffnung.

Sie betrachtete ihn, wie er dort zusammengekrümmt an der

Wand lehnte. Ein stinkendes Wrack, doch steckte unter der schmutzigen Oberfläche ein gewaltiges Talent. Unzählige Male hatte sie überlegt, was wohl geworden wäre, wenn sie sich an jenem Tag anders entschieden hätte. Tag für Tag, die ganzen fünfundzwanzig Jahre lang, hatte sie sich gefragt, wie sich das Leben wohl gestaltet hätte, wenn sie zu einer anderen Entscheidung gekommen wäre. Fünfundzwanzig Jahre sind eine lange Zeit zum Grübeln.

Manchmal ließ sie ihn auf dem Boden liegen, wenn sie ging. Doch heute nicht. Die Kälte von draußen drang herein, und durch ihre dünnen Strumpfhosen fühlte sie, wie eiskalt der Fußboden war. Sie zog an seinem Arm, der schlaff und unbeweglich herunterhing. Keine Reaktion. Mit beiden Händen um sein Handgelenk schleppte sie ihn zur Matratze. Sie versuchte ihn auf die Unterlage zu wälzen und erschauerte leicht, als sie die Hände gegen das wabbelige Fett der Taille drückte. Nach einigem Gezerre war es ihr gelungen, den größten Teil seines Körpers auf die Matratze zu hieven, und da es keine Decke gab, holte sie seine Jacke aus dem Flur und legte sie über ihn. Die Anstrengung ließ sie keuchen, und sie setzte sich auf den Boden. Ohne die Kraft in den Armen, die ihr das langjährige Putzen verschafft hatte, würde sie in ihrem Alter das hier niemals zuwege bringen. Sie ängstigte sich vor dem Tag, an dem nicht einmal ihr Körper mehr mitspielte. Was würde wohl dann geschehen?

Eine Strähne des fettigen Haares war ihm übers Gesicht gefallen, und sie strich sie mit dem Zeigefinger zärtlich zur Seite. Das Leben war für keinen von ihnen so geworden, wie sie es sich vorgestellt hatte, doch den Rest ihrer Tage würde sie nutzen, um das wenige, was sie noch besaßen, zu erhalten.

Die Leute schauten weg, wenn sie ihr auf der Straße begegneten, aber nicht schnell genug, um ihr Mitleid zu verbergen. Ihr Sohn Anders war im ganzen Dorf verrufen, gehörte zu der lokalen Clique der Saufbrüder. Manchmal strich er stockbesoffen auf wackligen Beinen durch den Ort und schrie allen, denen er begegnete, Beschimpfungen hinterher. Ihm brachte man Abscheu und ihr Sympathie entgegen. Eigentlich hätte es umgekehrt sein sollen. Sie verdiente, daß man sie verabscheute, und Anders sollte alle Sympathien genießen. Ihre Schwäche hatte sein Leben geformt. Doch nun würde sie nie wieder schwach sein.

Mehrere Stunden blieb sie sitzen und strich ihm über die Stirn. Manchmal bewegte er sich in seiner Bewußtlosigkeit, doch ihre Berührung beruhigte ihn. Vor dem Fenster ging das Leben seinen gewohnten Gang, im Zimmer aber stand die Zeit still.

Der Montag kam mit Plusgraden und schweren Regenwolken. Erica war schon immer eine vorsichtige Autofahrerin gewesen, aber jetzt mäßigte sie das Tempo noch mehr, um Spielraum zu haben, falls sie ins Schleudern geraten sollte. Autofahren war nicht ihre starke Seite, doch saß sie lieber allein im Wagen, als sich im Expreßbus oder Zug mit anderen zu drängen.

Als sie nach rechts zur Autobahn abbog, wurde der Zustand der Fahrbahn besser, und sie wagte es, die Geschwindigkeit leicht zu erhöhen. Sie sollte Henrik Wijkner um zwölf Uhr treffen, aber da sie frühmorgens von Fjällbacka losgefahren war, blieb ihr genügend Zeit für die Strecke nach Göteborg.

Zum erstenmal dachte sie wieder an das Gespräch mit Anna. Es fiel ihr noch immer schwer, zu glauben, daß ihre Schwester tatsächlich den Verkauf des Hauses durchsetzen wollte. Es war doch schließlich ihrer beider Elternhaus, und Vater und Mutter wären verzweifelt gewesen, wenn sie davon gewußt hätten. Nichts war jedoch undenkbar, wenn Lucas die Hand im Spiel hatte. Da ihr klar war, daß er keine Skrupel kannte, zog sie eine andere Möglichkeit nicht mal in Betracht. Er wurde immer niveauloser, aber das hier übertraf fast alles, was er sich bisher geleistet hatte.

Nun ja, bevor sie sich ernsthaft wegen des Hauses Gedanken machte, würde sie erst einmal in Erfahrung bringen, wie ihre Situation rein rechtlich aussah. Bis dahin war sie nicht bereit, sich von Lucas' neuestem Einfall entmutigen zu lassen. Jetzt wollte sie sich auf das bevorstehende Gespräch mit Alex' Gatten konzentrieren.

Henrik Wijkner hatte am Telefon sympathisch geklungen und gewußt, worum es ging, als sie anrief. Natürlich dürfe sie kommen und Fragen über Alexandra stellen, wenn der Nachruf für deren Eltern so wichtig sei.

Erica fand es interessant, zu sehen, wie Alex wohl gewohnt hatte, auch wenn es sie nicht gerade lockte, die Trauer eines weiteren Menschen zu erleben. Das Treffen mit Alex' Eltern war aufwühlend genug gewesen. Als Autorin wollte sie die Wirklichkeit lieber aus der Entfernung betrachten. Von oben studieren, distanziert und in Sicherheit. Zugleich gab ihr das hier die Möglichkeit, ein erstes Bild von der Person zu erhalten, die Alex als Erwachsene geworden war.

Erica und Alex waren vom ersten Schultag an unzertrennlich gewesen. Erica hatte es unglaublich stolz gemacht, daß Alex, die auf alle in ihrer Nähe wie ein Magnet wirkte, gerade sie als Freundin auserwählte. Alle wollten mit Alex zusammen sein, doch die war sich ihrer Beliebtheit nicht einmal bewußt. Ihre Zurückhaltung lag daran, daß sie ganz und gar in sich selbst ruhte, was für ein Kind sehr ungewöhnlich war, wie Erica später begriff. Dennoch war Alex offen und großzügig und machte trotz ihrer Zurückhaltung nicht den Eindruck, schüchtern zu sein. Erica hätte nie gewagt, sich ihr auf eigene Faust zu nähern. Die ganze Zeit waren die beiden Mädchen eng befreundet, bis zu dem Jahr, bevor Alex wegzog und für immer aus ihrem Leben verschwand. In den Monaten davor war ihr Alex immer mehr ausgewichen, und Erica hatte Stunde um Stunde einsam in ihrem Zimmer verbracht und der Freundschaft nachgetrauert. Eines Tages, als sie bei Alex an der Tür klingelte, kam niemand, um zu öffnen. Fünfundzwanzig Jahre später konnte sich Erica noch immer genau erinnern, wie weh es getan hatte, als sie begriff, daß Alex weggezogen war, ohne ihr davon zu erzählen und sich von ihr zu verabschieden. Noch heute hatte sie nicht die leiseste Ahnung, was damals passiert war, aber wie Kinder so sind, hatte sie die ganze Schuld bei sich selbst gesucht und ganz einfach angenommen, Alex habe sie satt gehabt.

Erica bahnte sich mit einigen Schwierigkeiten ihren Weg durch die Stadt Richtung Sarö. Sie kannte Göteborg sehr gut, weil sie vier Jahre hier studiert hatte, aber zu jener Zeit hatte sie kein Auto besessen. Hätte sie Fahrradwege benutzen können, wäre es ihr bedeutend leichter gefallen. Für einen unsicheren Autofahrer war Göteborg ein Alptraum, überall Einbahnstraßen, vielbefahrene Plätze mit Kreisverkehr und das nervende Gebimmel der Straßenbahnen, die sich von allen Seiten näherten. Außerdem kam es einem vor, als ob alle Wege nach Hisingen führten. Nahm man eine falsche Ausfahrt, landete man unweigerlich dort.

Doch die Wegbeschreibung, die ihr Henrik gegeben hatte, war sehr genau, und so gelang es ihr schon beim ersten Versuch, richtig zu fahren, so daß sie diesmal um Hisingen herumkam.

Das Haus übertraf all ihre Erwartungen: eine riesige weiße Villa, erbaut um 1900, mit Blick aufs Wasser und einem kleinen Pavillon, der gemütliche laue Sommerabende versprach. Der Garten, der unter einer dicken weißen Schneedecke steckte, war wundervoll gestaltet und verlangte allein aufgrund seiner Größe nach der liebevollen Pflege eines kompetenten Fachmanns.

Sie passierte eine Weidenallee und fuhr durch ein großes Gittertor auf den Kiesplatz vor dem Haus.

Über eine Steintreppe gelangte man zu einer mächtigen Eichentür. Es gab keine moderne Klingel, statt dessen ließ Erica den massiven Türklopfer laut gegen die Tür hämmern, die im selben Augenblick geöffnet wurde. Erica hatte fast erwartet, von einem Hausmädchen mit gestärkter Haube und Schürze empfangen zu werden, statt dessen bat sie ein Mann einzutreten, der, wie sie sofort begriff, Henrik Wijkner sein mußte. Er sah unverschämt gut aus, und Erica war froh, daß sie ein bißchen mehr Mühe auf ihr Aussehen verwendet hatte, bevor sie von zu Hause weggefahren war.

Sie kam in eine mächtige Diele, die allein schon geräumiger als ihre eigene Wohnung daheim in Stockholm war.

»Erica Falck.«

»Henrik Wijkner. Wenn ich mich recht entsinne, sind wir uns im Sommer begegnet. In dieser Gaststätte unten am Ingrid-Bergman-Platz.«

»Im ›Café Bryggan‹. Ja, das stimmt. Scheint eine Ewigkeit her zu sein, daß wir Sommer hatten. Besonders in Anbetracht dieses Wetters.«

Henrik murmelte höflich etwas zur Antwort. Er half ihr, den Mantel auszuziehen, und wies ihr den Weg in einen Salon, der sich an die Diele anschloß. Sie setzte sich vorsichtig auf ein Sofa, das sie mit ihrer sehr begrenzten Kenntnis von Antiquitäten nur als alt und vermutlich sehr wertvoll identifizieren konnte. Henriks Angebot, einen Kaffee zu trinken, nahm sie dankend an. Während er sich dem Getränk widmete und sie weitere Ansichten über das schreckliche Wetter austauschten, beobachtete ihn Erica insgeheim und stellte fest, daß er nicht sonderlich betrübt aussah. Sie wußte aber auch, daß das nichts bedeuten mußte. Die Menschen reagierten verschieden, wenn es um Trauer ging.

Er war salopp gekleidet, trug perfekt gebügelte Chinos und ein leuchtend blaues Ralph-Lauren-Hemd. Sein dunkles, fast schwarzes Haar war elegant geschnitten, ohne dabei allzu gekämmt auszusehen. Die Augen waren dunkelbraun und ließen ihn leicht südländisch wirken. Sie selbst bevorzugte Männer mit einem bedeutend ungebändigteren Aussehen, dennoch konnte sie sich der Ausstrahlung dieses Mannes nicht entziehen, der aussah, als sei er einem Modemagazin entstiegen. Henrik und Alex mußten ein auffallend schönes Paar gewesen sein.

»Was für ein wundervolles Haus.«

»Danke. Ich bin die vierte Generation Wijkner, die es bewohnt. Mein Urgroßvater ließ es Anfang des vorigen Jahrhunderts errichten, und seitdem ist es im Besitz unserer Familie. Wenn diese Wände sprechen könnten …« Er ließ die Hand durch den Raum schweifen und lächelte Erica an.

»Ja, es muß wunderbar sein, der Geschichte seiner Familie so nahe zu sein.«

»Sowohl als auch. Man hat auch eine große Verantwortung. In die Fußstapfen der Väter treten und wie es sonst noch heißt.«

Er lachte leicht, und Erica fand, er machte nicht den Eindruck, als würde ihn diese Verantwortung sonderlich belasten.

Sie selbst fühlte sich hoffnungslos fehl am Platz in diesem eleganten Zimmer und kämpfte vergeblich damit, eine bequeme Stellung auf dem schönen, aber spartanischen Sofa einzunehmen. Am Ende rutschte sie ganz nach vorn auf die Kante und schlürfte vorsichtig von dem Kaffee, der in kleinen Mokkatassen serviert worden war. Es zuckte in ihrem kleinen Finger, aber sie widerstand der Versuchung. Die Tassen waren wie dafür gemacht, den Finger abzuspreizen, aber sie befürchtete, es könnte eher wie eine Parodie wirken, statt weltgewandt zu erscheinen. Eine Weile rang sie mit sich angesichts des Kuchentellers, der auf dem Tisch stand, aber dann gab sie sich bei einer dicken Napfkuchenscheibe geschlagen. Schätzungsweise wieder zehn rote Punkte.

»Alex liebte dieses Haus.«

Erica hatte überlegt, wie sie sich dem tatsächlichen Anlaß ihres Besuches nähern sollte, und war dankbar, daß Henrik selbst auf Alex zu sprechen kam.

»Wie lange habt ihr hier zusammen gewohnt?«

»Genauso lange, wie wir verheiratet waren, fünfzehn Jahre. Wir haben uns kennengelernt, als wir beide in Paris studierten. Sie Kunstgeschichte, und ich hatte versucht, mir genügend Kenntnisse in der Welt der Wirtschaft anzueignen, um das Familienimperium wenigstens notdürftig führen zu können.«

Erica bezweifelte stark, daß Henrik Wijkner jemals etwas nur notdürftig tat.

»Direkt nach der Hochzeit sind wir nach Schweden zurück und in dieses Haus gezogen. Meine Eltern waren beide tot, und die Villa hatte ein paar Jahre, in denen ich im Ausland war, unbewohnt dagestanden und verfiel langsam, aber Alex fing sofort mit dem Renovieren an. Sie wollte alles perfekt gestalten. Jedes Detail im Haus, jede Tapete, jedes Möbelstück und jeder Teppich sind entweder die ursprünglichen – sie befanden sich also von Anfang an hier und sind originalgetreu restauriert worden –, oder es sind Gegenstände, die Alex gekauft hat. Sie durchstreifte wer weiß wie viele Antiquitätenläden, um genau dieselben Sachen zu finden, die es zu Zeiten meines Urgroßvaters hier gegeben hatte. Dabei halfen ihr jede Menge alter Fotografien, und das Ergebnis ist einfach phantastisch. Zur selben Zeit rackerte sie sich ab, um ihre Galerie in Schwung zu bringen, und wie sie das alles geschafft hat, verstehe ich immer noch nicht.«

»Wie war Alex als Person?«

Henrik nahm sich Zeit, um über die Frage nachzudenken. »Schön, ruhig und Perfektionistin bis in die Fingerspitzen. Wer sie nicht kannte, hielt sie vielleicht für arrogant, aber das lag vor allem daran, daß sie niemanden so leicht an sich heranließ. Alex war eine Person, um die man kämpfen mußte.«

Erica wußte genau, was er meinte. Diese Zurückhaltung, die einen Teil von Alex' Anziehungskraft ausmachte, hatte ihr schon in der Kindheit den Ruf eingebracht, eingebildet zu sein, meist sagten das dieselben Mädchen, die sich später fast darum prügelten, neben ihr sitzen zu dürfen.

»Wie meinst du das?« Sie wollte hören, wie Henrik die Sache beschrieb.

Der schaute aus dem Fenster, und zum erstenmal, seit Erica das Wijknersche Haus betreten hatte, glaubte sie, hinter Henriks faszinierendem Äußeren ein Gefühl zu bemerken.

»Sie ging immer ihren eigenen Weg. Sie nahm keine Rücksicht auf andere Menschen. Nicht aus Bösartigkeit, es gab nichts Derartiges an Alex, sondern aus reiner Notwendigkeit. Das wichtigste für meine Frau war, nicht verletzt zu werden. Alles andere, alle anderen Gefühle mußten dahinter zurückstehen. Aber das Problem ist, wenn du aus Angst davor, jemand könnte dein Feind sein, niemanden hinter deine Mauern läßt, dann schließt du auch deine Freunde aus.« Er verstummte. Dann sah er sie an. »Sie hat von dir gesprochen.«

Erica konnte ihre Verwunderung nicht verbergen. Aufgrund der Art, wie ihre Freundschaft geendet hatte, war sie überzeugt gewesen, Alex habe ihr den Rücken zugekehrt und nie wieder an sie gedacht.

»An eine Sache erinnere ich mich noch besonders gut. Sie hat gesagt, daß du ihre letzte richtige Freundin gewesen bist. ›Die letzte saubere Freundschaft.‹ Genauso hat sie es ausgedrückt. Eine etwas merkwürdige Weise, so etwas zu beschreiben, fand ich damals, aber mehr hat sie dazu nicht gesagt, und zu diesem Zeitpunkt hatte ich schon gelernt, daß es das beste war, nicht zu fragen. Nur wegen dieser Worte erzähle ich dir Dinge von Alex, die niemand sonst erfahren hat. Irgend etwas sagt mir, daß du trotz der vielen Jahre, die seitdem vergangen sind, noch immer einen besonderen Platz im Herzen meiner Frau eingenommen hast.«

»Du hast sie geliebt?«

»Mehr als alles andere. Alexandra war mein Leben. Alles, was ich getan habe, alles, was ich gesagt habe, kreiste um sie. Ironischerweise hat sie es nie bemerkt. Wenn sie mich nur zu sich hineingelassen hätte, wäre sie heute nicht tot. Die Antwort lag die ganze Zeit direkt vor ihrer Nase, aber sie wagte nicht, danach zu suchen. Feigheit und Mut vermischten sich bei meiner Frau auf merkwürdige Weise.«

»Birgit und Karl-Erik glauben nicht, daß sie sich das Leben genommen hat.«

»Ja, ich weiß. Sie betrachten es als selbstverständlich, daß ich genauso denke, aber, um ehrlich zu sein, ich weiß nicht, was ich glauben soll. Ich habe über fünfzehn Jahre mit ihr zusammen gelebt, aber ich habe sie nicht gekannt.«

Seine Stimme klang noch immer trocken und sachlich. Nach dem Ton zu urteilen, hätte das, was er äußerte, ebensogut ein Kommentar zum Wetter sein können, aber Erica begriff, daß ihr erster Eindruck von Henrik nicht hätte falscher sein können. Das Maß seiner Trauer war gewaltig. Sie war nur nicht offen zu besichtigen wie bei Birgit und Karl-Erik Carlgren. Vielleicht aufgrund ihrer eigenen Erfahrungen verstand Erica instinktiv, daß es hier nicht nur um die Trauer über den Tod der Ehefrau ging, sondern darum, für immer die Möglichkeit verloren zu haben, von ihr genauso geliebt zu werden, wie er sie geliebt hatte. Das war ein Gefühl, das Erica mehr als nur akzeptieren konnte.

»Wovor hat sie Angst gehabt?«

»Das ist eine Frage, die ich mir tausendmal gestellt habe. Ich weiß es wirklich nicht. Sobald ich mit ihr reden wollte, verschloß sie sich sofort, und es gelang mir niemals, zu ihr vorzu-

34

dringen. Es war, als würde sie an einem Geheimnis tragen, daß sie mit niemandem teilen konnte. Klingt das seltsam? Aber da ich also nicht weiß, was sie mit sich herumgeschleppt hat, kann ich auch nicht darauf antworten, ob sie fähig gewesen ist, sich das Leben zu nehmen.«

»Wie war ihr Verhältnis zu den Eltern und der Schwester?«

»Ja, wie soll ich das beschreiben.« Er dachte wieder lange nach, bevor er eine Antwort gab. »Angespannt. Als würden sie allesamt auf Zehenspitzen umeinander herumschleichen. Die einzige, die jemals gesagt hat, was sie wirklich meinte, war ihre kleine Schwester Julia, aber die ist überhaupt ziemlich ausgefallen. Man hatte ständig das Gefühl, als würde hinter dem, was laut gesagt wurde, ein ganz anderer Dialog stattfinden. Ich weiß nicht richtig, wie ich das erklären soll. Es war, als würden sie eine Codesprache benutzen und jemand hätte vergessen, mir den passenden Schlüssel zu geben.«

»Was meinst du damit, daß Julia ausgefallen ist?«

»Wie du bestimmt weißt, hat Birgit Julia spät bekommen. Sie war schon weit über die Vierzig, und das Kind war nicht geplant. Also ist Julia irgendwie immer das Kuckucksjunge im Nest geblieben. Es kann auch nicht ganz einfach gewesen sein, eine Schwester wie Alex zu haben. Julia war kein schönes Kind und ist auch als Erwachsene wohl nicht gerade attraktiver geworden, und du weißt ja, wie Alex ausgesehen hat. Birgit und Karl-Erik waren immer völlig auf Alex konzentriert, und Julia wurde ganz einfach vergessen. Um damit umgehen zu können, vergrub sie sich in sich selber. Aber ich mag sie. Unter der mürrischen Oberfläche steckt etwas. Ich hoffe nur, jemand nimmt sich die Zeit, dorthin vorzudringen.«

»Wie hat sie auf Alex' Tod reagiert? Wie war die Beziehung der Schwestern zueinander?«

»Danach mußt du wohl Birgit oder Karl-Erik fragen. Ich habe Julia über ein halbes Jahr nicht gesehen. Sie studiert Pädagogik oben im Norden, in Umeå, und fährt ungern von dort weg. Sie war nicht mal letzte Weihnachten zu Hause. Was die Beziehung zu Alex angeht, so hat Julia ihre große Schwester immer vergöttert. Alex war schon auf dem Internat, als Julia geboren wurde, also war sie nicht sehr viel zu Hause, aber wenn wir zu Besuch bei der Familie waren, ist Julia ihr wie ein Hündchen auf den Fersen geblieben. Alex kümmerte sich nicht viel darum, sondern ließ Julia machen. Manchmal konnte sie genervt reagieren und fauchte Julia an, aber meistens hat sie die Kleine einfach ignoriert.«

Erica fühlte, daß sich das Gespräch dem Ende zuneigte. In den Pausen zwischen den Sätzen hatte totale Stille in dem großen Haus geherrscht, und sie ahnte, daß es trotz aller Pracht für Henrik Wijkner hier sehr einsam geworden war.

Erica erhob sich und streckte ihm die Hand hin. Er nahm sie mit beiden Händen, hielt sie ein paar Sekunden fest, ließ sie dann los und ging ihr zur Tür voraus.

»Ich hatte vor, zur Galerie zu fahren und sie mir ein bißchen anzusehen.«

»Eine gute Idee. Alex war ungeheuer stolz darauf. Sie hat den Betrieb von Grund auf gemanagt, zusammen mit einer Freundin aus der Pariser Studienzeit, Francine Bijoux. Jetzt heißt sie allerdings Sandberg. Wir haben uns auch privat recht viel getroffen, selbst wenn das etwas weniger geworden ist, seit Francine und ihr Mann die Kinder haben. Sie ist bestimmt in der Galerie, ich rufe sie an und erkläre ihr, wer du bist, dann ist sie ganz sicher bereit, ein bißchen von Alex zu erzählen.«

Henrik hielt Erica die Tür auf, und mit einem letzten Dankeschön drehte sie ihm den Rücken zu und ging zum Auto.

In dem Augenblick, als sie aus dem Wagen stieg, öffnete der Himmel seine Schleusen. Die Galerie lag in der Chalmersgatan, parallel zur Avenyn, doch nachdem sie eine halbe Stunde im Kreis gefahren war, hatte sie aufgegeben und das Auto auf Heden geparkt. Das war eigentlich nicht besonders weit weg, aber im strömenden Regen kam es ihr wie zehn Kilometer vor. Außerdem kostete das Parken zehn Kronen die Stunde, und Erica spürte, wie ihre Stimmung immer schlechter wurde. Einen Schirm hatte sie natürlich auch nicht mitgenommen, und sie wußte, daß ihre Locken nur zu bald aussehen würden, als hätte sie sich eigenhändig an einer Dauerwelle versucht.

Sie überquerte rasch die Avenyn und konnte gerade noch der Vierer-Straßenbahn ausweichen, die ratternd in Richtung Mölndal fuhr. Nachdem sie am »Valand« vorbeigekommen war, wo sie während der Studienzeit so manchen wilden Abend verbracht hatte, bog sie nach links in die Chalmersgatan ab.

Die »Galerie Abstrakt« lag linker Hand, mit großen Schaufenstern zur Straße. Eine Türglocke läutete, als sie hineinging, und sie sah, daß die Räumlichkeit viel größer war, als sie von außen gedacht hatte. Wände, Fußboden und Decke waren weiß gestrichen, was die Kunstwerke, die an den Wänden hingen, in den Mittelpunkt rückte.

Am hinteren Ende des Raums sah sie eine Frau, die unverkennbar französischer Abstammung war. Sie hätte nicht eleganter sein können. Eifrig gestikulierend diskutierte sie mit einem Kunden vor einem Bild.

»Ich komme gleich, schau dich in der Zwischenzeit gern ein bißchen um.« Ihr französischer Akzent klang bezaubernd.

Erica nahm sie beim Wort, und die Hände hinterm Rücken, ging sie langsam durch den Raum und betrachtete die Werke. Wie der Name der Galerie schon besagte, waren alle Bilder im abstrakten Stil gehalten. Kuben, Vierecke, Kreise und seltsame Figuren. Erica legte den Kopf schräg und schaute die Werke mit halbgeschlossenen Augen an, um so das zu sehen, was Kunstkenner darin erblickten, was ihr aber selbst völlig entging. Nein, es blieben auch jetzt nur Kuben und Vierecke, die nach ihrer Ansicht auch ein Fünfjähriger zustande brachte. Sie mußte einfach akzeptieren, daß all das hier ihren Horizont überstieg.

Sie stand vor einem riesigen roten Bild mit gelben, unregelmäßig verteilten Flächen, als sie hörte, daß Francine mit über das Schachbrettmuster des Fußbodens klappernden Absätzen näher kam.

»Ist das nicht wunderbar?«

»Ja sicher, es ist schön. Doch um ehrlich zu sein, bin ich in der Kunst nicht besonders bewandert. Ich finde van Goghs Sonnenblumen schön, aber ungefähr da hört mein Wissen auch schon auf.«

Francine lächelte.

»Du mußt Erica sein. Henri hat gerade angerufen und erzählt, daß du hierher unterwegs bist.«

Sie streckte ihre feingliedrige Hand aus, und Erica wischte ihre noch immer regennassen Finger schnell trocken, bevor sie Francines Hand ergriff.

Die Frau vor ihr war klein und zart und wirkte auf eine Weise elegant, für die Französinnen ein Patent besitzen mußten. Mit ihren 1,75 ohne Schuhe fühlte sich Erica im Vergleich zu ihr wie eine Riesin.

Francines Haar war rabenschwarz, glatt aus der Stirn gekämmt und zu einem Knoten im Nacken zusammengenommen. Sie trug ein eng anliegendes schwarzes Kostüm. Die Farbe hatte sie gewiß im Hinblick auf den Tod der Kollegin und Freundin gewählt, denn sie schien mehr eine Frau zu sein, die sich in dramatisches Rot oder vielleicht Gelb kleidete. Das leichte Make-up war perfekt aufgetragen, dennoch konnte es den roten Rand um die Augen nicht verbergen. Erica hoffte, daß ihre eigene Wimperntusche nicht verschmiert war. Vermutlich war das eine vergebliche Hoffnung.

»Ich hatte gedacht, wir reden bei einer Tasse Kaffee. Heute ist es sehr ruhig. Wir können uns nach hinten setzen.«

Sie ging Erica voraus in einen kleinen Raum hinter der Galerie, der mit allem, Kühlschrank, Mikrowelle und Kaffeemaschine, ausgerüstet war. Der dort stehende Tisch war klein und bot nur zwei Stühlen Platz. Erica setzte sich auf den einen und bekam von Francine sofort einen dampfend heißen Kaffee serviert. Ihr Magen protestierte gegen noch mehr von diesem Getränk, aber aus Erfahrung wußte sie – schließlich hatte sie unzählige Interviews geführt, um Material für ihre Bücher zu sammeln –, daß die Leute mit einer Tasse Kaffee in der Hand aus irgendeinem Grund besser redeten.

»Wie ich Henris Worten entnommen habe, bist du von Alex' Eltern gebeten worden, einen Nachruf zu schreiben.«

»Ja, ich habe Alex in den letzten fünfundzwanzig Jahren nur einmal ganz kurz getroffen, also versuche ich, bevor ich mich an die Arbeit setze, mehr darüber zu erfahren, wie sie als Person gewesen ist.«

»Bist du Journalistin?«

»Nein, ich bin Schriftstellerin. Schreibe Biographien. Das hier mache ich nur, weil Birgit und Karl-Erik mich darum gebeten haben. Außerdem bin ich es gewesen, die sie gefunden hat, ja, jedenfalls so gut wie, und auf irgendeine merkwürdige Weise habe ich das Gefühl, ich sollte das hier tun, um ein anderes Bild, ein lebendiges Bild von Alex zu bekommen. Klingt das komisch?«

»Nein, überhaupt nicht. Ich finde es phantastisch, daß du dir wegen Alex' Eltern, ja und wegen Alex, so viel Mühe machst.«

Francine beugte sich über den Tisch und legte ihre sorgfältig manikürte Hand auf Ericas.

Erica spürte, wie ihr die Schamröte ins Gesicht stieg, und sie versuchte, nicht an das Exposé zu dem Buch zu denken, mit dem sie den größten Teil des gestrigen Tages verbracht hatte. Francine fuhr fort: »Henri hat mich auch gebeten, deine Fragen so aufrichtig wie möglich zu beantworten.«

Sie sprach ein ausgezeichnetes Schwedisch. Das R rollte weich, und Erica registrierte, daß sie die französische Version von Henrik, also Henri, benutzte.

»Alex und du, ihr habt euch in Paris getroffen?«

»Ja, wir haben zusammen Kunstgeschichte studiert. Haben uns schon am ersten Tag gefunden. Sie sah verloren aus, und ich fühlte mich verloren. Der Rest ist Geschichte, wie man zu sagen pflegt.«

»Wie lange habt ihr euch gekannt?«

»Mal sehen, Henri und Alex haben im Herbst ihren fünfzehnten Hochzeitstag gefeiert, also sind es ... siebzehn Jahre. Fünfzehn davon haben wir zusammen diese Galerie geführt.«

Sie verstummte und steckte sich zu Ericas großer Verwunderung eine Zigarette an. Aus irgendeinem Grund hatte Erica sich nicht vorstellen können, daß Francine rauchte. Deren Hand zitterte leicht, als sie die Zigarette anzündete, und sie nahm einen tiefen Lungenzug, ohne den Blick von Erica zu lösen.

»Hast du dich nicht gefragt, wo sie geblieben ist? Vermutlich lag sie dort ja schon eine Woche, bevor wir sie gefunden haben.«

Erica fiel auf, daß sie nicht daran gedacht hatte, Henrik diese Frage zu stellen.

»Ich weiß, daß es merkwürdig klingt, aber nein, das habe ich nicht. Alex ...«, Francine zögerte. »Alex hat immer ein bißchen gemacht, was sie wollte. Das konnte ungeheuer frustrierend sein, aber ich nehme an, daß ich mich mit der Zeit daran gewöhnt hatte. Es war nicht das erste Mal, daß sie eine Weile wegblieb, um dann einfach wieder aufzutauchen, als sei nichts geschehen. Sie hat mich außerdem mehr als gut dafür entschädigt, indem sie die Galerie in der Zeit meiner Mutterschaftsurlaube ganz allein geführt hat. Weißt du, irgendwie glaube ich wohl immer noch, daß es auch diesmal so sein wird. Daß sie einfach zur Tür hereinkommt. Aber das wird ja nicht passieren.«

Eine Träne drohte aus dem Augenwinkel zu quellen.

»Nein.« Erica blickte in die Kaffeetasse und ließ Francine Zeit, sich diskret die Augen zu wischen. »Wie hat Henrik reagiert, als Alex einfach verschwand?«

»Du hast ihn doch getroffen. So wie er es sah, konnte Alex keine Fehler machen. Henri hat die letzten fünfzehn Jahre damit verbracht, sie zu vergöttern. Der Ärmste.«

»Warum der Ärmste?«

»Alex hat ihn nicht geliebt. Früher oder später hätte er es einsehen müssen.«

Die erste Zigarette war ausgedrückt, und sie zündete eine zweite an.

»Ihr müßt euch nach so vielen Jahren in- und auswendig gekannt haben.«

»Ich glaube nicht, daß irgend jemand Alex kannte. Obwohl ich sie wohl besser gekannt habe als Henri. Er hat sich immer geweigert, die rosarote Brille abzunehmen.«

»Henrik hat bei unserem Gespräch angedeutet, daß er während ihrer ganzen Ehe das Gefühl hatte, Alex würde etwas vor ihm verbergen. Weißt du, ob das der Wahrheit entspricht und was das in dem Fall sein könnte?«

»Wirklich ungewöhnlich hellsichtig von ihm. Ich habe Henri vielleicht unterschätzt.« Sie hob eine ihrer wohlgeformten Brauen. »Auf die erste Frage antworte ich mit Ja, auch ich hatte immer das Gefühl, daß sie etwas mit sich herumschleppt. Auf die andere Frage muß ich leider mit Nein antworten, ich habe nicht die geringste Ahnung, um was es sich handeln könnte. Trotz unserer langen Freundschaft gab es einen Punkt, an dem Alex immer zu erkennen gab, bis hierher und nicht weiter. Ich habe es akzeptiert, Henri hat es nicht getan. Das hätte ihn früher oder später kaputtgemacht. Außerdem weiß ich, daß es eher früher als später passiert wäre.«

»Wieso?«

Francine zögerte. »Man wird Alex obduzieren, oder?«

Die Frage überraschte Erica. »Ja, das tut man bei Selbstmord immer. Warum interessiert dich das?«

»Dann weiß ich, daß die Sache, die ich dir erzählen will, auf jeden Fall bekannt wird. Ich habe dann wenigstens nicht so ein schlechtes Gewissen.«

Sie drückte die Kippe sorgfältig aus. Erica hielt vor Spannung den Atem an, aber Francine ließ sich Zeit und beschäftigte sich mit ihrer dritten Zigarette. Ihre Finger hatten nicht die für Raucher typische gelbe Verfärbung, also vermutete Erica, daß sie normalerweise nicht ununterbrochen qualmte.

»Du weißt bestimmt, daß Alex in den letzten sechs, sieben Monaten bedeutend häufiger in Fjällbacka gewesen ist?«

»Ja, der Dschungeltelegraf funktioniert in kleinen Orten sehr gut. Dem lokalen Klatsch nach zu urteilen, war sie mehr oder weniger jedes Wochenende dort. Allein.«

»Allein entspricht nicht ganz den Tatsachen.«

Francine zögerte erneut, und Erica mußte ihre Lust bezwingen, sich über den Tisch zu beugen und sie zu schütteln, damit sie mit dem, was sie verschwieg, endlich herausrückte. Ericas Interesse war unwiderruflich geweckt.

»Sie hatte dort jemanden kennengelernt. Einen Mann. Ja, es war nicht das erste Mal, daß Alex eine Affäre hatte, aber irgendwie sagte mir mein Gefühl, daß es diesmal anders war. Zum erstenmal, seit wir uns kannten, wirkte sie fast zufrieden. Außerdem, ich weiß, daß sie sich nicht das Leben genommen haben kann. Jemand muß sie ermordet haben, daran besteht für mich überhaupt kein Zweifel.«

»Wie kannst du dir da so sicher sein? Nicht mal Henrik wußte zu sagen, ob sie imstande gewesen wäre, sich umzubringen.«

»Weil sie ein Kind erwartet hat.«

Die Antwort überraschte Erica. »Weiß Henrik davon?«

»Keine Ahnung. Es war auf jeden Fall nicht sein Kind. Sie haben seit vielen Jahren nicht mehr so zusammen gelebt. Und solange sie es getan haben, hat sich Alex immer geweigert, mit Henrik ein Kind zu bekommen. Trotz seiner wiederholten Bitten. Nein, als Vater des Kindes kommt nur der neue Mann in ihrem Leben in Frage – wer immer das auch sein mag.«

»Sie hat nicht erzählt, wer es ist?«

»Nein. Alex war, wie du zu diesem Zeitpunkt bestimmt schon begriffen hast, mit Vertraulichkeiten sehr zurückhaltend. Ich muß zugeben, daß ich ungeheuer erstaunt war, als sie von dem Kind erzählte. Die Sache ist auch einer der Gründe dafür, daß ich mir völlig sicher bin, daß sie sich nicht das Leben genommen hat. Sie war vor Glück völlig außer sich und konnte das Geheimnis einfach nicht für sich behalten. Sie liebte dieses Kind und hätte nie etwas getan, das ihm geschadet hätte, noch viel weniger hätte sie sich umgebracht. Noch nie habe ich Alexandra so lebensfroh gesehen. Ich glaube, ich hätte sie sehr gern haben können.« Der Ton ihrer Stimme war traurig. »Weißt du, ich hatte auch das Gefühl, daß sie irgendwie reinen Tisch mit ihrer Vergangenheit machen wollte. Ich weiß nicht, womit oder auf welche Weise, aber ein paar kleine Bemerkungen hier und da haben diesen Eindruck bei mir hinterlassen.«

Die Tür in der Galerie draußen wurde geöffnet, und sie hörten, wie jemand auf der Fußmatte den nassen Schnee von den Schuhen stampfte. Francine stand auf.

»Das ist bestimmt ein Kunde. Ich muß mich um ihn kümmern. Ich hoffe, daß ich ein bißchen helfen konnte.«

»O ja, ich bin sehr dankbar, daß ihr beide, du und Henrik, so offen zu mir gewesen seid. Es war eine große Hilfe.«

Sie gingen gemeinsam zur Tür, nachdem Francine dem Kunden versichert hatte, sie würde sich ihm gleich widmen. Vor einer riesigen Leinwand mit einem weißen Quadrat auf blauem Grund blieben sie stehen und gaben sich die Hand.

»Aus reiner Neugier: Was muß man für ein solches Bild bezahlen? Fünftausend, zehntausend Kronen?«

Francine lächelte. »Eher fünfzigtausend.«

Erica pfiff leise durch die Zähne. »Ja, da kann man mal sehen. Kunst und gute Weine. Zwei Gebiete, die für mich das reinste Mysterium sind.«

»Und ich kann kaum eine Einkaufsliste schreiben. Wir haben alle unsere Schwachstellen.«

Sie lachten, und Erica zog ihren noch immer feuchten Mantel fester um sich und begab sich hinaus in den Regen.

Die Nässe hatte den Schnee in Matsch verwandelt, und sie blieb sicherheitshalber etwas unter der erlaubten Geschwindigkeit. Nachdem sie fast eine halbe Stunde vergeudet hatte, um von Hisingen wegzukommen, wohin sie nun doch geraten war, befand sie sich jetzt kurz vor Uddevalla. Ein dumpfes Knurren im Magen erinnerte sie, daß sie völlig vergessen hatte, etwas zu essen. Sie bog nördlich von Uddevalla am Einkaufscenter Torp von der E6 ab und fuhr zu McDonald's an den Drive-in-Schalter. Auf dem Parkplatz, wo sie im Auto sitzen blieb, verdrückte sie rasch einen Cheeseburger und war bald wieder unterwegs auf der Autobahn. Die ganze Zeit über ging sie in Gedanken die Gespräche durch, die sie mit Henrik und Francine geführt hatte. Das, was beide ihr erzählt hatten, ergab das Bild eines Menschen, der sich mit hohen Verteidigungsmauern umgeben hatte. Besonders neugierig war sie darauf, wer der Vater von Alex' Kind war. Francine hatte nicht geglaubt, daß es Henrik sein könnte, aber niemand wußte genau, was sich im Schlafzimmer anderer Leute abspielte, und Erica sah darin durchaus noch eine Möglichkeit. Andernfalls mußte man sich fragen, ob es tatsächlich jener Mann war, wegen dem Alex, wie Francine erzählt hatte, jedes Wochenende nach Fjällbacka gekommen war, oder ob sie in Göteborg noch eine weitere Beziehung gehabt hatte.

Ericas Eindruck war, daß Alex in einer Art parallelen Existenz gelebt hatte. Sie tat, was sie wollte, ohne zu überlegen, welchen Einfluß das auf die ihr Nahestehenden und vor allem auf Henrik hatte. Erica ahnte, daß es Francine schwerfiel, zu verstehen, wie Henrik eine Ehe unter diesen Voraussetzungen akzeptieren konnte, sie glaubte sogar, daß Francine ihn dafür verachtete. Sie selbst begriff leider viel zu gut, wie diese Mechanismen funktionierten, hatte sie doch Annas und Lucas' Ehe seit vielen Jahren studiert.

Wenn sie an Annas Unfähigkeit dachte, ihre Lebenssituation zu verändern, bedrückte es sie am meisten, daß sie sich die Frage stellen mußte, ob sie nicht einen Anteil an Annas fehlender Selbstachtung hatte. Erica war fünf Jahre alt gewesen, als Anna geboren wurde. Vom ersten Augenblick an, als sie die kleine Schwester gesehen hatte, war Erica entschlossen gewesen, sie vor der Wirklichkeit zu beschützen, die sie selbst wie eine unsichtbare Wunde mit sich herumtrug. Anna sollte sich nie einsam und verstoßen fühlen, weil die Mutter ihren Töchtern keine Liebe geben konnte. Die Umarmungen und zärtlichen Worte, die Anna von ihrer Mutter nicht bekam, brachte Erica im Überfluß auf. Mit mütterlicher Sorge wachte sie über die kleine Schwester.

Anna war ein Kind, das es einem leicht machte, es zu lieben. Sie kümmerte sich nicht um die betrüblicheren Aspekte des Lebens und verbrachte jeden Augenblick im Heute. Erica, die altklug und oft ängstlich war, faszinierte die Energie, mit der Anna jede Minute ihres Lebens liebte. Diese nahm Ericas Fürsorge ruhig hin, hatte jedoch selten die Geduld, längere Zeit auf ihrem Schoß zu sitzen, um mit sich schmusen zu lassen. Sie wuchs zu einem wilden Teenager auf, der einfach machte, wozu er Lust hatte. Sie war ein unbeschwertes, ganz auf sich bezogenes Kind.

Als Anna Lucas kennenlernte, war sie eine leichte Beute für ihn. Sie ließ sich von seiner Fassade faszinieren und sah nie die dumpfen Farben, die sich darunter verbargen. Schritt für Schritt hatte er ihr Lebensfreude und Selbstvertrauen genommen, indem er an ihre Eitelkeit appellierte. Jetzt saß sie wie ein schöner Vogel in seinem Käfig im oberen Östermalm und hatte nicht die Kraft, sich ihren Irrtum einzugestehen. Jeden Tag hoffte Erica, daß Anna aus eigenem Antrieb die Hand ausstrecken und die Schwester um Hilfe bitten würde. Bis dahin konnte Erica nicht mehr tun, als zu warten und einfach nur dazusein.

Es war nicht etwa so, daß sie selbst mehr Glück mit ihren Geschichten hatte. Eine ganze Reihe kaputter Beziehungen und großer Versprechungen lagen hinter ihr. Meist war sie es gewesen, die die Sache beendet hatte. Wenn sie in einer Beziehung an einem gewissen Punkt angekommen war, legte sich irgendwas quer. Ein Panikgefühl, so stark, daß sie kaum Luft bekam, packte sie, und die Folge war, daß sie Sack und Pack nahm und aufbrach, ohne einen Blick zurückzuwerfen. Paradoxerweise hatte Erica dennoch, solange sie denken konnte, große Sehnsucht nach einer Familie und nach Kindern gehabt, aber jetzt war sie fünfunddreißig, und die Jahre gingen dahin.

Verdammt, den ganzen Tag hatte sie die Gedanken an Lucas verdrängen können, aber jetzt machte die Sache sie kribbelig, und sie wußte, daß sie herausfinden mußte, wie gefährlich die Situation eigentlich war. Im Moment war sie viel zu müde, um sich damit zu beschäftigen. Das mußte bis morgen warten. Sie hatte das dringende Bedürfnis, sich den Rest des Tages zu erholen, ohne an Lucas oder Alexandra Wijkner denken zu müssen.

Sie wählte eine der einprogrammierten Nummern auf ihrem Handy.

»Hallo, hier ist Erica. Seid ihr heute abend zu Hause? Ich wollte mal kurz vorbeischauen.«

Dan lachte herzlich. »Und ob wir zu Hause sind! Weißt du nicht, was heute abend stattfindet?«

Das auf diese Frage folgende Schweigen am anderen Ende der Leitung zeugte von totalem Schock. Erica dachte gründlich nach, aber konnte sich an nichts erinnern, was den Abend hervorhob. Es war kein Feiertag, niemand hatte Geburtstag, Dan und Pernilla hatten im Sommer geheiratet, also konnte es auch nicht der Hochzeitstag sein.

»Nein, ich habe überhaupt keine Ahnung. Klär mich auf.«

Ein schwerer Seufzer erklang, und der sagte Erica, daß das große Ereignis mit Sport zu tun haben mußte. Dan war ein großer Sportfanatiker, was, wie Erica wußte, zuweilen Reibungen zwischen seiner Frau Pernilla und ihm auslöste. Sie selber hatte eine eigene Methode gefunden, um sich für all die Abende zu rächen, die sie zusammen mit Dan vor irgendeiner sinnlosen sportlichen Aktivität auf dem Bildschirm verbringen mußte. Dan war fanatischer Anhänger von Djurgården, und deshalb hatte Erica die Rolle des eifrigen AIK-Fans übernommen. Eigentlich war sie an Sport im allgemeinen und Eishockey im besonderen überhaupt nicht interessiert, aber gerade deshalb schien Dan die Sache noch mehr zu ärgern. Am allermeisten brachte es ihn auf, daß es sie kaum berührte, wenn AIK verlor.

»Schweden trifft auf Weißrußland!« Er ahnte das Fragezeichen und seufzte noch einmal tief. »OS, Erica, OS. Hast du überhaupt eine Ahnung, daß ein solches Ereignis gerade stattfindet ...«

»Ach so, du meinst das Spiel. Ja, ist ja wohl klar, daß ich Bescheid weiß. Ich habe gedacht, du meinst, daß darüber hinaus noch irgendwas Besonderes stattfindet.«

Sie betonte die Worte so übertrieben, daß deutlich wurde, daß sie nicht die leiseste Ahnung von dem Spiel gehabt hatte, und sie lächelte, weil sie wußte, daß sich Dan jetzt über soviel Schmähung buchstäblich die Haare raufte. Sport war seiner Meinung nach keine Sache, über die man Scherze machte.

»Aber dann komme ich und guck mir das Spiel zusammen mit dir an, um nicht zu verpassen, wie Salming den russischen Widerstand zerschmettert ...«

»Salming! Weißt du, wie viele Jahre es her ist, seit er aufgehört hat! Das war nur Spaß, oder? Sag, daß du nur Spaß gemacht hast.«

»Ja, Dan, es war ein Scherz. Ganz so hinterm Mond bin ich nicht. Ich komme vorbei und sehe mir Sundin an, wenn dir das lieber ist. Übrigens ein verdammt gut aussehender Kerl.«

Ein dritter tiefer Seufzer. Diesmal, weil es in Dans Augen Ketzerei war, über einen solchen Giganten der Eishockeywelt in anderen Termini als rein sportlichen zu sprechen. »Ja, komm nur. Aber ich will nicht, daß es wie beim vorigen Mal wird! Kein Gequatsche während des Spiels, keine Kommentare, daß die Spieler mit ihren Beinschützern richtig sexy aussehen, und

46

vor allem nicht wieder solche Fragen wie, ob sie nur das Suspensorium anhaben oder auch noch Unterhosen drüber. Ist das klar?«

Erica unterdrückte ein Lachen und versicherte in erstem Ton: »Bei meiner Pfadfinderehre, Dan.«

Er brummte: »Du bist ja wohl keine Pfadfinderin gewesen.«

»Na ja eben.«

Dann drückte sie die Taste mit dem roten Telefon.

Dan und Pernilla wohnten in einem der relativ neu errichteten Reihenhäuser in Falkeliden. Die Häuserzeilen kletterten den Rabekullen hinauf, und ein Haus glich dem anderen, so daß sie kaum voneinander zu unterscheiden waren. Die Gegend war bei Familien mit Kindern beliebt, vor allem weil sie völlig ohne Seeblick war und die Preise somit nicht in jene schwindelerregenden Höhen gestiegen waren wie bei den Häusern näher am Meer.

Es war ein viel zu kalter Abend, um zu Fuß zu gehen. Erica nahm das Auto, das jedoch heftig protestierte, als sie auf dem steilen, nur mäßig mit Sand bestreuten Hang beschleunigte. Mit einem tiefen Seufzer der Erleichterung bog sie schließlich in Dans und Pernillas Straße ein.

Erica klingelte an der Tür, und dahinter hörte man sofort das tumultartige Getrappel kleiner Füße. Eine Sekunde später wurde die Haustür von einem kleinen Mädchen im langen Nachthemd aufgerissen. Es war Lisen, Dans und Pernillas jüngstes Kind. Heiße Gefühle brodelten in Malin, der Mittleren, die es ungerecht fand, daß Lisen die Tür für Erica öffnen durfte, und der Streit verstummte erst, als Pernillas entschiedene Stimme aus der Küche erklang. Bellinda, die Älteste, war dreizehn, und als Erica am Markt vorbeigefahren war, hatte sie das Mädchen an Ackes Wurstbude stehen sehen, umgeben von ein paar grünen Jungs mit Moped. Sie würde ihren Eltern bestimmt bald einiges zu schaffen machen.

Nachdem Erica die Kleinen umarmt hatte, verschwanden sie genauso schnell, wie sie gekommen waren, und ließen Erica in aller Ruhe ihren Mantel ausziehen.

Pernilla stand mit rosigen Wangen und einer Schürze, auf der in großen Buchstaben »Küß den Koch« zu lesen war, in der Küche und machte das Abendessen. Sie wirkte, als befinde sie sich mitten in einer kritischen Phase der Zubereitung, und winkte Erica nur leicht zerstreut zu, bevor sie sich wieder ihren Töpfen und Pfannen zuwandte, die auf dem Herd dampften und zischten. Erica begab sich ins Wohnzimmer, wo, wie sie wußte, Dan zu finden sein würde, auf das Sofa gefläzt, die Füße auf dem Glastisch und die Fernbedienung in der rechten Hand verankert.

»Hallo! Ich sehe, daß der Chauvi auf der faulen Haut liegt, während das Frauchen im Schweiße ihres Angesichts in der Küche schuftet.«

»Hallooo! Ja, du weißt, wenn man nur zeigt, wo es langgeht, und sein Zuhause mit fester Hand steuert, kann man die meisten Frauen in den Griff bekommen.«

Sein warmes Lächeln widersprach dem, was er sagte, und Erica wußte, wer immer es auch sein mochte, der bei den Karlssons den Ton angab, ihr Freund Dan war es jedenfalls nicht.

Sie umarmte ihn rasch und nahm dann auf dem schwarzen Ledersofa Platz, und da sie sich wie zu Hause fühlte, legte auch sie die Füße auf den Glastisch. Unter angenehmem Schweigen folgten sie eine Weile den Nachrichten des vierten Programms, und Erica fragte sich, übrigens nicht zum erstenmal, ob sie und Dan es in einem gemeinsamen Leben genauso gehabt hätten.

Dan war ihr erster Freund und ihre erste große Liebe gewesen. Die ganzen drei Jahre im Gymnasium galten sie als unzertrennlich. Doch sie hatten verschiedene Ziele im Leben gehabt. Dan wollte in Fjällbacka bleiben und Fischer wie sein Vater und Urgroßvater werden, während Erica es kaum abwarten konnte, den kleinen Ort zu verlassen. Sie hatte immer das Gefühl gehabt, hier zu ersticken, und die Zukunft lag für sie anderswo.

Sie hatten ein Weilchen versucht, die Verbindung aufrechtzuerhalten, obwohl Dan in Fjällbacka geblieben und Erica nach Göteborg gegangen war, aber ihr Leben verlief in völlig verschiedene Richtungen, und nach der schmerzlichen Trennung war es ihnen langsam gelungen, eine freundschaftliche Beziehung aufzubauen, die jetzt, fast fünfzehn Jahre später, stark und innig war.

Pernilla mit ihren warmen, tröstenden Armen war in Dans Leben aufgetaucht, als er noch immer versucht hatte, mit dem Gedanken zurechtzukommen, daß Erica und er keine gemeinsame Zukunft hatten. Pernilla war da, als er es am dringendsten brauchte, und sie vergötterte ihn, was einen Teil des Vakuums ausfüllte, das Erica hinterlassen hatte. Für Erica war es schmerzlich gewesen, ihn mit einer anderen zusammen zu sehen, aber sie hatte allmählich verstanden, daß es unausweichlich so hatte kommen müssen. Das Leben ging weiter.

Jetzt hatten Dan und Pernilla drei gemeinsame Töchter, und Erica glaubte, daß sie im Laufe der Jahre eine warme Alltagsliebe zueinander aufgebaut hatten, obwohl sie manchmal zu spüren meinte, daß Dan irgendwie rastlos wirkte.

Anfangs war es für Erica und Dan auch nicht ganz problemlos gewesen, ihre Freundschaft fortzusetzen. Pernilla hatte eifersüchtig über ihn gewacht und war Erica mit tiefem Mißtrauen begegnet. Langsam, aber sicher war es Erica gelungen, Pernilla zu überzeugen, daß sie es nicht auf ihren Mann abgesehen hatte, und wenn die beiden auch nie ganz dicke Freundinnen wurden, so hatten sie doch eine entspannte und herzliche Beziehung zueinander. Nicht zuletzt aus dem Grund, weil die Töchter Erica offenbar über alles liebten. Sie war sogar Lisens Patentante geworden.

»Das Essen ist fertig.«

Dan und Erica erhoben sich aus ihrer halb liegenden Stellung und gingen in die Küche, wo Pernilla einen dampfenden Topf auf den Tisch stellte. Darauf standen nur zwei Teller, so daß Dan fragend die Augenbrauen hob.

»Ich habe mit den Kindern gegessen. Nehmt ihr jetzt, dann kümmere ich mich darum, daß sie ins Bett kommen.«

Erica fand es beschämend, daß Pernilla sich ihretwegen soviel Mühe gemacht hatte, aber Dan zuckte nur die Schultern und schaufelte sich unbekümmert eine Riesenportion von dem Gericht auf den Teller, das sich als deftiger Fischeintopf erwies.

»Wie ist es dir ergangen? Wir haben dich ja wochenlang nicht zu Gesicht bekommen.«

Die Frage klang eher bekümmert als vorwurfsvoll, aber in Erica rührte sich dennoch ein wenig schlechtes Gewissen, weil sie sich in letzter Zeit so wenig gemeldet hatte. Sie hatte den Kopf einfach mit soviel anderem voll gehabt.

»Ja, es wird langsam besser. Aber jetzt scheint es, als würde es Streit um das Haus geben«, sagte Erica.

»Wieso?« Dan schaute verwundert von seinem Teller hoch: »Anna und du, ihr liebt dieses Haus doch, und ihr seid doch immer gut miteinander ausgekommen.«

»Wir ja. Du vergißt nur, daß auch Lucas dazugehört. Er riecht Geld und kann sich eine solche Möglichkeit wohl nicht entgehen lassen. Auf Annas Meinung hat er schon vorher keine Rücksicht genommen, und ich sehe nicht, warum er das diesmal tun sollte.«

»Was für ein Scheiß, den sollte ich bloß im Dunkeln erwischen, dann würde er nicht mehr so auf den Putz hauen.«

Dan knallte die Faust auf den Tisch, und Erica zweifelte keine Sekunde daran, daß er Lucas, wenn er es wirklich wollte, eine gehörige Abreibung verpassen könnte. Dan war schon als Teenager von kräftiger Statur gewesen, und die schwere Arbeit auf dem Fischkutter hatte seinen Körper weiter gestählt, doch die sanften Augen widersprachen dem Eindruck, daß er ein harter Bursche sei. Soweit Erica wußte, hatte er seine Hand nie gegen ein lebendes Wesen erhoben.

»Ich will nicht zuviel sagen, denn eigentlich weiß ich nicht genau, wie meine Lage ist. Morgen werde ich meine Freundin Marianne, die Anwältin ist, anrufen und mich erkundigen, was ich für Möglichkeiten habe, den Verkauf zu verhindern, aber heute abend will ich am liebsten nicht daran denken. Außerdem hatte ich in den letzten Tagen so einiges um die Ohren, was alle meine Gedanken über den materiellen Besitz recht nebensächlich erscheinen läßt.«

»Ja, ich habe gehört, was passiert ist.« Er verstummte. »Wie war das, jemanden so zu sehen?«

Erica überlegte, was sie antworten sollte. »Traurig und

schrecklich zugleich. Ich hoffe, daß ich so was nie wieder erleben muß.«

Sie erzählte von dem Nachruf, an dem sie saß, und von den Gesprächen, die sie mit Alexandras Mann und deren Kollegin geführt hatte. Dan hörte schweigend zu.

»Was ich nicht begreife, ist, warum sie die wichtigsten Menschen in ihrem Leben einfach ausgeschlossen hat. Du hättest ihren Mann sehen sollen, er betete sie an. Aber so ist es wohl bei den meisten Menschen. Sie lächeln und sehen fröhlich aus, aber eigentlich haben sie jede Menge Sorgen und Probleme.«

Dan unterbrach sie abrupt. »Du, das Spiel beginnt in zirka drei Sekunden, und ich ziehe ein Eishockeyspiel wirklich deinen pseudophilosophischen Kommentaren vor.«

»Da besteht keine Gefahr. Außerdem habe ich ein Buch mitgebracht, falls das Spiel langweilig werden sollte.«

Dans Blick war mörderisch, bevor er das spöttische Blitzen in Ericas Augen wahrnahm.

Sie kamen gerade rechtzeitig zum Anpfiff ins Wohnzimmer.

Marianne nahm beim ersten Klingeln ab.

»Marianne Svan.«

»Hallo, hier ist Erica.«

»Hallo, wir haben ja lange nichts voneinander gehört. Wie schön, daß du anrufst. Wie geht's dir? Ich habe so viel an dich gedacht.«

Erneut wurde Erica daran erinnert, daß sie sich in letzter Zeit nicht gerade viel um ihre Freunde gekümmert hatte. Ihr war klar, daß sie sich Sorgen um sie machten, aber im letzten Monat war sie nicht einmal richtig imstande gewesen, sich bei Anna zu melden. Sie wußte jedoch, daß die anderen es verstanden.

Mit Marianne war sie seit der Universitätszeit befreundet. Sie hatten zusammen Literatur studiert, aber nach fast vier Jahren Studium war Marianne dahintergekommen, daß sie nicht dazu berufen war, Bibliothekarin zu werden, und deshalb hatte sie umgesattelt und war jetzt Anwältin. Eine erfolgreiche, wie sich zeigen sollte, denn inzwischen war sie trotz ihrer jungen Jahre

51

Partnerin in einer der größten und angesehensten Kanzleien von Göteborg.

»Ach, danke, den Umständen entsprechend wohl ganz gut. Langsam bekomme ich das Leben wieder in den Griff, aber natürlich ist da immer noch 'ne Menge auf die Reihe zu bringen.«

Marianne hatte noch nie viel übrig gehabt für leeres Geschwätz, und mit ihrer unfehlbaren Intuition begriff sie sofort, daß es auch nicht das war, was Erica wollte. »Also, was kann ich für dich tun, Erica? Ich hör' doch, daß irgendwas ist, also versuch's nicht erst.«

»Ja, ich schäme mich wirklich, daß ich mich erst so lange nicht gemeldet habe und daß ich jetzt, wo ich schließlich anrufe, deine Hilfe brauche.«

»Also, sei nicht albern! Womit kann ich dir helfen? Gibt es Probleme mit dem Nachlaß?«

»Ja, das kann man wahrhaftig sagen.« Erica saß am Küchentisch und fingerte an dem Brief herum, der mit der Morgenpost gekommen war. »Anna, oder besser gesagt: Lucas will das Haus in Fjällbacka verkaufen.«

»Das kann doch wohl nicht dein Ernst sein!« Marianne, die normalerweise die Ruhe selbst war, explodierte. »Was glaubt dieser Scheißkerl eigentlich, wer er ist? Ihr liebt doch dieses Haus!«

Erica fühlte plötzlich einen Stich in der Brust und brach in Tränen aus. Marianne beruhigte sich sofort wieder und ließ Erica ihr Mitgefühl spüren.

»Wie steht's eigentlich mit dir? Willst du, daß ich hinkomme? Ich könnte heute abend bei dir sein.«

Die Tränen strömten noch heftiger, aber nachdem das Schluchzen eine Weile angedauert hatte, beruhigte sich Erica so weit, daß es Sinn hatte, sich die Augen zu wischen.

»Wirklich unheimlich lieb von dir, aber ich bin okay. Ganz bestimmt. Es war nur ein bißchen viel in letzter Zeit. Es nimmt einen ziemlich mit, die Sachen der Eltern zu ordnen, und mit dem Buch hänge ich auch hinterher, und der Verlag macht Druck, ja, und dann die Sache mit dem Haus, und um das Maß voll zu machen, habe ich vergangenen Freitag auch noch meine allerbeste Schulfreundin tot aufgefunden.«

Ein Lachen stieg in ihr auf, und sie begann hysterisch zu kichern. Erst nach einiger Zeit gelang es ihr, sich zu beruhigen.

»Hast du tot gesagt, oder habe ich mich verhört?«

»Leider hast du ganz richtig gehört. Entschuldige, es muß schrecklich wirken, daß ich einfach so lospruste. Es ist nur ein bißchen viel gewesen. Alexandra Wijkner, die sich in der Badewanne ihres Elternhauses hier in Fjällbacka das Leben genommen hat, war meine beste Freundin schon im Kindergarten. Vielleicht kanntest du sie ja sogar? Sie und ihr Mann, Henrik Wijkner, bewegten sich doch in den besten Kreisen Göteborgs, und das sind schließlich Leute, mit denen auch du heutzutage verkehrst, oder?«

Sie lächelte und wußte, daß Marianne am anderen Ende der Leitung dasselbe tat. Als sie noch Studenten waren, wohnte Marianne im Stadtviertel Majorna und kämpfte für die Rechte der Arbeiterklasse, und sie wußten beide, daß Marianne mit den Jahren zu ganz anderen Tönen gezwungen worden war, um sich in das Umfeld einzufügen, zu dem sie durch die Arbeit in dem traditionsreichen Anwaltsbüro automatisch gehörte. Jetzt hieß es, schicke Kostüme mit Schalkragenblusen zu tragen und sich auf Cocktailpartys in Örgryte zu zeigen, aber Erica wußte, daß all das bei Marianne nur eine dünne Firnisschicht über der rebellischen Gesinnung bildete.

»Henrik Wijkner. Ja, den Namen kenne ich sehr gut, wir haben sogar eine Reihe gemeinsamer Bekannter, aber es hat sich nie ergeben, daß wir uns persönlich getroffen haben. Rücksichtsloser Geschäftsmann, heißt es. Einer von der Sorte, der hundert Leute vor dem Frühstück entlassen könnte, ohne sich dadurch den Appetit verderben zu lassen. Seine Frau hat ja wohl eine Boutique betrieben?«

»Eine Galerie. Mit abstrakter Kunst.«

Mariannes Worte über Henrik verblüfften Erica. Sie hatte immer geglaubt, eine gute Menschenkenntnis zu besitzen, und Henrik war ihr wirklich nicht wie das Ebenbild eines rücksichtslosen Geschäftsmannes erschienen.

Sie ließ das Thema Alex fallen und kam auf den eigentlichen Grund ihres Anrufes zu sprechen. »Ich habe heute einen Brief erhalten. Von Lucas' Anwalt. Sie zitieren mich am Freitag zu einem Gespräch nach Stockholm, wo es um den Verkauf des Hauses unserer Eltern gehen soll. Was das Juristische anbelangt, bin ich aber völlig ahnungslos. Wie sind eigentlich meine Rechte? Habe ich überhaupt welche? Kann Lucas das wirklich tun?«

Sie spürte, daß ihre Unterlippe erneut zu zittern begann, und holte tief Luft, um sich zu beruhigen. Aus dem Küchenfenster sah sie wieder Eis auf der Bucht funkeln, denn dem regnerischen Tauwetter der letzten Tage waren in der Nacht Minusgrade gefolgt. Sie beobachtete einen Spatz, der auf dem Fensterblech gelandet war, und erinnerte sich, daß sie eine Talgkugel kaufen wollte, um sie für die Vögel hinzuhängen. Der Spatz wackelte neugierig mit dem Kopf und pickte mit dem Schnabel leicht gegen die Scheibe. Nachdem er sich überzeugt hatte, daß es da nichts Eßbares gab, flog er wieder davon.

»Wie du weißt, beschäftige ich mich mit Steuern, nicht mit Familienrecht, also kann ich dir auf Anhieb keine Antwort darauf geben. Aber wir machen es so. Ich rede mit einem Experten unserer Kanzlei, und dann rufe ich dich im Laufe des Tages an. Du bist nicht allein, Erica. Wir werden dich bei der Sache unterstützen, das verspreche ich dir.«

Es war schön, Mariannes Versicherung zu hören, und als sie wieder aufgelegt hatte, erschien ihr das Dasein heller, obwohl sie auch jetzt nicht mehr wußte als vor dem Anruf.

Dann fühlte sie sich auf einmal rastlos. Sie zwang sich, die Arbeit an der Biographie aufzunehmen, aber es ging nur schleppend voran. Mehr als die Hälfte des Buches mußte noch geschrieben werden, und der Verlag verlor allmählich die Geduld, weil er die erste Fassung noch immer nicht erhalten hatte. Nachdem sie den Text um fast zwei A4-Seiten ergänzt hatte, las sie das Geschriebene durch, klassifizierte es als Mist und löschte die Arbeit mehrerer Stunden sofort wieder. Wenn sie an die Biographie dachte, empfand sie großen Überdruß, die Lust an der Arbeit war ihr schon seit langem vergangen. So schrieb sie lieber den Nachruf auf Alexandra zu Ende und legte ihn in ein Kuvert, das an die »Bohuslän Tidning« adressiert war. Und jetzt sollte sie wohl Dan anrufen und ein bißchen in der geradezu tödlichen Wunde herumstochern, die seiner Seele gestern abend durch die spektakuläre Niederlage Schwedens zugefügt worden war.

Kommissar Mellberg strich sich zufrieden den mächtigen Bauch und überlegte, ob er sich ein Schläfchen gönnen sollte. Sie hatten hier ja doch so gut wie nichts zu tun, und dem bißchen, was es gab, maß er keine größere Bedeutung zu.

Er entschied, daß ein kurzes Nickerchen jetzt gerade richtig käme, um das reichliche Mittagessen in aller Ruhe verdauen zu können. Kaum aber hatte er die Augen zugemacht, als ein energisches Klopfen ankündigte, daß Annika Jansson, die Sekretärin des Polizeireviers, ein Anliegen hatte.

»Was, zum Teufel, ist los? Siehst du nicht, daß ich zu tun habe?« Bei dem Versuch, beschäftigt auszusehen, wühlte er planlos in den Papieren, die in Stapeln auf seinem Schreibtisch lagen, kippte dabei aber nur die Tasse mit dem Kaffee um. Das Getränk breitete sich über die Papiere aus, und um die Lache wegzuwischen, griff Mellberg nach dem, was er zuerst erwischen konnte, es war sein Hemd, das selten die Innenseite des Hosenbunds sah.

»Verdammt! Es ist wirklich das letzte, an einem solchen Ort Chef zu sein! Hat man dir nicht ein bißchen Respekt vor deinem Vorgesetzten beigebracht, so daß du wenigstens anklopfst, bevor du ins Zimmer kommst?«

Die Sekretärin bemühte sich nicht einmal, darauf hinzuweisen, daß sie genau das getan hatte. Aus Erfahrung und mit den Jahren weise geworden, wartete sie nur ab, bis die schlimmste Attacke vorüber war.

»Ich nehme an, du hast ein Anliegen«, fauchte Mellberg.

Annikas Stimme klang ruhig. »Die Gerichtsmedizin in Göteborg wollte dich sprechen. Genauer gesagt, der Pathologe Tord Pedersen. Du kannst diese Nummer hier anrufen.« Sie reichte ihm einen Zettel mit der fein säuberlich notierten Nummer.

»Hat er gesagt, worum es geht?« Die Neugier verursachte ein Kribbeln im Zwerchfell. Die Gerichtsmedizin ließ in solchen entlegenen Nestern nicht eben häufig von sich hören. Vielleicht gab es ja ausnahmsweise mal eine Gelegenheit, um ein bißchen zu zeigen, was man als Polizist so draufhatte.

Er wedelte Annika zerstreut nach draußen und klemmte den Hörer zwischen Doppelkinn und Schulter, bevor er die aufgeschriebene Nummer eifrig eingab.

Annika verschwand schnell aus dem Zimmer und schloß die Tür nachdrücklich hinter sich. Sie ließ sich an ihrem eigenen Schreibtisch nieder und verfluchte wie so oft den Beschluß der Oberen, Mellberg in die kleine Polizeidienststelle von Tanumshede zu entsenden. Laut den Gerüchten, die im Revier kursierten, hatte er sich in Göteborg unmöglich gemacht, weil er einen Asylanten, der unter seiner Verantwortung in Haft saß, gründlich mißhandelt hatte. Es war offenbar nicht sein einziger Fehltritt gewesen, aber wohl der größte. Seine Vorgesetzten hatten die Nase voll gehabt. Die Dienstaufsichtsbehörde hatte nichts beweisen können, aber da man befürchtete, daß Mellberg noch mehr anrichten könnte, wurde er mit sofortiger Wirkung auf den Posten eines Kommissars der Landgemeinde Tanumshede versetzt, wo jeder einzelne der zwölftausend Einwohner, die meisten davon gesetzestreu, ihm als ständige Erinnerung an seine Erniedrigung diente. Seine ehemaligen Chefs in Göteborg rechneten damit, daß er an diesem Ort keinen größeren Schaden anrichten konnte. Bislang war die Beurteilung richtig gewesen. Andrerseits war Mellberg auch nicht eben von größerem Nutzen.

Annika hatte sich früher auf ihrem Arbeitsplatz wohl gefühlt, doch unter der Leitung des neuen Vorgesetzten war damit Schluß. Nicht genug damit, daß sich der Kerl ständig unverschämt aufführte, er meinte außerdem, ein Gottesgeschenk für die Frauen zu sein, und Annika war diejenige, die es vor allem zu spüren bekam. Schlüpfrige Andeutungen, Kniffe in den Hintern und zweideutige Kommentare waren nur ein Bruchteil von dem, was sie derzeit an ihrem Arbeitsplatz zu ertragen hatte. Am meisten zuwider war ihr jedoch die entsetzliche Frisur, die Mellberg zum Verdecken seiner Glatze arrangierte. Er hatte die restlichen Haare zu einer Länge wachsen lassen, die seine Untergebenen nur ahnen konnten. Das Ganze hatte er auf dem Kopf zu einem Gebilde gewickelt, das in erster Linie an ein verlassenes Krähennest erinnerte.

Es schüttelte sie, wenn sie sich vorstellte, welchen Anblick es wohl ergab, wenn er die Haare herunterhängen ließ, doch war sie sich voller Dankbarkeit bewußt, daß sie es nie würde erleben müssen.

Sie fragte sich, was die Gerichtsmedizin wohl von ihnen wollte. Nun ja, sie würde es schon noch rechtzeitig erfahren. Das Revier war nicht größer, als daß jede Information von Interesse im Laufe einer Stunde die Runde machte.

Bertil Mellberg hörte das Freizeichen, während er Annikas Rückzug aus dem Zimmer verfolgte.

Verdammt hübsches Weibsbild, die da. Schön fest, aber dennoch rund an den richtigen Stellen. Langes blondes Haar, hoher Busen und griffiger Hintern. Nur schade, daß sie immer diese langen Röcke und legeren Blusen trug. Er sollte sie vielleicht darauf hinweisen, daß etwas figurbetontere Sachen passender wären. Als Chef muß man ja wohl das Recht haben, seine Meinung zur Kleidung des Personals zu äußern. Siebenunddreißig ist sie, das wußte er, da er einen Blick in die Personalakten geworfen hatte. Etwas über zwanzig Jahre jünger als er selber, was genau seinem Geschmack entsprach. Um die alten Weiber sollten sich andere kümmern. Er war Manns genug für jüngere Talente. Reif, erfahren, mit kleidsamer Körperfülle, und kein Mensch konnte ahnen, daß seine Haare mit den Jahren vielleicht ein bißchen schütter geworden waren. Er befühlte mit den Fingern ganz vorsichtig die Mitte des Kopfes. Ja doch, die Haare saßen, wie sie sollten.

»Tord Pedersen.«

»Ja, hallo. Hier ist Kommissar Mellberg, Polizeirevier Tanumshede. Sie wollten mich sprechen?«

»Ja, stimmt. Es geht um den Todesfall, den ich von Ihnen hereinbekommen habe. Eine Frau namens Alexandra Wijkner. Es hatte wie Selbstmord ausgesehen.«

»Jaaa.« Die Antwort kam zögernd. Mellbergs Interesse war entschieden geweckt.

»Ich habe gestern die Obduktion vorgenommen, und es steht außer Zweifel, daß es sich nicht um Selbstmord handelt. Jemand hat sie getötet.«

»Oh, mich laust der Affe!« Vor Erregung kippte Mellberg den Kaffee noch einmal um, und das wenige, was noch in der Tasse gewesen war, lief auf den Schreibtisch. Erneut wurde das Hemd hochgerissen und erhielt eine zusätzliche Anzahl Flecke.

»Woher wissen Sie das? Ich meine, welche Beweise gibt es dafür, daß es Mord ist?«

»Ich kann Ihnen das Obduktionsprotokoll umgehend zufaxen, aber es ist fraglich, ob Sie daraus soviel klüger werden. Es ist vielleicht besser, ich gebe Ihnen eine Zusammenfassung der wichtigsten Punkte. Einen Augenblick, ich muß nur meine Brille aufsetzen«, sagte Pedersen.

Mellberg hörte ihn murmelnd lesen und wartete eifrig darauf, an der Information beteiligt zu werden.

»Hier ist es. Frau, fünfunddreißig Jahre alt, gute allgemeine physische Kondition. Aber das wissen Sie bereits. Die Frau ist seit zirka einer Woche tot, dennoch ist der Körper in äußerst gutem Zustand, in erster Linie dank der niedrigen Temperatur des Raums, in dem die Leiche lag. Das Eis um den unteren Teil des Körpers hat ebenfalls dazu beigetragen, ihn zu erhalten. Scharfe Schnittwunden durch die Pulsadern beider Handgelenke, ausgeführt mit einer Rasierklinge, die am Ort wiedergefunden wurde. Das war der Punkt, an dem ich mißtrauisch geworden bin. Beide Schnittwunden sind exakt gleich tief und völlig gerade, was sehr ungewöhnlich ist, ich würde sogar behaupten, daß so was bei Selbstmord nicht vorkommt. Sie verstehen, da wir entweder Rechtshänder oder Linkshänder sind, würden zum Beispiel die Schnittwunden am linken Arm bei einem Rechtshänder viel gerader und tiefer werden als die am rechten Arm, wo man gezwungen ist, sozusagen die ›falsche‹ Hand zu benutzen. Ich habe dann die Finger an beiden Händen untersucht, und mein Verdacht wurde weiter bestärkt. Die Schneide einer Rasierklinge ist so ungemein scharf, daß sie bei der Benutzung meist mikroskopisch kleine Schnittwunden hinterläßt. So etwas war bei Alexandra Wijkner nicht zu finden. Auch das deutet also darauf hin, daß ein anderer ihr die Pulsadern aufgeschnitten hat, vermutlich mit der Absicht, es wie Selbstmord aussehen zu lassen.«

Pedersen machte eine Pause, fuhr dann aber fort: »Als nächstes habe ich mich gefragt, wie jemand dazu in der Lage war, ohne daß sich das Opfer zur Wehr setzt. Die Antwort erhielten wir mit dem toxikologischen Bericht. Das Opfer hatte Reste eines starken Schlafmittels im Blut.«

»Und was beweist das? Kann sie nicht selber eine Schlaftablette genommen haben?«

»Natürlich, so könnte es sein. Aber die moderne Wissenschaft hat die Gerichtsmedizin glücklicherweise mit ein paar unentbehrlichen Mitteln und Methoden ausgestattet. Eine davon ist, daß wir heutzutage die Abbauzeiten verschiedener Arzneien und Gifte sehr genau berechnen können. Wir haben den Test am Blut des Opfers mehrmals vorgenommen und kamen immer wieder zum selben Ergebnis; Alexandra Wijkner kann sich unmöglich selbst die Pulsadern aufgeschnitten haben, denn als ihr Herz aufgrund des Blutverlustes stehenblieb, war sie schon eine ganze Weile tief bewußtlos. Leider kann ich keine exakten Zeitangaben machen, so weit ist die Wissenschaft noch nicht, aber es herrscht keinerlei Zweifel, daß es sich um Mord handelt. Ich hoffe wirklich, man kommt bei Ihnen mit dem Fall zurecht. Mord ist in Ihrer Gegend ja nicht gerade häufig, nehme ich an.«

Pedersens Stimme drückte ziemliche Bedenken aus, die Mellberg sofort als Kritik an der eigenen Person auffaßte. »Ja, Sie haben recht, daß wir mit so was hier in Tanumshede nicht oft konfrontiert werden. Glücklicherweise bin ich nur vorübergehend an diesem Ort eingesetzt. Mein eigentlicher Arbeitsplatz ist die Polizeibehörde von Göteborg, und meine langjährige Erfahrung mit solcher Arbeit macht es möglich, daß wir auch hier eine Morduntersuchung ganz tadellos führen können. So bekommen die Landpolizisten die Chance, einmal richtige Polizeiarbeit kennenzulernen. Sie können also damit rechnen, daß es nicht lange dauern wird, bis der Fall gelöst ist. Das versichere ich Ihnen.«

Mit dieser hochtrabenden Erklärung meinte Mellberg, dem Gerichtsmediziner Pedersen deutlich gemacht zu haben, daß er wirklich nicht mit irgendeinem Grünschnabel sprach. Ärzte mußten sich immer aufspielen. Pedersens Anteil an der Arbeit war jedenfalls abgeschlossen, und nun war es an der Zeit, daß ein Profi die Sache in die Hand nahm.

»Oh, ich hätte beinahe etwas vergessen.« Die Selbstgefälligkeit des Polizisten hatte dem Gerichtsmediziner die Sprache verschlagen, und fast hätte er es verschwitzt, von zwei weiteren, seiner Ansicht nach wichtigen Entdeckungen zu berichten. »Alexandra Wijkner war im dritten Monat schwanger, und sie hat auch früher schon ein Kind geboren. Ich weiß nicht, ob das für Ihre Untersuchung von Bedeutung ist, aber besser zuviel Information als zu wenig, nicht wahr«, sagte Pedersen.

Mellberg schnaufte nur verächtlich zur Antwort, und nach ein paar notdürftigen Abschiedsformeln beendeten sie das Gespräch. Pedersen voller Zweifel, mit welcher Kompetenz hier ein Mörder gejagt werden würde, und Mellberg mit neu erwachten Lebensgeistern und voller Eifer. Eine erste Untersuchung des Badezimmers war direkt nach dem Auffinden der Toten gemacht worden, aber jetzt würde er dafür sorgen, daß Alexandra Wijkners Haus Millimeter für Millimeter unter die Lupe genommen wurde.

2

Er wärmte eine Strähne ihres Haares zwischen den Händen. Kleine Eiskristalle schmolzen und befeuchteten seine Handflächen. Sorgfältig leckte er das Wasser ab.

Er lehnte das Gesicht gegen den Wannenrand und spürte die Kälte in die Haut schneiden. Wie schön sie doch war. Schwimmend auf dieser Fläche aus Eis.

Das Band zwischen ihnen existierte noch immer. Nichts war verändert. Nichts war anders geworden. Zwei von derselben Art.

Ihre Hand ließ sich nur mit Anstrengung nach oben drehen, so daß Handfläche auf Handfläche lag. Er flocht seine Finger zwischen die ihren. Das Blut war eingetrocknet und fest, kleine Teilchen blieben an seiner Haut hängen.

Mit ihr zusammen hatte Zeit nie eine Bedeutung gehabt. Jahre, Wochen und Tage verschwammen ineinander zu einer grauen Masse, wo nur eins von Bedeutung war. Ihre Hand in seiner Hand. Deshalb war es so schmerzhaft, im Stich gelassen zu werden. Die Zeit hatte damit erneut Bedeutung erlangt. Und das Blut konnte nie mehr warm durch ihre Glieder fließen.

Bevor er ging, bog er die Hand vorsichtig in ihre ursprüngliche Lage zurück.

Er drehte sich nicht um.

Geweckt aus tiefem, traumlosem Schlaf, konnte Erica das Geräusch zunächst nicht identifizieren. Als sie begriff, daß sie vom schrillen Klingeln des Telefons aufgewacht war, hatte es schon eine Weile geläutet, und sie sprang aus dem Bett, um zu antworten.

»Erica Falck.« Ihre Stimme war nur ein Krächzen, und sie räusperte sich, die Hand über dem Hörer, geräuschvoll, um die schlimmste Heiserkeit loszuwerden.

»Oh, habe ich dich geweckt? Ich bitte wirklich um Entschuldigung.«

»Nein, nein, ich war wach.« Die Antwort kam automatisch, und Erica hörte selbst, wie durchsichtig ihre Ausrede klang. Es war ziemlich offensichtlich, daß sie, milde ausgedrückt, noch ganz verschlafen war.

»Ja, egal wie, ich bitte jedenfalls um Entschuldigung. Hier ist Henrik Wijkner. Ich bin nämlich eben von Birgit angerufen worden, und sie hat mich gebeten, zu dir Verbindung aufzunehmen. Offenbar hat sich heute morgen ein äußerst unverschämter Kommissar vom Polizeirevier Tanumshede bei ihr gemeldet. Mit nicht gerade rücksichtsvollen Formulierungen hat er mehr oder weniger befohlen, daß sie sich auf dem Revier einzufinden habe. Anscheinend ist auch meine Anwesenheit erwünscht. Er wollte nicht sagen, worum es ging, aber wir haben unsere Befürchtungen. Birgit ist ungeheuer aufgeregt, und da im Augenblick weder Karl-Erik noch Julia in Fjällbacka sind, wollte ich fragen, ob du mir einen großen Gefallen tun und zu ihr gehen und nach ihr sehen könntest. Ihre Schwester und ihr Schwager sind arbeiten, also ist sie allein im Haus. Es dauert ein paar Stunden, bis ich in Fjällbacka sein kann, und ich möchte nicht, daß sie so lange ohne jemanden bleibt. Ich weiß, es ist viel verlangt, und wir kennen uns ja eigentlich nicht besonders gut, aber ich wüßte sonst niemanden, an den ich mich wenden könnte.«

»Selbstverständlich werde ich zu Birgit gehen. Das ist kein Problem. Ich muß mir nur was überziehen, dann kann ich in ungefähr einer Viertelstunde bei ihr sein.«

»Wunderbar. Ich bin dir ewig dankbar. Wirklich. Birgit war noch nie besonders widerstandsfähig, und es ist mir lieb, daß sie jemanden bei sich hat, bis ich selber nach Fjällbacka komme. Ich rufe an und sage ihr, daß du unterwegs bist. Kurz nach zwölf kann ich wohl dort sein, dann können wir alles Weitere bereden. Nochmals – vielen Dank.«

Die Augen immer noch voll Schlaf, eilte Erica ins Bad, um sich rasch das Gesicht zu waschen. Sie zog die Sachen an, die sie am gestrigen Tag getragen hatte, und nachdem sie sich mit dem Kamm durch die Haare gefahren und ein bißchen Wimperntusche aufgelegt hatte, saß sie nach weniger als zehn Minuten hinterm Steuer. Es dauerte noch weitere fünf, um von Sälvik zur Tallgatan zu fahren, und so klingelte sie fast auf die Sekunde genau eine Viertelstunde nach Henriks Anruf dort an der Tür.

Birgit wirkte, als hätte sie in den Tagen, seit Erica sie das letzte Mal gesehen hatte, mehrere Kilo abgenommen. Die Kleider hingen lose um ihren Körper. Diesmal setzten sie sich nicht ins Wohnzimmer, sondern Birgit ging ihr in die Küche voran.

»Danke, daß du herkommen konntest. Ich bin einfach so unruhig und habe gefühlt, daß ich es nicht aushalte, hier allein dazusitzen und zu grübeln, bis Henrik endlich da ist.«

»Er hat mir erzählt, daß man dich von der Polizei in Tanumshede angerufen hat?«

»Ja, heute morgen um acht rief ein Kommissar Mellberg an und sagte, Karl-Erik, Henrik und ich hätten uns umgehend in seinem Büro einzufinden. Ich habe ihm erklärt, daß Karl-Erik aus geschäftlichen Gründen überraschend wegfahren mußte, aber daß er morgen zurückkommt, und ich fragte ihn, ob wir es nicht auf einen Tag später verschieben könnten. Das kann er nicht akzeptieren, so hat er gesagt, und da muß es eben genügen, daß erst einmal Henrik und ich dort erscheinen. Der Kerl war sehr unverschämt, und ich habe natürlich sofort Henrik angerufen, der versprochen hat, so schnell wie möglich hier zu sein. Ich befürchte, daß ich ein bißchen sehr aufgeregt gewirkt habe, und deshalb hat Henrik vorgeschlagen, dich anzurufen und zu hören, ob du für ein paar Stunden herkommen könntest. Ich hoffe wirklich, du hast es nicht als allzu aufdringlich empfunden. Du willst ja wohl kaum noch mehr in unsere Familientragödie hineingezogen werden, aber ich wußte nicht, an wen ich mich sonst wenden sollte. Außerdem bist du ja früher fast so was wie eine Tochter im Hause gewesen, also habe ich gedacht, daß du vielleicht …«

»Mach dir keine Gedanken. Ich helfe wirklich gern. Hat die Polizei gesagt, worum es geht?«

»Nein, darüber wollte er kein Wort verlieren. Aber ich habe

meine Befürchtungen. Habe ich nicht gesagt, daß sie sich nicht das Leben genommen hat? War es nicht so?«

Erica legte ihre Hand impulsiv auf die von Alexandras Mutter.

»Bitte, Birgit, zieh keine übereilten Schlußfolgerungen. Es ist möglich, daß du recht hast, aber bis wir etwas Genaueres wissen, sollten wir besser keine Spekulationen anstellen.«

Die Stunden dort am Küchentisch zogen sich in die Länge. Schon nach einer Weile erstarb das Gespräch, und in der Stille war lediglich das Ticken der Küchenuhr zu hören. Erica zeichnete mit dem Finger Kreise um die Muster auf der glatten Oberfläche des Wachstuchs. Birgit war ebenso sorgfältig gekleidet und geschminkt wie beim letzten Mal, aber irgendwie hatte sie etwas Müdes, Mitgenommenes an sich, es war wie bei einem Foto, das an den Rändern unscharf geworden war. Der Gewichtsverlust stand ihr nicht, da sie schon vorher fast mager gewesen war, jetzt waren neue Falten um Mund und Augen sichtbar geworden. Sie umklammerte ihre Kaffeetasse so fest, daß die Knöchel weiß hervortraten. Wenn die lange Wartezeit für Erica ermüdend war, mußte sie für Birgit unerträglich sein.

»Ich verstehe nicht, wer Alex hätte töten wollen. Sie hatte keine Feinde, auch niemanden, der ihr übelwollte. Sie lebte nur ein ganz normales Leben zusammen mit Henrik.« Die Worte klangen wie Pistolenschüsse nach dem langen Schweigen.

»Wir wissen ja noch nicht, ob es tatsächlich so ist. Es nützt nichts, Spekulationen anzustellen, bevor wir wissen, was die Polizei will«, wiederholte Erica. Sie betrachtete die ausbleibende Antwort als Zustimmung.

Kurz nach zwölf bog Henrik auf den kleinen gegenüberliegenden Parkplatz ein. Sie sahen ihn durchs Küchenfenster, erhoben sich dankbar und gingen in den Flur, um sich die Mäntel anzuziehen. Als er an der Tür klingelte, standen sie wartend bereit. Birgit und Henrik taten so, als küßten sie sich auf die Wangen, und dann war Erica an der Reihe. Sie war an solche Umgangsformen nicht gewöhnt und fürchtete ein bißchen, es könnte peinlich werden, wenn sie womöglich von der falschen

Seite aus anfing. Sie bewältigte die Angelegenheit ohne Probleme und genoß eine Sekunde lang den männlichen Duft von Henriks Rasierwasser.

»Du kommst doch wohl mit?«

Erica war bereits auf halbem Weg zu ihrem Auto. »Ja, also, ich weiß nicht, ob das ...«.

»Ich würde es wirklich begrüßen.«

Erica begegnete Henriks Blick über Birgits Kopf, und mit einem stummen Seufzer setzte sie sich auf den Rücksitz seines BMW. Das hier würde ein langer Tag werden.

Die Autofahrt nach Tanumshede dauerte nicht länger als zwanzig Minuten. Sie plauderten über Wind und Wetter und die Entvölkerung der ländlichen Gegend – über alles andere, aber nicht über den Grund ihres bevorstehenden Besuches bei der Polizei.

Erica fragte sich, was sie hier eigentlich machte. Hatte sie nicht genug eigene Probleme? Da mußte sie sich doch nicht noch in einen Mord verwickeln lassen, falls es nun einer war. Diese neue Wendung der Angelegenheit bedeutete auch, daß sie ihre Vorstellung vom Schreiben eines Buches vergessen konnte. Sie hatte bereits einen ersten Entwurf skizziert, und nun konnte sie die Seiten bestimmt in den Papierkorb werfen. Nun ja, so war sie wenigstens gezwungen, sich völlig auf die Biographie zu konzentrieren. Allerdings, mit ein paar Änderungen könnte die Sache dennoch funktionieren. Vielleicht war sie sogar noch besser als vorher. Durch die Mordtheorie konnte das Ganze vielleicht richtig gut werden.

Plötzlich begriff sie, was sie da eigentlich machte. Alex war keine erfundene Buchgestalt, die sie nach eigenem Gutdünken hin und her schieben konnte. Sie war eine Person, die wirklich existiert hatte und die von echten Menschen geliebt worden war. Sie selbst hatte Alex geliebt. Erica betrachtete Henrik im Rückspiegel. Er sah genauso unberührt aus wie zuvor, obwohl er in Kürze vielleicht erfahren mußte, daß seine Frau ermordet worden war. Hieß es nicht, daß die meisten Morde von jemandem aus der Familie des Opfers begangen wurden? Erneut schämte sie sich ihrer eigenen Gedanken. Unter Aufbietung ihrer ganzen Willenskraft zwang sie sich, diese Gedankenbahnen zu verlassen, und bemerkte voller Dankbarkeit, daß sie endlich am Ziel waren. Jetzt wollte sie die Sache hier nur noch hinter sich bringen, damit sie zu ihren vergleichsweise trivialen Sorgen zurückkehren konnte.

Die Papierstapel auf dem Schreibtisch waren in beeindruckende Höhen gewachsen. Es war erstaunlich, daß eine kleine Landgemeinde wie Tanum so viele Anzeigen über Verstöße zustande brachte. Zwar ging es zum größten Teil um Kleinigkeiten, aber jeder Anzeige mußte nachgegangen werden, und deshalb saß er jetzt vor einer Verwaltungsarbeit, die der einer Oststaatenbürokratie würdig gewesen wäre. Es hätte nicht geschadet, wenn Mellberg sich beteiligt hätte, statt den ganzen Tag nur auf seinem dicken Arsch dazuhocken. So wie es jetzt aussah, war er gezwungen, auch noch die Arbeit des Chefs zu erledigen. Patrik Hedström seufzte. Ohne einen gewissen Galgenhumor hätte er nicht so lange überleben können, aber in letzter Zeit dachte er immer wieder darüber nach, ob das hier wirklich der Sinn des Lebens sein konnte.

Das große Ereignis des Tages würde eine willkommene Unterbrechung der täglichen Routine bringen. Mellberg hatte ihn gebeten, bei dem Gespräch mit der Mutter und dem Mann jener Frau anwesend zu sein, die man in Fjällbacka ermordet aufgefunden hatte. Nicht daß er das Tragische des Ganzen nicht begriff oder mit der Familie des Opfers nicht mitfühlen konnte, aber es war einfach so, daß bei seiner Arbeit nur selten etwas Spannendes passierte. Daher spürte er jetzt im ganzen Körper ein erwartungsvolles Kribbeln.

In der Polizeihochschule hatten sie Vernehmungen trainiert, doch bisher hatte er nur Gelegenheit gehabt, derartige Fähigkeiten bei Fahrraddiebstählen und Körperverletzungen zu erproben. Patrik schaute auf die Uhr. Es war Zeit, sich in Mellbergs Büro einzufinden, wo das Gespräch stattfinden sollte. Um ein Verhör ging es rein technisch zunächst noch nicht, dennoch war dieses heutige Zusammentreffen durchaus wichtig. Er hatte gerüchteweise vernommen, daß die Mutter die ganze Zeit er-

klärt hatte, die Tochter hätte sich nicht das Leben nehmen können, und er war neugierig, zu erfahren, was sich hinter dieser,
wie sich jetzt herausgestellt hatte, richtigen Behauptung verbarg.

Er griff nach seinem Notizblock, einem Stift und der Kaffeetasse und ging damit den Korridor hinunter. Da er die Hände
voll hatte, mußte er Ellbogen und Füße benutzen, um die Tür
aufzubekommen, und daher entdeckte er sie erst, als er seine
Sachen abgelegt und sich zum Raum umgedreht hatte. Den
Bruchteil einer Sekunde blieb ihm das Herz stehen. Er war wieder zehn Jahre alt und versuchte, sie an den Zöpfen zu ziehen.
Im nächsten Moment war er fünfzehn und bemühte sich, sie zu
überreden, auf sein Moped zu steigen und mit ihm eine Runde
zu drehen. Dann, als er zwanzig und sie nach Göteborg gezogen war, hatte er die Hoffnung aufgegeben. Nach schnellem
Kopfrechnen kam er zu dem Schluß, daß es wohl mindestens
sechs Jahre her war, seit sie sich das letzte Mal begegnet waren.
Sie hatte sich nicht verändert. War groß und kurvenreich. Die
lockigen Haare reichten ihr in mehreren blonden Nuancen, die
sich zu einem warmen Farbton mischten, bis auf die Schultern.
Schon als Kind war Erica eitel gewesen, und er konnte sehen,
daß sie noch immer großes Gewicht auf die Details ihres Aussehens legte. Ihr Gesicht hellte sich verwundert auf, als sie ihn
erblickte, aber da Mellberg ihn auffordernd ansah und erwartete, daß er sich hinsetzte, formte er mit den Lippen nur ein
stummes Hallo.

Es war eine ernste Gruppe, die er vor sich sah. Alexandra
Wijkners Mutter war klein und dünn, behängt mit für seinen
Geschmack viel zuviel schwerem Goldschmuck. Sie war perfekt
frisiert und äußerst gut angezogen, aber sie sah mitgenommen
aus und hatte dunkle Schatten unter den Augen. Ihr Schwiegersohn zeigte keine solche Zeichen der Trauer. Patrik schaute
in seine Papiere mit den Hintergrundinformationen. Henrik
Wijkner, erfolgreicher Unternehmer aus Göteborg, mit be-
trächtlichem Vermögen seit mehreren Generationen in gerader
absteigender Linie. Das war zu spüren. Nicht nur wegen der
kostspieligen Kleidung oder des teuren Aftershave-Duftes, der

im Raum hing. Da war auch noch etwas schwer Definierbares. Die selbstverständliche Überzeugung, daß man das Recht auf einen vorderen Platz in der Welt hatte, die daher rührte, daß solche Leute nie irgendwelche Vorteile im Leben vermissen mußten. Obwohl Henrik angespannt aussah, konnte Patrik spüren, daß er die ganze Zeit der Ansicht war, die Situation unter Kontrolle zu haben.

Mellberg machte sich hinter dem Schreibtisch breit. Er hatte das Hemd notdürftig in die Hose gestopft, aber die Kaffeeflecke waren überall auf dem bunten Muster zu erkennen. Während er unter berechnendem Schweigen jeden einzelnen der Teilnehmer musterte, schob er mit der rechten Hand seine Haare zurecht, die auf der einen Seite ein bißchen zu tief hingen. Patrik versuchte, nicht zu Erica hinüberzuschielen, und konzentrierte sich auf einen von Mellbergs Kaffeeflecken.

»Ja, also. Sie verstehen sicher, weshalb ich Sie hergebeten habe.« Mellberg legte eine lange Kunstpause ein. »Ich bin also Kommissar Bertil Mellberg, der Leiter der Tanumsheder Polizeidienststelle, und das hier ist Patrick Hedström, der mir bei dieser Ermittlung als Assistent zur Seite stehen wird.«

Er nickte Patrik zu, der ein Stück außerhalb des Halbkreises saß, den Erica, Henrik und Birgit vor Mellbergs Schreibtisch bildeten.

»Ermittlung? Sie ist also ermordet worden!« Birgit beugte sich auf ihrem Stuhl nach vorn, und Henrik legte ihr beschützend den Arm um die Schultern.

»Ja, wir haben festgestellt, daß Ihre Tochter sich nicht das Leben genommen haben kann. Selbstmord kann laut gerichtsmedizinischem Gutachten völlig ausgeschlossen werden. Ich kann selbstverständlich nicht auf alle Details der Ermittlung eingehen. Der Hauptgrund jedoch, weshalb wir wissen, daß es sich um Mord handelt, ist folgender: Zu dem Zeitpunkt, als ihre Pulsadern aufgeschnitten wurden, kann sie nicht bei Bewußtsein gewesen sein. Wir haben eine große Menge Schlafmittel in ihrem Blut gefunden. Während sie also nicht bei Besinnung war, hat sie vermutlich jemand, vielleicht waren es auch mehrere, erst in die Badewanne gelegt, dann das Wasser eingelassen und ihr schließlich mit einer Rasierklinge die Pulsadern aufgeschnitten, damit es wie Selbstmord aussah.«

Die Gardinen an den Fenstern waren zum Schutz vor der scharfen Mittagssonne zugezogen. Die Stimmung im Raum war zwiespältig. Gedrücktheit mischte sich mit Birgits offensichtlicher Freude, daß Alex sich nicht das Leben genommen hatte.

»Wissen Sie, wer es getan hat?« Birgit hatte ein kleines besticktes Taschentuch aus ihrer Handtasche gezogen und tupfte sich vorsichtig die Augenwinkel trocken, um ihr Make-up nicht zu verwischen.

Mellberg faltete die Hände über seinem voluminösen Bauch und sah die Versammelten scharf an. Er räusperte sich streng. »Das können Sie mir vielleicht sagen.«

»Wir?« Henriks Verwunderung klang aufrichtig. »Wie sollen wir das wissen können? Es muß das Werk eines Irren sein. Alexandra hatte keine Feinde, und es gab niemanden, der ihr übelwollte.«

»Sie sagen es, ja.«

Patrik meinte einen Moment lang, einen Schatten über das Gesicht von Alexandras Gatten ziehen zu sehen. In der nächsten Sekunde war der wieder verschwunden, und Henrik war erneut er selbst, ruhig und beherrscht.

Patrik hatte immer eine gesunde Skepsis gegenüber Männern wie Henrik Wijkner empfunden. Männer, die mit einer Glückshaube geboren worden waren; die alles besaßen, ohne einen Finger krümmen zu müssen. Sicher machte er einen sympathischen und netten Eindruck, doch unter der Oberfläche spürte Patrik etwas, das auf eine weit komplexere Persönlichkeit hinwies. Hinter den schönen Zügen ahnte man Rücksichtslosigkeit. Vor allem hatte es Patriks Zweifel geweckt, daß in Henriks Gesicht jegliches Erstaunen fehlte, als Mellberg über den Mord an Alexandra informierte. Es zu glauben ist eine Sache, es dann aber als Tatsache zu erfahren ist etwas ganz anderes. Soviel zumindest hatte er in seinen zehn Jahren bei der Polizei gelernt.

»Stehen wir unter Verdacht?«

Birgit sah genauso verblüfft aus, als hätte sich der Kommissar vor ihren Augen in einen Kürbis verwandelt.

»Die Statistik spricht bei Mordfällen eine deutliche Sprache. Die meisten Täter kommen in der Regel aus dem engsten Familienkreis. Nun will ich nicht sagen, daß es in diesem Fall so ist, aber Sie verstehen sicher, daß wir uns Gewißheit verschaffen müssen. Wir werden jeden Stein umdrehen, das garantiere ich Ihnen persönlich. Mit meinen umfassenden Erfahrungen bei Mordfällen«, neue Kunstpause, »wird dieser hier bestimmt in Kürze gelöst sein. Ich möchte aber, daß Sie über die Tage um jenen Zeitpunkt herum Auskunft geben, an dem Alexandra nach unserer Vermutung gestorben ist.«

»Und um was für einen Zeitpunkt handelt es sich?« fragte Henrik. »Als letzte von uns hat Birgit mit ihr gesprochen, aber dann hat niemand sie vor Sonntag angerufen, es kann also auch am Samstag passiert sein. Ich habe sie zwar gegen halb zehn am Freitagabend zu erreichen versucht, aber Alexandra hat abends, bevor sie sich schlafen legte, oft einen Spaziergang gemacht, also könnte sie ebensogut unterwegs gewesen sein.«

»Der Gerichtsmediziner kann nicht mehr sagen, als daß sie seit ungefähr einer Woche dort tot gelegen hat. Wir werden selbstverständlich Ihre Angaben zu den Anrufen kontrollieren, aber es gibt einen Hinweis, der vermuten läßt, daß sie am Freitagabend irgendwann vor neun gestorben ist. Gegen sechs, was ziemlich umgehend nach ihrer Ankunft in Fjällbacka gewesen sein muß, rief sie einen Lars Thelander wegen des nicht funktionierenden Heizkessels an. Er konnte nicht sofort kommen, versprach aber, spätestens um neun am selben Abend vorbeizuschauen. Nach seiner Aussage war es Punkt neun, als er an der Tür klopfte. Niemand kam öffnen, und nachdem er eine Zeitlang gewartet hatte, fuhr er wieder nach Hause. Unsere Arbeitshypothese ist daher, das sie irgendwann im Laufe des ersten Abends nach ihrer Ankunft in Fjällbacka gestorben ist. Es ist schließlich unwahrscheinlich, vor allem wenn man bedenkt, wie kalt es im Haus gewesen sein muß, daß sie den Monteur, der nach dem Heizkessel sehen wollte, vergessen hat.«

Die Haare glitten wieder in Richtung seiner linken Schulter, und Patrik sah, daß Erica kaum den Blick von diesem Zirkus lösen konnte. Vermutlich beherrschte sie sich, um nicht zu ihm hinzustürzen und die Sache in Ordnung zu bringen. Jeder einzelne auf dem Revier hatte diese Phase durchlaufen.

»Um welche Zeit haben Sie mit ihr gesprochen?« Mellberg richtete die Frage an Birgit.

»Jaaa, ich weiß nicht genau.« Sie überlegte. »Irgendwann nach sieben. Etwa Viertel oder halb acht, glaube ich. Wir haben nur ganz kurz geredet, denn Alex sagte, sie hätte Besuch.« Birgit erbleichte. »Kann das ... gewesen sein?«

Mellberg nickte feierlich. »Wirklich nicht unmöglich, Frau Carlgren, wirklich nicht. Aber das herauszufinden ist eben unsere Arbeit, und ich kann Ihnen versichern, daß wir all unsere Ressourcen einsetzen werden. Da es jedoch eine der wichtigsten Aufgaben bei unserer Arbeit ist, Verdächtige auszuschließen, seien Sie so nett und stellen Sie eine Liste über Ihren Zeitablauf am Freitagabend zusammen.«

»Wollen Sie, daß ich auch ein Alibi beibringe?« fragte Erica.

»Das ist wohl nicht nötig. Aber wir möchten, daß Sie genau über alles berichten, was Sie an jenem Tag, als Sie die Tote fanden, im Haus bemerkt haben. Sie können Ihre schriftlichen Aussagen an Assistent Hedström senden.«

Alle Blicke richteten sich auf Patrik, und der nickte bestätigend. Einer nach dem anderen erhob sich.

»Wirklich eine tragische Sache. Besonders auch im Hinblick auf das Kind.«

Die Blicke aller gingen zurück zu Mellberg.

»Das Kind?« Birgit schaute erstaunt zwischen Mellberg und Henrik hin und her.

»Ja, laut Gerichtsmedizin war sie im dritten Monat schwanger. Das kann ja wohl nicht direkt überraschend kommen.« Mellberg grinste und zwinkerte Henrik schelmisch zu. Patrik schämte sich unglaublich für das taktlose Benehmen seines Chefs.

Henriks Gesicht erbleichte langsam, bis es der Farbe weißen Marmors entsprach. Birgit schaute ihn verwundert an. Erica war wie versteinert.

»Habt ihr ein Kind erwartet? Warum habt ihr das nicht erzählt? O Gott.«

Birgit drückte das Taschentuch gegen den Mund und weinte hemmungslos, ohne auch nur einen Gedanken an die Schminke zu verschwenden, die in Strömen über ihre Wangen lief. Henrik legte erneut beschützend den Arm um sie, doch über ihrem Kopf begegnete er Patriks Blick. Offensichtlich hatte er nicht die leiseste Ahnung gehabt, daß Alexandra ein Kind erwartete. Nach Ericas verzweifeltem Gesicht zu urteilen, war es indes genauso klar, daß sie es gewußt hatte.

»Wir reden darüber, wenn wir zu Hause sind, Birgit.« Henrik wandte sich Patrik zu. »Ich werde mich darum kümmern, daß Sie unsere schriftlichen Aussagen in bezug auf den Freitagabend erhalten. Sie werden uns wohl sicher etwas ausführlicher befragen wollen, sobald Ihnen die Angaben vorliegen.«

Patrik nickte erneut. Dann sah er Erica an und hob fragend die Brauen.

»Henrik, ich komme gleich. Ich möchte nur ein paar Worte mit Patrik wechseln. Wir kennen uns von früher.«

Sie blieb auf dem Korridor stehen, während Henrik Birgit zum Auto geleitete.

»Dich hier zu treffen. Das war wirklich unerwartet«, sagte Patrik. Er wippte nervös auf den Fußsohlen hin und her.

»Ja, wenn ich ein bißchen nachgedacht hätte, wäre mir natürlich eingefallen, daß du hier arbeitest.« Sie drehte die Riemen ihrer Handtasche zwischen den Fingern und schaute ihn mit leicht schräg gehaltenem Kopf an. Alle ihre kleinen Gesten waren ihm bestens bekannt.

»Wir haben uns lange nicht gesehen. Es tut mir leid, daß ich nicht zur Beerdigung kommen konnte. Wie seid ihr damit fertig geworden, Anna und du?«

Trotz ihrer Größe sah sie mit einemmal wie ein kleines Mädchen aus, und er widerstand der Versuchung, ihr über die Wange zu streichen.

»Ja, es geht wohl so. Anna ist direkt nach der Beerdigung heimgefahren, und ich bin jetzt seit ein paar Wochen hier und versuche, das Haus in Ordnung zu bringen. Aber es ist schwer.«

»Ich hatte gehört, daß eine Frau aus Fjällbacka das Mordopfer gefunden hat, aber ich wußte nicht, daß du es warst. Das muß schrecklich gewesen sein. Ihr wart ja außerdem als Kinder befreundet.«

»Ja, das ist ein Anblick, den ich bestimmt nie wieder von der Netzhaut wegbekomme, glaube ich jedenfalls. Du, ich muß jetzt los, sie warten auf mich im Auto. Können wir uns nicht bei Gelegenheit sehen? Ich werde noch eine Zeitlang in Fjällbacka bleiben.« Sie war schon unterwegs den Korridor hinunter.

»Wie wär's zum Essen am Samstagabend? Zu Hause bei mir um acht? Die Adresse steht im Telefonbuch.«

»Ich komme gern. Dann bis Samstag um acht.« Sie ging rückwärts aus der Tür.

Sobald sie außer Sichtweite war, führte er zum großen Entzücken der Kollegen gleich auf dem Flur einen Indianertanz auf. Die Freude legte sich jedoch etwas, als er einsah, wieviel Arbeit es erforderte, das Haus in einen präsentablen Zustand zu versetzen. Seit Karin ihn verlassen hatte, war er nicht richtig imstande gewesen, sich um die Haushaltsdinge zu kümmern.

Erica und er hatten sich von Geburt an gekannt. Ihre Mütter waren seit der Kindheit die besten Freundinnen und sich so nahe wie Schwestern gewesen. Patrik und Erica hatten sich, als sie klein waren, oft getroffen, und es war keine Übertreibung, wenn er behauptete, daß Erica seine erste große Liebe war. Er persönlich glaubte, daß er schon seit der Geburt verliebt in sie gewesen war. Das, was er immer für sie empfunden hatte, war eine absolute Selbstverständlichkeit, und sie ihrerseits hatte seine devote Bewunderung als gegeben hingenommen, ohne je darüber nachzudenken. Erst als Erica nach Göteborg zog, begriff er, daß er die Träume aufgeben mußte. Natürlich hatte er sich seitdem auch in andere verliebt, und als er und Karin heirateten, tat er das in der absoluten Überzeugung, daß sie zusammen alt werden würden. Erica aber war ihm immer im Hinterkopf geblieben. Manchmal vergingen Monate, ohne daß er an sie dachte, dann wieder fiel sie ihm mehrmals am Tag ein.

Der Papierstapel war in der Zeit seines Wegseins nicht wie durch ein Wunder geschrumpft. Mit einem tiefen Seufzer setzte er sich an den Schreibtisch und nahm sich das zuoberst liegende Dokument vor. Die Arbeit war so eintönig, daß er nebenher über die Speisefolge für Samstag nachdenken konnte. Das Dessert jedenfalls stand fest. Erica hatte schon immer Eis geliebt.

Er wachte mit einem furchtbaren Geschmack im Mund auf. Es hatte gestern anscheinend ein ordentliches Besäufnis gegeben. Die Kumpels waren am Nachmittag vorbeigekommen, und zusammen hatten sie bis in die frühen Morgenstunden gebechert. Eine vage Erinnerung, daß die Polizei irgendwann am gestrigen Abend aufgetaucht war, befand sich irgendwo am Rand seines Bewußtseins. Er versuchte sich aufzusetzen, doch das ganze Zimmer drehte sich, und er beschloß, noch ein Weilchen liegenzubleiben.

Die rechte Hand brannte, und er hob sie zur Decke, so daß sie in sein Blickfeld geriet. Die Knöchel waren gehörig aufgeschrammt und voll von geronnenem Blut. Ja, Scheiß, es hatte gestern ein bißchen Krach gegeben, deshalb waren die Bullen auch gekommen. Die Erinnerung kehrte mehr und mehr zurück. Die Jungs hatten angefangen, über den Selbstmord zu reden. Einer von ihnen hatte eine Menge Mist über Alex von sich gegeben. »Reiche Schlampe«, »Fotze aus der Highsociety« waren Ausdrücke, mit denen der Kerl sie belegt hatte. Ihm, Anders, waren die Sicherungen durchgebrannt, und danach erinnerte er sich nur noch an einen roten Wutnebel. In seiner maßlosen Raserei hatte er dem anderen die Fresse poliert. Zwar hatte er selber, wenn er besonders wütend darüber war, daß sie sich verdrückt hatte, sie auch mit allen möglichen Ausdrücken beschimpft, aber das ließ sich nicht vergleichen. Die anderen kannten sie nicht. Nur er hatte das Recht zu verurteilen.

Das Telefon ließ ein schrilles Klingeln hören. Er versuchte das Geräusch zu ignorieren, kam dann aber zu dem Schluß, daß es weniger qualvoll war, sich aufzurappeln und den Hörer abzunehmen, als wenn sich der Ton noch tiefer in sein Gehirn schnitt.

»Ja, hier ist Anders.« Er lallte gehörig.

»Hallo, ich bin's, Mama. Wie geht's dir?«

»Ach, einfach Scheiße.« Er ließ sich in sitzende Stellung rutschen, stützte den Rücken gegen die Wand. »Hä, wie spät ist es eigentlich?«

»Es ist fast vier Uhr nachmittags. Habe ich dich geweckt?«

»Nee.« Der Kopf erschien ihm unmäßig groß, er drohte die ganze Zeit zwischen die Knie zu fallen.

»Ich war vorhin einkaufen. Es wurde eine ganze Menge geredet über eine Sache, die du meiner Meinung nach wissen solltest. Hörst du zu?«

»Ja doch, tue ich.«

»Anscheinend hat Alex sich nicht das Leben genommen. Sie wurde ermordet. Ich wollte nur, daß du das weißt.«

Schweigen.

»Anders, hallo? Hast du gehört, was ich gesagt habe?«

»Ja, klar. Was hast du gesagt? Ist Alex ... ermordet worden?«

»Ja, das sagt man jedenfalls unten im Dorf. Offenbar ist Birgit heute auf dem Polizeirevier in Tanumshede gewesen, wo sie den Bescheid erhalten hat.«

»O verdammt. Du, Mutter, ich hab 'n bißchen was zu erledigen. Wir sprechen uns später.«

»Anders? Anders?«

Er hatte schon aufgelegt.

Unter gewaltiger Anstrengung nahm er eine Dusche und zog sich an. Nach zwei Panodil-Tabletten fühlte er sich wieder mehr als Mensch. Die Wodkaflasche in der Küche schaute ihn verführerisch an, aber er weigerte sich, der Lockung nachzugeben. Jetzt war es erforderlich, nüchtern zu bleiben. Nun ja, wenigstens relativ.

Das Telefon klingelte erneut. Er ignorierte es. Holte statt dessen ein Telefonbuch aus dem Flurschrank und fand schnell die Nummer, die er brauchte. Als er sie wählte, zitterten ihm die Hände. Unendlich lang ertönte das Freizeichen.

»Hallo, hier ist Anders«, sagte er, als der Hörer endlich abgenommen wurde. »Nein, verdammt, leg nicht auf. Wir müssen uns ein bißchen unterhalten. Also du hast nicht gerade 'ne andere Wahl, will ich dir nur sagen. Ich komme in 'ner Viertelstunde bei dir vorbei. Und da wirst du, verdammt noch mal, zu Hause sein. Es ist mir scheißegal, wer sonst noch da ist, begreifst du das nicht? Vergiß nicht, wer hier am meisten zu verlieren hat.

Du, laß das Gequatsche. Ich gehe jetzt los. Also in 'ner Viertelstunde.«

Anders warf den Hörer auf. Nachdem er mehrmals tief Luft geholt hatte, zog er sich die Jacke an und ging nach draußen. Er kümmerte sich nicht ums Abschließen. Aus der Wohnung hörte man erneut wütendes Geklingel.

Erica war erschöpft, als sie wieder zu Hause ankam. Die Heimfahrt war unter angespanntem Schweigen erfolgt, und Erica verstand, daß Henrik eine schwere Entscheidung vor sich hatte. Sollte er Birgit erzählen, daß er nicht der Vater des Kindes war, oder sollte er es nicht zugeben und darauf hoffen, daß es bei den Ermittlungen nicht ans Tageslicht kam? Erica beneidete ihn nicht und wußte auch nicht zu sagen, wie sie in dieser Situation reagiert hätte. Die Wahrheit war nicht immer der beste Ausweg.

Die Dämmerung hatte sich bereits herabgesenkt, und sie war dankbar, daß ihr Vater für Lampen an der Außenwand gesorgt hatte, die sich automatisch einschalteten, wenn jemand auf das Haus zukam. Sie hatte sich im Dunkeln immer schrecklich gefürchtet. Als Kind hatte sie geglaubt, daß sich das später geben würde, denn Erwachsene konnten im Finstern doch wohl keine Angst haben. Jetzt war sie fünfunddreißig und schaute noch immer unters Bett, um sicherzugehen, daß da unten nicht irgendwas lauerte. Lächerlich.

Nachdem sie überall im Haus Licht gemacht hatte, goß sie sich ein großes Glas Rotwein ein und hockte sich mit untergeschlagenen Beinen aufs Korbsofa in der Veranda. Die Dunkelheit war kompakt, aber sie starrte nur blind vor sich hin. Sie fühlte sich einsam. Es gab so viele Menschen, die um Alex trauerten, die von ihrem Tod betroffen waren. Sie selbst hatte jetzt nur noch Anna. Manchmal fragte sie sich, ob die sie überhaupt vermissen würde.

Alex und sie waren sich als Kinder so nahe gewesen. Als Alex dann anfing, sich zurückzuziehen, um mit dem Umzug schließlich völlig zu verschwinden, war es Erica, als würde die Welt untergehen. Alex war die einzige, die sie gehabt hatte, die ganz ihr gehört hatte und die sich – der Vater ausgenommen – wirklich etwas aus ihr gemacht hatte.

Erica stellte das Rotweinglas so entschieden auf den Tisch, daß der Fuß des Glases beinahe abgebrochen wäre. Sie fühlte sich viel zu rastlos, um hier still sitzen zu können. Sie mußte etwas tun. Es nützte nichts, sich vorzumachen, daß sie von Alex' Tod nicht tief berührt worden sei. Am meisten hatte es sie bestürzt, daß das Bild von Alex, das ihr von Familie und Freunden vermittelt worden war, so schlecht mit jener Alex übereinstimmte, die sie selbst gekannt hatte. Selbst wenn Menschen sich auf dem Weg von der Kindheit ins Erwachsenenleben verändern, gibt es doch einen Kern ihrer Persönlichkeit, der normalerweise intakt bleibt. Jene Alex, die man ihr beschrieben hatte, war eine vollkommen Fremde.

Sie stand auf und zog erneut den Mantel an. Die Autoschlüssel lagen noch darin, und im letzten Moment griff sie nach einer Taschenlampe und steckte sie ein.

Das Haus auf der Kuppe des Hangs sah im violetten Licht der Straßenlampe verlassen aus. Erica stellte das Auto auf dem Parkplatz hinter der Schule ab. Sie wollte nicht, daß jemand sah, wie sie ins Haus ging.

Die Büsche auf dem Grundstück boten ihr vollkommenen Schutz, als sie vorsichtig zur Veranda schlich. Sie hoffte, daß noch immer alte Gewohnheiten galten, und hob den Fußabtreter hoch. Dort lag der Ersatzschlüssel fürs Haus, versteckt genau an derselben Stelle wie vor fünfundzwanzig Jahren. Die Tür quietschte leise, als sie aufgeschoben wurde, aber Erica hoffte, daß keiner der Nachbarn das Geräusch hörte.

Es war beängstigend, das dunkle Haus zu betreten. Die Furcht vor der Dunkelheit raubte ihr fast den Atem, und sie zwang sich, ein paarmal tief Luft zu holen, damit die Nerven nicht mit ihr durchgingen. Dankbar erinnerte sie sich an das Lämpchen in der Manteltasche und betete im stillen, daß die

Batterien noch funktionierten. Sie taten es. Das Licht der Lampe beruhigte sie etwas.

Sie ließ den Strahl durch das Wohnzimmer im Erdgeschoß streichen. Was sie hier im Haus eigentlich suchte, wußte sie selbst nicht. Hoffentlich entdeckte kein Nachbar oder jemand, der am Haus vorbeikam, den Lichtschein und rief die Polizei.

Das Zimmer war schön und luftig, aber Erica stellte fest, daß die Siebziger-Jahre-Einrichtung in Braun und Orange, die sie aus der Kindheit in Erinnerung hatte, von hellem nordischem Design, also Birkenmöbeln mit klaren Linien, ersetzt worden war. Sie begriff, daß Alex dem Haus ihren Stempel aufgedrückt hatte. Alles war perfekt geordnet und wirkte irgendwie trostlos. Es gab keine Falte auf dem Sofa, und auf dem Tisch lag nicht mal eine Zeitung herum. Sie konnte nichts entdecken, was sich gelohnt hätte näher anzuschauen.

Sie erinnerte sich, daß die Küche hinterm Wohnzimmer lag. Sie war groß und geräumig, und die Ordnung wurde nur durch eine einsame Kaffeetasse im Spülbecken gestört. Erica ging durchs Wohnzimmer zurück und stieg die Treppe zum Obergeschoß hoch. Sie bog sofort nach rechts ab und betrat das große Schlafzimmer. In Ericas Erinnerung war es das Schlafzimmer von Alex' Eltern, doch jetzt schliefen dort offenbar die neuen Besitzer. Auch dieser Raum war geschmackvoll eingerichtet, aber er wirkte exotischer mit den Stoffen in Schokoladenbraun und Anilinrot und den afrikanischen Holzmasken an den Wänden. Auch dieses Zimmer war geräumig und hatte eine hohe Decke, was unter anderem einem riesigen Kronleuchter zu seinem Recht verhalf. Alexandra hatte offensichtlich der Versuchung widerstanden, ihr Haus von oben bis unten mit maritimen Details auszustatten, was in den Villen der Sommergäste sonst die Regel war. Alles, von Gardinen mit Muschelmustern bis zu Bildern mit Schifferknoten, ging in den kleinen Sommerläden von Fjällbacka weg wie warme Semmeln.

Im Unterschied zu den anderen Räumen, in die Erica einen Blick geworfen hatte, wirkte das Schlafzimmer bewohnt. Kleine persönliche Dinge lagen überall verstreut. Auf dem Nachttisch befand sich ein Band mit Gedichten von Gustaf Fröding und daneben eine Brille. Ein Paar Strümpfe hatte man auf den Boden fallen lassen und einige Pullover auf der Tagesdecke ausgebreitet. Zum erstenmal spürte Erica, daß Alex wirklich in diesem Haus gewohnt hatte.

Vorsichtig begann sie in Schränke und Schubladen zu schauen. Sie wußte noch immer nicht, wonach sie suchte, und fühlte sich fast wie ein Spanner, als sie da in Alex' schöner Seidenunterwäsche wühlte. Aber gerade als sie sich entschlossen hatte, sich die nächste Schublade vorzunehmen, stieß sie ganz unten auf etwas Knisterndes.

Plötzlich erstarrte sie, die Hand voller spitzenbesetzter Slips und BHs. Ein Geräusch aus dem Erdgeschoß klang deutlich durch die Stille des Hauses. Eine Tür wurde vorsichtig geöffnet und wieder geschlossen. Erica sah sich voller Panik um. Die einzige Möglichkeit, sich im Zimmer zu verstecken, war unterm Bett oder in einem der Schränke, die eine Längsseite bedeckten. Vor Angst konnte sie sich nicht entscheiden. Erst als sie auf der Treppe Schritte vernahm, konnte sie sich wieder rühren und schlich instinktiv zur nächsten Schranktür. Glücklicherweise glitt die Tür ohne Quietschen auf, und sie stieg rasch zwischen die Kleider und zog die Tür hinter sich zu. Sie konnte nicht sehen, wer da ins Haus gekommen war, hörte aber deutlich, wie die Schritte näher und näher kamen, dann ein Weilchen vor dem Schlafzimmer innehielten, bevor die Person über die Schwelle trat. Sie spürte plötzlich, daß sie etwas in der Hand hielt. Ohne es selbst zu merken, hatte sie das, was in der Schublade geknistert hatte, festgehalten. Vorsichtig stopfte sie es in die Tasche.

Sie wagte kaum, Luft zu holen. Die Nase begann zu jucken, und sie versuchte verzweifelt, sie hin und her zu bewegen, um Abhilfe zu schaffen. Glücklicherweise ließ das Jucken nach.

Die Person da draußen ging suchend durch den Raum. Es klang, als würde er oder sie ungefähr das gleiche tun wie Erica, bevor man sie unterbrochen hatte. Schubladen wurden aufgezogen, und Erica begriff, daß in Kürze die Schränke an die Reihe kamen. Kleine Schweißperlen traten ihr auf die Stirn. Was sollte sie tun? Als einzige Lösung fiel ihr ein, sich so weit wie möglich hinter die Kleider zu pressen. Sie hatte Glück gehabt und war in einen Schrank mit mehreren langen Mänteln geraten, und vorsichtig schob sie sich nun dazwischen und drapierte die Kleidungsstücke vor ihrem Körper. Hoffentlich merkte man nicht, daß aus einem der Schuhpaare auf dem Schrankboden ein Paar Fußknöchel ragten.

Das Durchgehen der Kommode erforderte offensichtlich seine Zeit. Erica atmete den muffigen Geruch von Mottenpulver ein und hoffte sehr, daß die Mittel ihre Arbeit getan hatten und hier im Dunkeln kein Viehzeug auf ihr herumkroch. Ebenso inbrünstig hoffte sie, daß die Person dort draußen, nur wenige Meter von ihr entfernt, nicht Alex' Mörder war. Aber wer hatte sonst Grund, durch das Haus zu schleichen, dachte Erica und übersah geflissentlich, daß sie selber auch nicht gerade eine schriftliche Einladung besaß.

Mit einemmal wurde die Schranktür geöffnet, und Erica fühlte einen Hauch frischer Luft an der exponierten Haut ihrer Knöchel. Sie hielt den Atem an.

Der Schrank schien in den Augen des Suchenden nicht so auszusehen, als enthielte er Geheimnisse oder Kostbarkeiten, und die Tür schloß sich fast sofort wieder. Die anderen Türen wurden genauso rasch geöffnet und zugemacht, und im nächsten Augenblick hörte sie, wie sich die Schritte durch die Tür und die Treppe hinunter entfernten. Erst eine gute Weile nachdem die Haustür vorsichtig geschlossen worden war, wagte sich Erica aus dem Schrank. Es war herrlich, Luft holen zu können, ohne daß man sich jedes Atemzugs bewußt sein mußte.

Das Zimmer sah genauso aus wie bei Ericas Kommen. Wer der Besucher auch gewesen sein mochte, er war beim Suchen behutsam vorgegangen und hatte kein Durcheinander angerichtet. Erica war ziemlich überzeugt, daß es sich nicht um einen Einbrecher gehandelt hatte. Sie untersuchte den Schrank näher, in dem sie versteckt gewesen war. Als sie sich an die hintere Wand gepreßt hatte, war da etwas Hartes gewesen, das gegen ihre Waden drückte. Sie schob die davor hängenden Kleider weg und sah, daß der Gegenstand, den sie gespürt hatte, eine große Leinwand war. Sie stand mit der Rückseite zu ihr, also hob Erica sie vorsichtig heraus und drehte sie um. Es war ein unglaublich schönes Bild. Selbst Erica begriff, daß es von einem begabten Künstler stammte. Das Motiv zeigte die nackte Alexandra, die auf der Seite lag, den Kopf auf die Hand gestützt. Der Künstler hatte sich nur für warme Farben entschieden, und das gab Alexandras Gesicht einen Ausdruck von Frieden. Erica fragte sich, warum ein so schönes Bild ganz nach hinten in einen Schrank gestellt worden war. Nach dem Gemälde zu urteilen, hatte Alexandra absolut keinen Grund gehabt, sich zu schämen, weil sie sich dem Betrachter in diesem Zustand zeigte. Sie war genauso vollendet wie das Gemälde. Erica konnte das Gefühl nicht loswerden, daß ihr etwas an dem Bild bekannt vorkam. Irgend etwas war daran, was sie früher schon gesehen hatte. Sie wußte, daß sie dieses Gemälde noch nie betrachtet hatte, also mußte es einen anderen Grund haben. Auf dem Platz in der unteren rechten Ecke fehlte jede Signatur, und als sie das Bild umdrehte, stand da nur »1999«, wohl das Jahr der Entstehung. Vorsichtig stellte sie die Leinwand an ihren Platz zurück und schob die Tür zu.

Sie ließ den Blick ein letztes Mal durchs Zimmer streifen. Irgend etwas war da, was sie nicht genau benennen konnte. Es fehlte etwas, aber ihr fiel beim besten Willen nicht ein, was es sein könnte. Nun ja, vielleicht kam sie später darauf. Jetzt wagte sie nicht, noch länger im Haus zu bleiben. Den Schlüssel legte sie dorthin zurück, wo sie ihn gefunden hatte. Sie fühlte sich nicht sicher, bevor sie wieder im Auto saß und der Motor lief. Jetzt hatte sie für diesen Abend genug an Spannung. Ein ordentliches Glas Kognak würde die Lebensgeister beruhigen und einen Teil der Unruhe vertreiben. Warum, um Himmels willen, war sie eigentlich auf die Idee gekommen, hierherzufahren und im Haus herumzuschnüffeln? Sie hatte nicht übel Lust, sich wegen soviel Dummheit an den Kopf zu schlagen.

Als sie daheim in die Garagenauffahrt einbog, sah sie, daß es kaum eine Stunde her war, daß sie sich auf den Weg gemacht hatte. Das erstaunte sie. Ihr war es wie eine Ewigkeit vorgekommen.

Stockholm zeigte sich von seiner besten Seite. Trotzdem hatte sie das Gefühl, von Schwermut befallen zu sein. Normalerweise hätte sie sich, wenn sie über die Västerbron fuhr, an der Sonne erfreut, die glitzernd auf dem Riddarfjärden lag. Heute aber war es anders. Die Zusammenkunft sollte um zwei Uhr stattfinden, und sie hatte den ganzen Weg von Fjällbacka gegrübelt und vergeblich versucht, eine Lösung zu finden. Marianne hatte ihr die juristische Situation leider nur zu deutlich gemacht. Falls Anna und Lucas weiter auf dem Verkauf bestanden, wäre Erica gezwungen, sich darauf einzulassen. Ihre einzige Alternative war, ihnen die Hälfte des Marktwertes, die das Haus besaß, auszuzahlen, und bei den Preisen, die Häuser in Fjällbacka erzielten, könnte sie nicht einmal den Bruchteil der Summe aufbringen. Zwar würde sie bei einem Verkauf des Hauses nicht leer ausgehen. Ihre Hälfte brächte vielleicht ein paar Millionen Kronen ein, aber das Geld war ihr egal. Kein Geld der Welt konnte den Verlust des Hauses ersetzen. Die Vorstellung bereitete ihr Übelkeit, daß irgendein Stockholmer, der glaubte, die neu erworbene Seglermütze mache ihn zum Küstenbewohner, die schöne Veranda an der Seeseite des Hauses abreißen könnte, um ein Panoramafenster einzusetzen. Und niemand sollte kommen und sagen, sie würde übertreiben. Sie hatte gesehen, daß genau das immer wieder geschah.

Sie parkte vor dem Büro des Anwalts auf der Runebergsgatan in Östermalm. Die Fassade war imposant, lauter Marmor und Säulen, und im Spiegel des Fahrstuhls kontrollierte sie ihr Aussehen ein letztes Mal. Die Kleidung war sorgfältig gewählt, damit sie in dieses Umfeld paßte. Es war das erste Mal, daß sie hierherkam, aber sie hatte mit Leichtigkeit erraten, mit welcher Art von Anwälten sich Lucas umgab. Um höflich zu wirken, hatte Lucas darauf hingewiesen, daß sie selbstverständlich einen eigenen Anwalt mitbringen könnte. Erica hatte es vorgezogen, allein zu erscheinen. Sie konnte sich ganz einfach keinen Anwalt leisten.

Eigentlich hatte sie Anna und die Kinder ein Stündchen vor dem Treffen sehen wollen. Um vielleicht eine Tasse Kaffee bei ihnen zu trinken. Trotz ihrer Verbitterung über Annas Auftreten war Erica fest entschlossen, alles zu tun, um die Beziehung zwischen ihnen zu erhalten.

Anna schien nicht derselben Meinung zu sein und hatte vorgegeben, die Sache würde zu stressig werden. Es wäre besser, sich beim Anwalt zu treffen. Bevor Erica vorschlagen konnte, sich dann hinterher zu sehen, kam ihr Anna zuvor und sagte, danach müsse sie zu einer Verabredung mit einer Freundin. Kein Zufall, vermutete Erica. Es war offensichtlich, daß Anna ihr ausweichen wollte. Die Frage war nur, ob sie es aus eigenen Beweggründen tat oder ob Lucas Anna einfach nicht erlaubte, ihre Schwester zu sehen, während er im Büro war und keine Möglichkeit hatte, sie zu überwachen.

Alle waren bereits versammelt, als Erica den Raum betrat. Sie musterten sie mit ernsten Mienen, als sie mit aufgesetztem Lächeln ihre Hand ausstreckte, um die beiden Anwälte von Lucas zu begrüßen. Lucas selbst nickte nur zur Begrüßung, während Anna hinter seinem Rücken ein kleines Winken wagte. Man setzte sich, und die Verhandlung begann.

Das Ganze dauerte nicht lange. Die Anwälte stellten trocken und sachlich fest, was Erica bereits wußte. Daß Anna und Lucas in vollem Recht waren, wenn sie den Verkauf des Hauses verlangten. Konnte Erica sie mit der Hälfte des Marktwertes auslösen, dann hatte sie dazu die Möglichkeit. Wenn sie es nicht konnte oder wollte, dann würde das Haus zum Verkauf angeboten, sobald ein unabhängiger Gutachter den Wert festgestellt hätte.

Erica schaute Anna fest in die Augen. »Willst du das wirklich? Bedeutet dir das Haus denn gar nichts? Überleg mal, was unsere Eltern empfunden hätten, wenn sie gewußt hätten, daß wir es sofort verkaufen, nachdem sie verschwunden sind. Ist es wirklich das, was du willst, Anna?«

Sie betonte das »du« und sah aus dem Augenwinkel, daß Lucas verärgert die Brauen zusammenzog.

Anna schaute nach unten und wischte ein paar unsichtbare Staubkörner von ihrem eleganten Kostüm. Ihre hellen Haare waren straff nach hinten gekämmt und zu einem Pferdeschwanz gebunden.

»Was sollen wir mit dem Haus? Man hat nur eine Menge Ärger mit alten Häusern, und denk an all das Geld, was man dafür bekommen kann. Ich glaube bestimmt, daß unsere Eltern es zu schätzen gewußt hätten, daß einer von uns die Sache praktisch angeht. Ich meine, wann wollen wir das Haus denn nutzen? Lucas und ich kaufen dann schon lieber ein Sommerhaus in den Stockholmer Schären, um es mehr in der Nähe zu haben, und was willst du denn ganz allein mit dem Haus?«

Lucas lächelte Erica höhnisch zu, während er Anna mit vorgeblicher Fürsorglichkeit über den Rücken strich. Sie hatte noch immer nicht gewagt, Erica in die Augen zu sehen.

Erica fiel erneut auf, wie müde ihre kleine Schwester wirkte. Sie war dünner als sonst, und das schwarze Kostüm, das sie anhatte, hing ihr lose um Brust und Taille. Um die Augen lagen dunkle Ringe, und Erica meinte unter dem Puder auf dem rechten Jochbein einen blauen Schatten zu bemerken. Wut packte sie angesichts ihrer Machtlosigkeit in der gegebenen Situation, und sie nahm Lucas scharf ins Visier. Er erwiderte ruhig ihren Blick. Direkt aus dem Büro gekommen, trug er seine Arbeitsuniform, einen graphitgrauen Anzug, dazu ein blendend weißes Hemd und eine glänzende dunkelgraue Krawatte. Er wirkte elegant und weltmännisch. Erica glaubte, daß eine Menge Frauen ihn bestimmt attraktiv fanden. Ihr fiel allerdings ein Zug von Brutalität auf, der wie ein Filter über seinem ganzen Gesicht lag. Dieses war scharf geschnitten, hatte deutlich hervortretende Wangenknochen und eine kantige Kinnlade, was noch dadurch unterstrichen wurde, daß er die Haare glatt aus der hohen Stirn kämmte. Er sah nicht aus wie der Urtypus des rötlichblonden Engländers, sondern eher wie ein echter Wikinger mit hellblonden Haaren und eisblauen Augen. Die Oberlippe war gewölbt und üppig wie die einer Frau, was ihm einen trägen, dekadenten Ausdruck verlieh. Erica registrierte, daß sein Blick sich in ihrem Ausschnitt verlor, und sie zog instinktiv das Jackett zusammen. Er bemerkte ihre Bewegung, und das ärgerte sie. Sie wollte nicht zeigen, daß er irgendeinen Einfluß auf sie hatte.

Als die Zusammenkunft endlich beendet war, stand Erica

einfach auf und verließ den Raum, ohne sich um irgendwelche Abschiedsfloskeln zu kümmern. Was sie anbelangte, war alles, was gesagt werden konnte, gesagt. Jemand, der das Haus taxieren sollte, würde sich mit ihr in Verbindung setzen, und dann wollte man es so schnell wie möglich zum Verkauf ausschreiben. Keine eindringlichen Worte hatten geholfen. Sie hatte verloren.

Ihre Wohnung in der Vasastan war zur Zeit an ein nettes Doktorandenpaar vermietet, also konnte sie jetzt nicht dorthin fahren. Da sie keine Lust hatte, die fünfstündige Autofahrt nach Fjällbacka in den nächsten Minuten anzutreten, stellte sie das Auto ins Parkhaus am Stureplan und setzte sich in den Humlegårdsparken. Sie mußte ihre Gedanken ein Weilchen sammeln. Die Ruhe des schönen Parks, der wie eine Oase mitten in Stockholm lag, bot ihr genau die meditative Atmosphäre, die sie in diesem Augenblick brauchte.

Der Schnee mußte hier erst kürzlich gefallen sein, denn er war noch immer weiß. In Stockholm reichte ein Tag, manchmal brauchte es zwei, bis der Schnee sich in eine schmutziggraue Pampe verwandelte. Sie setzte sich auf eine der Parkbänke, nachdem sie zunächst ihre Handschuhe als Kälteschutz untergelegt hatte. Mit einer Harnwegsinfektion sollte man nicht spaßen, sie wäre das letzte, was sie jetzt gebrauchen konnte.

Erica ließ die Gedanken treiben, während sie die vielen Leute betrachtete, die in ihrer Mittagspause an ihr vorbeihetzten. Sie hatte fast vergessen, was für ein Streß in Stockholm herrschte. Alle rannten hektisch hin und her und schienen auf der Jagd nach etwas, das sie nie richtig einholen konnten. Sie sehnte sich plötzlich zurück nach Fjällbacka. Sie hatte offenbar selbst noch nicht begriffen, wie sehr sie die Ruhe dort in den vergangenen Wochen genossen hatte. Zwar hatte sie viel um die Ohren gehabt, aber zugleich hatte sie einen Frieden in sich verspürt, den sie in Stockholm nie erlebt hatte. War man in Stockholm allein, dann war man völlig isoliert. In Fjällbacka aber war man, im Guten wie im Schlechten, nie allein. Die Leute kümmerten sich und hatten ihre Nachbarn und Mitmenschen im Blick.

Manchmal konnte das zu weit gehen, all das Getratsche nervte Erica natürlich auch, aber als sie jetzt so dasaß und den Mittagsverkehr betrachtete, fühlte sie, daß sie hierher nicht zurückkehren konnte.

Wie so oft in der letzten Zeit dachte sie an Alex. Warum war sie jedes Wochenende nach Fjällbacka gefahren? Wer war es, den sie dort treffen wollte? Und dann die Zehntausendkronenfrage: Wer war der Vater des Kindes, das sie erwartet hatte?

Erica erinnerte sich plötzlich an das Papier, das sie in dem dunklen Schrank in die Manteltasche gesteckt hatte. Sie begriff nicht, wie sie vergessen konnte, sich das anzusehen, als sie vorgestern nach Hause gekommen war. Sie fühlte in der rechten Tasche nach und bekam ein zerknittertes Blatt Papier zu fassen. Mit Fingern, die ohne die Handschuhe steif geworden waren, faltete sie es vorsichtig auseinander und strich die Seite glatt.

Es war die Kopie eines Artikels aus der »Bohuslän Tidning«. Es stand kein Datum dabei, aber aufgrund des Schriftbilds und einer schwarzweißen Abbildung im Artikel konnte sie feststellen, daß er nicht neu war. Nach dem Bild zu urteilen, stammte er aus den siebziger Jahren, und sie kannte den Mann auf dem Bild und auch die Geschichte, die der Text berichtete, sehr wohl. Weshalb hatte Alex diesen Artikel zuunterst in einer Kommodenschublade versteckt?

Erica stand auf und stopfte das gefaltete Blatt wieder in die Manteltasche. Hier gab es keine Antworten. Es war an der Zeit, daß sie nach Hause zurückkehrte.

Die Beerdigung war schön und feierlich, auch wenn die Kirche von Fjällbacka alles andere als gut besucht war. Die meisten hatten Alexandra nicht gekannt, und die Erschienenen wollten nur ihre Neugier befriedigen. Die Familie und die Freunde hatten in den ersten Bankreihen Platz genommen. Außer Alex' Eltern und Henrik kannte Erica nur Francine. Neben ihr in der Bank saß ein großer blonder Mann, von dem Erica annahm, daß er ihr Gatte war. Ansonsten gab es nicht sehr viele Freunde. Sie füllten kaum zwei Bankreihen und bestätigten das Bild, das Erica sich von Alex machte. Bestimmt hatte sie eine Unmenge

Bekannte gehabt, aber nur wenige enge Freunde. Auf den restlichen Plätzen saßen nur hier und da ein paar Neugierige.

Erica selbst hatte auf der Empore Platz genommen. Birgit hatte sie vor der Kirche bemerkt und sie aufgefordert, sich zu ihnen zu setzen. Erica hatte freundlich abgelehnt. Es wäre ihr heuchlerisch vorgekommen, dort bei der Familie und den Freunden zu sitzen. Eigentlich war Alex eine Fremde für sie.

Erica rutschte auf der unbequemen Kirchenbank hin und her. Während ihrer ganzen Kindheit hatte man Anna und sie sonntags mit fester Hand in die Kirche geschleppt. Für ein Kind war es entsetzlich langweilig, ellenlange Predigten und Kirchenlieder durchzustehen, deren Melodien sich unmöglich erlernen ließen. Um sich zu beschäftigen, hatte Erica Geschichten erfunden. Hier waren Märchen von Drachen und Prinzessinnen entstanden, ohne jemals aufs Papier gebracht zu werden. Als sie älter wurde, nahm die Zahl der Besuche aufgrund ihres heftigen Protestes deutlich ab, aber wenn sie sich dennoch zum Mitgehen überreden ließ, waren die Märchen von Geschichten mit weitaus romantischerem Inhalt abgelöst worden. Die Ironie war, daß sie ihre Berufswahl also wohl den erzwungenen Kirchenbesuchen zu verdanken hatte, oder sollte sie sagen, daß sie schuld daran waren?

Erica hatte ihren Glauben auch jetzt noch nicht finden können, und für sie war eine Kirche ein schönes, traditionsreiches Gebäude, mehr nicht. Die Predigten der Kindheit hatten in ihr nicht den Wunsch geweckt, gläubig zu werden. Sie hatten oft von Hölle und Sünde gehandelt und den frohen Gottesglauben vermissen lassen, von dem sie wußte, daß es ihn gab, mit dem sie selbst aber nie in Berührung gekommen war. Vieles hatte sich seither verändert. Jetzt stand eine Frau vor dem Altar, bekleidet mit dem Talar, und statt von der ewigen Verdammnis sprach sie von Licht, Hoffnung und Liebe. Erica wünschte, sie hätte während ihres Heranwachsens ein solches Gottesbild vermittelt bekommen.

Von ihrem versteckten Platz auf der Empore sah sie neben Birgit in der ersten Bankreihe eine junge Frau sitzen. Birgit hielt krampfhaft die Hand dieser Frau und lehnte zuweilen ihren Kopf an deren Schulter. Die Frau erschien Erica irgendwie bekannt, und dann fiel ihr ein, daß es Julia, die kleine Schwester von Alex, sein mußte. Erica saß zu weit entfernt, als daß sie deren Gesichtszüge hätte erkennen können, aber sie bemerkte, daß Julia vor Birgits Berührung zurückzuschrecken schien. Jedesmal wenn Birgit Julias Hand ergriff, zog die sie wieder an sich, aber entweder tat ihre Mutter so, als bemerke sie es nicht, oder ihr fiel es in dem Zustand, in dem sie sich befand, tatsächlich nicht auf.

Die Sonnenstrahlen drangen durch die hohen, bleigefaßten Fenster mit den bunten Scheiben. Die Bänke waren hart und unbequem, und Erica spürte in ihrem Kreuz allmählich ein schmerzhaftes Ziehen. Sie war dankbar, daß die Zeremonie nicht sonderlich viel Zeit beanspruchte. Nach Beendigung derselben blieb sie noch sitzen und blickte von oben auf die Menschen hinunter, die langsam die Kirche verließen.

Die Sonne schien geradezu unerträglich stark vom wolkenlosen Himmel. Eine Prozession von Menschen bewegte sich den sanft abfallenden Hang zum Friedhof und dem neuen Grab hinunter, in das man Alex' Sarg sogleich hinablassen würde.

Unterwegs zu dem Ort, den man dafür ausgewählt hatte, kam Erica am Stein ihrer Eltern vorbei. Sie ging als letzte des Zuges und hielt einen Augenblick inne. Eine dicke Schneeschicht lag oben auf der Kante des Steins, und sie wischte sie sorgfältig herunter. Mit einem letzten Blick auf das Grab eilte sie der kleinen Gruppe hinterher, die sich ein Stück entfernt versammelt hatte. Die Neugierigen waren zumindest der eigentlichen Beisetzung ferngeblieben, und so gab es hier nur Familie und Freunde. Erica war sich nicht sicher gewesen, ob sie mitgehen sollte. Im letzten Moment hatte sie jedoch beschlossen, Alex auf dem Weg zu ihrer letzten Ruhe zu begleiten.

Henrik stand ganz vorn und hatte die Hände tief in den Taschen vergraben. Er hielt den Kopf gesenkt. Seine Augen waren auf den Sarg gerichtet, den langsam Blumen bedeckten. Vor allem rote Rosen.

Erica fragte sich, ob Henrik diesen Kreis inspizierte und

daran dachte, daß der Vater des Kindes vielleicht unter den hier Versammelten war.

Als der Sarg in die Erde gelassen wurde, hörte man von Birgit einen langgezogenen, traurigen Seufzer. Karl-Erik preßte die Lippen zusammen und gestattete sich keine Tränen. Er brauchte seine ganze Kraft, um Birgit aufrecht zu halten, sowohl physisch als auch psychisch. Julia stand ein wenig abseits. Henrik hatte recht gehabt mit seiner Beschreibung, nach der Julia das häßliche Entlein der Familie war. Im Unterschied zu ihrer großen Schwester hatte sie dunkle Haare, der kurze, borstige Schnitt war alles andere als eine Frisur. Ihre Züge waren grob, und die tiefliegenden Augen blickten unter einem viel zu langen Pony hervor. Sie trug kein Make-up, und ihre Haut wies deutliche Spuren von heftiger Akne in den frühen Jugendjahren auf. Wenn sie neben Julia stand, sah Birgit noch kleiner und zerbrechlicher aus als sonst. Ihre jüngste Tochter war einen halben Kopf größer als sie, und deren schwerer, breiter Körper war ohne rechte Form. Fasziniert beobachtete Erica die widersprüchlichen Gefühle, die wie Wirbelstürme über Julias Gesicht jagten. Schmerz und Wut lösten einander blitzschnell ab. Keine Tränen. Sie war die einzige, die keine Blume auf den Sarg legte, und als die Zeremonie beendet war, drehte sie der Grube in der Erde rasch den Rücken zu und ging zurück in Richtung Kirche.

Erica fragte sich, was die Schwestern wohl für ein Verhältnis zueinander gehabt hatten. Es konnte nicht leicht gewesen sein, immer mit Alex verglichen zu werden, jedesmal den kürzeren zu ziehen. Julias Rücken wirkte abweisend, als sie mit raschen Schritten den Abstand zwischen sich und dem restlichen Grüppchen vergrößerte. Sie hatte die Schultern brüsk nach oben gezogen.

Henrik schloß neben Erica auf. »Wir wollen zur Erinnerung an Alex jetzt ein wenig zusammensitzen und würden uns freuen, wenn du mitkommst.«

»Also, ich weiß nicht recht«, sagte Erica.

»Ein Stündchen kannst du wohl dabeisein.«

Sie zögerte. »Ja, okay. Wo ist es? Bei Ulla?«

»Nein, wir haben hin und her überlegt und am Ende beschlossen, es in Birgits und Karl-Eriks Haus zu tun. Trotz allem, was dort passiert ist, weiß ich schließlich, daß Alex dieses Haus geliebt hat. Wir haben darin viele schöne Dinge erlebt, also kann man sich kaum einen besseren Ort vorstellen, um sich ihrer zu erinnern. Allerdings kann ich verstehen, wenn es für dich ein bißchen unangenehm ist. Ich meine, von deinem letzten Besuch dort hast du ja nicht gerade die besten Erinnerungen.«

Erica errötete voller Scham, als sie daran dachte, wann sie dem Haus tatsächlich ihren letzten Besuch abgestattet hatte, und sie senkte rasch den Blick.

»Das geht schon in Ordnung.«

Sie fuhr mit ihrem eigenen Auto und stellte es wieder auf den Parkplatz hinter der Håkebackenschule. Das Haus war schon voller Leute, als sie durch die Tür trat, und sie überlegte, ob sie nicht doch kehrtmachen und heimfahren sollte. Der Moment ging rasch vorüber. Als Henrik auf sie zukam und ihr die Jacke abnahm, war es zu spät, um sich die Sache anders zu überlegen.

Gedränge herrschte um den Eßtisch, auf dem ein Büfett mit Schichttorten hergerichtet war. Erica entschloß sich, ein großes Stück, belegt mit Krabben, zu nehmen, und verzog sich dann schnell in eine Ecke des Zimmers, wo sie in aller Ruhe essen und zugleich die übrige Gesellschaft studieren konnte.

Die Veranstaltung wirkte ungewöhnlich ausgelassen, wenn man bedachte, aus welchem Anlaß sie stattfand. Man sprach mit einem fieberhaft munteren Unterton, und als sie die Menschen um sich herum betrachtete, sah sie, daß sich alle angestrengt hinter der Konversation versteckten. Der Gedanke an die Ursache des Todes von Alex lag spürbar nahe.

Erica ließ den Blick von einem Gesicht zum anderen schweifen. Birgit saß auf der äußersten Kante in der einen Sofaecke und wischte sich mit dem Taschentuch die Augen. Karl-Erik stand hinter ihr, eine Hand unbeholfen auf ihre Schulter gelegt, in der anderen hielt er einen Teller mit Schichttorte. Henrik arbeitete sich versiert durchs Zimmer. Er ging von der einen Gruppe zur anderen, schüttelte Hände, nickte zur Antwort auf

Kondolenzen, teilte mit, daß jetzt Kaffee und Kuchen serviert seien. Zoll für Zoll der perfekte Gastgeber. Als befände er sich auf irgendeiner Cocktailparty statt auf dem Begräbnisempfang seiner Gattin. Lediglich ein tiefes Einatmen und ein kurzes Zögern, wie um Kraft zu schöpfen, bevor er zur nächsten Gruppe weiterging, ließen spüren, welche Anstrengung ihn das kostete.

Die einzige, die sich nicht dem Rahmen entsprechend verhielt, war Julia. Sie hatte sich aufs Fensterbrett der Veranda gesetzt, das eine Knie zur Scheibe hochgezogen, und ihr Blick war starr aufs Meer gerichtet. Wer sich ihr mit etwas Freundlichkeit und ein paar teilnehmenden Worten nähern wollte, mußte unverrichteter Dinge umkehren. Sie ignorierte alle Versuche der Annäherung und starrte nur weiter auf all das Weiße hinaus.

Erica fühlte eine leichte Berührung am Arm und zuckte unwillkürlich zusammen, so daß ein wenig von dem Kaffee auf die Untertasse schwappte.

»Entschuldige, ich wollte dich nicht erschrecken.« Francine lächelte.

»Nein, kein Problem. Ich war nur in Gedanken.«

»Über Julia?« Francine wies mit dem Kopf auf die Gestalt vor dem Fenster. »Ich habe gesehen, daß du sie betrachtet hast.«

»Ja, ich muß zugeben, daß sie mich interessiert. Sie ist so vollkommen abgekapselt von der übrigen Familie. Ich kann nicht dahinterkommen, ob sie wegen Alex trauert oder ob sie aus irgendeinem Grund, den ich nicht begreife, stinksauer ist.«

»Julia kann wohl keiner begreifen. Aber sie kann es auch nicht leicht gehabt haben. Das häßliche junge Entlein, aufgewachsen mitten unter schönen Schwänen. Ständig weggestoßen und ignoriert zu werden. Es war nicht so, daß man jemals richtig bösartig zu ihr gewesen ist, Julia war einfach nur – unerwünscht. Zum Beispiel hat Alex sie in der Zeit, als wir in Frankreich wohnten, nie erwähnt. Ich war ungeheuer erstaunt, als ich nach Schweden zog und feststellte, daß Alex eine kleine Schwester hat. Sie redete mehr von dir als von Julia. Ihr müßt wohl eine ganze besondere Beziehung gehabt haben.«

»Ich weiß eigentlich nicht. Wir sind Kinder gewesen. Wie

alle in dem Alter waren wir Busenfreundinnen, wollten uns nie trennen und so. Wäre Alex nicht weggezogen, wäre mit uns wohl dasselbe passiert wie mit anderen Teenagern: Wir hätten uns um dieselben Jungs geprügelt, hätten unterschiedliche Modeartikel bevorzugt, wären in der gesellschaftlichen Rangordnung auf verschiedenen Stufen gelandet und hätten uns wegen anderer Freundinnen verlassen, die besser zu der Phase paßten, in der wir uns befanden – oder befinden wollten. Aber es stimmt schon, Alex hat auf mein Leben, auch jetzt als Erwachsene, großen Einfluß gehabt. Ich habe wohl dieses Gefühl, daß man mich im Stich gelassen hat, nie ganz abschütteln können. Als wir uns als Erwachsene wieder über den Weg liefen, war sie mir fremd. Auf irgendeine merkwürdige Weise ist es, als ob ich sie jetzt wieder kennenlerne.«

Erica dachte an den Stapel Seiten, der bei ihr zu Hause immer mehr anwuchs. Bisher hatte sie nur eine Sammlung von Eindrücken und Berichten, vermischt mit eigenen Gedanken und Reflexionen. Ihr war nicht einmal klar, in welche Form sie das Material gießen sollte, sie wußte nur, daß sie sich die Sache einfach vornehmen mußte. Ihr schriftstellerischer Instinkt sagte ihr, daß sie hier die Chance hatte, etwas wirklich Echtes zu schreiben, aber sie hatte keine Ahnung, wo die Grenze zwischen ihren Bedürfnissen als Autorin und ihrer persönlichen Beziehung zu Alex verlief. Die Neugier, die man brauchte, um etwas zu schreiben, trieb sie auch dazu an, in einem bedeutend persönlicheren Bereich nach der Lösung des Rätsels von Alex' Tod zu suchen. Sie hätte sich entscheiden können, Alex und ihr Schicksal fallenzulassen. Hätte dem ganzen betrüblichen Clan um Alex den Rücken zudrehen und sich mit sich selbst und ihren eigenen Problemen beschäftigen können. Statt dessen stand sie in einem Zimmer voller Menschen, die sie eigentlich nicht kannte.

Plötzlich fiel ihr etwas ein. Fast hätte sie das Bild vergessen, auf das sie in Alex' Schrank gestoßen war. Jetzt erinnerte sie sich auf einmal, warum ihr die warmen Töne, mit denen Alex' nackter Körper auf die Leinwand gebannt war, so bekannt erschienen. Sie drehte sich zu Francine um.

»Weißt du, als ich dich in der Galerie getroffen habe …«

»Ja?«

»Da hing ein Bild gleich neben der Tür. Ein großes Gemälde mit ausschließlich warmen Farben, Gelb, Rot, Orange …«

»Ja, ich weiß, welches du meinst. Was ist damit? Sag jetzt nicht, daß du ein Angebot darauf machen willst.« Francine lächelte.

»Nein, aber ich frage mich – wer hat das denn gemalt?«

»Ja, das ist eine ziemlich traurige Geschichte. Der Maler heißt Anders Nilsson. Stammt übrigens hier aus Fjällbacka. Alex hat ihn entdeckt. Er ist ungemein begabt. Leider hängt er auch an der Flasche, was ihn vermutlich um jede Möglichkeit als Künstler bringt. Heutzutage reicht es nicht, seine Bilder an eine Galerie zu geben und auf Erfolg zu hoffen. Du mußt dich auch als Maler erfolgreich selber promoten, dich auf Vernissagen zeigen, Veranstaltungen besuchen und dem Bild des ›Künstlers‹ in jeder Hinsicht entsprechen. Anders Nilsson ist ein heruntergekommener Säufer, den man nicht im Haus haben möchte. Wir verkaufen hin und wieder ein Bild an Kunden, die ein Talent erkennen, wenn sie es sehen, aber ein Fixstern am Kunsthimmel wird Anders nie werden. Wenn ich es richtig kraß ausdrücken soll, dürften seine Möglichkeiten am größten sein, wenn er sich zu Tode saufen sollte. Tote Maler sind beim breiten Publikum immer gut angekommen.«

Erica schaute das zarte Wesen vor sich verwundert an. Francine bemerkte ihren Blick und fügte hinzu: »Ich wollte nicht so zynisch klingen. Es macht mich nur wütend, daß jemand soviel Talent hat und es mit einer Schnapsflasche vergeudet. Er hatte Glück, daß Alex seine Bilder gefunden hat. Sonst hätten sich nur Fjällbackas Saufbrüder daran erfreuen können. Und es fällt mir schwer zu glauben, daß sie die feineren Aspekte der Kunst zu würdigen wissen.«

Ein Puzzlestück lag an seinem Platz, aber Erica konnte beim besten Willen nicht sehen, wie es in das übrige Muster passen sollte. Warum hatte Alex ein Nacktbild von sich selbst, gemalt von Anders Nilsson, in ihrem Schrank versteckt? Eine Erklärung wäre, daß es als Geschenk für Henrik, oder vielleicht für ihren Liebhaber, gedacht war und daß sie das Bild bei einem Künstler bestellt hatte, dessen Talent sie bewunderte. Irgendwie wirkte das nicht glaubhaft. Das Bild strahlte eine Sexualität und Sinnlichkeit aus, die gegen eine Beziehung zwischen Fremden sprach. Zwischen Alex und Anders gab es irgendeine sonderbare Verbindung. Andererseits war sich Erica bewußt, daß sie keine Kunstkennerin war, und ihre Fühler konnten ihr etwas völlig Falsches signalisiert haben.

Ein Gemurmel breitete sich im Raum aus. Es begann in der Gruppe, die dem Eingang am nächsten stand, und erfaßte dann die ganze Gesellschaft. Aller Augen richteten sich auf die Tür, wo ein höchst unerwarteter Gast Einzug hielt. Als Nelly Lorentz durch die Tür trat, verschlug es den Gästen vor lauter Verwunderung den Atem. Erica dachte an den Zeitungsartikel, den sie in Alex' Schlafzimmer gefunden hatte, und fühlte, wie ihr all die scheinbar unzusammenhängenden Fakten durch den Kopf wirbelten, ohne eine Verbindung zueinander zu finden.

Seit Beginn der fünfziger Jahre des vorigen Jahrhunderts hätte Fjällbacka ohne die Konservenfabrik Lorentz nicht überleben können. Fast die Hälfte der arbeitsfähigen Einwohner arbeiteten in der Fabrik, und in der kleinen Ortschaft glich die Familie Lorentz königlichen Hoheiten. Da Fjällbacka keinen fruchtbaren Boden für eine höhere Gesellschaft bot, war die Familie Lorentz eine Klasse für sich. Von ihrem erhöhten Platz, den die riesige Villa auf dem Kamm des Berges einnahm, schaute sie mit kühler Überheblichkeit auf Fjällbacka herab.

Die Fabrik war 1952 von Fabian Lorentz gegründet worden. Er war der Nachkomme einer langen Reihe von Fischern, und man hatte erwartet, daß er in die Fußstapfen seiner Vorväter treten würde. Aber der Fisch ging immer mehr zur Neige, und der junge Fabian war ehrgeizig und intelligent und gedachte sich nicht mit dem gleichen mageren Auskommen wie sein Vater durchzuschlagen.

Er startete die Konservenfabrik mit leeren Händen, und als er Ende der siebziger Jahre starb, hinterließ er seiner Ehefrau Nelly außer einer gutgehenden Firma auch ein ansehnliches

Vermögen. Im Unterschied zu ihrem Mann, der sehr beliebt gewesen war, stand Nelly Lorentz im Ruf, hochnäsig und kalt zu sein. Selten nur zeigte sie sich im Ort und gab, einer Königin gleich, lediglich Audienzen für besonders eingeladene Gäste. Es war daher eine Sensation sondergleichen, sie durch die Tür treten zu sehen. Das gab für Monate Stoff zum Tratschen.

Es war so still im Raum, daß man eine Stecknadel hätte fallen hören können. Frau Lorentz ließ sich gnädig von Henrik aus dem Pelz helfen und kam an seinem Arm ins Wohnzimmer. Er führte sie zum Sofa in der Mitte, wo Birgit und Karl-Erik saßen, während sie einigen Auserwählten unter den übrigen Gästen leicht zunickte. Als sie Alex' Eltern erreicht hatte, kamen die Gespräche endlich wieder in Gang. Gerede über dies und das, wobei sich alle anstrengten, zu hören, was am Sofa gesagt wurde.

Eine von denen, die ein gnädiges Nicken erhalten hatte, war Erica gewesen. Da sie im Ort fast eine Berühmtheit war, hatte man sie für würdig befunden, ihr nach dem Tod der Eltern gelegentlich eine Einladung zu senden, die sie zum Tee bei Nelly Lorentz bat. Mit der Entschuldigung, daß sie sich noch immer erholen müsse, hatte Erica stets höflich abgelehnt.

Sie betrachtete Nelly neugierig, die jetzt Birgit und Karl-Erik sehr förmlich ihrer tiefsten Sympathie versicherte. Erica bezweifelte, daß es in dem Körper mit der pergamentartigen Haut Platz für irgendwelche Sympathien gab. Nelly war äußerst mager, und aus den Ärmeln des maßgeschneiderten Kostüms ragten ihre knochigen Handgelenke hervor. Bestimmt hatte sie ihr Leben lang gehungert, um modisch schlank zu sein, aber nicht begriffen, daß dies mit zunehmendem Alter immer weniger ansehnlich wurde. Ihr Gesicht war spitz und hatte scharfe Konturen, wirkte aber erstaunlich glatt und frei von Falten, was in Erica den Verdacht aufkommen ließ, daß man der Natur mit dem Messer nachgeholfen hatte. Das Haar war ihr schönstes Attribut: dick und silbergrau, zusammengenommen zu einem eleganten Knoten, aber so straff nach hinten gekämmt, daß es die Stirnhaut ein wenig nach oben zog, was Nellys Gesicht einen leicht verwunderten Ausdruck verlieh. Erica schätzte ihr

Alter auf gut über Achtzig. Es ging das Gerücht, daß sie in ihrer Jugend Tänzerin gewesen war und Fabian Lorentz kennengelernt hatte, als sie im Ballett einer Göteborger Einrichtung tanzte, in der sich feine Mädchen nicht hätten zeigen können. Erica meinte in Nellys noch immer graziösen Bewegungen die geschulte Tänzerin zu erkennen. Der offiziellen Version nach war sie jedoch nie auch nur in die Nähe einer Tanzanstalt gekommen, sondern es hieß, sie sei die Tochter eines Stockholmer Konsuls.

Nach einigen Minuten diskreten Gesprächs verließ Nelly die trauernden Eltern, ging nach draußen und setzte sich zu Julia auf die Veranda. Niemand ließ auch nur mit einer Miene erkennen, wie merkwürdig man das fand. Die Leute fuhren in ihrer Konversation fort und behielten das ungleiche Paar wachsam im Auge.

Erica stand wieder allein in der Ecke, da sich Francine unter die anderen Gäste gemischt hatte, und so konnte sie Julia und Nelly ungestört betrachten. Zum erstenmal an diesem Tag sah Erica ein Lächeln auf Julias Gesicht. Sie sprang vom Fensterbrett und setzte sich neben Nelly aufs Korbsofa, und dort saßen sie dann, die Köpfe dicht zusammengesteckt, und flüsterten.

Was für Gemeinsamkeiten hatte dieses so ungleiche Paar? Erica sah zu Birgit hinüber. Endlich liefen ihr nicht mehr Tränen über die Wangen, statt dessen aber fixierte sie mit entsetztem Blick ihre Tochter neben Nelly Lorentz. Erica entschloß sich, die Einladung von Frau Lorentz doch anzunehmen. Es könnte interessant sein, mit ihr ein wenig unter vier Augen zu plaudern.

Mit großer Erleichterung verließ sie schließlich das Haus auf der Anhöhe und war froh, wieder die frische Winterluft zu atmen.

Patrik fühlte sich ein bißchen nervös. Es war lange her, daß er für eine Frau gekocht hatte. Eine Frau, die ihm außerdem alles andere als gleichgültig war. Alles mußte perfekt werden.

Er summte vor sich hin, als er die Gurke für den Salat in

Scheiben schnitt. Nach langem, quälerischem Grübeln hatte er sich schließlich für Rinderfilet entschieden. Jetzt lag es gesäubert und gewürzt im Ofen und war bald durchgebraten. Die Soße köchelte auf dem Herd, und bei dem Geruch knurrte ihm der Magen.

Es war ein stressiger Nachmittag gewesen. Er war nicht so früh von der Arbeit weggekommen, wie er gehofft hatte, und mußte deshalb das Haus in Rekordtempo aufräumen. Er war sich nicht im klaren gewesen, wie sehr seine Wohnung verkommen war, seit Karin ihn verlassen hatte, aber als er sie jetzt mit Ericas Augen betrachtete, begriff er, daß ein Großeinsatz vonnöten war.

Es war ihm ein bißchen peinlich, daß er in die stereotype Junggesellenfalle geraten war, mit großer Unordnung in den Zimmern und leerem Kühlschrank. Wie groß die Last war, die Karin hier zu Hause getragen hatte, war ihm zuvor nicht ganz klar gewesen. Er hatte die schmucke, blitzsaubere Wohnung als selbstverständlich hingenommen und keinen Gedanken daran verschwendet, wieviel Arbeit darin steckte. Es gab so manches, was er für selbstverständlich gehalten hatte.

Als Erica an der Tür klingelte, riß er sich schnell die Schürze herunter und warf einen Blick in den Spiegel, um die Frisur zu überprüfen. Obwohl er Schaumfestiger zu Hilfe genommen hatte, waren die Haare genauso widerspenstig wie gewöhnlich.

Erica sah wie immer phantastisch aus. Ihre Wangen waren von der Kälte leicht rosig, und das blonde Haar fiel in dicken Locken über den Kragen der Daunenjacke. Er umarmte sie kurz, gestattete es sich, eine Sekunde die Augen zu schließen und den Duft ihres Parfüms einzuatmen, bevor er sie in die Wärme hereinließ.

Der Tisch war bereits gedeckt, und sie begannen mit der Vorspeise, während sie darauf warteten, daß das Hauptgericht gar wurde. Patrik betrachtete Erica verstohlen, als sie genußvoll ihre mit Krabben gefüllte Avocadohälfte kostete. Nicht gerade was Besonderes, aber kaum falsch zu machen.

»Ich hatte mir nicht vorgestellt, daß du ein Drei-Gänge-

Menü zusammenzaubern kannst«, sagte Erica, während sie einen weiteren Bissen nahm.

»Nein, das hatte ich eigentlich auch nicht geglaubt. Aber – ja, dann zum Wohl und willkommen im Restaurant Hedström.«

Sie stießen an und nahmen einen kleinen Schluck von dem gekühlten Weißwein und aßen dann weiter unter angenehmem Schweigen.

»Wie war's bei dir?« Patrik schaute Erica von unten her an.

»Ach danke, es hat schon bessere Wochen gegeben.«

»Wie kam es eigentlich, daß du bei dem Verhör dabei warst? Es muß doch wahnsinnig viele Jahre her sein, daß du mit Alex oder ihrer Familie Kontakt hattest.«

»Ja, über den Daumen gepeilt, ist es wohl fünfundzwanzig Jahre her. Ich weiß wirklich nicht. Es ist, als wäre ich in einen Strudel geraten, aus dem ich nicht herauskomme oder vielleicht auch nicht herauskommen will. Ich glaube, für Birgit verkörpere ich bessere Zeiten. Außerdem stehe ich außerhalb all dieser Dinge.« Erica zögerte. »Habt ihr irgendwelche Fortschritte gemacht?«

»Ich darf nichts über den Fall sagen, sorry.«

»Ich verstehe schon. Entschuldige, das war unüberlegt.«

»Kein Problem. Vielleicht aber kannst du mir helfen. Du hast doch die Familie jetzt mehrmals getroffen und kennst sie außerdem von früher. Kannst du nicht ein bißchen erzählen, was für einen Eindruck du von den Leuten hast und was du von Alex weißt?«

Erica legte ihr Besteck nieder und versuchte ihre Eindrücke so zu sortieren, wie sie sie Patrik mitteilen wollte. Sie erzählte alles, was sie erfahren hatte und was sie von den Personen in Alex' Leben hielt. Patrik hörte aufmerksam zu, obwohl er aufgestanden war und unterdes die benutzten Teller abräumte und das Hauptgericht servierte. Zwischendurch schob er ab und zu eine Frage ein. Er war erstaunt über die Fülle der Informationen, die Erica in relativ kurzer Zeit ermittelt hatte. Das alles, zusammen mit dem, was Erica schon zuvor von Alex wußte, gab der Frau, die bisher nur ein Mordopfer gewesen war, plötzlich ein Gesicht und eine Persönlichkeit.

»Patrik, ich weiß, daß du über den Fall nicht reden darfst, aber kannst du sagen, ob ihr irgendwelche Anhaltspunkte habt, die auf den Mörder hinweisen?«

»Nein, ich muß wohl sagen, daß wir bei der Ermittlung nicht sonderlich vorangekommen sind. Ein Lichtblick, egal welcher, wäre im Augenblick wirklich wünschenswert.« Er seufzte und ließ den Finger über den Rand des Weinglases kreisen.

Erica zögerte. »Vielleicht habe ich was von Interesse.« Sie griff nach ihrer Handtasche und begann darin zu wühlen, dann reichte sie ein zusammengefaltetes Stück Papier über den Tisch. Patrik nahm es und faltete es auseinander. Er las es mit Interesse, aber hob fragend die Augenbrauen, als er am Ende angekommen war. »Was hat das hier mit Alex zu tun?«

»Das frage ich mich auch. Ich habe diesen Artikel in einer Kommodenschublade gefunden, versteckt unter Alex' Unterwäsche.«

»Was heißt ›gefunden‹? Wann hattest du Anlaß, in ihre Kommodenschubladen zu sehen?« Er sah, daß sie rot wurde, und fragte sich, was sie wohl vor ihm verbarg.

»Jaa, eines Abends bin ich ins Haus gegangen und habe mich ein bißchen umgeguckt.«

»Du hast *was* gemacht?«

»Ja, ich weiß. Du brauchst es nicht zu sagen. Es war verdammt idiotisch, aber du kennst mich ja. Erst handeln, dann denken.« Sie redete rasch weiter, um nicht noch weitere Vorwürfe zu ernten. »Jedenfalls habe ich diesen Zettel in Alex' Schublade gefunden und ihn zufällig eingesteckt.«

Er verzichtete darauf, zu fragen, wie sie ihn hatte »zufällig« einstecken können. Es war das beste, er wußte es nicht.

»Was kann das deiner Meinung nach bedeuten?« fragte Erica. »Ein fünfundzwanzig Jahre alter Artikel über ein Verschwinden. Was kann das mit Alex zu tun gehabt haben?«

»Was weißt du darüber?« sagte Patrik und wedelte mit dem Artikel.

»Was die Fakten angeht, eigentlich nicht mehr, als da steht. Daß Nils Lorentz, der Sohn von Nelly und Fabian Lorentz, im Januar 77 spurlos verschwunden ist. Seine Leiche wurde nie gefunden. Hingegen hat es im Laufe der Jahre so einige Spekulationen gegeben. Manche glaubten, daß er sich ertränkt hat und seine Leiche ins Meer hinausgetrieben ist und deshalb nie gefunden wurde, andere Gerüchte besagten, daß er bei seinem Vater eine große Menge Geld unterschlagen hat und danach ins Ausland geflohen ist. Soviel ich gehört habe, war Nils Lorentz keine besonders sympathische Person, und die meisten haben wohl deshalb an die zweite Alternative geglaubt. Er war der einzige Sohn der beiden, und Nelly soll ihn total verwöhnt haben. Sie war untröstlich nach seinem Verschwinden, und Fabian Lorentz hat sich nie von diesem Verlust erholt. Er starb ungefähr ein Jahr später an einer Herzattacke. Der einzige Erbe des Vermögens ist jetzt ein Pflegesohn, den sie, ein gutes Jahr bevor Nils verschwand, zu sich genommen haben und den Nelly ein paar Jahre nach dem Tod ihres Mannes adoptiert hat. Ja, das hier war nur eine kleine Auswahl vom lokalen Klatsch. Ich verstehe noch immer nicht, was das für einen Zusammenhang mit Alex haben kann. Das einzige, was die Familien damals miteinander zu tun hatten, war, daß Karl-Erik im Büro von Lorentz' Konservenfabrik gearbeitet hat, bevor sie dann nach Göteborg gezogen sind. Aber das ist ja über fünfundzwanzig Jahre her.«

Erica erinnerte sich plötzlich an eine weitere Verbindung. Sie erzählte Patrik von Nellys Auftauchen beim Begräbniskaffee und daß sie ihre Aufmerksamkeit fast ausschließlich Julia gewidmet hatte.

»Ich begreife immer noch nicht, wie das mit dem Artikel zusammenhängen kann. Aber irgendwas ist da. Francine, mit der Alex die Galerie geführt hat, glaubte außerdem, daß Alex mit ihrer Vergangenheit aufräumen wollte. Viel mehr als das wußte sie nicht, ich glaube aber, das eine hat mit dem anderen zu tun. Nenne es weibliche Intuition oder so.«

Sie schämte sich ein bißchen, weil sie Patrik nicht die ganze Wahrheit erzählte. Es gab ein weiteres kleines, aber sehr seltsames Puzzleteil, das sie verschwieg. Zumindest so lange, bis sie mehr darüber wußte.

»Ja, gegen weibliche Intuition kann ich schließlich nicht argumentieren. Willst du noch ein bißchen Wein?«

»Ja, bitte.« Erica schaute sich in der Küche um. »Wie schön du es hier hast. Ist die Einrichtung dein Werk?«

»Nein, die Ehre kann ich mir nicht zuschreiben. Auf dem Gebiet war Karin Spitze.«

»Karin, ja, was ist eigentlich passiert?«

»Na ja, das Übliche eben. Das Mädel trifft einen Bandsänger in modischer Bundjacke. Das Mädel verliebt sich, läßt sich von ihrem Mann scheiden und zieht bei dem Sänger ein.«

»Du machst Scherze!«

»Leider nein. Nicht genug damit, daß ich abserviert wurde, sie ist obendrein wegen Leif Larsson gegangen, dem Sänger von Bohusläns berühmtester Tanzband ›Leffes‹. Dem Mann mit dem tollsten Vokuhila der ganzen Westküste. Ja, du, einem Mann in Bommelloafers hatte man nicht viel entgegenzusetzen.«

Erica schaute ihn mit großen Augen an.

Patrik lächelte. »So in etwa.«

»Aber das muß ja schrecklich gewesen sein! Das war bestimmt nicht leicht zu verkraften.«

»Ich habe mich ziemlich lange selbst bedauert, aber jetzt ist es okay. Nicht gut, aber okay.«

Erica wechselte das Thema. »Die Neuigkeit über die Schwangerschaft ist ja wie eine Bombe eingeschlagen.«

Sie schaute Patrik forschend an, und er hatte das Gefühl, daß mehr hinter ihrer scheinbar unschuldigen Feststellung steckte.

»Ja, es schien jedenfalls so, als hätte sie ihrem Mann diese gute Nachricht nicht mitgeteilt.«

Patrik wartete schweigend auf eine Erwiderung. Nach einem Weilchen hatte Erica sich wohl entschlossen, den eingeschlagenen Weg weiterzugehen, aber sie sprach leise und zögernd, noch immer unsicher.

»Laut ihrer besten Freundin ist nicht Henrik der Vater des Kindes.«

Patrik hob die Braue und pfiff, aber sagte noch immer nichts, in der Hoffnung, daß Erica über noch mehr Informationen verfügte.

»Francine hat erzählt, daß Alex hier in Fjällbacka jemanden

kannte. Jemanden, wegen dem sie jedes Wochenende herfuhr. Laut Francine hatte Alex mit Henrik nie Kinder haben wollen, aber mit diesem Mann war es anders. Alex war hocherfreut über das Kind gewesen, und daher war Francine eine von denen aus Alex' Umgebung, die steif und fest behaupteten, daß es kein Selbstmord gewesen sein kann. Alex war nach ihren Worten zum erstenmal im Leben glücklich.«

»Wußte sie etwas über diesen Mann?«

»Nein, nichts. Alex behielt diese Sache völlig für sich.«

»Aber wie konnte ihr Mann akzeptieren, daß Alex ohne ihn jedes Wochenende nach Fjällbacka fuhr? Und wußte er, daß sie hier jemanden traf?«

Noch ein Schluck Wein glitt die Kehle hinunter, und Patrik fühlte seine Wangen heiß werden. Ob es vom Wein kam oder Ericas Anwesenheit daran schuld war, konnte er nicht sagen.

»Offenbar hatten sie eine ziemlich ungewöhnliche Beziehung. Ich habe Henrik in Göteborg getroffen und hatte das Gefühl, daß das Leben der beiden nebeneinander herlief und sich nur selten kreuzte. Aufgrund der kurzen Begegnungen, die ich mit Henrik hatte, kann ich aber unmöglich sagen, was er weiß und was nicht. Dieser Mann hat ein völlig unbewegtes Gesicht, und ich glaube, egal, was er weiß oder spürt, er ist in jedem Fall sehr darauf bedacht, sich nichts anmerken zu lassen.«

»Dieser Typ Mensch funktioniert zuweilen wie ein Dampfkochtopf. Der Druck wird allmählich immer größer, und eines Tages kann er explodieren. Glaubst du, das ist vielleicht passiert? Hat der verschmähte Gatte plötzlich genug bekommen und die untreue Ehefrau getötet?«

»Ich weiß nicht, weiß es wirklich nicht, Patrik. Aber jetzt, finde ich, trinken wir einfach noch mehr Wein, mehr, als eigentlich vernünftig ist, und reden über alles und nichts, ausgenommen über Mord und Totschlag.«

Er stimmte bereitwillig zu und hob sein Glas zu einem Skål.

Sie wechselten zum Sofa und verbrachten den Rest des Abends damit, in ungezwungenem Ton über alles mögliche zu reden. Sie erzählte von ihrem Leben, von ihren Sorgen wegen des Hauses und dem Kummer wegen des Todes ihrer Eltern. Er berichtete von der Wut und dem Gefühl des Scheiterns nach der Scheidung und seiner Frustration, sich wieder am Anfang des Spiels zu befinden, gerade als er das Gefühl gehabt hatte, für Kinder und eine Familie bereit zu sein.

Auch die stillen Minuten waren behaglich, und in diesen Momenten mußte Patrik sich zügeln, um sich nicht vorzubeugen und Erica zu küssen. Er hielt sich zurück, und dann war der Augenblick auch schon verstrichen.

3

Er sah, wie man sie hinaustrug. Er wollte schreien und sich auf ihren bedeckten Körper werfen. Sie für immer behalten.

Jetzt war sie wirklich weg. Fremde Menschen würden in ihrem Leib herumstochern und sie befühlen. Keiner von ihnen würde ihre Schönheit so wahrnehmen wie er.

Für die anderen war sie nur ein Stück Fleisch. Eine Nummer auf einem Blatt Papier, ohne Leben, ohne Feuer.

Mit seiner linken Hand strich er über die Handfläche der rechten. Gestern hatte er damit ihren Arm gestreichelt. Er drückte die Hand gegen die Wange und versuchte, ihre kalte Haut an seinem Gesicht zu spüren.

Er fühlte nichts. Sie war weg.

Blaulicht blinkte. Menschen hasteten hin und her, ins Haus und wieder heraus. Warum diese Eile? Es war doch längst zu spät.

Niemand sah ihn. Er war unsichtbar. Er war immer unsichtbar gewesen.

Das machte nichts. Sie hatte ihn gesehen. Für sie war er immer sichtbar gewesen. Wenn sie ihre blauen Augen auf ihn gerichtet hatte, fühlte er sich wahrgenommen.

Nichts war jetzt übrig. Das Feuer des Kampfes war seit langem erloschen. Er stand in der Asche und schaute zu, wie sein Leben weggetragen wurde, bedeckt mit einer gelben Krankenhausdecke. Am Ende des Weges gab es keine Wahl. Das hatte er immer gewußt, und nun war der Augenblick endlich gekommen. Er hatte sich nach ihm gesehnt. Er umarmte ihn.

Sie war für immer verschwunden.

Nelly hatte ein wenig verwundert geklungen, als Erica sie anrief. Einen Augenblick lang überlegte Erica, ob sie aus der Mücke vielleicht einen Elefanten gemacht hatte. Aber es ließ sich nicht leugnen, daß Nellys Auftauchen bei Alex' Begräbnis-kaffee merkwürdig war. Und wieso hatte sie fast ausschließlich mit Julia geredet? Karl-Erik hatte zwar in der Fabrik von Fabian Lorentz als Bürovorsteher gearbeitet, aber soweit Erica wußte, hatten die Familien privat nie miteinander verkehrt. Carlgrens standen gesellschaftlich weit unter den Lorentzens.

Der Salon, in den man sie wies, war von erlesener Schönheit. Die Aussicht reichte vom Hafen auf der einen Seite bis zum offenen Horizont hinter den Inseln auf der anderen. An einem Tag wie diesem, an dem die schneebedeckte Eisfläche die Sonnenstrahlen reflektierte, konnte sich der winterliche Ausblick mit dem schönsten Sommerpanorama messen.

Sie nahmen auf einer eleganten Polstergarnitur Platz, und Erica wurden von einem Silbertablett kleine Schnittchen angeboten. Sie schmeckten phantastisch, aber Erica versuchte, sich im Zaum zu halten, um nicht unfein zu wirken. Nelly aß nur ein einziges davon, aus Furcht, ein Gramm Fleisch auf ihr knochiges Gerippe zu bekommen.

Das Gespräch verlief höflich, aber schleppend. In den langen Pausen zwischen den Worten war nur das gleichmäßige Ticken einer Uhr und vorsichtiges Schlürfen zu hören, wenn sie beide von ihrem heißen Tee tranken. Die Themen betrafen neutrale Dinge. Den Wegzug der jungen Leute aus Fjällbacka. Den Mangel an Arbeitsplätzen. Wie bedauerlich es sei, daß immer mehr von den schönen ursprünglichen Häusern durch Touristen aufgekauft und zu Sommerwohnungen wurden. Nelly erzählte einiges darüber, wie es früher gewesen war, als sie jung und frisch verheiratet nach Fjällbacka gekommen war. Erica hörte aufmerksam zu. Schob hin und wieder eine höfliche Frage ein. Es war, als würden sie sich im Kreis um jenes Thema bewegen, das, wie sie beide wußten, früher oder später zur Sprache kommen mußte.

Schließlich faßte sich Erica ein Herz. »Jaa, das letzte Mal haben wir uns ja unter traurigen Umständen gesehen.«

»Wirklich tragisch. So eine junge Frau.«

»Ich wußte gar nicht, daß sie mit der Familie Carlgren so eng bekannt sind.«

»Karl-Erik hat viele Jahre für uns gearbeitet, und wir haben seine Familie natürlich bei vielen Gelegenheiten getroffen. Ich fand es nur angemessen, kurz vorbeizugehen.«

Nelly senkte den Blick. Erica sah, daß sich ihre Hände auf dem Schoß nervös bewegten.

»Ich hatte den Eindruck, daß Sie auch Julia kannten. Sie war doch wohl noch nicht geboren, als Carlgrens in Fjällbacka wohnten?«

Nur ein kurzes Durchdrücken des Rückens und ein leichtes Zurückwerfen des Kopfes verrieten, daß Nelly die Frage unangenehm fand. Sie hob ihre mit Gold behängte Hand.

»Nein. Julia ist eine neue Bekanntschaft. Aber ich finde, sie ist eine ganz entzückende junge Dame. Natürlich sehe ich, daß sie nicht dieselben äußeren Qualitäten wie Alexandra hat, aber im Unterschied zu ihr besitzt sie eine Willensstärke und einen Mut, die sie in meinen Augen bedeutend interessanter machen als ihre Gans von Schwester.«

Nelly schlug sich mit der Hand vor den Mund. Einen Moment lang schien sie vergessen zu haben, daß sie von einem toten Menschen sprach. Für den Bruchteil einer Sekunde war ein Riß in ihrer Fassade sichtbar geworden. Was Erica in diesem Augenblick sah, war reiner Haß. Wie kam es, daß Nelly Lorentz Alexandra haßte, eine Frau, die sie doch wohl nur als Kind gekannt hatte?

Bevor Nelly Gelegenheit hatte, ihren Ausrutscher zu bemänteln, klingelte das Telefon. Mit deutlicher Erleichterung entschuldigte sie sich. Erica nutzte die Zeit und sah sich ein wenig im Zimmer um. Es war schön, aber unpersönlich eingerichtet. Die Hand eines Innenarchitekten war überall zu spüren. Alles war farblich und bis ins kleinste Detail aufeinander abgestimmt. Erica konnte nicht umhin, das Ganze mit der Schlichtheit ihres Elternhauses zu vergleichen. Dort war nichts nur wegen des Aussehens aufgestellt worden, sondern jedes Ding hatte, je nach seiner Funktion, im Laufe der Jahrzehnte einen bestimmten Platz erhalten. Erica fand, daß die Schönheit des Persönlichen und Gebrauchten bei weitem die dieses blank geputzten Ausstellungsraums übertraf. Das einzige Persönliche, was Erica entdecken konnte, war eine Reihe Familienporträts, die auf dem Kaminsims standen. Sie beugte sich vor und studierte die Bilder eingehend. Sie schienen von links nach rechts chronologisch geordnet und begannen mit einem schwarzweißen Porträt eines eleganten Hochzeitspaares. Nelly war wirklich strahlend schön in dem weißen Kleid, das ihre Figur eng umschloß, aber Fabian schien sich in seinem Frack nicht wohl zu fühlen.

Auf dem nächsten Bild hatte sich die Familie vergrößert, und Nelly hielt ein Baby in den Armen. Fabian an ihrer Seite sah noch immer reserviert und ernst aus. Dann folgten eine lange Reihe Aufnahmen von einem Kind in zunehmendem Alter, manchmal war es allein abgebildet, dann wieder zusammen mit Nelly. Auf dem letzten Foto der Reihe schien der junge Mann etwa fünfundzwanzig Jahre alt zu sein. Nils Lorentz. Der verschwundene Sohn. Nach dem ersten Bild mit der ganzen Familie wirkte es, als seien Nils und Nelly allein übriggeblieben. Aber vielleicht mochte Fabian nicht auf Fotos posieren und hielt sich lieber hinter der Kamera auf. Bilder des Adoptivsohns Jan suchte man vergeblich.

Erica wandte ihre Aufmerksamkeit einem Schreibtisch zu, der in einer Ecke des Zimmers stand. Dunkel, aus Kirschbaum, mit schönen Intarsien, denen Erica mit dem Finger folgte. Er war völlig frei von Gegenständen und sah aus, als hätte er keine andere Funktion, als nur Schmuck zu sein. Es lockte sie, einen Blick in die Schubladen zu werfen, aber sie war sich nicht sicher, wie lange Nelly noch wegbleiben würde. Das Gespräch zog sich offenbar in die Länge, doch sie konnte jeden Augenblick wieder im Zimmer auftauchen. Der Papierkorb erregte ebenfalls Ericas Interesse. Darin lagen ein paar zusammengeknüllte Seiten, und sie nahm den obersten Papierball heraus und glättete ihn behutsam. Sie las mit steigendem Interesse. Noch verblüffter als zuvor, legte sie das Blatt vorsichtig wieder zurück in den Korb. Nichts in dieser Geschichte war, wie es zu sein schien.

Sie hörte ein Räuspern hinter sich. Jan Lorentz stand in der Türöffnung und hob verwundert die Augenbrauen. Sie fragte sich, wie lange er wohl dort gestanden hatte.

»Erika Falck, nicht wahr?«

»Ja, das stimmt. Und du mußt Nellys Sohn Jan sein.«

»Auch das stimmt. Angenehm, dich kennenzulernen. Weißt du, in diesem Ort bist du Gesprächsthema.«

Er lächelte übers ganze Gesicht und kam ihr mit ausgestreckter Hand entgegen. Sie nahm sie nur widerstrebend. Irgend etwas an ihm bewirkte, daß sich die Härchen auf ihren Armen sträubten. Er hielt ihre Hand einen Augenblick zu lange. Sie mußte sich beherrschen, um sie nicht zurückzureißen.

In seinem sorgfältig gebügelten Anzug, einen Aktenkoffer in der Hand, sah er aus, als käme er direkt von einem Geschäftstreffen. Erica wußte, daß er jetzt das Familienunternehmen leitete – erfolgreich.

Seine Haare waren glatt nach hinten gekämmt, mit etwas zuviel Gel. Die Lippen waren ein wenig zu voll für einen Mann, aber die Augen mit den langen dunklen Wimpern waren schön. Wenn da nicht sein kantiger Unterkiefer mit der tiefen Furche im Kinn gewesen wäre, hätte er vermutlich sehr feminin gewirkt. Jetzt gab ihm diese Mischung von Eckigkeit und Fülle ein leicht sonderbares Aussehen, aber man konnte eigentlich nicht sagen, ob er attraktiv war oder nicht. Erica fand ihn abstoßend, aber das lag mehr an einem Gefühl, das sie in der Magengrube verspürte.

»Also Mutter ist es endlich gelungen, dich hierherzulocken. Du mußt wissen, schon seit dein erstes Buch erschienen ist, hast du ganz oben auf ihrer Wunschliste gestanden.«

»Ach so, ja, mir ist klar, daß man die Sache hier als Jahrhundertereignis betrachtet. Deine Mutter hat mich ein paarmal eingeladen, aber bisher war die Lage irgendwie nicht so günstig.«

»Ja, ich habe das von deinen Eltern gehört. Sehr tragisch. Ich möchte wirklich mein herzliches Beileid aussprechen.« Er lächelte bedauernd, aber die Teilnahme erreichte die Augen nicht.

Nelly kam wieder ins Zimmer. Jan beugte sich herunter, um seiner Mutter die Wange zu küssen, und Nelly ließ ihn mit gleichgültiger Miene gewähren.

»Wie schön für dich, Mutter, daß Erica endlich kommen konnte. Du hast dich doch schon so lange darauf gefreut.«

»Ja, das ist wirklich schön.« Sie setzte sich aufs Sofa. Ihr Gesicht verzog sich vor Schmerz, und sie griff sich an den rechten Arm.

»Aber Mutter, was ist? Hast du Schmerzen? Soll ich deine Tabletten holen?«

Jan beugte sich vor und legte ihr die Hände auf die Schultern, aber Nelly schüttelte ihn brüsk ab.

»Nein, ich habe nichts. Nur ein paar Altersbeschwerden, nicht der Rede wert. Übrigens, solltest du nicht in der Firma sein?«

»Doch, ich bin nur nach Hause gekommen, um einige Papiere zu holen. Ja, dann werde ich die Damen wohl allein lassen. Überanstrenge dich nur nicht, Mutter, denk an das, was der Doktor gesagt hat …«

Nelly schnaubte nur zur Antwort. Jans Gesicht zeigte Fürsorge und Mitgefühl, die echt zu sein schienen, aber Erica hätte schwören können, daß sie in seinem Mundwinkel ein leichtes Lächeln bemerkte, als er das Zimmer verließ und sich eine Sekunde zu ihnen umwandte.

»Werde bloß nicht alt. Mit jedem Jahr, das vergeht, erscheint einem die Idee mit dem Todesfelsen, von dem sich die Alten früher stürzten, immer besser zu sein. Man kann nur darauf hoffen, so senil zu werden, daß man glaubt, wieder zwanzig zu sein. Es wäre schön, das noch einmal zu erleben.« Nelly lächelte bitter.

Erica murmelte nur etwas und wandte sich dann einer anderen Sache zu. »Es muß doch jedenfalls ein Trost sein, daß man einen Sohn hat, der das Familienunternehmen weiterführt. Soweit ich verstanden habe, wohnen Jan und seine Frau hier bei Ihnen.«

»Trost. Ja, vielleicht.« Nelly blickte den Bruchteil einer Sekunde zu den Fotos über dem Kamin. Sie sagte nichts weiter, und Erica wagte nicht, noch mehr zu fragen. »Genug jetzt von mir und meinen Angelegenheiten. Schreibst du ein neues Buch? Ich muß sagen, daß ich dein letztes über Karin Boye geliebt habe. Du läßt die Autorinnen auch als Personen so lebendig werden. Wie kommt es, daß du nur über Frauen schreibst?«

»Das war wohl anfangs mehr Zufall, glaube ich. Ich habe meine Diplomarbeit über große schwedische Schriftstellerinnen geschrieben und war so fasziniert, daß ich mehr darüber erfahren wollte, also woher sie kamen und wie sie als Menschen waren. Angefangen habe ich, wie Sie vielleicht wissen, mit Anna Maria Lenngren, weil ich von ihr am wenigsten wußte, und dann ist es immer so weitergegangen. Im Moment schreibe ich über Selma Lagerlöf, und da gibt es ja so einige interessante Aspekte.«

»Hast du nie darüber nachgedacht, etwas, wie soll ich sagen ... Nichtbiographisches zu schreiben? Deine Sprache hat einen solchen Fluß, daß es wirklich interessant wäre, etwas Literarisches von dir zu lesen.«

»Ja, es gibt schon Gedanken in diese Richtung.« Erica versuchte sich nichts anmerken zu lassen. »Aber im Moment bin ich mit dem Lagerlöf-Projekt voll ausgelastet. Danach werden wir sehen, was passiert.« Sie schaute auf die Uhr. »Apropos die Arbeit, ich muß mich jetzt wohl leider verabschieden. Auch wenn es keine Stempeluhr in meinem Beruf gibt, so ist Disziplin notwendig, um das tägliche Pensum zu schreiben. Ganz herzlichen Dank für den Tee – und die wundervollen Schnittchen.«

»Keine Ursache. Es war wirklich nett, dich hier zu haben.«

Nelly erhob sich graziös vom Sofa. Nun war nichts mehr von irgendwelchen Altersbeschwerden zu spüren. »Ich bringe dich zur Tür. Früher hätte das unsere Haushälterin Vera getan, aber die Zeiten ändern sich. Es ist nicht mehr modern, eine Haushälterin zu haben, und das kann sich ja wohl auch kaum jemand leisten. Ich hätte sie schon gern behalten, wir haben ja das Geld, aber Jan lehnte es ab. Er will keine Fremden im Haus haben, sagt er. Aber daß sie einmal die Woche zum Putzen kommt, das geht merkwürdigerweise. Ja, es ist nicht immer leicht, sich auf euch junge Leute zu verstehen.«

Offenbar hatten sie jetzt einen neuen Grad der Bekanntschaft erreicht, denn als Erica ihr die Hand zum Abschied hinstreckte, ignorierte Nelly das und gab ihr statt dessen links und rechts ein Luftküßchen. Erica wußte jetzt instinktiv, mit welcher Seite sie beginnen mußte, und fühlte sich fast weltmännisch. Langsam war sie auch in feineren Salons zu Hause.

Erica eilte heim. Sie hatte Nelly nicht den wahren Grund dafür genannt, weshalb sie gehen mußte. Sie schaute auf die Uhr. Zwanzig vor zwei. Punkt zwei würde ein Makler erscheinen und sich das Haus wegen des Verkaufs ansehen. Erica knirschte mit den Zähnen bei dem Gedanken daran, daß jemand durch die Räume gehen und alles anfassen würde, aber es blieb ihr nichts übrig, als den Dingen ihren Lauf zu lassen.

Das Auto war zu Hause geblieben, und sie beschleunigte den Schritt, um rechtzeitig dazusein. Andererseits konnte sie den Mann ruhig ein bißchen warten lassen, dachte sie, und ging etwas langsamer. Weshalb sollte sie sich abhetzen?

Angenehmere Gedanken meldeten sich. Das Essen am Samstagabend bei Patrik hatte ihre Erwartungen weit übertroffen. Patrik war Erica früher immer wie ein lieber, aber leicht nervender kleiner Bruder erschienen, obwohl sie eigentlich gleich alt waren. Nun hatte sie einen reifen, warmherzigen und humorvollen Mann getroffen. Er sah auch keineswegs schlecht aus, mußte sie zugeben. Die Frage war nur, wie bald sie ihn anstandslos zu sich einladen konnte – also zum Dank für diesen Abend.

Der letzte Hang zu Sälviks Campingplatz hoch sah verräterisch flach aus, aber er zog sich lang hin. Sie keuchte heftig, als sie nach rechts abbog und die letzte kleine Steigung zum Haus nahm. Als sie oben ankam, blieb sie konsterniert stehen. Ein großer Mercedes war vor dem Haus geparkt, und sie wußte sehr wohl, wem der Wagen gehörte. Sie hatte nicht erwartet, daß dieser Tag noch stressiger werden würde, als er schon war. Da hatte sie sich also geirrt.

»Hallo Erica.« Lucas lehnte mit verschränkten Armen an der Haustür.

»Was machst denn du hier?«

»Heißt man seinen Schwager so willkommen?« Sein Schwedisch hatte einen leichten Akzent, war aber grammatisch einwandfrei.

Lucas breitete spöttisch die Arme aus, als erwarte er eine Umarmung. Erica ignorierte das Angebot, und sie sah, daß ihn das nicht überraschte. Sie hatte nie den Fehler begangen, Lucas zu unterschätzen. Deshalb ließ sie in seiner Nähe stets äußerste Vorsicht walten. Am liebsten hätte sie ihm eine Ohrfeige ins grinsende Gesicht verpaßt, aber sie wußte, daß sie damit etwas in Gang setzen könnte, dessen Ausgang sie vermutlich nicht miterleben wollte.

»Antworte auf meine Frage, was machst du hier?«

»Wenn ich mich nicht irre, dann gehört ... hmmm ... wollen mal sehen, ziemlich genau ein Viertel von alldem hier mir.« Er ließ die Hand über das Haus schweifen, hätte aber ebensogut die ganze Welt meinen können, so groß war seine Selbstsicherheit.

»Die Hälfte gehört mir und die andere Hälfte Anna. Du hast mit diesem Haus nichts zu schaffen.«

»Du bist in bezug auf die eheliche Gütergemeinschaft vielleicht nicht recht im Bilde, ich meine, da du ja keinen hinreichend Bekloppten gefunden hast, der sich mit dir zusammentun wollte, aber, verstehst du, nach dem Gesetz ist es so schön und gerecht geordnet, daß Eheleute alles gemeinsam besitzen. Auch die Anteile an einem Haus am Meer.«

Erica wußte sehr wohl, daß dem so war. Einen Moment verfluchte sie ihre Eltern, die nicht vorausschauend genug gewesen waren, das Haus allein ihren Töchtern zu überschreiben. Auch sie hatten gewußt, was für ein Mensch Lucas war, aber hatten wohl nicht damit gerechnet, daß ihnen nur noch so wenig Zeit blieb. Niemandem gefällt es, an die eigene Sterblichkeit erinnert zu werden, und wie so viele andere hatten sie diese Art von Entscheidungen auf später verschoben.

Sie zog es vor, nicht auf seinen beleidigenden Kommentar, ihren Familienstand betreffend, einzugehen. Lieber blieb sie den Rest ihres Lebens auf dem Glasberg sitzen, als den Fehler zu begehen, so jemanden wie Lucas zu heiraten.

Er fuhr fort: »Ich wollte dabeisein, wenn der Makler kommt. Kann nie schaden, sich zu informieren, wieviel man wert ist. Wir wollen doch, daß alles gerecht zugeht, nicht wahr?«

Er setzte erneut sein infernalisches Grinsen auf. Erica schloß die Tür auf und drängte sich an ihm vorbei. Der Makler ließ auf sich warten, aber sie hoffte, daß er bald auftauchen würde. Ihr gefiel der Gedanke ganz und gar nicht, mit Lucas allein hier zu sein.

Er betrat nach ihr das Haus. Sie hängte ihre Jacke an die Garderobe und begann in der Küche zu wirtschaften. Die einzige Weise, mit ihm fertig zu werden, war, ihn zu ignorieren. Sie hörte ihn durch die Räume gehen, wo er alles inspizierte. Er war erst das dritte oder vierte Mal hier. Die Schönheit, die im Einfachen lag, war nichts, was Lucas zu schätzen wußte, und er hatte auch nie ein größeres Interesse daran gezeigt, Annas Familie zu treffen. Der Vater hatte den Schwiegersohn nicht gemocht, und dieses Gefühl war gegenseitig. Anna und die Kinder waren stets allein zu Besuch gekommen.

Erica mochte es nicht, daß Lucas durch die Zimmer ging und alles berührte, die Möbel und die Schmuckgegenstände. Doch sie bezwang ihren Wunsch, mit einem Lappen hinter ihm herzugehen und alles abzuwischen, was er angefaßt hatte. Mit Erleichterung sah sie einen grauhaarigen Mann in einem großen Volvo in die Auffahrt einbiegen. Sie eilte zum Eingang, um ihm zu öffnen. Dann ging sie in ihr Arbeitszimmer und schloß die Tür hinter sich. Sie wollte nicht sehen, wie er durch ihr Elternhaus ging, es in Augenschein nahm und sein Gewicht in Gold abwog. Oder den Preis pro Quadratmeter festlegte.

Der Computer war bereits eingeschaltet, und auf dem Bildschirm stand der Text, den sie überarbeiten wollte. Zur Abwechslung war sie zeitig aufgestanden und hatte eine ganze Menge geschafft. Vier Seiten des Entwurfs zu dem Buch über Alex hatte sie am Morgen geschrieben, und jetzt ging sie an den Anfang zurück, um sie durchzulesen. Noch immer hatte sie eine ganze Reihe Probleme mit der Form des Buches. Als sie noch im Glauben gewesen war, Alex hätte Selbstmord begangen, hatte sie ein Buch schreiben wollen, das die Ursache ergründete. Das Ganze war dokumentarischer angelegt. Jetzt begann das Material mehr und mehr die Form eines Kriminalromans anzunehmen, ein Genre, das sie nie besonders angesprochen

hatte. Sie war an Menschen, deren Beziehungen und psycholo-
gischen Strukturen interessiert und fand, daß all das bei den
meisten Krimis zurückstehen mußte. Ihr mißfielen die üblichen
Klischees, und sie fühlte, daß das, was sie schreiben wollte, tatsächlich etwas Echtes war, versuchte sie doch zu erfassen,
warum jemand die schlimmste aller Sünden beging – einem anderen Menschen das Leben zu nehmen. Bisher hatte sie alles in
chronologischer Reihenfolge aufgezeichnet und genau wieder-
gegeben, was man ihr erzählt hatte. Dazu waren eigene Beobachtungen und Schlußfolgerungen gefügt. Sie würde das Material stutzen, es straffen müssen, um der Wahrheit so nahe wie
möglich zu kommen. Wie die Angehörigen von Alex darauf
reagieren mochten, daran dachte sie lieber noch nicht.

Sie bereute es, Patrik nicht alles über ihren Besuch in Alex'
Haus erzählt zu haben. Sie hätte ihm von dem mysteriösen Besucher und von dem Bild, das sie im Schrank versteckt gefunden hatte, berichten müssen. Von ihrem Gefühl, daß etwas, was
sich bei ihrem Kommen im Zimmer befunden hatte, später
fehlte. Sie brachte es nicht fertig, jetzt im nachhinein anzurufen und zuzugeben, daß es noch mehr zu sagen gab, aber bei
passender Gelegenheit würde sie auch den Rest erzählen, das
gelobte sie sich hoch und heilig.

Sie hörte den Makler und Lucas durchs Haus gehen. Der
Mann fand bestimmt, daß sie sich höchst eigenartig benahm.
Kaum daß sie ihn begrüßt hatte, war sie davongestürzt und
hatte die Tür hinter sich zugemacht. Schließlich konnte er ja
nichts für ihre Situation, also beschloß sie, die Zähne zusam-
menzubeißen und ein wenig von ihrer guten Erziehung spüren
zu lassen.

Als sie das Wohnzimmer betrat, war Lucas gerade dabei, mit
überschwenglichen Worten das herrliche Licht zu loben, das
die großen Sprossenfenster hereinließen. Merkwürdig! Erica
hatte nicht gewußt, daß Geschöpfe, die unter einem Stein her-
vorgekrochen waren, Sonnenlicht mochten. Sie hatte die Vi-
sion von Lucas als großem glänzenden Krabbelkäfer und
wünschte nichts sehnlicher, als ihn durch einen Tritt mit dem
Stiefelabsatz aus ihrem Leben zu befördern.

»Entschuldigen Sie meine Unhöflichkeit. Ich hatte nur ein paar eilige Dinge zu erledigen.«

Erica lächelte übers ganze Gesicht und streckte dem Makler, der sich als Kjell Ekh vorstellte, die Hand entgegen. Er versicherte ihr, die Sache keineswegs übel vermerkt zu haben. Ein Hausverkauf sei eine sehr persönliche Angelegenheit, und wenn sie nur wüßte, was für Geschichten er erzählen könnte ... Erica lächelte noch mehr und gestattete sich sogar ein leichtes schelmisches Zwinkern. Lucas beobachtete sie mißtrauisch. Sie ignorierte ihn vollständig.

»Ja, ich will nicht unterbrechen, wo waren Sie stehengeblieben?«

»Ihr Schwager war gerade dabei, das schöne Wohnzimmer vorzuführen. Ein sehr geschmackvoller Raum, muß ich sagen. Sehr schön mit all den vielen Fenstern.«

»Ja, das ist zweifellos schön. Nur schade, daß es zieht.«

»Es zieht?«

»Ja, die Fenster sind leider nicht ordentlich abgedichtet, und wenn es nur ein bißchen Wind gibt, sollte man schon seine wärmsten Wollsocken anhaben. Aber das läßt sich schließlich leicht beheben, indem man alle Fenster austauscht.«

Lucas starrte sie wütend an, aber Erica tat so, als merke sie nichts. Statt dessen nahm sie Makler-Kjell beim Arm, und wenn er ein Hund gewesen wäre, hätte er in diesem Moment eifrig mit dem Schwanz gewedelt.

»Die oberen Etagen haben Sie also jetzt gesehen, dann können wir vielleicht mit dem Keller weitermachen. Und lassen Sie sich nicht durch den Schimmelgeruch irritieren. Soweit Sie nicht allergisch dagegen sind, besteht keine Gefahr. Ich habe praktisch dort unten gewohnt und keinerlei Schaden genommen. Die Ärzte versichern, daß mein Asthma überhaupt nichts damit zu tun hat.«

Worauf sie, um dem Ganzen die Krone aufzusetzen, einen Hustenanfall erlitt, der so heftig war, daß sie sich krümmen mußte. Aus dem Augenwinkel sah sie, wie Lucas' Gesicht sich immer röter färbte. Sie wußte, daß ihr Bluff bei einer gründlicheren Besichtigung des Hauses auffliegen würde, aber bis dahin war es ihr ein kleiner Trost, Lucas wenigstens ein bißchen ärgern zu können.

Makler-Kjell sah sehr erleichtert aus, als er wieder in die frische Luft hinauskam, nachdem ihm Erica enthusiastisch alle Vorteile des Kellers erklärt hatte. Lucas hatte sich während der restlichen Vorführung still und passiv verhalten, und Erica fragte sich leicht beunruhigt, ob sie ihren kindlichen Scherz zu weit getrieben hatte. Lucas wußte schließlich sehr genau, daß bei einer richtigen Begutachtung des Hauses keiner der »Mängel«, die sie »aufgedeckt« hatte, Bestand haben würde, aber sie hatte versucht, ihn lächerlich zu machen. Was Lucas Maxwell nicht tolerierte. Mit leichtem Beben sah sie den Makler fröhlich winkend abfahren, nachdem er versichert hatte, ein amtlicher Gutachter würde mit ihnen Kontakt aufnehmen und das Haus vom Boden bis zum Keller prüfen.

Sie ging vor Lucas zurück in die Diele. Eine Sekunde darauf klebte sie förmlich an der Wand, Lucas' Hand mit brutalem Griff um die Kehle. Sein Gesicht war nicht weiter als einen Zentimeter von ihrem entfernt. Die Wut, die sie darin erblickte, ließ sie zum erstenmal verstehen, warum es Anna so schwerfiel, sich aus der Beziehung mit ihm zu befreien. Erica sah einen Mann vor sich, der kein Hindernis auf seinem Weg duldete, und vor lauter Angst blieb sie stocksteif stehen.

»So was tust du nie, nie wieder, hast du gehört. Keiner macht mich ungestraft zum Gespött der Leute, also nimm dich, verdammt noch mal, in acht!«

Er zischte die Worte mit so viel Nachdruck hervor, daß er ihr Gesicht mit Speichel übersprühte. Sie mußte der Versuchung widerstehen, sich die Spucke aus dem Gesicht zu wischen. Statt dessen stand sie weiter wie zur Salzsäule erstarrt und betete intensiv, daß er abhauen, aus ihrem Haus verschwinden möge. Zu ihrem Erstaunen tat er genau das. Er löste den Griff um ihren Hals und drehte ihr den Rücken zu, um zur Tür zu gehen. Aber just als sie einen tiefen Seufzer der Erleichterung von sich geben wollte, machte er plötzlich kehrt und war mit einem einzigen Schritt wieder vor ihr. Bevor Erica reagieren konnte, hatte er sie beim Haar gepackt und seinen Mund auf den ihren gedrückt. Er zwang seine Zunge zwischen ihre Lippen und griff ihr mit der Hand so unsanft an die Brust, daß der BH-Bügel in die Haut schnitt. Mit einem Lächeln drehte er sich wieder zur Tür und verschwand hinaus in die Winterkälte. Erst als Erica hörte, wie sein Wagen startete und losfuhr, wagte sie, sich zu rühren. Sie sank an der Wand zu Boden und strich sich angeekelt mit dem Handrücken über den Mund. Sein Kuß hatte irgendwie noch bedrohlicher gewirkt als der Griff um die Gurgel, und sie spürte, wie sie zu zittern begann. Die Arme krampfhaft um die Beine geschlungen, ließ sie den Kopf auf die Knie fallen und weinte. Nicht ihretwegen, sondern wegen Anna.

Der Montagmorgen war in Patriks Welt nie mit angenehmen Gefühlen verbunden. Erst gegen elf pflegte er Mensch zu werden. Deshalb wurde er aus einem nahezu betäubungsähnlichen Zustand geweckt, als ein gehöriger Papierberg mit dumpfem Laut auf seinem Schreibtisch landete. Abgesehen davon, daß das Aufwachen auf so brutale Art erfolgte, war die Anzahl der sich auf dem Tisch stapelnden Dokumente obendrein mit einem Schlag um das Doppelte angewachsen, was Patrik ein lautes Stöhnen entlockte.

Annika Jansson lächelte spöttisch und fragte mit unschuldiger Miene: »Hast du nicht gesagt, daß du alles haben willst, was im Laufe der Jahre über die Familie Lorentz geschrieben wurde? Da macht man seine Arbeit glänzend und sucht jedes Wort über die Leute heraus, und was erntet man als Lohn für seine Mühe? Einen tiefen Seufzer. Wie wäre es mit ein bißchen Dankbarkeit?«

Patrik lächelte.

»Annika, du hast nicht nur ewige Dankbarkeit verdient. Wenn du nicht schon verheiratet wärest, hätte ich dich zum Altar geführt und dich mit Nerzen und Diamanten überhäuft. Aber da du mein Herz gebrochen und darauf bestanden hast, diesen Lümmel zu behalten, den du zum Mann hast, so mußt du dich statt dessen mit einem einfachen kleinen Dankeschön begnügen. Und, natürlich, mit meiner ewigen Dankbarkeit.«

Zu seinem großen Entzücken bemerkte er, daß es ihm diesmal fast gelungen war, sie zum Erröten zu bringen.

»Ja, jetzt hast du erst mal ein Weilchen zu tun. Weshalb willst du das nur alles durchsehen? Was hat das mit dem Mord in Fjällbacka zu tun?«

»Um ehrlich zu sein, keine Ahnung. Laß es uns weibliche Intuition nennen.«

Annika hob fragend die Augenbrauen, kam jedoch zu dem Schluß, daß sie zur Zeit wohl nicht mehr erfahren würde. Aber ihre Neugier war geweckt. Die Familie Lorentz kannte auch in Tanumshede jeder, und wenn die in irgendeiner Weise mit dem Mord zu tun haben sollte, wäre das, gelinde ausgedrückt, eine Sensation.

Patrik folgte ihr mit dem Blick, als sie die Tür hinter sich schloß. Eine unglaublich tüchtige Frau. Er hoffte sehnlichst, daß auch ein Chef wie Mellberg sie nicht vertreiben konnte. Es wäre ein Riesenverlust für das Revier, wenn sie eines Tages genug haben sollte. Er zwang sich, seine Gedanken auf den Papierberg zu konzentrieren, den Annika vor ihm abgelegt hatte. Nach kurzem Blättern stellte er fest, daß er den Rest des Tages brauchen würde, um das ganze Material zu lesen. Also lehnte er sich im Stuhl zurück, legte die Füße auf den Schreibtisch und nahm den ersten Artikel zur Hand.

Sechs Stunden später massierte er sich den steifen Nacken und fühlte, daß seine Augen juckten und brannten. Er hatte die Artikel in chronologischer Reihenfolge gelesen und mit den ältesten Ausschnitten begonnen. Es war eine faszinierende Lektüre. Im Laufe der Jahre war viel über Fabian Lorentz und seine Erfolge geschrieben worden. Zum überwältigenden Teil waren es positive Beiträge, und lange sah dessen Leben so aus, als hätte er in allem eine glückliche Hand. Die Firma entwickelte sich erstaunlich rasch, da Fabian Lorentz ein sehr begabter, um nicht zu sagen genialer Geschäftsmann war. Die Heirat mit Nelly war Gegenstand der Klatschspalten, ergänzt durch Bilder, die das schöne Paar in Hochzeitskleidern zeigten. Danach tauchten Bilder von Nelly und ihrem Sohn Nils in den Zeitungen auf. Nelly mußte sich unermüdlich bei den verschiedensten Wohltätigkeitsveranstaltungen und Gesellschaftsereignissen engagiert haben, und immer schien Nils an ihrer Seite zu sein. Oft mit einem ängstlichen Ausdruck im Gesicht, die Hand sicher in der seiner Mutter verankert.

Auch als er ins Teenageralter gekommen war und etwas zurückhaltender hätte sein müssen, sich in der Öffentlichkeit mit der Mutter zu zeigen, befand er sich unweigerlich an ihrer Seite. Sie hatte sich bei ihm untergehakt, und sein Gesicht zeigte einen Stolz, der für Patrik von Besitzrecht zu sprechen schien. Fabian war jetzt immer seltener zu sehen und wurde nur erwähnt, wenn von größeren Geschäften die Rede war.

Ein Artikel hob sich von den anderen ein wenig ab und erregte Patriks Aufmerksamkeit. Die Illustrierte »Allers« hatte Nelly eine ganze Doppelseite gewidmet, als sie Mitte der siebziger Jahre ein Pflegekind annahm, einen Jungen, der einen »tragischen Familienhintergrund« hatte, wie es der Reporter ausdrückte. Ein Bild zeigte Nelly, geschminkt und bis an die Zähne herausgeputzt, in ihrem eleganten Wohnzimmer, den Arm um einen etwa zwölfjährigen Jungen gelegt. Er machte ein trotziges, mürrisches Gesicht. Als der Fotograf auf den Auslöser drückte, schien es, als wollte er ihren knochigen Arm gerade abschütteln. Nils, der jetzt ein junger Mann Mitte Zwanzig war, stand hinter seiner Mutter, und auch er zeigte kein Lächeln. Kühl und ernst, bekleidet mit einem dunklen Anzug, die Haare nach hinten gekämmt, schien er mit der eleganten Atmosphäre vollkommen zu verschmelzen, während der Jüngere wie ein fremder Vogel wirkte.

Der Artikel rühmte Nellys Aufopferung und die große gesellschaftliche Leistung, die sie vollbracht hatte, indem sie sich dieses Kindes annahm. Es wurde angedeutet, daß der Junge eine große Tragödie erlebt hatte, ein Trauma, das zu überwinden sie ihm, wie Nelly zitiert wurde, helfen wollten. Sie war voller Vertrauen, daß die gesunde und liebevolle Umgebung, die sie ihm boten, einen intakten produktiven Menschen aus ihm machen würde. Patrik tat der Junge leid. Was für eine Naivität.

Gut ein Jahr später wurden die glamourösen Bankettbilder und die Neid erweckenden Reportagen aus der schönen Unternehmersvilla von schwarzen Schlagzeilen abgelöst. »Erbe des Lorentz-Vermögens verschwunden.« Wochenlang trompeteten die Lokalzeitungen die Neuigkeit heraus, und die Sache schien obendrein von solchem Gewicht, daß selbst die »Göteborgsposten« sie veröffentlichte. Den reißerischen Zeilen folgte eine Zusammenstellung mehr oder weniger fundierter Spekulationen über das, was dem jungen Lorentz zugestoßen sein könnte. Alle möglichen und unmöglichen Alternativen wurden aufgezählt, einmal hieß es, daß er das gesamte Vermögen seines Vaters veruntreut habe und sich nun an unbekanntem Ort aufhalte, wo er ein Leben in Luxus führe, dann wieder, daß er sich das Leben genommen habe, weil er entdeckt hätte, nicht der legitime Sohn von Fabian Lorentz zu sein, und dieser ihm klargemacht habe, daß er sein beachtliches Vermögen keinem Bastard zukommen ließe. Das meiste davon wurde nicht klar ausgesprochen, sondern nur mehr oder weniger verdeckt angedeutet. Aber wer nur ein bißchen Verstand hatte, konnte leicht zwischen den Zeilen lesen, was die Reporter zu sagen wünschten.

Patrik kratzte sich am Kopf. Er konnte beim besten Willen nicht verstehen, was ein fünfundzwanzig Jahre altes Verschwinden mit dem gegenwärtigen Mord an einer Frau zu tun haben sollte, aber er spürte sehr stark, daß es da einen Zusammenhang gab.

Er rieb sich die müden Augen und blätterte weiter in dem Stapel, dessen Höhe zusehends abnahm. Nach einiger Zeit, als weitere Informationen über das Schicksal von Nils ausblieben, hatte sich das Interesse gelegt, und man kam immer seltener auf das Thema zurück. Auch Nelly tauchte im Laufe der Jahre immer seltener in den Klatschspalten auf, und in den Neunzigern wurde sie kein einziges Mal erwähnt. Fabians Tod im Jahre 1978 hatte zu einem großen Nachruf in der »Bohuslän Tidning« geführt, und darin waren die üblichen Floskeln von der Stütze der Gesellschaft und dergleichen zu lesen. Das war auch das letzte Mal, daß sein Name genannt wurde.

Der Adoptivsohn Jan war indessen immer öfter Gegenstand des Interesses. Nach Nils' Verschwinden war er der einzige Erbe des Familienbetriebs und übernahm, volljährig geworden, sofort den Direktorposten. Unter seiner Leitung florierte das Unternehmen weiter, und nunmehr konnte man in den Klatschspalten häufig von ihm und seiner Frau Lisa lesen.

Patrik hielt inne. Ein Blatt war auf den Boden gefallen. Er beugte sich hinunter, um es aufzuheben, und studierte es dann äußerst aufmerksam. Der Artikel war über zwanzig Jahre alt und enthielt eine ganze Reihe aufschlußreicher Informationen über Jan und sein Leben, bevor er bei der Familie Lorentz gelandet war. Beunruhigende, aber auch interessante Informationen. Das Leben des Jungen mußte sich bei der Familie Lorentz radikal verändert haben. Die Frage war nur, ob Jan sich ebenso radikal verändert hatte.

Mit energischem Griff nahm Patrik das ganze Bündel und stauchte es in Form. Er überlegte, was er jetzt tun sollte. Bisher hatte er nicht mehr als seine – und Ericas – Intuition zur Verfügung. Er lehnte sich auf dem Stuhl zurück, legte die Beine auf den Schreibtisch und faltete die Hände im Nacken. Mit geschlossenen Augen versuchte er seine Gedanken zu ordnen, um die vorhandenen Alternativen gegeneinander abzuwägen. Die Augen zu schließen war ein Fehler. Seit letztem Samstag sah er dann sofort Erica vor sich.

Er zwang sich, die Augen wieder aufzumachen, und richtete den Blick auf den deprimierend grünen Beton der Wand. Das Polizeigebäude stammte aus den frühen siebziger Jahren und war vermutlich von jemandem entworfen worden, der sich auf staatliche Institutionen spezialisiert hatte, bei denen er seine Vorliebe für Rechteckigkeit, Beton und schmutzgrüne Anstriche verwirklichen konnte. Patrik hatte versucht, das Büro mit einigen Blumentöpfen auf dem Fensterbrett und ein paar gerahmten Plakaten an der Wand zu beleben. Als er noch verheiratet war, hatte auf dem Schreibtisch ein Foto von Karin gestanden, und obwohl die Platte seit damals viele Male abgestaubt worden war, meinte er an der betreffenden Stelle noch immer den Abdruck des Bildes zu sehen. Trotzig stellte er den Bleistiftständer dorthin und widmete sich rasch wieder der Erwägung aller Schritte, die das Material ermöglichte.

Eigentlich hatte er nur zwei Möglichkeiten, um zu reagieren. Die erste Alternative war, dieser Spur auf eigene Faust nachzugehen, was bedeutete, daß er es in seiner Freizeit tun mußte, da Mellberg ständig für eine Arbeitsbelastung sorgte, die ihn zwang, von morgens bis abends wie ein Wilder durch die Gegend zu flitzen. Er hätte es sich eigentlich nicht leisten können, die Artikel jetzt während der Dienstzeit durchzusehen, daß er es dennoch getan hatte, beruhte auf einem Anfall von Aufsässigkeit. Dafür würde er bezahlen müssen, indem er den größten Teil des Abends mit Schreibkram verbrachte. Es lockte ihn wenig, das bißchen Freizeit, das er besaß, auch noch zu opfern, um Mellbergs Arbeit zu erledigen, also sollte er vielleicht Alternative zwei vorziehen.

Wenn er zu Mellberg ging und ihm die Sache auf die rechte Weise schmackhaft machte, würde er vielleicht die Erlaubnis erhalten, die Ermittlung in dieser Richtung während der Arbeitszeit zu führen. Mellbergs Eitelkeit war sein schwächster Punkt, und wenn man den Mann schlau bearbeitete, könnte man vielleicht seine Zustimmung erwirken. Patrik war sich im klaren, daß der Kommissar den Fall Alex Wijkner als sichere Rückfahrkarte ins Göteborger Dezernat betrachtete. Selbst wenn Patrik nach dem, was er gehört hatte, glaubte, daß für Mellberg alle dorthin führenden Brücken abgerissen waren, so konnte er die Sache vielleicht für seine Zwecke nutzen. Wenn er den Zusammenhang mit der Familie Lorentz ein bißchen übertrieb, indem er andeutete, er habe den Tip bekommen, daß Jan der Vater des Kindes sei, dann würde Mellberg vielleicht auf die Spur einschwenken. Das war zwar nicht sehr moralisch, aber Patrik hatte einfach das Gefühl, daß in dem vor ihm liegenden Stapel eine Verbindung zu Alex' Tod existierte.

Mit einem einzigen Schwung brachte er die Beine vom Schreibtisch wieder auf den Boden und schob den Stuhl so heftig zurück, daß der auf seinen Rädern weiterfuhr und gegen die Wand prallte. Patrik packte den Stapel Kopien und ging zum anderen Ende des an einen Bunker erinnernden Korridors. Bevor er es sich noch anders überlegen konnte, klopfte er laut an Mellbergs Tür und meinte ein »Herein« zu hören.

Wie immer erstaunte es ihn, daß ein Mann, der absolut nichts tat, eine solche Menge Papier aufhäufen konnte. In Mellbergs Büro waren Unterlagen auf allen freien Flächen gestapelt. Auf dem Fensterbrett, auf den Stühlen und vor allem auf dem Schreibtisch lagen dicke Papierbündel und sammelten Staub. Das Bücherregal hinter dem Kommissar bog sich unter der Last der Ordner, und Patrik fragte sich, wie lange es wohl her war, daß diese Dokumente das Licht des Tages gesehen hatten. Mellberg saß am Telefon, winkte Patrik aber herein. Der fragte sich verblüfft, was wohl im Gange war. Mellberg strahlte wie ein Weihnachtsstern am Heiligabend. Ein Glück, daß die Ohren im Weg waren, dachte Patrik, sonst hätte sich das breite Lächeln wohl um den ganzen Kopf gezogen.

Mellbergs Antworten am Telefon klangen einsilbig.

»Ja.«

»Ja sicher.«

»Überhaupt nicht.«

»Ja, natürlich.«

»Das haben Sie richtig gemacht.«

»Aber nein.«

»Ja, vielen Dank, liebe Frau, ich verspreche, daß Sie Bescheid erhalten.«

Triumphierend knallte er den Hörer auf, was Patrik auf dem Stuhl zusammenfahren ließ.

»So muß man die Sache deichseln!«

Mellberg schmunzelte und sah aus wie ein jovialer Weihnachtsmann. Patrik fiel auf, daß er nie zuvor Mellbergs Zähne gesehen hatte. Sie waren erstaunlich weiß und gleichmäßig. Beinahe ein bißchen zu perfekt.

Mellberg sah ihn erwartungsvoll an, und Patrik begriff, daß er gefragt werden wollte, was denn passiert sei. Patrik tat es folgsam, doch hatte er nicht die Antwort erwartet, die er erhielt.

»Ich habe ihn! Ich habe Alex Wijkners Mörder!«

Mellberg war so außer sich, daß er gar nicht merkte, wie sein Haaraufbau zum einen Ohr hinunterrutschte. Ausnahmsweise packte Patrik einmal nicht die Lust, bei diesem Anblick loszuprusten. Er ignorierte die Tatsache, daß der Kommissar, indem er das Pronomen »ich« benutzte, offenbar nicht bereit war, irgendwelche Erfolge mit seinen Mitarbeitern zu teilen. Er beugte sich vor, die Ellenbogen auf den Knien, und fragte ernst: »Wie meinst du das? Gibt es einen Durchbruch bei dem Fall? Mit wem hast du geredet?«

Mellberg hob die Hand, um das Sperrfeuer der Fragen zu stoppen, lehnte sich dann auf dem Stuhl zurück und faltete die Hände über dem Bauch. Das hier war ein Bonbon, an dem er so lange wie möglich zu lutschen gedachte.

»Ja, also, Patrik. Wenn man so viele Jahre in diesem Beruf ist wie ich, dann weiß man, daß ein Durchbruch nicht einfach so kommt, sondern man muß ihn sich verdienen. Durch die Kombination jahrelanger Erfahrung mit meiner Kompetenz, hinzu kommt unermüdliche Arbeit, habe ich jetzt aber tatsächlich einen Durchbruch bei den Ermittlungen erzielt. Ja, so ist es. Eine gewisse Dagmar Petrén hat mich soeben angerufen und mir ein paar interessante Beobachtungen mitgeteilt, die sie gemacht hat, kurz bevor die Leiche gefunden wurde. Ja, ich möchte sogar von *signifikanten* Beobachtungen sprechen, die im weiteren dazu führen werden, daß wir einen gemeingefährlichen Mörder hinter Schloß und Riegel setzen können.«

Die Ungeduld piesackte Patrik, aber aus Erfahrung wußte er, daß man Mellberg einfach zu Ende reden lassen mußte. Er würde schon noch auf des Pudels Kern zu sprechen kommen. Patrik hoffte nur, es passierte, bevor er in Rente ging.

»Ja, ich erinnere mich an einen Fall, den wir in Göteborg gehabt haben, es war im Herbst 1967 ...«

Patrik seufzte im stillen und bereitete sich auf eine lange Wartezeit vor.

Wie erwartet, fand sie Dan dort, wo er in seinem Element war. Mit einer Leichtigkeit, als handele es sich um Säcke voller Baumwolle, bewegte er Teile der Ausrüstung auf dem Boot. Große, dicke Taurollen, Seemannssäcke und gewaltige Fender. Erica genoß es, ihn arbeiten zu sehen. Bekleidet mit einem handgestrickten Pullover, mit Mütze und Handschuhen, vor dem Mund weiße Atemwolken, schien er mit der Szene hinter sich eins zu sein. Die Sonne stand hoch am Himmel und wurde von dem Schnee an Deck reflektiert. Die Stille war ohrenbetäubend. Er arbeitete effektiv und zielsicher, und Erica sah, daß er jede Minute genoß. Sie wußte, daß er vor sich sah, wie das Eis aufbrechen und die »Veronica« mit vollen Segeln auf den Horizont zusteuern würde. Der Winter war nur ein einziges langes Warten. Zu allen Zeiten waren diese Monate für die Küstenbevölkerung schwer gewesen. Hatte der Sommer gute Erträge gebracht, salzte man früher genügend Hering ein, um den Winter zu überleben. War das nicht der Fall, mußte man sich anders behelfen. Dan konnte, wie so viele der Küstenfischer, nicht allein von diesem Beruf leben, also hatte er an den Abenden studiert und arbeitete nun ein paar Tage die Woche als zusätzlicher Lehrer für Schwedisch an der Oberstufe in Tanumshede. Erica glaubte, daß er bestimmt ein guter Lehrer war, aber mit seinem Herzen war er hier, nicht im Klassenzimmer.

Seine Arbeit auf dem Boot nahm ihn völlig in Anspruch, und sie war auf leisen Sohlen herangeschlichen, also konnte sie ihn eine Zeitlang ungestört betrachten, bevor er sie auf dem Kai bemerkte. Erica konnte nicht anders, als ihn mit Patrik zu vergleichen. Dem Aussehen nach waren sie völlig verschieden. Dans Haar war so hell, daß es in den Sommermonaten fast weiß wurde. Patriks dunkles Haar war von derselben Nuance wie seine Augen. Dan war muskulös, Patrik eher lang und dünn. Vom Wesen her hätten sie jedoch Brüder sein können. Dieselbe ruhige, sanfte Art und der leise Humor, der sich stets im richtigen Moment bemerkbar machte. Es war ihr bisher noch gar nicht aufgefallen, wie sehr sich ihre Persönlichkeiten glichen. Irgendwie freute sie das. Nach Dan war sie in keiner Liebesbeziehung mehr richtig glücklich gewesen, aber all die Jahre hatte es sie zu Männern ganz anderer Art gezogen. Meist zu »unreifen Männern«, wie Anna betont hatte. »Du versuchst Jungs zu erziehen, statt einen erwachsenen Mann zu finden, also ist es nicht gerade verwunderlich, daß diese Beziehungen für dich nicht funktionieren«, hatte Marianne gesagt. Und das entsprach vielleicht der Wahrheit. Aber die Jahre liefen rasch dahin, und sie mußte sich eingestehen, daß sie allmählich eine gewisse Panik verspürte. Der Tod der Eltern hatte ihr auf brutale Weise klargemacht, was sie im eigenen Leben vermißte. Seit Samstagabend waren ihre Gedanken bei dem Thema wie von selbst zu Patrik Hedström gegangen. Dans Stimme unterbrach ihre Grübeleien.

»Ja, hallo, wie lange stehst du denn schon da?«

»Nur ein Weilchen. Fand es interessant zu sehen, wie es so ist, wenn man arbeitet.«

»Ja, es ist was anderes als das, womit du dich versorgst. Geld dafür zu bekommen, den ganzen Tag auf seinem Hintern zu hocken und sich was auszudenken. Wirklich grotesk.«

Sie lächelten beide. Es war ein altes, vertrautes Thema in ihren Kabbeleien.

»Ich habe dir was Wärmendes und was Sättigendes mitgebracht.« Erica schwenkte den Korb, den sie in der Hand trug.

»Oh, wie komme ich zu diesem Luxus? Was willst du denn dafür haben? Meinen Körper? Meine Seele?«

»Nein, danke, du kannst beides gern behalten. Letztgenanntes halte ich allerdings für einen frommen Wunsch deinerseits.«

Dan nahm den Korb und half ihr mit sicherer Hand über die Reling. Es war glatt, und sie war nahe daran, auf den Hintern zu plumpsen, aber Dan rettete sie mit festem Griff um die Taille. Gemeinsam wischten sie den Schnee vom Deckel eines der Fischbehälter und nahmen, nachdem sie die Handschuhe sorgfältig für die Hinterteile ausgelegt hatten, darauf Platz und begannen den Korb auszupacken. Dan lächelte begeistert, als er die Thermoskanne mit der heißen Schokolade und die sorgfältig in Folie verpackten Salamibrote sah.

»Du bist eine Perle«, sagte er, den Mund voller Wurstbrot.

Sie saßen ein Weilchen schweigend da und aßen andächtig. Es war friedlich, so in der Vormittagssonne zu sitzen, und Erica kümmerte sich nicht um ihr schlechtes Gewissen wegen der mangelnden Arbeitsdisziplin. Sie war in der letzten Woche ziemlich gut vorangekommen und fand, daß sie ein bißchen Freizeit verdient hatte.

»Hast du noch mehr über Alex Wijkner gehört?«

»Nein, die Ermittlungen scheinen bisher nichts ergeben zu haben.«

»Ja, nach dem, was mir zu Ohren gekommen ist, hast du wohl Zugang zu Insiderinformationen.«

Dan lächelte schelmisch. Erica hörte nie auf, sich über die Schnelligkeit und Effektivität des Dschungeltelegrafen zu wundern. Sie hatte nicht die geringste Ahnung, wie sich das Gerücht über ihr Treffen mit Patrik schon jetzt hatte ausbreiten können.

»Begreife nicht, wovon du redest.«

»Nein, kann ich mir vorstellen. Nun, wie weit seid ihr gekommen? Schon mal ausprobiert, oder?«

Erica schlug ihm den Arm gegen die Brust, aber mußte trotzdem lachen.

»Nein, ich habe es nicht ausprobiert. Ich weiß nicht mal, ob ich interessiert bin oder nicht. Oder besser gesagt, interessiert bin ich schon, aber ich weiß nicht, ob ich will, daß mehr daraus wird. Vorausgesetzt, daß *er* überhaupt interessiert ist. Was nicht unbedingt der Fall sein muß.«

»Mit anderen Worten, du bist feige.«

Erica haßte es, daß Dan fast immer den Nagel auf den Kopf traf. Manchmal fand sie, daß er sie zu gut kannte.

»Ja, ich muß zugeben, daß ich ein bißchen unsicher bin.«

»Nun ja, ob du dich traust, die Chance zu ergreifen, weißt nur du selber. Hast du darüber nachgedacht, wie es wäre, wenn es klappen sollte?«

Das hatte Erica. Nicht nur einmal in den letzten Tagen. Aber die Frage war bisher noch völlig hypothetisch. Sie hatten ja schließlich nur gemeinsam zu Abend gegessen.

»Ja, ich finde jedenfalls, du solltest richtig Dampf machen. Besser, man tut es, als daß man es läßt.«

Erica wechselte schnell das Thema: »Apropos Alex, ich bin da auf was Merkwürdiges gestoßen.«

»Aha, und auf was?« Dans Stimme klang neugierig und zugleich abwartend.

»Ja, ich bin vor ein paar Tagen in ihrem Haus gewesen und habe ein interessantes Papier gefunden.«

»Du bist was …?«

Erica kümmerte sich nicht um seinen verblüfften Ausruf und machte nur eine abwehrende Handbewegung. »Ich habe die Kopie eines alten Artikels über das Verschwinden von Nils Lorentz gefunden. Kannst du begreifen, warum Alex einen fünfundzwanzig Jahre alten Zeitungsartikel unter ihrer Unterwäsche versteckt hat?«

»Unter ihrer Unterwäsche? Also verdammt noch mal, Erica!«

Sie hob die Hand, um seinen Protest zu stoppen, und fuhr ruhig fort. »Meine Intuition sagt mir, daß die Sache mit dem Mord an ihr zu tun hat. Ich weiß nicht, auf welche Weise, aber irgendwie liegt da wirklich der Hund begraben. Außerdem ist in der Zeit, als ich dort war, jemand ins Haus gekommen und hat alles durchgestöbert. Vielleicht hat derjenige den Artikel gesucht.«

»Bist du nicht bei Trost!« Dan starrte sie mit offenem Mund an. »Was hast du überhaupt damit zu tun! Es ist ja wohl Sache der Polizei, den zu finden, der Alex ermordet hat.« Seine Stimme überschlug sich fast.

»Ja, ich weiß. Du brauchst auch nicht so zu schreien. Mit meinen Ohren ist alles in Ordnung. Ich bin mir völlig im klaren darüber, daß ich eigentlich nichts damit zu tun habe, aber erstens bin ich durch ihre Familie schon in die Sache verstrickt, zweitens stand ich ihr früher mal sehr nahe, und drittens kann ich die Geschichte nicht aus dem Kopf kriegen, denn ich habe Alex ja schließlich gefunden.«

Erica verzichtete darauf, Dan von dem Buch zu erzählen. Wenn sie laut davon sprach, wirkte es irgendwie krasser und gefühlloser. Außerdem fand sie, daß Dan ein bißchen übertrieben reagierte, aber er war schon immer sehr besorgt um sie. Sie mußte zugeben, wenn man die Umstände bedachte, war es nicht besonders clever gewesen, in Alex' Haus herumzusteigen.

»Erica, versprich mir, daß du das läßt.« Er legte ihr die Hände auf die Schultern und zwang sie, ihn anzusehen. Sein Blick war klar, aber ungewöhnlich hart für einen Mann wie Dan. »Ich will nicht, daß dir was zustößt, und ich glaube, du übernimmst dich, wenn du weiter in der Sache herumstocherst. Also, hör auf damit.«

Dans Griff um ihre Schultern verstärkte sich, und er starrte ihr in die Augen. Erica öffnete den Mund, um zu antworten, bestürzt über seine heftige Reaktion, aber bevor sie noch etwas sagen konnte, war Pernillas Stimme vom Kai zu hören: »Wie ich sehe, macht ihr es euch hier richtig gemütlich.«

Ihre Stimme war von einer Kälte, die Erica noch nie zuvor bemerkt hatte. Ihre Augen wirkten finster, und die Hände öffneten und schlossen sich rhythmisch. Beim Klang von Pernillas Stimme waren sie beide erstarrt, und Dans Hände lagen noch immer auf Ericas Schultern. Blitzschnell, so als hätte er sich verbrannt, riß er sie zurück, richtete sich auf und stand geradezu stramm.

»Hallo Liebling. Hast du heute zeitiger Schluß? Erica ist nur mit ein bißchen Proviant vorbeigekommen, um ein Weilchen zu plaudern.«

Dan redete überstürzt, und Erica blickte verwundert von einem zum anderen. Sie erkannte Pernilla, die sie giftig ansah, fast nicht wieder. Einen Augenblick lang fragte sich Erica, ob Pernilla ihr wohl eine verpassen wolle. Sie verstand überhaupt nichts mehr. Es war wirklich Jahre her, daß sie alles, was Erica und Dan betraf, geklärt hatten. Pernilla wußte, daß es zwischen ihnen keine Gefühle mehr gab, oder zumindest glaubte Erica, daß sie es wußte. Jetzt war sie sich dessen nicht mehr sicher. Die Frage war nur, was diese Reaktion ausgelöst hatte. Sie ließ ihren Blick zwischen Dan und Pernilla hin und her wandern. Ein stummer Machtkampf fand statt, und Dan schien im Begriff, ihn zu verlieren. Erica blieb nichts mehr zu sagen, und sie kam zu dem Schluß, daß es das beste wäre, einfach zu verschwinden und die beiden die Sache selbst regeln zu lassen.

Rasch sammelte sie Tassen und Kanne ein und stellte sie zurück in den Korb. Als sie den Kai hinunterging, hörte sie Dans und Pernillas aufgeregte Stimmen die Stille übertönen.

4

Er war unsagbar einsam. Ohne sie war die Welt leer und kalt, und er konnte nichts tun, um diese Kälte zu lindern. Der Schmerz hatte sich leichter ertragen lassen, als er ihn mit ihr teilen konnte. Seit sie verschwunden war, hatte er das Gefühl, er müsse beider Schmerz gleichzeitig tragen, und das war mehr, als er glaubte verkraften zu können. Er kämpfte sich durch die Tage, Minute um Minute, Sekunde um Sekunde. Die äußere Wirklichkeit existierte nicht, ihm war nur noch im Bewußtsein, daß sie für immer verschwunden war.

Die Schuld ließ sich in gleich große Stücke aufteilen und den Schuldigen zumessen. Er gedachte sie nicht allein zu tragen. Nein, er würde sie keineswegs allein tragen.

Er betrachtete seine Hände. Wie er diese Hände haßte. Sie enthielten Schönheit und Tod in einer Unvereinbarkeit, mit der er hatte lernen müssen zu leben. Nur wenn er SIE gestreichelt hatte, war allein Gutes in ihnen gewesen. Seine Haut an ihrer Haut hatte all das Böse fortgescheucht, hatte es für ein Weilchen vertrieben. Zugleich hatte einer des anderen verborgene Bosheit genährt. Liebe und Tod, Haß und Leben. Gegensätze, die aus ihnen Motten machten, die immer näher und näher um die Flamme kreisten. Sie war zuerst verbrannt.·

Er fühlte die Hitze des Feuers im Nacken. Es war jetzt ganz nahe.

Sie hatte es satt. Hatte es satt, den Dreck anderer wegzuputzen. Hatte ihr freudloses Leben satt. Ein Tag verlief wie der andere. Sie hatte es satt, die Schuld zu tragen, die tagaus, tagein auf ihr lastete. Hatte es satt, sich morgens, wenn sie aufwachte, und abends, wenn sie sich schlafen legte, zu fragen, wie es Anders wohl ging.

Vera stellte den Kaffee zum Aufkochen auf den Herd. Nur das Ticken der Küchenuhr war zu hören, und sie setzte sich an den Tisch, wartete darauf, daß der Kaffee fertig wurde.

Heute hatte sie bei Familie Lorentz geputzt. Das Haus war so groß, daß sie den ganzen Tag dafür brauchte. Manchmal vermißte sie die alten Zeiten. Vermißte die Sicherheit, immer am selben Ort zu arbeiten. Vermißte den Status, den sie als Haushälterin der vornehmsten Familie im nördlichen Bohuslän gehabt hatte. Doch so war es nur manchmal. Meist war sie einfach froh, nicht jeden Tag dorthin zu müssen. Daß sie nicht länger vor Nelly Lorentz zu katzbuckeln hatte. Der Frau, die sie über alle Maßen haßte. Dennoch hatte sie weiter für sie gearbeitet, jahraus, jahrein, bis die Zeit sie schließlich eingeholt hatte und der Beruf der Haushälterin aus der Mode kam. Mehr als dreißig Jahre hatte sie den Blick zu Boden gesenkt und gemurmelt: »Ja, vielen Dank, Frau Lorentz, natürlich, Frau Lorentz, wird sofort erledigt, Frau Lorentz«, während sie zugleich die unbändige Lust bezwingen mußte, ihre starken Hände um den zerbrechlichen Hals dieser Nelly Lorentz zu legen und zuzudrücken, bis das Weib nicht mehr atmete. Manchmal war diese Lust so übermächtig, daß sie ihre Hände unter der Schürze verstecken mußte, damit ihre Arbeitgeberin nicht sah, wie sie zitterten.

Der Kaffeekessel pfiff, um mitzuteilen, daß das Getränk fertig war. Vera erhob sich mühsam und streckte den Rücken, bevor sie eine angeschlagene Tasse aus dem Schrank nahm und sich etwas eingoß. Die Tasse war der letzte Rest von dem Hochzeitsservice, das sie bei der Heirat von Arvids Eltern geschenkt bekommen hatten. Es war aus feinem dänischen Porzellan. Blaue Blumen auf weißem Grund, die im Laufe der Jahre kaum an Farbe eingebüßt hatten. Jetzt war nur noch diese Tasse übrig. Solange Arvid am Leben war, hatten sie das Service nur bei besonderen Gelegenheiten benutzt, doch nach seinem Tod war es ihr witzlos erschienen, einen Unterschied zwischen Alltag und Fest zu machen. Durch den natürlichen Verschleiß war im Laufe der Zeit einiges kaputtgegangen, den Rest hatte Anders bei einem Deliriumsanfall vor mehr als zehn Jahren zertrümmert. Diese übriggebliebene Tasse war ihre liebste Habe.

Genußvoll trank sie von dem Kaffee. Als nur noch ein Schluck übrig war, goß sie den Rest auf die Untertasse und schlürfte ihn durch das Stück Zucker, das sie zwischen die Zähne geklemmt hatte. Ihre Beine waren schlapp und schmerzten nach einem ganzen Tag Putzen, und sie hatte sie auf den vor ihr stehenden Stuhl gelegt, um sie ein bißchen zu entlasten.

Das Haus war klein und schlicht. Hier wohnte sie jetzt bald vierzig Jahre, und sie hatte vor, hier weiter wohnen zu bleiben bis zu dem Tag, an dem sie starb. Eigentlich war es nicht besonders praktisch. Das Haus lag ganz oben an einem steilen Hang, und oft mußte sie auf dem Heimweg mehr als einmal stehenbleiben, um nach Luft zu schnappen. Die Jahre hatten dem Haus auch ziemlich zugesetzt, und es wirkte innen und außen ramponiert und verschlissen. Die Lage war jedoch recht gut, und sie würde ein ansehnliches Sümmchen erhalten, wenn sie es verkaufen und statt dessen in eine Wohnung ziehen würde. Dieser Gedanke war ihr jedoch fremd. Lieber sollte alles um sie herum verrotten, als daß sie auszog. Hier hatte sie schließlich mit Arvid gelebt, die wenigen glücklichen Jahre, die ihre Ehe dauerte. In dem Bett im Schlafzimmer hatte sie zum erstenmal woanders als im Elternhaus geschlafen. In der Hochzeitsnacht. Im selben Bett war Anders gezeugt worden, und als sie hochschwanger war und nur noch auf der Seite liegen konnte, war Arvid ganz dicht an sie herangerückt, hatte hinter ihrem Rücken gelegen und ihr den Bauch gestreichelt. Hatte ihr ins Ohr geflüstert, wie ihr gemeinsames Leben aussehen würde. Hatte von all den Kindern gesprochen, die bei ihnen aufwachsen würden, von all dem fröhlichen Lachen, das in den nächsten Jahren in den Zimmern erklänge. Und wenn sie dann alt wären und die Kinder aus dem Haus, säßen sie beide in ihrem Schaukelstuhl vor dem Kamin und redeten darüber, was für ein wundervolles Leben sie doch gehabt hätten. Damals waren sie nur wenig über zwanzig gewesen und konnten sich nicht vorstellen, was hinter dem Horizont auf sie wartete.

Hier an diesem Küchentisch hatte sie gesessen, als der Bescheid kam. Wachtmeister Pohl hatte mit der Mütze in der Hand an die Tür geklopft, und sobald sie ihn sah, wußte sie, was folgen würde. Als er zu reden begann, hatte sie ihm mit dem Finger auf dem Mund bedeutet, er möge schweigen, und ihn dann in die Küche gewiesen. Sie watschelte hinterher, im neunten Monat schwanger, machte langsam und methodisch einen Kessel Kaffee zurecht und setzte ihn auf. Während sie darauf warteten, daß das Getränk fertig wurde, hatte sie dagesessen und den Mann angesehen, der ihr gegenübersaß. Er hingegen brachte es nicht fertig, sie anzuschauen. Statt dessen ließ er den Blick über die Wände wandern und zupfte zwanghaft seinen Kragen zurecht. Erst als vor jedem eine Tasse dampfend heißer Kaffee stand, bedeutete sie ihm weiterzureden. Noch immer hatte sie selbst kein Wort gesagt. Sie lauschte einem Summen im Kopf, das immer lauter wurde. Sie sah, daß sich der Mund des Wachtmeisters bewegte, aber nicht ein Wort drang durch den Mißklang in ihrem Kopf. Sie brauchte es nicht zu hören. Sie wußte, daß Arvid jetzt auf dem Grund des Meeres lag und sich im Takt mit dem Seegras wiegte. Worte konnten das nicht ändern, konnten die Wolken nicht vertreiben, die sich jetzt am Himmel sammelten, bis alles nur noch eine einzige graue Masse war.

Vera seufzte, als sie jetzt, viele Jahre später, hier am Küchentisch saß. Andere Leute, die nahe Angehörige verloren hatten, sagten, das Bild der Lieben werde mit der Zeit immer undeutlicher. Bei ihr war es genau umgekehrt. Arvids Bild wurde immer klarer, und manchmal sah sie ihn so deutlich vor sich, daß der Schmerz sich wie ein stählernes Band um ihr Herz legte. Es war sowohl Segen als auch Qual, daß Anders ein lebendiges Abbild von Arvid war. Sie wußte, wenn ihr Mann hätte leben dürfen, wäre das Schreckliche nie geschehen. In ihm hätte sie Kraft gefunden, und zusammen mit ihm wäre sie so stark gewesen, wie sie hätte sein müssen.

Vera fuhr heftig zusammen, als das Telefon klingelte. Sie war tief in alte Erinnerungen versunken, und es gefiel ihr gar nicht, von dem schrillen Geräusch gestört zu werden. Sie mußte die Hände zu Hilfe nehmen, um die eingeschlafenen Beine vom Stuhl zu heben, und leicht humpelnd eilte sie in den Korridor, wo der Apparat stand.

»Mutter, ich bin es.«

Anders lallte, und aufgrund der jahrelangen Erfahrung wußte

sie genau, in welchem Stadium der Trunkenheit er sich befand. Ungefähr auf halber Strecke bis zum K.o. Sie seufzte.

»Tag, Anders. Wie geht's dir?«

Er ignorierte die Frage. Sie hatten unzählige solcher Gespräche geführt.

Vera sah sich selbst im Flurspiegel, wie sie mit dem Hörer am Ohr dastand. Der Spiegel war alt und schäbig, hatte dunkle Flecke im Glas, und sie fand, daß sie selbst große Ähnlichkeit mit ihm hatte. Ihre Haare waren grau und stumpf, hier und da ließ sich die ursprüngliche dunkle Nuance noch erkennen. Sie waren straff nach hinten gekämmt zu einer Frisur, die sie selbst mit einer Nagelschere vor dem Badezimmerspiegel schnitt. Es hatte keinen Sinn, Geld für den Friseur hinauszuwerfen. Das Gesicht war zerknittert, der jahrelange Kummer hatte sich in Runzeln und Falten niedergeschlagen. Ihre Kleidung war wie sie selber. Farblos, aber praktisch, meist in Grau oder Grün. Die harte Arbeit und ihr mangelndes Interesse am Essen waren der Grund, weshalb sie nicht jene Rundlichkeit angenommen hatte, die für viele Frauen ihres Alters typisch war. Statt dessen wirkte sie sehnig und kräftig. Wie ein Arbeitspferd.

Sie registrierte plötzlich, was Anders am anderen Ende der Leitung sagte, und löste schockiert den Blick vom Spiegel.

»Mutter, hier draußen stehen Streifenwagen. Ein Riesenaufgebot. Die müssen hinter mir her sein. Das sind sie bestimmt. Verdammt, was soll ich machen?«

Vera hörte, wie seine Stimme sich aufbäumte und die Panik mit jeder Silbe zunahm. Eiseskälte durchfuhr sie. Im Spiegel bemerkte sie, daß sie den Hörer so fest umklammert hielt, daß die Knöchel weiß wurden.

»Mach gar nichts, Anders. Warte dort. Ich komme.«

»Okay, aber beeile dich bloß. Es ist nicht wie sonst, wenn die Bullen auftauchen, Mutter, da kommt immer nur ein Wagen. Jetzt stehen drei hier draußen, mit Blaulicht und Sirenen. Verdammt ...«

»Anders, hör mir zu. Atme tief durch und beruhige dich. Ich lege jetzt auf, und dann komme ich, so schnell ich kann, zu dir.«

Sie hörte, daß es ihr gelungen war, ihn ein wenig zu besänftigen, aber sobald sie den Hörer aufgelegt hatte, warf sie sich den Mantel über und lief, ohne abzuschließen, eilig aus der Tür.

Sie rannte über den Parkplatz hinter der alten Taxistation und nahm die Abkürzung hinter dem Lagereingang von Evas Supermarkt. Schon kurze Zeit später mußte sie das Tempo drosseln, und so brauchte sie beinahe zehn Minuten, bis sie zu dem Mietshaus gelangte, in dem Anders wohnte.

Sie kam gerade rechtzeitig, um zu sehen, wie er in Handschellen von zwei kräftigen Polizisten abgeführt wurde. Ein Schrei baute sich in ihrer Brust auf, aber sie zwang ihn zurück, als sie all die Nachbarn sah, die wie Geier in ihren Fenstern hingen. Unter keinen Umständen würde sie ihnen eine Vorstellung über die hinaus bieten, die sie bereits erhalten hatten. Ihr Stolz war das einzige, was sie noch besaß. Vera haßte das Getratsche, das, wie sie wußte, Anders und sie wie eine klebrige Masse umgab. In den Häusern wurde getuschelt und gemunkelt, und jetzt bekam all das neue Nahrung. Sie wußte, was man sagte: »Die arme Vera, erst ertrinkt der Mann, und dann versackt der Sohn völlig im Alkohol. Und wo sie doch so eine redliche Person ist.« O ja, sie wußte genau, was geredet wurde. Aber sie wußte auch, daß sie alles in ihrer Macht Stehende tun würde, um den Schaden zu begrenzen. Sie durfte jetzt nur nicht zusammenbrechen, sonst fiel alles wie ein Kartenhaus in sich zusammen. Vera wandte sich an die in ihrer Nähe stehende Polizistin, eine kleine, zarte Frau mit blonden Haaren, die Vera in der korrekten Uniform fehl am Platze fand. Sie hatte sich noch immer nicht an die Ordnung der neuen Zeit gewöhnt, in der Frauen offenbar in jedem beliebigen Beruf tätig waren.

»Ich bin die Mutter von Anders Nilsson. Was ist passiert? Wohin bringen sie ihn?«

»Ich kann leider keine Auskunft erteilen. Sie müssen sich ans Polizeirevier in Tanumshede wenden. Wir bringen ihn dort in die Zelle.«

Mit jedem Wort sank ihr das Herz. Sie begriff, daß es diesmal nicht um irgendwelche Streitigkeiten im Suff ging. Die Streifenwagen fuhren einer nach dem anderen los. Im letzten sah sie Anders zwischen zwei Polizisten sitzen. Er drehte sich um und blickte sie an, bis die Wagen außer Sicht waren.

Patrik sah das Auto mit Anders Nilsson in Richtung Tanumshede davonfahren. Das massive Polizeiaufgebot war seiner Meinung nach ziemlich übertrieben, aber Mellberg wollte Aufsehen, und so gab es Aufsehen. Man hatte Extraeinsatzkräfte aus Uddevalla angefordert, die bei der Festnahme assistieren sollten. Nach Patriks Ansicht hieß das nur, daß bei sechs Anwesenden die Zeit von mindestens vier vergeudet wurde.

Eine Frau blieb auf dem Parkplatz zurück und schaute den Streifenwagen lange hinterher.

»Die Mutter des Täters«, sagte Polizeiassistentin Lena Waltin aus Uddevalla, die auch hiergeblieben war, um gemeinsam mit Patrik eine Haussuchung in Anders Nilssons Wohnung vorzunehmen.

»Dir ist doch klar, Lena, daß er nicht der ›Täter‹ ist, bevor alles überprüft wurde und die Verurteilung klar ist. Bis zu dem Zeitpunkt ist er genauso unschuldig wie wir anderen.«

»Wer's glaubt. Ich verwette mein Jahresgehalt darauf, daß er der Schuldige ist.«

»Wenn du so sicher bist, könntest du wirklich etwas mehr als dieses bißchen setzen.«

»Haha, wirklich lustig. Über das Gehalt eines Polizisten zu scherzen ist wirklich die reinste Verarschung.«

Patrik konnte nicht anders, als ihr zuzustimmen.

»Ja, hier passiert wohl nicht mehr viel. Also gehen wir hoch?«

Er sah, daß Anders' Mutter noch immer auf demselben Fleck stand und den Autos hinterhersah, obwohl sie längst verschwunden waren. Sie tat ihm wirklich leid, und einen Augenblick lang überlegte er, ob er hingehen und ihr ein paar tröstende Worte sagen sollte. Aber Lena zog ihn am Ärmel und wies mit dem Kopf auffordernd in Richtung Tür. Er seufzte, zuckte mit den Schultern und folgte ihr ins Haus, um den Durchsuchungsbeschluß in die Tat umzusetzen.

Sie kontrollierten die Tür von Anders Nilssons Wohnung,

die nicht abgeschlossen war, so daß sie problemlos den Flur betreten konnten. Patrik schaute sich um und seufzte zum zweitenmal innerhalb kürzester Zeit. Die Wohnung war in einem traurigen Zustand, und er fragte sich, wie sie in diesem Durcheinander etwas von Wert finden sollten. Sie stiegen über leere Flaschen im Korridor und versuchten sich einen Überblick über Wohnzimmer und Küche zu verschaffen.

»Igitt.« Lena schüttelte sich angewidert.

Sie zogen dünne Plastikhandschuhe aus den Taschen und streiften sie über. Als hätten sie sich heimlich abgesprochen, begann Patrik mit dem Wohnzimmer, während Lena die Küche übernahm.

Sich in Anders Nilssons Wohnzimmer aufzuhalten erzeugte ein schizophrenes Gefühl. Der dreckige, unaufgeräumte Raum, in dem sich fast kein Möbelstück oder irgendwelche persönlichen Dinge befanden, wirkte wie eine klassische Fixerbude. Von denen hatte Patrik in seinem Berufsleben so einige gesehen. Doch war er nie zuvor in einer Fixerbude gewesen, in der die Wände mit Kunst vollgehängt waren. Die Bilder hingen so dicht, daß vom Fußboden bis zur Decke kaum Platz war. Die Explosion der Farben verursachte ein Stechen in Patriks Augen, und er mußte sich beherrschen, um sie nicht mit der Hand abzuschirmen. Es waren abstrakte Bilder, gemalt in ausschließlich warmen Farben, und sie trafen Patrik wie ein Tritt in den Leib. Das Gefühl war so körperlich, daß es ihm Mühe machte, sich weiter aufrecht zu halten, und er zwang sich, den Blick von den Gemälden zu lösen, die von den Wänden auf ihn loszuspringen schienen.

Vorsichtig begann er Anders' Sachen durchzusehen. Es war nicht viel, was in Betracht kam. Einen Augenblick lang verspürte Patrik große Dankbarkeit für das privilegierte Leben, das er im Vergleich zu diesem hier führen durfte. Seine eigenen Probleme wirkten mit einemmal äußerst winzig. Es faszinierte ihn, daß der Überlebenswille des Menschen so stark war, daß man sich selbst dann, wenn anscheinend überhaupt keine Lebensqualität vorhanden war, dazu entschloß, Tag für Tag und Jahr für Jahr weiterzumachen. Gab es in einem Leben wie dem von

Anders Nilsson noch irgendwelchen Anlaß zur Freude? Verspürte er jemals Gefühle, die das Leben lebenswert machten – Erwartung, Glück und Fröhlichkeit –, oder war alles nur ein Dahinvegetieren bis zum nächsten Alkoholnachschub?

Patrik drehte alles um, was es im Wohnzimmer gab. Er befühlte die Matratze, um zu kontrollieren, ob etwas darin versteckt war, zog die Schubladen in dem einzigen Möbelstück auf, in dem etwas aufbewahrt werden konnte, untersuchte auch dessen Unterseite, hakte vorsichtig ein Bild nach dem anderen ab und schaute dahinter. Nichts. Absolut nichts weckte sein Interesse. Er ging in die Küche, um zu sehen, ob Lena mehr Glück gehabt hatte.

»Was für ein Schweinestall. Scheiße, wie kann man so leben?«

Mit vor Widerwillen verzogenem Gesicht ging sie den Inhalt eines Müllbeutels durch, den sie auf eine Zeitung geleert hatte.

»Hast du was von Interesse gefunden?« fragte Patrik.

»Ja und nein. Ich bin auf ein paar Rechnungen gestoßen, die im Müll lagen. Vielleicht bringt es ja was, einen näheren Blick auf die Nummernaufstellung der Telefonrechnung zu werfen. Ansonsten scheint es hier fast nur Dreck zu geben.« Sie zog die Plastikhandschuhe von den Fingern, wobei ein schmatzendes Geräusch ertönte. »Was meinst du? Wollen wir es für heute genug sein lassen?«

Patrik schaute auf die Uhr. Sie waren schon zwei Stunden hier, und draußen war es inzwischen dunkel.

»Ja, heute scheinen wir nicht viel weiter zu kommen. Wie fährst du nach Hause? Soll ich dich bringen?«

»Ich bin mit dem eigenen Auto hier, das ist also okay. Aber vielen Dank.«

Erleichtert verließen sie die Wohnung, sorgfältig darauf bedacht, sie nicht genauso unabgeschlossen zu hinterlassen, wie sie bei ihrem Kommen gewesen war.

Als sie auf den Parkplatz traten, brannten die Straßenlaternen. Während sie im Haus gewesen waren, hatte es zu schneien begonnen, und sie mußten beide eine ganze Menge Schnee von der Windschutzscheibe wischen. Als Patrik in Richtung

Tankstelle fuhr, fühlte er etwas an die Oberfläche steigen, das ihn schon den ganzen Tag beunruhigt hatte. In der Stille des Autos, allein mit seinen Gedanken, mußte er sich eingestehen, daß ihm etwas an der Festnahme von Anders Nilsson falsch vorkam. Er glaubte nicht, daß Mellberg die richtigen Fragen gestellt hatte, als er mit der Zeugin sprach. Dieser Anruf war schließlich der Grund dafür, daß man Nilsson zum Verhör geholt hatte. Vielleicht sollte er sich die Sache selber noch mal vornehmen.

Mitten auf der Kreuzung kam er zu einem Entschluß, riß das Steuer herum und änderte die Richtung. Statt nach Tanumshede abzubiegen, fuhr er jetzt weiter in den Ort hinunter. Er hoffte, daß Dagmar Petrén zu Hause war.

Sie dachte an Patriks Hände. Bei einem Mann schaute sie immer zuerst auf Hände und Handgelenke. Sie fand, Hände konnten ungeheuer sexy sein. Sie durften nicht klein sein, brauchten aber auch nicht die Größe von Klodeckeln zu haben. Gerade groß genug, sehnig und ohne Behaarung sollten sie sein, biegsam und geschmeidig. Patriks Hände waren genau richtig.

Erica zwang sich, aus den Tagträumen aufzuwachen. Es war, milde ausgedrückt, zwecklos, an etwas zu denken, das bis jetzt lediglich ein leichtes Kribbeln in der Magengegend verursachte. Außerdem war es ja überhaupt nicht sicher, daß sie noch lange in dieser Gegend blieb. Wenn das Haus verkauft war, gab es nichts, das sie hier festhielt. Dann wartete die Wohnung in Stockholm auf sie und das Leben, das sie dort mit ihren Freunden führte. Diese Zeit in Fjällbacka war mit aller Wahrscheinlichkeit nur ein kurzes Zwischenspiel, und wenn man diesen Aspekt bedachte, war es ja geradezu irrsinnig, romantische Luftschlösser um einen alten Freund aus der Kinderzeit zu errichten.

Erica blickte auf die Dämmerung, die vom Horizont heraufzog, obwohl es nicht später als drei Uhr nachmittags war, und seufzte tief. Sie hatte sich in einen großen, formlosen Wollpullover gekuschelt, den ihr Vater an kalten Tagen auf See getragen hatte, und wärmte ihre leicht klammen Finger, indem sie die

Hände weit in die langen Ärmel hineinzog und diese dann unten zusammenwickelte. Im Augenblick tat sie sich selbst ein bißchen leid. Irgendwie gab es zur Zeit nicht sehr viel, über das sie sich freuen konnte. Der Tod von Alex, der Streit um das Haus, Lucas, das Buch, das nur schleppend voranging – all das lag ihr wie eine schwere Last auf der Brust. Außerdem spürte sie, daß sie im Zusammenhang mit dem Tod der Eltern noch viel für sich aufzuarbeiten hatte, sowohl was das Praktische als auch das Gefühlsmäßige anbelangte. In der letzten Zeit hatte sie nicht die Kraft gehabt, mit dem Durchsortieren weiterzumachen, und so standen überall halbvolle Müllsäcke und Kisten herum. Auch in ihrem Inneren gab es Räume, zur Hälfte gefüllt mit losen Enden und unentwirrten Gefühlsknäueln.

Den ganzen Nachmittag hatte sie außerdem über die Szene zwischen Dan und Pernilla nachgedacht, bei der sie Zeuge gewesen war. Sie brachte das einfach nicht auf die Reihe. Es war so viele Jahre her, daß es zwischen ihr und Pernilla Spannungen gegeben hatte, und die waren seit langem ausgeräumt. Jedenfalls hatte Erica das geglaubt. Warum hatte Pernilla dann so reagiert? Erica überlegte, ob sie Dan anrufen sollte, aber traute sich nicht richtig, denn vielleicht ging ja Pernilla ans Telefon. Einen weiteren Konflikt verkraftete sie im Moment nicht, und deshalb entschloß sie sich, die Sache auf sich beruhen zu lassen und davon auszugehen, daß Pernilla einfach mit dem falschen Fuß aufgestanden war und sich das Ganze erledigt hatte, wenn sie sich das nächste Mal trafen. Doch ganz wurde sie die Sache nicht los. Pernillas Temperamentsausbruch war nicht zufällig erfolgt, da steckte irgend etwas dahinter. Nur konnte sie beim besten Willen nicht begreifen, was es war.

Daß sie mit dem Buch so hinterherhinkte, belastete sie ungemein, und sie beschloß, ihr Gewissen zu beruhigen und sich ein Weilchen mit dem Text zu beschäftigen. Sie setzte sich an den Computer und begriff, daß sie die Wärme des Pullovers verlassen mußte, um arbeiten zu können. Anfangs ging es nur schleppend voran, doch dann wurde ihr warm, und sie kam in Schwung. Sie beneidete die Autoren, die bei ihrem Schreiben strenge Disziplin hielten. Sie selbst mußte sich jedesmal zur Arbeit zwingen. Nicht aus Faulheit, sondern wegen der tief sitzenden Angst, daß sie ihre Fähigkeit seit dem letzten Mal verloren haben könnte. Vielleicht säße sie ja da, die Finger auf der Tastatur, und nichts passierte. Nur Leere wäre da, und die Worte fehlten, so daß sie wußte, sie würde nie wieder einen Satz aufs Papier bringen. Es war jedesmal eine Erleichterung, wenn das Befürchtete nicht eintraf. Jetzt flogen ihre Finger über die Tasten, und sie hatte in nur einer Stunde mehr als zwei Seiten fertig. Nach weiteren drei war sie der Meinung, eine Belohnung verdient zu haben. Die bestand darin, sich ein Weilchen dem Buch über Alex' Leben widmen zu dürfen.

Die Zelle war ihm bestens bekannt. Er saß nicht das erste Mal hier. Nächte im totalen Suff, auf dem Fußboden der Zelle Erbrochenes, das war Alltagskost in den Zeiten, wo er richtig übel dran war. Doch diesmal war es anders. Diesmal war es ernst.

Er legte sich auf der harten Pritsche auf die Seite, krümmte sich zusammen wie ein Kind im Mutterleib und legte die Hände unter den Kopf, damit der Plastikbezug nicht am Gesicht festklebte. Kälteschauer schüttelten ihn, wegen der schlecht geheizten Zelle und weil der Alkohol aus seinem Körper verschwand.

Man hatte ihm nur mitgeteilt, daß er des Mordes an Alex verdächtigt wurde. Dann hatten sie ihn in die Zelle gescheucht und gesagt, er habe zu warten, bis man ihn hole. Was glaubten sie, was er hier in der kahlen Zelle sonst tun sollte? Kurse im Zeichnen von Geländeskizzen geben? Anders grinste vor sich hin.

Die Gedanken bewegten sich nur mühsam, wenn es nichts gab, worauf man den Blick ruhen lassen konnte. Die ramponierten Betonwände waren hellgrün, mit grauen Flecken dort, wo die Farbe abgeblättert war. In Gedanken bemalte er sie mit starken Farben. Ein roter Pinselstrich hier, ein gelber da. Kräftige Schwünge, die schnell das schäbige Grün bedeckten. Vor seinem inneren Auge wurde der Raum zu einer einzigen Kakophonie der Farben, und erst da konnte er seine Gedanken konzentrieren.

Alex war tot. Das war kein Gedanke, dem er entfliehen konnte, wenn er es wollte, sondern eine unumstößliche Tatsache. Sie war tot und mit ihr auch seine Zukunft.

Bald würden sie ihn holen kommen. Würden an ihm herumzerren. Ihm einen heftigen Stoß versetzen, ihn verhöhnen, ihn so lange bearbeiten, bis die Wahrheit nackt und zitternd vor ihnen lag. Er konnte sie nicht stoppen. Er wußte nicht einmal, ob *er* gestoppt werden wollte. Da war so vieles, was er nicht wußte. Nicht, daß er zuvor so viel mehr gewußt hätte. Nur weniges hatte genug Kraft, um die versöhnlichen Alkoholnebel zu durchdringen. Nur Alex hatte es geschafft. Nur das Wissen, daß sie irgendwo dieselbe Luft atmete, dieselben Gedanken dachte, denselben Schmerz verspürte. Das allein hatte die Kraft, um sich an den trügerischen und doch barmherzigen Nebeln vorbei-, unter ihnen hindurch-, über sie hinweg- und um sie herumzuschmuggeln.

Die Beine wurden gefühllos vom Liegen auf der Pritsche, aber er ignorierte die Signale des Körpers und lehnte es störrisch ab, sich auch nur zu rühren. Wenn er das tat, würde er womöglich die Kontrolle über die Farben an den Wänden verlieren und müßte wieder die häßliche kahle Fläche anstarren.

In klareren Momenten konnte er zuweilen eine gewisse Komik oder zumindest Ironie in dem Ganzen sehen. Daß er ein unersättliches Schönheitsbedürfnis besaß, während er zugleich verurteilt war, sein Leben in Dreck und Häßlichkeit zu verbringen. Vielleicht war sein Schicksal schon bei seiner Geburt vorbestimmt gewesen, vielleicht war es aber auch an jenem verhängnisvollen Tag umgeschrieben worden.

Wenn es dieses Wenn nicht gäbe. Er hatte seine Gedanken unzählige Male um dieses »Wenn« kreisen lassen. Hatte sich ausgemalt, wie sein Leben wohl ausgesehen hätte, wenn … Vielleicht wäre es ein gutes, anständiges Leben geworden, mit einer Familie, einem Zuhause und der Kunst als Quelle der Freude statt der Verzweiflung. Mit Kindern, die im Garten vor seinem Atelier spielten, während sich von der Küche her himmlische Düfte ausbreiteten. Ein Carl-Larsson-Idyll im Quadrat, umgeben von rosigem Schimmer. Immer war auch Alex bei dieser Szene dabei. Immer im Mittelpunkt, und er umkreiste sie wie ein Planet, Runde um Runde.

Die Phantasien sorgten stets für Wärme in seinem Inneren, doch plötzlich wurde dieses freundliche Bild durch ein eiskaltes abgelöst, das in bläulichen Tönen gehalten war. Er kannte dieses Bild nur zu gut. Viele Nächte lang hatte er es in Ruhe und Frieden studieren können, so daß er auch das winzigste Detail beherrschte. Am meisten fürchtete er das Blut. Dieses Rot, das in heftigem Kontrast zum Blau stand. Der Tod war auch anwesend, wie gewöhnlich. Er lauerte an der Peripherie und rieb sich vor Entzücken die Hände. Wartete darauf, daß er seinen Zug auf dem Brett tat, daß er irgend etwas tat, egal was. Ihm blieb nichts anderes übrig, als den Kerl zu ignorieren. So lange, bis er verschwand. Vielleicht bekam das Bild dann seinen rosigen Schimmer zurück. Vielleicht würde Alex ihm dann wieder zulächeln, dieses Lächeln, das er bis in die Eingeweide spürte. Aber der Tod war ein viel zu vertrauter Kamerad, als daß er sich ignorieren ließe. Sie hatten sich jetzt viele Jahre begleitet, und die Bekanntschaft wurde mit den Jahren nicht angenehmer. Selbst in den helleren Stunden, die Alex und er erlebt hatten, war der Tod fordernd und zudringlich erschienen, hatte sich zwischen sie gedrängt.

Die Stille in der Zelle wirkte beruhigend. Aus weiter Ferne drangen menschliche Laute zu ihm, doch schienen sie genügend weit weg, um einer anderen Welt anzugehören. Erst als eins der Geräusche lauter wurde, riß ihn das aus seinem Traumzustand. Die Schritte auf dem Korridor näherten sich zielbewußt seiner Zelle. Gerassel am Türschloß, dann ging die Tür auf, und der kleine, dicke Kommissar stand in der Öffnung. Matt schwang Anders die Beine über die Pritschenkante und stellte die Füße auf den Boden. Zeit für die Vernehmung. Es war das beste, die Sache hinter sich zu bringen.

Die blauen Flecke waren genügend verblaßt, um sie mit einer dicken Schicht Puder verdecken zu können. Anna betrachtete ihr Gesicht im Spiegel. Es sah verhärmt und mitgenommen aus. Jetzt, wo sie noch ungeschminkt war, ließen sich die blauen Konturen unter der Haut deutlich ausmachen. Das eine Auge war noch immer ein wenig rot geädert. Das blonde Haar war glanzlos und schlaff, und die Spitzen mußten geschnitten werden. Sie hatte sich nicht aufraffen können, den nächsten Friseurtermin zu vereinbaren, ihre Energie reichte einfach nicht aus. Sie benötigte ihre ganze Kraft, sich um das tägliche Wohl der Kinder zu kümmern und sich selber aufrecht zu halten. Wie war es nur so weit gekommen?

Sie kämmte die Haare straff zum Pferdeschwanz nach hinten und zog sich dann mühsam an, während sie versuchte, Bewegungen zu vermeiden, die die Rippen schmerzen ließen. Früher hatte er darauf geachtet, sie nur auf den Körper zu schlagen, dorthin, wo Kleidung die Spuren verdeckte, aber im letzten halben Jahr hatte er jede Vorsicht außer acht gelassen und ihr mehrmals eine ins Gesicht verpaßt.

Das schlimmste waren jedoch nicht die Schläge, sondern daß man unentwegt in ihrem Schatten lebte. Schon auf das nächste Mal wartete, wenn er wieder die Fäuste hob. Das Schrecklichste war, daß er es sehr wohl wußte und mit ihrer Angst spielte. Er hob die Hand zum Schlag und verwandelte ihn dann lächelnd in ein Streicheln. Manchmal schlug er sie anscheinend ohne jeden Grund. Einfach so. Zwar brauchte er auch sonst nicht gerade einen Grund, aber in diesen Momenten fuhr ihr seine Faust mitten in einer Diskussion über das Einkaufen von Lebensmitteln oder darüber, welche Fernsehsendung sie anschauen wollten, plötzlich in den Magen, traf sie auf den Kopf, den Rücken oder wo immer es ihm gefiel. Danach setzte er, ohne den Faden auch nur einen Augenblick zu verlieren, die Konversation fort, so als sei nichts geschehen, während sie am Boden lag und nach Luft schnappte. Er genoß seine Macht.

Lucas' Sachen lagen überall im Schlafzimmer verstreut, und mühsam hob sie ein Kleidungsstück nach dem anderen auf und hängte sie auf Bügel oder legte sie in den Wäschekorb. Als alles wieder perfekt war, ging sie nach den Kindern sehen. Adrian schlief ruhig, lag leise schniefend auf dem Rücken, den Nuckel im Mund. Emma saß still in ihrem Bett und spielte. Anna blieb einen Moment in der Türöffnung stehen, um sie zu betrachten. Sie ähnelte Lucas sehr. Dasselbe entschlossene, kantige Gesicht und die eisblauen Augen. Derselbe Eigensinn.

Emma war einer der Gründe, weshalb sie nicht aufhören konnte, Lucas zu lieben. Es nicht zu tun, gäbe ihr das Gefühl, einen Teil von Emma zu verleugnen. Er war ein Teil der Tochter und daher auch ein Teil von ihr. Er war den Kindern auch ein guter Vater. Adrian war noch zu klein, um das zu verstehen, aber Emma vergötterte Lucas, und Anna konnte ihr einfach nicht den Vater nehmen. Wie sollte sie die Kinder von dem wegreißen, der ihnen wie sie selbst Sicherheit gab, wie all das, was ihnen vertraut und wichtig war, zerstören? Statt dessen mußte sie versuchen, stark genug für sie beide zu sein, dann würden sie das hier schon durchstehen. Am Anfang war es schließlich nicht so gewesen. Also konnte es doch auch wieder gut werden. Wenn sie nur stark blieb. Er sagte doch immer, daß er sie eigentlich nicht schlagen wolle, daß es nur zu ihrem Besten sei, weil sie nicht das tue, was sie solle. Wenn sie sich nur ein bißchen mehr anstrengen, eine bessere Ehefrau werden könnte. Sie verstehe ihn nicht, sagte er. Wenn sie nur das finden würde, was ihn glücklich machte, die richtigen Dinge tun könnte, damit er nicht ständig von ihr enttäuscht sein mußte.

Erica konnte das nicht verstehen. Erica mit ihrer Selbständigkeit und ihrer Einsamkeit, mit ihrem Mut und ihrer überwältigenden, erstickenden Fürsorge. Anna konnte die Verachtung in Ericas Stimme hören, und die brachte sie zur Weißglut. Was wußte Erica schon von der Verantwortung, die darin lag, eine Ehe und eine Familie zu führen! Daß die Verantwortung, die man auf den Schultern trug, so groß war, daß man sich kaum aufrecht halten konnte. Erica mußte sich nur um sich selber kümmern. Sie war schon immer neunmalklug gewesen. Ericas übertriebene mütterliche Fürsorge für die Schwester hatte Anna zuweilen fast erstickt. Überallhin waren ihr Ericas unruhige, wachsame Augen gefolgt, auch wenn sie am liebsten in Ruhe gelassen worden wäre. Was spielte es für eine Rolle, daß sich die Mutter nicht um die Töchter kümmerte? Sie hatten doch wenigstens den Vater gehabt. Einer von zweien war doch nicht ganz so schlecht. Im Unterschied zu Erica akzeptierte sie diese Tatsache, während Erica den Grund erfahren wollte. Oft hatte die Schwester die Fragen auch nach innen gerichtet und die Ursache bei sich selber gesucht. Deshalb hatte sie sich ständig viel zu sehr bemüht. Anna ihrerseits zog es vor, sich überhaupt nicht anzustrengen. Es war einfacher, nicht zu grübeln, mit dem Strom mitzuschwimmen und jeden Tag zu nehmen, wie er kam. Deshalb empfand sie eine solche Bitterkeit gegenüber Erica. Die machte sich Sorgen, kümmerte sich, verhätschelte die kleine Schwester, und das machte es so viel schwieriger, einfach die Augen vor der Wahrheit und der sie umgebenden Welt zu verschließen. Von zu Hause wegzuziehen war für Anna eine Riesenbefreiung gewesen, und als sie dann kurz darauf Lucas kennenlernte, glaubte sie, endlich den einzigen Menschen gefunden zu haben, der sie so lieben konnte, wie sie war, und der vor allen Dingen ihr Freiheitsbedürfnis respektierte.

Sie lächelte bitter, als sie die Reste von Lucas' Frühstück wegräumte. Sie wußte kaum noch, wie man Freiheit schrieb. Ihr Leben bestand aus den Zimmern dieser Wohnung. Nur die Kinder ließen sie weiteratmen, die Kinder und die Hoffnung, daß sie die richtige Formel, die Beschwörung finden würde, um alles wieder wie früher werden zu lassen.

Mit langsamen Bewegungen legte sie den Deckel auf die Butterdose, steckte den Käse in eine Plastiktüte, sortierte das Geschirr in den Spüler und wischte den Tisch ab. Als alles blitzsauber war, setzte sie sich auf einen der Küchenstühle und ließ den Blick durch den Raum wandern. Nur Emmas kindliches Geplapper war von nebenan zu hören, und ein paar Minuten lang gestattete sich Anna, die Ruhe des Augenblicks zu genießen. Die Küche war hell und luftig, Holz und Stahl gingen eine geschmackvolle Kombination ein. Bei der Einrichtung waren keine Kosten gespart worden, Philip Starck und Poggenpohl dominierten. Persönlich hätte Anna eine gemütlichere Küche vorgezogen, aber als sie in die schöne Fünfzimmerwohnung im Stadtteil Östermalm gezogen waren, wußte sie bereits, daß sie ihre Meinung besser für sich behielt.

Ericas Besorgnis wegen des Hauses in Fjällbacka vermochte

sie nicht zu teilen. Anna konnte es sich nicht leisten, sentimental zu sein, und das Geld, was sie durch den Verkauf bekommen würden, führte vielleicht zu einem Neuanfang für sie und Lucas. Sie wußte, daß ihm seine Arbeit hier in Schweden nicht gefiel und er zurück nach London wollte, wo seiner Meinung nach das Leben pulsierte und er alle Möglichkeiten hatte, Karriere zu machen. Stockholm betrachtete er in dieser Beziehung als hinterm Mond gelegen. Und selbst wenn er mit seiner jetzigen Arbeit gut, ja sogar sehr gut verdiente, so könnten sie sich vom Gewinn aus dem Hausverkauf, zusammen mit dem Geld, was sie bereits besaßen, eine wirklich standesgemäße Bleibe in London zulegen. Das war wichtig für Lucas, und damit wurde es auch wichtig für sie. Erica würde schon klarkommen. Sie hatte ja nur an sich zu denken. Sie hatte ihre Arbeit und besaß eine Wohnung in Stockholm, das Haus in Fjällbacka diente ja doch nur der Erholung im Sommer. Auch ihr würde das Geld zugute kommen, denn was Schriftsteller verdienten, war ja nicht der Rede wert, und Anna wußte, daß Erica manchmal ziemlich zu knabbern hatte. Sie würde schon noch früh genug einsehen, daß es so am besten war. Für sie beide.

Adrian ließ seine schrille Stimme im Kinderzimmer ertönen, und der kurze Augenblick der Ruhe war vorbei. Nun ja, es gab keinen Grund, hier zu sitzen und sich zu grämen. Die blauen Flecke würden wie immer verschwinden, und morgen war wieder ein neuer Tag.

Patrik fühlte sich unerklärlich leicht ums Herz und lief, immer zwei Stufen auf einmal nehmend, die Treppe zu Dagmar Petrén hinauf. Oben angekommen, mußte er jedoch erst ein Weilchen verschnaufen, stand vornübergebeugt und stützte die Hände auf die Knie. Er war offenbar keine zwanzig mehr. Die Frau, die ihm die Tür öffnete, war das zweifellos auch nicht. Etwas so Kleines und Runzliges hatte er nicht mehr zu Gesicht bekommen, seit er das letzte Mal eine Tüte Backpflaumen geöffnet hatte. Zusammengesunken und krumm, wie sie war, reichte sie ihm nur bis knapp über die Taille, und Patrik befürchtete, daß sie beim kleinsten Windhauch zerbrechen könnte. Aber die

Augen, die zu ihm aufblickten, waren munter und klar wie die eines jungen Mädchens.

»Steh nicht da und schnaufe, Junge. Komm rein, dann kriegst du einen Schluck Kaffee.«

Ihre Stimme war erstaunlich kräftig, und Patrik fühlte sich plötzlich wie ein Schuljunge und folgte ihr brav. Er widerstand der starken Versuchung, einen Diener zu machen, und mühte sich, seine Schritte dem erforderlichen Schneckentempo anzupassen, um Frau Petrén nicht zu überholen. Hinter der Tür blieb er überrascht stehen. Noch nie im Leben hatte er so viele Weihnachtswichtel gesehen. Überall, auf jeder freien Fläche, standen diese Zwerge. Große und kleine, alte und junge, graue und glitzernde. Ihm war, als würde sein Gehirn auf Hochtouren laufen, um die vielen Eindrücke, die auf ihn einstürmten, verkraften zu können. Er ertappte sich dabei, wie er mit aufgerissenem Mund dastand, und gab sich alle Mühe, ihn wieder zu schließen.

»Was hält er davon? Ist das nicht schön!«

Patrik wußte nicht genau, was er antworten sollte, und erst nach geraumer Zeit konnte er stammeln: »Ja, absolut. Wirklich phantastisch.«

Er schaute Frau Petrén ängstlich an, um zu sehen, ob sie mitbekam, daß Worte und Tonfall nicht richtig zusammenpaßten. Zu seiner Verwunderung lächelte sie spitzbübisch, was ihre Augen funkeln ließ.

»Mach er sich keine Sorgen. Ich merke schon, das hier entspricht nicht direkt seinem Geschmack, aber wenn man alt wird, dann gibt es gewisse Verpflichtungen, wie er vielleicht versteht.«

»Verpflichtungen?«

»Man muß irgendwie exzentrisch sein, um interessant zu wirken. Sonst ist man nur ein langweiliges altes Weib, und davon will unsereiner schließlich nichts wissen, versteht er?«

»Ja, aber warum gerade Wichtel?«

Patrik konnte es noch immer nicht richtig begreifen, und Frau Petrén erklärte es ihm, so als spräche sie zu einem Kind.

»Ja, das Schöne mit den Wichteln ist, wie er vielleicht versteht, daß man die Sache nur einmal im Jahr betreiben muß. Die übrige Zeit ist es hier so leer von irgendwelchem Zeug, daß er sich das kaum vorstellen kann. Obendrein hat die Sache den Vorteil, daß es hier um Weihnachten rum ein Mordsgerenne von Kindern gibt. Und für ein altes Weib, das nicht eben viel Besuch bekommt, ist es eine Freude für die Seele, wenn die Kleinen an der Tür klingeln, um sich die Wichtel anzusehen.«

»Aber wie lange haben sie die Wichtel denn stehen, Frau Petrén, wir haben jetzt doch schon Mitte März?«

»Ja, ich fange ungefähr im Oktober an, sie rauszuholen, und räume sie zum April hin weg. Aber da muß er auch bedenken, daß es bestimmt eine Woche oder zwei dauert, um sie erst aufzustellen und dann wieder wegzupacken.«

Patrik hatte nicht die geringste Schwierigkeit, sich vorzustellen, daß die angegebene Zeit erforderlich war. Er versuchte schnell zu überschlagen, wie viele Figuren hier standen, aber sein Gehirn hatte sich von dem optischen Schock noch immer nicht erholt, und er mußte sich also mit einer direkten Frage an Frau Petrén wenden: »Wie viele Wichtel haben Sie denn hier?«

Die Antwort erfolgte schnell und zügig: »Eintausendvierhundertunddreiundvierzig, nein Entschuldigung, eintausendvierhundertundzweiundvierzig – ich habe gestern aus Versehen einen zerschlagen. Übrigens einen der schönsten«, sagte Frau Petrén mit betrübter Miene.

Sie raffte sich jedoch rasch wieder auf und ließ die Sonne in ihrem Blick erstrahlen. Mit erstaunlicher Kraft packte sie Patrik am Jackettärmel und schleppte ihn förmlich in die Küche, in der es im Gegensatz zur übrigen Wohnung nicht einen Wichtel gab. Diskret glättete Patrik sein Jackett, und er hatte das Gefühl, daß sie ihn bestimmt beim Ohr gepackt hätte, wenn sich das nur in ihrer Reichweite befunden hätte.

»Wir setzen uns hier hin. Unsereiner bekommt es ein bißchen satt, ständig von einer Menge Weihnachtsmänner umgeben zu sein. Hier aus der Küche sind sie verbannt.«

Er ließ sich auf der harten Küchenbank nieder, nachdem sie

all seine Angebote, ihr behilflich zu sein, brüsk zurückgewiesen hatte. Im stillen war er darauf vorbereitet, einen dünnen, erbärmlichen Kochkaffee vorgesetzt zu bekommen, und so blieb ihm zum zweitenmal innerhalb kürzester Zeit der Mund offenstehen beim Anblick der großen, blinkenden, hypermodernen Kaffeemaschine, die auf dem Spültisch thronte.

»Was will er haben? Cappuccino? Café au lait? Vielleicht einen doppelten Espresso – den scheint er zu brauchen.«

Patrik vermochte nur zu nicken, und Frau Petrén genoß seine Verwunderung ganz offensichtlich.

»Was hat er erwartet? Einen alten Kochkessel von 1943 und handgemahlene Bohnen? Nein, nur weil unsereiner ein altes Weib ist, heißt das doch nicht, daß man sich nichts Gutes im Leben gönnt. Die hier hat mir mein Sohn vor ein paar Jahren zu Weihnachten geschenkt, und die läuft heiß, kann ich ihm versichern. Manchmal stehen die Weiber aus der Nachbarschaft Schlange, um einen Schluck davon trinken zu dürfen.«

Sie tätschelte die Maschine zärtlich, die jetzt zischte und fauchte, um die Milch zu luftigem Schaum zu schlagen.

Während der Kaffee in Arbeit war, materialisierte sich auf dem Tisch vor Patrik ein phantastisches Backwerk nach dem anderen. So weit das Auge reichte weder trockene Kekse noch nüchterne Hefezöpfe. Statt dessen riesige Zimtschnecken, enorme Muffins, schwere Schokoladenkuchen und lockeres Baisergebäck. Patriks Augen wurden immer größer, und sein Speichel lief und drohte aus den Mundwinkeln zu tropfen. Frau Petrén lachte glucksend beim Anblick seines Gesichts und setzte sich auf den Sprossenstuhl ihm gegenüber, nachdem sie jedem erst eine Tasse heißen, duftenden, frisch gebrühten Kaffee eingegossen hatte.

»Mir ist klar, daß er mit mir über das Mädel aus dem Haus gegenüber reden will. Ja, mit dem Kommissar von ihm habe ich ja schon gesprochen und das wenige gesagt, was ich weiß.«

Patrik riß sich mit Mühe von dem Klebekuchen los, in den er soeben gebissen hatte. Er mußte erst mit der Zunge über die Vorderzähne fahren, bevor er den Mund aufmachen konnte.

»Ja, Frau Petrén, vielleicht könnten Sie so freundlich sein

150

und erzählen, was Sie gesehen haben. Sie haben doch nichts dagegen, daß ich das Band mitlaufen lasse?«

Er drückte auf den Startknopf des Geräts und nutzte die Gelegenheit, einen weiteren großen Bissen zu nehmen, während er auf ihre Antwort wartete.

»Ja, das darfst du natürlich. Es war am Freitag, den fünfundzwanzigsten Januar, um halb sieben. Übrigens, sag du zu mir, sonst fühle ich mich so uralt.«

»Wie kannst du dir über Datum und Zeit so sicher sein? Es ist doch schon ein paar Wochen her.« Patrik steckte sich noch einen Happen in den Mund.

»Ja, weißt du, an dem Tag hatte ich Geburtstag, also war mein Sohn mit Familie hier, sie aßen Torte und brachten Geschenke. Dann gingen sie kurz vor den Nachrichten, die um halb sieben im Vierten kommen, und da hörte ich einen Mordsspektakel hier draußen. Ich ging ans Fenster, das auf die Steigung und das Haus des Mädels rausgeht, und da habe ich ihn gesehen.«

»Anders?«

»Maler-Anders, ja. War voll wie eine Haubitze, stand da und lärmte wie ein Verrückter, hämmerte an die Tür. Am Ende ließ sie ihn rein, und dann wurde es still. Ja, ob er mit dem Schreien aufgehört hat, weiß ich natürlich nicht. Man hört ja nicht, was in den Häusern so vor sich geht.«

Frau Petrén registrierte, daß Patriks Teller leer war, und schob ihm die Platte mit den verlockenden Zimtschnecken hin. Er ließ sich nicht lange bitten, sondern bediente sich rasch mit einem der auf der vollgeladenen Platte balancierenden Kuchen.

»Und es ist ganz sicher Anders Nilsson gewesen? In diesem Punkt gibt es keinen Zweifel?«

»O nein, diese Kanaille kenne ich jetzt wirklich genau. Der ist hier schließlich immerzu herumgestrichen, und wenn man ihn nicht hier gesehen hat, dann unten mit den Trunkenbolden am Markt. Ja, ich begreife wirklich nicht, was er mit Alexandra Wijkner zu schaffen hatte. Dieses Mädel hatte wirklich Stil, muß er wissen. Sie war schön und wohlerzogen. Als kleines Mädchen ist sie oft zu mir gekommen und bekam ein Glas Saft und ein Hefestück. Genau auf der Küchenbank dort hat sie immer gesessen, oft zusammen mit Tores kleiner Tochter, wie heißt sie nun gleich ...?«

»Erica«, sagte Patrik, den Mund voller Kuchen, und er spürte ein Kribbeln im Zwerchfell, als er nur ihren Namen nannte.

»Erica war es, ja, genau. Auch ein liebes Mädel, aber Alexandra war irgendwie was Besonderes. Sie hatte so eine Ausstrahlung. Aber dann ist was passiert ... Sie kam nicht mehr vorbei und grüßte kaum noch. Ein paar Monate später war die Familie dann nach Göteborg gezogen, und ich habe Alexandra erst wiedergesehen, als sie vor ein paar Jahren anfing, über die Wochenenden herzukommen.«

»Sind Carlgrens in der Zeit dazwischen nie hier gewesen?«

»Nein, niemals. Aber sie hielten das Haus in Schuß. Handwerker waren da und haben repariert und gestrichen, und Vera Nilsson hat zweimal im Monat saubergemacht.«

»Und Sie haben keine Ahnung, was passiert ist, bevor Carlgrens nach Göteborg gezogen sind? Was es war, das Alex so verändert hat, meine ich? Kein Streit in der Familie oder etwas in der Art?«

»Es gab schon Gerüchte, die gibt es hier ja immer, aber nichts, dem ich besonderen Glauben schenken würde. Auch wenn viele hier in Fjällbacka behaupten, sie wüßten das meiste von dem, was die Leute so tun, so muß er sich über eins im klaren sein, nämlich, daß man niemals wissen kann, was bei den Leuten in den eigenen vier Wänden passiert. Deshalb will ich auch nicht spekulieren. Davon hat niemand etwas. Also, nimm er jetzt noch einen Kuchen, meine Traumgebilde von Baisers hat er schließlich noch nicht gekostet.«

Patrik horchte in sich hinein, und, ja doch, da war noch ein kleines bißchen Platz, gerade genug für ein Baiser.

»Haben Sie später noch mehr gesehen? Zum Beispiel, wann Anders Nilsson gegangen ist?«

»Nein, ihn habe ich an dem Abend nicht mehr zu Gesicht bekommen. Aber in der darauffolgenden Woche habe ich ihn mehrmals ins Haus gehen sehen. Merkwürdig, muß ich schon sagen. Nach dem, was ich im Dorf gehört habe, ist sie da doch schon tot gewesen. Was, um Himmels willen, hat er da drin wohl zu schaffen gehabt?«

Das fragte sich Patrik auch. Frau Petrén sah ihn auffordernd an: »Nun, hat ihm das irgendwie geschmeckt?«

»Das hier waren bestimmt die besten Kuchen, die ich je gegessen habe, Frau Petrén. Wie kommt es, daß Sie einen derartigen Berg Gebäck einfach so auffahren können? Ich meine, ich habe doch bloß eine Viertelstunde vorher angerufen, und da müßten Sie ja schon schnell wie Superman sein, um all diese Köstlichkeiten zu backen.«

Sie sonnte sich in dem Lob und warf stolz den Kopf zurück.

»Dreißig Jahre lang haben mein Mann und ich hier in Fjällbacka die Konditorei betrieben, und in den Jahren hat man hoffentlich was gelernt. Alte Gewohnheiten lassen sich schlecht ablegen, also stehe ich immer noch früh um fünf auf und backe jeden Tag. Was bei den Kindern und den Weibern, die zu Besuch kommen, nicht alle wird, bekommen die Vögel. Außerdem macht es Spaß, neue Rezepte auszuprobieren. Es gibt so viele moderne Backwerke, die viel besser schmecken als die alten trockenen Stücke, die wir früher tonnenweise fabrizierten. Die Rezepte finde ich in Zeitschriften, und dann verändere ich sie nach Gutdünken.«

Sie wies mit der Hand auf einen riesigen Stapel einschlägiger Magazine, die neben der Küchenbank auf dem Fußboden lagen. Es waren ganze Jahrgänge der entsprechenden Lektüre. Nach dem Preis jedes einzelnen Journals zu urteilen, mußte Frau Petrén in ihren Konditoreijahren ein hübsches Sümmchen zurückgelegt haben.

Patrik kam eine Idee: »Wissen Sie vielleicht, ob es zwischen der Familie Carlgren und der Familie Lorentz noch einen anderen Zusammenhang gab als nur den, daß Karl-Erik für Lorentz gearbeitet hat? Haben die Familien zum Beispiel miteinander verkehrt?«

»Gott bewahre, Lorentz und mit Carlgrens verkehren! Nein, mein Lieber, das wäre ganz sicher nur dann passiert, wenn Ostern und Pfingsten auf einen Tag fielen! Sie verkehrten nicht in denselben Kreisen, und daß Nelly Lorentz – wie ich gehört habe – zum Begräbniskaffee bei Carlgrens auftauchte, ist für mich nicht mehr und nicht weniger als eine Sensation!«

»Und der Sohn? Also der Sohn, der verschwunden ist? Hatte er, soviel Sie wissen, auch nie etwas mit Carlgrens zu tun?«

»Nein, das ist wirklich nur zu hoffen. Ein unangenehmer Junge, wahrhaftig. In der Konditorei hat er ständig versucht, hinter unserem Rücken Kuchen zu stibitzen. Aber das hat ihm mein Mann, als er ihn erwischte, gründlich ausgetrieben. Da mußte dieser Nils sich den Anschnauzer seines Lebens anhören. Dann kam natürlich Nelly angerauscht und hat uns nach allen Regeln der Kunst heruntergeputzt und gedroht, daß sie meinem Mann die Polizei auf den Hals hetzt. Nun ja, das hat sie sich schnell anders überlegt, als er ihr erzählte, es gäbe Zeugen für das ständige Geklaue, also bitte schön, sie könne ruhig den Amtmann rufen.«

»Aber keinen Zusammenhang zu Carlgrens, soviel Sie wissen?«

Sie schüttelte den Kopf.

»Nun ja, das war nur so ein Gedanke von mir. Außer dem Mord an Alex ist wohl Nils' Verschwinden das dramatischste Ereignis, das es hier gegeben hat, und man weiß ja nie … Manchmal entdeckt man die merkwürdigsten Zusammenhänge. Ja, ich glaube, dann habe ich nichts mehr zu fragen, also möchte ich mich bedanken. Verdammt gute Kuchen, muß ich schon sagen. In den nächsten Tagen wird es für mich nur noch Salat geben«, sagte Patrik und klopfte sich auf den Bauch.

»Oh, er braucht doch wohl nicht solches Kaninchenfutter zu essen. Er wächst doch schließlich noch.«

Patrik zog es vor, die Sache als Kompliment zu nehmen, statt darauf hinzuweisen, daß im Alter von fünfunddreißig nur noch die Taillenweite wuchs. Er erhob sich von der Küchenbank, mußte sich aber schnell wieder setzen. Es war ein Gefühl, als hätte er eine Tonne Beton im Magen, und Übelkeit brandete auf. Bei näherer Überlegung war es wohl nicht besonders klug gewesen, sich mit all diesen Kuchen vollzustopfen.

Er versuchte die Augen ein bißchen zuzukneifen, als er durch das Wohnzimmer ging und all die eintausendvierhundertzweiundvierzig Wichtel in seine Richtung glänzten und funkelten.

Das Verlassen der Wohnung nahm genausoviel Zeit in Anspruch wie zuvor das Betreten, und er mußte sich zügeln, um nicht an Frau Petrén vorbeizurennen, die auf die Tür zu schlurfte. Sie war eine zähe Alte, daran bestand kein Zweifel. Eine zuverlässige Zeugin war sie obendrein, und mit ihrer Aussage war es nur noch eine Frage der Zeit, bis sie ein paar weitere Puzzleteile hinzufügen und eine hieb- und stichfeste Anklage gegen Anders Nilsson erheben konnten. Bisher beruhte die Sache vor allem auf Indizien, aber dennoch sah es so aus, als sei der Mord an Alexandra Wijkner gelöst. Patrik war trotzdem nicht ganz zufrieden. Wenn er neben all dem Kuchen noch etwas im Bauch verspüren konnte, dann war es eine leichte Unruhe und das Gefühl, daß die einfachen Lösungen nicht immer die richtigen waren.

Wieder frische Luft atmen zu können war wunderbar, und die Übelkeit legte sich ein wenig. Genau in dem Moment, als er sich noch einmal bedankt und dann umgedreht hatte, um zu gehen, hatte Frau Petrén ihm etwas in die Hand gedrückt, bevor sie die Tür zuzog. Neugierig schaute er nach, was es war. Eine Plastiktüte, vollgestopft mit Kuchen – und ein kleiner Weihnachtsmann. Er griff sich an den Magen und stöhnte.

»Ja, Anders, es sieht nicht besonders gut für dich aus.«

»Aha.«

»Aha – ist das alles, was du zu sagen hast? Falls es dir noch nicht klar ist, du sitzt wirklich in der Scheiße! Hast du das jetzt begriffen?«

»Ich habe nichts getan.«

»Blödsinn! Sitz nicht da und versuch mir so ein dummes Zeug einzureden! Ich weiß, daß du sie ermordet hast, also kannst du es ebensogut zugeben und mir diese ganze Mühe ersparen. Wenn du sie mir ersparst, ersparst du sie dir auch selber. Begreifst du, wovon ich rede?«

Mellberg und Anders saßen im einzigen Vernehmungszimmer des Tanumsheder Polizeireviers, und im Unterschied zu amerikanischen Kriminalserien gab es hier keine Glaswand, durch die Kollegen dem Verhör folgen konnten. Was Mellberg sehr entgegenkam. Zwar war es absolut gegen die Vorschrift, mit dem Vernehmungsobjekt allein zu bleiben, aber scheiß drauf, wenn er nur das richtige Ergebnis lieferte, würde sich keiner mehr um irgendwelche dämlichen Regeln kümmern. Anders Nilsson hatte auch keinen Anwalt oder sonst jemanden verlangt, der hier teilzunehmen hatte, warum sollte Mellberg dann darauf bestehen?

Das Zimmer war klein, spärlich möbliert, und die Wände waren kahl. Nur ein Tisch und zwei Stühle standen darin, die jetzt von Anders Nilsson und Mellberg besetzt waren. Anders lehnte lässig auf seinem Stuhl, die Hände auf dem Schoß gefaltet und die langen Beine unter den Tisch gestreckt. Mellberg hingegen hatte sich halb erhoben und über den Tisch gebeugt, das Gesicht so dicht vor Anders, wie er es nur fertig brachte, im Hinblick auf den alles andere als minzefrischen Atem des Verdächtigen. Immerhin war Mellberg so nahe, daß Anders kleine Speicheltropfen ins Gesicht spritzten, als der Kommissar die Worte herausschrie. Anders kümmerte sich nicht darum, die Spucke wegzuwischen, sondern zog es vor, Mellberg als lästige Fliege anzusehen, so bedeutungslos, daß sie es nicht mal wert war, weggescheucht zu werden.

»Wir beide wissen, daß du es gewesen bist, der Alexandra Wijkner ermordet hat. Der ihr erst unbemerkt Schlaftabletten eingeflößt, sie dann in die Badewanne gelegt und die Pulsadern aufgeschnitten hat, um dann ruhig zuzusehen, wie sie verblutete. Also wäre es nicht das beste, wenn wir die Angelegenheit für uns beide auf möglichst einfache Weise erledigten? Du gestehst, und ich notiere.«

Mellberg war sehr zufrieden mit dem, was er als wirkungsvolle Einleitung der Vernehmung betrachtete, nahm wieder auf dem Stuhl Platz und faltete die Hände vor dem umfangreichen Bauch. Er wartete. Keine Reaktion von Anders. Dessen Kopf hing nach wie vor herunter, und die Haare verdeckten alle eventuellen Veränderungen seiner Miene. Ein Zucken in Mellbergs Mundwinkel verriet, daß Gleichgültigkeit nicht eben das war, was sein Vorstoß seiner Meinung nach verdiente. Nach ein paar weiteren Minuten des Wartens schlug er mit der Faust auf den Tisch, um Anders aus seiner Lethargie zu wecken. Keine Reaktion.

»Verdammt noch mal, du dämlicher Säufer! Glaubst du, daß du aus der Sache hier rauskommst, indem du den Mund nicht aufmachst? Da bist du an den Falschen geraten, will ich dir verraten! Du wirst mir die Wahrheit erzählen, und wenn wir den ganzen Tag hier sitzen!«

Die Schweißflecke unter Mellbergs Armen breiteten sich mit jedem Wort weiter aus. »Du bist eifersüchtig gewesen, stimmt's? Wir haben Bilder gefunden, die du von ihr gemacht hast, und es ist ziemlich klar, daß ihr beide zusammen gepimpert habt. Und um alle Zweifel auszuräumen, wir haben auch deine Briefe an sie gefunden. Deine widerlich kitschigen, melodramatischen Liebesbriefe. Pfui Deibel, was für eine verdammte Schmierenkomödie. Was hat sie eigentlich an dir gefunden? Ich meine, guck dich doch selber an. Du bist verdreckt und widerwärtig, so weit entfernt von einem Don Juan, wie man überhaupt sein kann. Als einzige Erklärung bleibt wohl nur, daß sie irgendwie pervers war. Daß Dreck und widerwärtige alte Säufer sie anmachten. Hat sie sich der anderen Trunkenbolde Fjällbackas auch angenommen, oder hat sie nur dich bedient?«

Flink wie ein Wiesel war Anders auf den Beinen, warf sich über den Tisch und ging Mellberg an die Gurgel.

»Du Scheißkerl, ich werde dich töten, du verdammtes Bullenaas!«

Mellberg versuchte vergeblich, Anders' Hände aufzubiegen. Sein Gesicht wurde immer röter, und die Haare fielen aus ihrem Nest und legten sich wie ein Vorhang über das rechte Ohr. Aus reiner Verwunderung löste Anders den Griff um Mellbergs Hals, und der Kommissar konnte endlich tief durchatmen. Anders fiel auf seinen Stuhl zurück und starrte Mellberg voller Wut an.

»Sag so was nie wieder! Hast du gehört, nie wieder!«

Mellberg mußte sich räuspern und husten, um seine Stimme

wiederzuerlangen. »Jetzt bleibst du da mucksmäuschenstill sitzen, sonst sperre ich dich in die Zelle und werfe den Schlüssel weg, ist das klar!«

Mellberg setzte sich wieder auf den Stuhl, aber er behielt Anders wachsam im Auge, und eine Spur von Angst war darin zu lesen, die zuvor nicht dagewesen war. Er bemerkte, daß seine sorgfältig arrangierte Frisur gründlich gelitten hatte, und mit einem routinierten Handgriff schwang er die Haare wieder auf die spiegelblanke Fläche mitten auf dem Kopf, während er zugleich so tat, als sei nichts geschehen.

»Nun, zurück zur Sache. Sie hatten also ein sexuelles Verhältnis mit der ermordeten Alexandra Wijkner?«

Anders murmelte irgend etwas in seinen Schoß.

»Entschuldige, was hast du gesagt?« Mellberg beugte sich über den Tisch, vor sich die gefalteten Hände.

»Ich habe gesagt, wir haben uns geliebt!«

Die Worte hallten zwischen den kahlen Wänden wider. Mellberg grinste höhnisch.

»Okay, ihr habt euch geliebt. Die Schöne und das Biest liebten einander. Wie reizend. Und wie lange habt ihr euch schon *geliebt*?«

Anders murmelte wieder irgend etwas Undeutliches, und Mellberg mußte ihn bitten, das Gesagte zu wiederholen.

»Von Kindheit an.«

»Ach so, ja. Okay. Aber ich nehme an, daß ihr mit fünf nicht gerammelt habt wie die Kaninchen, also will ich die Frage anders stellen: Wie lange hat das sexuelle Verhältnis schon gedauert? Wie lange ist sie mit dir fremdgegangen? Wie lange habt ihr Tango in der Horizontalen getanzt? Soll ich weitermachen, oder hast du die Frage verstanden?«

Anders starrte Mellberg haßerfüllt an, bot jedoch seine ganze Kraft auf, um ruhig zu bleiben. »Ich weiß nicht, immer mal wieder im Laufe der Jahre. Ich weiß es wirklich nicht, ich habe nicht gerade Buch darüber geführt.« Er zupfte an irgendwelchen unsichtbaren Fäden an seiner Hose. »Also, sie ist ja früher nicht sehr oft hier gewesen, da war es dann nicht so häufig. Meist habe ich sie nur gemalt. Sie ist so schön gewesen.«

»Was ist an dem Abend passiert, als sie gestorben ist? Gab es ein bißchen Zoff wegen der Liebe? Wollte sie dich nicht ranlassen? Oder bist du wütend geworden, weil sie ein Kind im Bauch hatte? Das war doch so? Sie war schwanger, und du hast nicht gewußt, ob es dein Kind ist oder ob es von ihrem Mann ist. Sie hat bestimmt auch gedroht, dir das Leben sauer zu machen, stimmt's?«

Mellberg war sehr zufrieden mit sich selbst. Er war überzeugt, daß Anders der Mörder war, und wenn er nur fest genug auf die richtigen Knöpfe drückte, würde er garantiert ein Geständnis erhalten. Ganz sicher. Dann würden sie ihm in den Ohren liegen, damit er nach Göteborg zurückkam. Er würde sie eine Weile tüchtig betteln lassen. Sie würden bestimmt mit Beförderung und höherem Gehalt locken, wenn er sie eine Zeitlang hinhielt. Er rieb sich zufrieden den Bauch und bemerkte erst jetzt, daß Anders ihn mit aufgerissenen Augen anstarrte. Sein Gesicht war vollkommen weiß, alles Blut war daraus gewichen, und die Hände zuckten wie im Krampf. Jetzt, wo er von Anders zum erstenmal richtig angesehen wurde, bemerkte er, daß Anders' Unterlippe zitterte und seine Augen voller Tränen standen.

»Das ist Lüge! Sie kann nicht schwanger gewesen sein!«

Ein Rotzfaden lief Anders aus der Nase, und er wischte ihn mit dem Ärmel weg. Er sah Mellberg fast bittend an.

»Wieso nicht? Gummis sind nicht hundertprozentig sicher, verstehst du. Sie war im dritten Monat, also zieh hier keine Show ab. Sie war schwanger, und du weißt sehr genau, wie das zugegangen ist. Ob du es dann gewesen bist oder der feine Gatte hier seinen Anteil hatte, ja, das kann man schließlich nie wissen, stimmt's? Das ist der Fluch des Mannes, kann ich dir sagen. Bin selber ein paarmal fast reingelegt worden, aber kein verdammtes Weib hat es bisher geschafft, mich irgendein Papier unterschreiben zu lassen.« Mellberg lachte glucksend.

»Zwar geht das niemanden was an, aber wir haben über vier Monate keinen Sex gehabt. Jetzt will ich nicht mehr mit dir reden. Bring mich in die Zelle zurück, denn ich werde kein Wort mehr sagen!«

Anders schniefte erheblich, und die ganze Zeit drohten ihm Tränen aus den Augen zu quellen. Er lehnte sich auf dem Stuhl zurück, verschränkte die Arme über der Brust und starrte Mellberg unter den Haarsträhnen hervor trotzig an. Der stieß einen schweren Seufzer aus, kam aber der Forderung nach.

»Na gut, wir machen in ein paar Stunden weiter. Und damit du es weißt – ich glaube kein bißchen von dem, was du da sagst! Denk nach, wenn du in der Zelle sitzt. Wenn wir das nächste Mal reden, will ich ein vollständiges Geständnis von dir.«

Er blieb einen Moment sitzen, nachdem Anders in die Zelle gebracht worden war. Der stinkende Säufer hatte nicht gestanden, und Mellberg konnte das überhaupt nicht fassen. Seine Trumpfkarte hatte er jedoch noch nicht ausgespielt. Das letzte Mal, daß jemand etwas von Alexandra Wijkner gehört hatte, war Viertel nach sieben am Freitag, dem fünfundzwanzigsten Januar, gewesen, genau eine Woche bevor sie tot aufgefunden worden war. Zu dem Zeitpunkt hatte sie laut Telefongesellschaft genau fünf Minuten und fünfzig Sekunden mit ihrer Mutter gesprochen. Das stimmte auch bestens mit dem Zeitrahmen überein, den der Gerichtsmediziner angegeben hatte. Dank der Nachbarin Dagmar Petrén verfügte Mellberg über die Zeugenaussage, daß Anders Nilsson das Opfer nicht nur kurz vor sieben am Abend des besagten Freitags besucht hatte, sondern daß er auch gesehen worden war, als er in der darauffolgenden Woche mehrmals das Haus betreten hatte. *Da lag Alexandra Wijkner bereits tot in der Badewanne.*

Ein Geständnis hätte Mellbergs Arbeit bedeutend erleichtert, aber selbst wenn Anders starrsinnig bleiben sollte, war Mellberg doch davon überzeugt, daß er ihn überführen würde. Er hatte nicht nur die Zeugenaussage von Frau Petrén, sondern auf seinem Tisch lag auch der Bericht von der Haussuchung bei Alexandra Wijkner. Am interessantesten waren die Angaben von der gründlichen Durchsuchung des Badezimmers, in dem man die Tote gefunden hatte. Nicht genug damit, daß in dem geronnenen Blut auf dem Boden ein Fußabdruck gesichert werden konnte, der zu einem Paar Schuhe paßte, die man in Anders'

160

Wohnung konfisziert hatte, sondern auf dem Körper des Opfers waren obendrein Anders' Fingerabdrücke festgestellt worden. Zwar waren sie nicht so deutlich wie auf einer festen, glatten Fläche, aber dennoch klar zu identifizieren.

Er hatte heute nicht gleich alles Pulver verschießen wollen, aber bei der nächsten Vernehmung würde er die gesamte Artillerie in Stellung bringen. Dann sollte es doch mit dem Teufel zugehen, wenn er den Kerl nicht kleinkriegte.

Zufrieden spuckte sich Mellberg in die Hände und glättete sich mit dem Speichel die Haare.

Das Klingeln störte sie mitten in der Übertragung des Gesprächs mit Henrik Wijkner. Erica nahm irritiert die Finger von den Tasten und griff nach dem Telefon.

»Ja?« Es klang ein wenig gereizter, als sie beabsichtigt hatte.

»Hallo, hier ist Patrik. Störe ich?«

Erica richtete sich kerzengerade auf und ärgerte sich, daß sie nicht freundlicher gewesen war. »Nein, absolut nicht, ich war nur gerade beim Schreiben und hatte mich so in die Sache vertieft, daß ich zusammengezuckt bin, als es geklingelt hat, und vielleicht wirkte ich da ein bißchen … aber du störst absolut nicht, es ist völlig okay, ich meine …« Sie griff sich an die Stirn, als sie sich wie eine Vierzehnjährige stammeln hörte. Es wurde Zeit, daß sie sich ein bißchen zusammenriß und die Hormone in den Griff bekam. Das hier war ja wirklich lächerlich.

»Ja, ich bin in Fjällbacka und wollte nur hören, ob du zu Hause bist und ob ich in dem Fall kurz vorbeischauen könnte?«

Er klang selbstsicher, männlich, ruhig und stark, und Erica fühlte sich noch idiotischer, weil sie wie ein Teenager gestottert hatte. Sie blickte auf ihre Kleidung hinunter, die im Moment aus einem schmuddeligen Jogginganzug bestand, und faßte sich mit der Hand an die Haare. Ja, es war genau, wie sie befürchtet hatte. Ein Stiez mitten auf dem Kopf, von dem die Haare in alle Richtungen abstanden. Die Situation konnte man nur als katastrophal bezeichnen.

»Hallo Erica – bist du noch dran?« Patrik wirkte leicht verwundert.

»Äh, ja, ich bin hier. Mir war nur so, als hätte dein Handy keinen Empfang.«

Sie griff sich erneut an die Stirn. Mein Gott, man konnte wirklich glauben, sie sei noch eine Anfängerin.

»Hallo Erica, bin ich zu hören? Hallo?«

»Ähh, ja klar. Komm ruhig vorbei! Gib mir nur eine Viertelstunde, bevor du auftauchst, denn ich schreibe gerade … ähh … einen unheimlich wichtigen Abschnitt in meinem Buch, den ich gern erst beenden möchte.«

»Ja, natürlich. Aber störe ich ganz bestimmt nicht? Ich meine, wir sehen uns ja morgen abend sowieso …«

»Nein, wirklich nicht. Ganz bestimmt. Laß mir nur eine Viertelstunde Zeit.«

»Okay. Dann komme ich in einer Viertelstunde.«

Erica legte langsam den Hörer weg und atmete tief durch. Vor Erwartung hämmerte ihr Herz so heftig, daß sie es selbst hören konnte. Patrik war auf dem Weg zu ihr. Patrik war … Sie fuhr zusammen, als hätte ihr jemand einen Eimer kaltes Wasser über den Kopf geschüttet, und sprang vom Stuhl auf. Er würde in fünfzehn Minuten hier sein, und sie sah aus, als hätte sie sich eine Woche lang weder gewaschen noch gekämmt. Sie rannte die Treppe ins Obergeschoß hoch, immer zwei Stufen auf einmal nehmend, und zog sich zugleich das Joggingoberteil über den Kopf. Im Schlafzimmer stieg sie aus der Schlabberhose und wäre fast lang hingeschlagen, weil sie vergessen hatte stillzustehen.

Im Bad wusch sie sich unter den Armen und schickte ein stilles Dankgebet zum Himmel, weil sie sich heute morgen beim Duschen die Achselhöhlen rasiert hatte. Kleine Mengen Parfüm landeten auf den Handgelenken, zwischen den Brüsten und am Hals, wo sie den Puls unter den Fingern heftig schlagen fühlte. Der Schrank wurde unsanft aufgerissen, und erst als sie den größten Teil seines Inhalts aufs Bett befördert hatte, konnte sie sich für einen einfachen schwarzen Filippa-K-Pullover und einen dazu passenden engen schwarzen Rock entscheiden, der bis zu den Knöcheln reichte. Sie schaute auf die Uhr. Noch zehn Minuten. Wieder ins Bad. Puder, Wimperntusche, Lippglos und einen hellen Lidschatten. Rouge war nicht nötig, ihr Gesicht war schon rot genug. Das Make-up sollte sie frisch und ungeschminkt wirken lassen, aber mit jedem weiteren Jahr schien sie mehr Schminke zu brauchen, um so ein Ergebnis zu erzielen.

Es klingelte an der Tür im Erdgeschoß, und als sie im Spiegel einen letzten Blick auf sich warf, bemerkte sie voller Panik, daß die Haare auf dem Kopf noch immer ein unordentliches Büschel bildeten, das ein leuchtend gelber Gummi zusammenhielt. Sie riß ihn heraus, und mit Hilfe einer Bürste und ein wenig Schaumfestiger gelang es ihr, die Frisur einigermaßen in Form zu bringen. Es klingelte erneut, jetzt beharrlicher, und sie eilte die Treppe hinunter, blieb aber mitten auf den Stufen stehen, um Luft zu holen und sich einen Moment zu sammeln. Mit der coolsten Miene, die ihr gelang, öffnete sie die Tür und feuerte ein Lächeln ab.

Sein Finger zitterte leicht, als er auf die Klingel drückte. Er war mehrmals drauf und dran gewesen, wieder kehrtzumachen und sich übers Telefon mit einem vorgeschobenen Grund zu entschuldigen, aber das Auto fuhr praktisch von ganz allein in Richtung Sälvik. Er wußte noch ganz genau, wo sie wohnte, und nahm mit Leichtigkeit die enge Rechtskurve auf der Steigung vor dem Campingplatz, die ihn zu ihrem Haus führte. Es war kohlrabenschwarz draußen, aber die Straßenlaternen verbreiteten genug Licht, um ihn die Aussicht auf das Meer ahnen zu lassen. Er begriff mit einem Schlag, welche Gefühle Erica für ihr Elternhaus hegen mußte, und konnte sich ihren Schmerz vorstellen, es eventuell zu verlieren. Mit einemmal verstand er auch, wie hoffnungslos seine Gefühle für sie waren. Sie und Anna würden das Haus verkaufen, und dann gab es nichts mehr, was Erica in Fjällbacka hielt. Sie würde nach Stockholm zurückziehen, und mit den Bar-Adonissen vom Stureplan konnte ein Provinzpolizist aus Tanumshede nicht mithalten. Niedergeschlagen war er langsam auf die Tür zugegangen.

Niemand öffnete nach dem ersten Klingeln, und er drückte noch einmal auf den Knopf. Er empfand den Besuch schon längst nicht mehr als so gute Idee wie in dem Moment, als er von Frau Petrén aufgebrochen war. Er hatte ganz einfach nicht widerstehen können, Erica anzurufen, wo er nun schon mal in der Nähe war. Als er ihre Stimme hörte, bereute er es bereits ein wenig. Sie hatte so beschäftigt, ja sogar leicht gereizt geklungen, als sie am Telefon antwortete. Nun ja, jetzt war es zu spät, um sich die Sache anders zu überlegen. Die Türklingel hallte bereits zum zweitenmal durchs Haus.

Er hörte jemanden die Treppe herunterkommen. Die Schritte verstummten einen Moment, bevor sie auf den Eingang zukamen. Die Tür ging auf, und da stand Erica, übers ganze Gesicht lächelnd. Sie raubte ihm den Atem. Er begriff nicht, wie sie immer so frisch aussehen konnte. Das Gesicht war ungeschminkt und hatte die natürliche Schönheit, die er bei einer Frau am anziehendsten fand. Karin wäre es nie eingefallen, sich ohne Schminke zu zeigen, aber Erica sah seiner Meinung nach so phantastisch aus, daß er sich nicht vorstellen konnte, daß sich das, was er vor sich sah, noch verbessern ließe.

Das Haus war genauso, wie er es von den Besuchen seiner Kindheit in Erinnerung hatte. Das Gebäude und die Möbel hatten gemeinsam in Würde altern dürfen. Holz und weiße Farbe waren die vorherrschenden Elemente, und die hellen Stoffe in Blau-Weiß harmonierten mit der Patina der Möbel. Erica hatte Kerzen angezündet, und die vertrieben die Winterdunkelheit. Alles atmete Ruhe und Frieden. Er folgte Erica in die Küche.

»Möchtest du Kaffee?«

»Ja, gern. Ach übrigens, hier, bitte.« Patrik gab ihr den Beutel mit den Kuchen. »Ein paar möchte ich allerdings mit ins Revier nehmen. Es sind genug da, so daß sie für uns reichen und trotzdem noch was übrigbleibt, das kann ich dir versichern.«

Erica sah in die Plastiktüte und lächelte.

»Hast Frau Petrén besucht, wie ich sehe.«

»Genau. Und ich bin so satt, daß ich mich kaum rühren kann.«

»Reizende alte Dame, stimmt's?«

»Unglaublich reizend. Wäre ich so zweiundneunzig, hätte ich sie vom Fleck weg geheiratet.«

164

Sie lächelten sich an.

»Und wie geht's dir?«

»Danke, gut.«

Ein paar Minuten Schweigen brachten beide dazu, sich nervös zu winden. Erica goß jedem eine Tasse ein und füllte den Rest des Kaffees in eine Thermoskanne.

»Wir setzen uns in die Veranda.«

Sie tranken die ersten Schlucke unter Schweigen, das nicht mehr lästig, sondern recht angenehm war. Erica saß ihm gegenüber im Korbsofa. Er räusperte sich.

»Wie läuft's mit dem Buch?«

»Danke, gut. Und bei dir? Geht die Ermittlung voran?«

Patrik überlegte einen Moment und entschloß sich dann, ein bißchen mehr zu erzählen, als er eigentlich sollte. Erica war ja trotz allem bereits in die Geschichte verwickelt, und er konnte nicht sehen, welchen Schaden das anrichten sollte.

»Es sieht so aus, als hätten wir den Fall gelöst. Wir haben also jemanden festgenommen und verhören ihn gerade, und die Beweisführung ist so hieb- und stichfest, wie sie nur sein kann.«

Erica beugte sich neugierig vor. »Wer ist es?«

Patrik zögerte einen Augenblick. »Anders Nilsson.«

»Also war es doch Anders. Merkwürdig, irgendwie erscheint mir das falsch.«

Patrik war versucht, ihr zuzustimmen. Es gab ganz einfach zu viele lose Fäden, die sich auch durch die Festnahme von Anders nicht verknüpfen ließen. Aber die Spuren vom Tatort und die Aussage der Zeugin, daß er sich nicht nur im Haus befunden hatte, kurz bevor Alex vermutlich ermordet wurde, sondern auch mehrere Male danach, als sie bereits tot war, ließen dem Zweifel nicht viel Platz. Trotzdem blieb es merkwürdig.

»Ja, dann ist die Geschichte also vorbei. Seltsam, ich hatte gedacht, ich würde erleichterter sein, als ich jetzt bin. Und der Artikel, den ich gefunden habe? Über das Verschwinden von Nils, meine ich. Wie paßt der ins Bild, wenn Anders nun der Mörder ist?«

Patrik zuckte mit den Schultern und hob die Hände. »Keine Ahnung, Erica. Ich weiß es nicht. Vielleicht hatte das nichts mit dem Mord zu tun und war nur reiner Zufall. Jedenfalls gibt es keinen Grund, weiter in der Sache herumzustochern. Alex hat ihre Geheimnisse mit ins Grab genommen.«

»Und das Kind, das sie erwartet hat? War das von Anders?«

»Wer weiß? Von Anders oder von Henrik ... Ich rate genauso wie du. Man fragt sich, was die beiden zusammengebracht hat. Ein wirklich ungleiches Paar. Es ist ja zwar nicht gerade ungewöhnlich, daß Leute was nebenher laufen haben, aber Alexandra Wijkner und Anders Nilsson? Ich meine, für mich ist es schon unglaublich, daß er überhaupt jemanden ins Bett gekriegt hat, und Alexandra Wijkner war schließlich – ja, Superklasse ist das einzige, was mir dazu einfällt.«

Einen Augenblick lang meinte er eine Falte zwischen Ericas Augenbrauen zu sehen, aber in der nächsten Sekunde war sie verschwunden, und Erica wirkte wie immer, höflich und nett. Das hatte er sich wohl eingebildet. Sie öffnete gerade den Mund, um etwas zu sagen, als die Erkennungsmelodie vom Eiswagen in der Diele erklang. Beide zuckten zusammen.

»Das ist mein Handy. Entschuldige mich einen Augenblick.« Er stürzte hinaus, um zu antworten, und nachdem er einen Moment in der Jackentasche gewühlt hatte, bekam er es zu fassen.

»Patrik Hedström.«

»Hmm ... Okay ... Ich verstehe ... Ja, da sind wir wieder bei Null angelangt. Ja, ja, ich weiß. Ach so, hat er das gesagt. Ja, wie es damit steht, kann man ja nicht wissen. Okay Kommissar, bis dann.«

Er klappte das Handy mit einem deutlichen Klicken zu und wandte sich an Erica. »Zieh dir die Jacke über, dann fahren wir eine Runde.«

»Und wohin?« Erica schaute ihn verwundert an, die Kaffeetasse auf halbem Weg zum Mund.

»Es gibt neue Informationen zu Anders' Beteiligung an dem Fall. Es scheint, als müßten wir ihn als Verdächtigen streichen.«

»Aha, aber wohin wollen wir dann jetzt?«

»Wir haben beide gespürt, daß irgendwas nicht stimmt. Du hast den Artikel über das Verschwinden von Nils bei Alex entdeckt, und vielleicht gibt es da noch mehr zu finden.«

»Aber habt ihr das Haus nicht bereits durchsucht?«

»Doch, aber es ist nicht sicher, daß wir dabei die richtigen Dinge bemerkt haben. Ich möchte einfach eine Sache testen. Komm jetzt.«

Patrik war bereits halb aus der Tür, so daß Erica sich die Jacke überwerfen und hinter ihm her rennen mußte.

Das Haus sah klein und heruntergekommen aus. Daß Leute es fertigbrachten, so zu wohnen, war ihr völlig unverständlich. Daß man ein so graues, tristes Dasein ertrug, so was – Ärmliches. Aber die Ordnung der Welt war nun mal so. Manche waren reich, und manche waren arm. Sie dankte ihrem glücklichen Stern, daß sie zur ersten Kategorie gehörte und nicht zur zweiten. Es hätte nicht zu ihr gepaßt, arm zu sein. Eine Frau wie sie war wie gemacht dafür, sich in Pelze und Diamanten zu kleiden.

Die Frau, die auf ihr Klopfen öffnete, hatte vermutlich noch nie einen echten Diamanten gesehen. Ihre ganze Erscheinung wirkte irgendwie graubraun. Mit Widerwillen betrachtete Nelly Veras fadenscheinige Strickjacke und die rauhen Hände, die die Jacke über der Brust zusammenhielten. Vera sagte kein Wort, stand nur stumm in der Türöffnung, und nachdem Nelly nervös um sich geblickt hatte, mußte sie schließlich sagen: »Nun, gedenkst du mich hineinzubitten, oder wollen wir hier den ganzen Tag stehenbleiben? Wir sind ja wohl beide nicht besonders daran interessiert, daß man sieht, wie ich dich besuche, oder?«

Vera sagte noch immer nichts, aber zog sich mit leicht eingezogenem Kopf in den Flur zurück, so daß Nelly näher treten konnte.

»Wir beide müssen reden, nicht wahr?« Nelly zog sich elegant die Handschuhe von den Fingern, die sie außer Haus stets trug, und sah sich angeekelt im Haus um. Flur, Wohnzimmer, Küche und ein kleines Schlafzimmer. Vera ging hinter ihr her, den Blick zu Boden gerichtet. Die Räume waren dunkel und öde. Die Tapeten hatten ihre besten Tage vor langer Zeit gesehen. Niemand hatte sich darum gekümmert, das Linoleum herauszureißen, um den Holzfußboden darunter sichtbar zu machen, wie es in den alten Häusern sonst meist geschehen war. Alles war jedoch blitzsauber und ordentlich. Kein Schmutz in den Ecken, nur diese deprimierende Hoffnungslosigkeit, die das Haus von oben bis unten prägte.

Nelly ließ sich vorsichtig auf den äußersten Rand des alten Ohrensessels im Wohnzimmer nieder. Als wäre sie es, die in diesem Haus wohnte, bedeutete sie Vera, sich aufs Sofa zu setzen. Vera gehorchte und nahm ebenfalls nur auf dem äußersten Rand Platz, saß dort ganz still, allein die Hände bewegten sich nervös auf ihrem Schoß.

»Es ist wichtig, daß wir jetzt auch weiter schweigen. Du verstehst das doch, oder?«

Nellys Stimme klang fordernd. Vera nickte und hielt den Blick gesenkt.

»Ja, ich kann nicht behaupten, daß ich diese Sache mit Alex bedaure. Sie hat bekommen, was sie verdient hat, und ich glaube, da stimmst du mir zu. Daß es diese Schlampe früher oder später erwischen würde, habe ich immer gewußt.«

Vera reagierte auf Nellys Wortwahl, indem sie hastig aufblickte, aber sie blieb weiter schweigend sitzen. Nelly empfand große Verachtung für diese simple, fade Person, die keinen eigenen Willen mehr zu haben schien. Typisch kleine Leute mit ihrem gebeugten Nacken. Nicht, daß sie der Meinung war, es sollte anders sein. Trotzdem konnte sie nur Verachtung für diese Menschen empfinden, die weder Klasse noch Stil hatten. Am meisten brachte es sie auf, daß sie von Vera Nilsson abhängig war. Aber koste es, was es wolle, sie mußte einfach sichergehen, daß Vera schwieg. Das war früher möglich gewesen und mußte es auch jetzt sein.

»Es ist unglückselig, daß alles so gekommen ist, aber jetzt ist es noch wichtiger, daß wir nichts Übereiltes tun. Alles muß weitergehen wie bisher. Wir können die Vergangenheit nicht ändern, und es gibt keinen Grund, eine Menge oller Kamellen ans Tageslicht zu zerren.«

Nelly öffnete die Handtasche und holte ein weißes Kuvert heraus, das sie auf den Wohnzimmertisch legte. »Hier ist ein bißchen zur Aufbesserung der Kasse. Nun nimm schon.«

Nelly schob ihr das Kuvert hin. Vera nahm es nicht in die Hand, sondern schaute es nur an.

»Die Sache mit Anders bedauere ich. Vielleicht aber war es ja das Beste, was ihm passieren konnte. Ich meine, im Gefängnis hat er schließlich nicht so leicht Zugang zu Alkohol.«

Nelly verstand sofort, daß sie zu weit gegangen war. Vera stand langsam vom Sofa auf und wies mit zitterndem Finger zur Tür.

»Raus!«

»Aber liebe Vera, so darfst du es nicht …«

»Raus aus meinem Haus! Mein Sohn wird nicht im Gefängnis sitzen, und du kannst dein verdammtes Scheißgeld einpakken und dich zum Teufel scheren, du elendes, verfluchtes Weibsstück! Ich weiß genau, woher Leute wie du kommen, und wenn du noch soviel Parfüm draufsprühst, der Scheißgeruch bleibt trotzdem hängen!«

Nelly fuhr zurück vor dem blanken Haß in Veras Augen. Veras Hände waren geballt, und sie stand kerzengerade da und starrte Nelly direkt ins Gesicht. Ihr ganzer Körper schien vor jahrelang aufgestauter Wut zu vibrieren. Es gab keine Spur mehr von jener Unterwürfigkeit, die sie zuvor gezeigt hatte, und Nelly begann sich in dieser Situation äußerst unwohl zu fühlen. Wie konnte das Weib bloß so überreagieren! Sie hatte doch nur gesagt, wie es war. Ein bißchen Wahrheit muß der Mensch doch wohl ertragen. Nelly beeilte sich, zur Tür zu kommen.

»Verschwinde von hier, und laß dich nie wieder blicken!«

Vera jagte sie geradezu aus dem Haus, und kurz bevor sie die Tür krachend zuschlug, warf sie Nelly das Kuvert vor die Füße. Die mußte sich mühsam bücken, um es aufzuheben. Fünfzigtausend Kronen ließ man nicht einfach so auf der Straße liegen, egal, wie demütigend es sein mochte, daß die Nachbarn, die jetzt die Gardinen zur Seite zogen, sie praktisch im Dreck kriechen sahen. Was für eine undankbare Person! Nun, sie würde schon ein bißchen demütiger werden, wenn das Geld alle war und sie niemand mehr als Putzfrau nahm. Ihre Tätigkeit in der Lorentzschen Residenz war ein für allemal beendet, und es würde auch kein Problem sein, sie um die übrigen Aufträge zu bringen. Nelly würde dafür sorgen, daß Vera auf Knien zum Sozialamt rutschen mußte, bevor sie mit ihr fertig war. Niemand beleidigte Nelly Lorentz ungestraft.

Ihm war, als würde er durch Wasser waten. Die Glieder waren schwer und steif nach der Nacht auf der Zellenpritsche. Der fehlende Alkohol gab ihm das Gefühl, als sei der Kopf mit Watte gefüllt. Anders blickte sich in der Wohnung um. Der Fußboden war voller Dreckspuren von den Stiefeln der Polizisten, die überall herumgetrampelt waren. Doch das kümmerte ihn wenig. Ein bißchen Dreck in den Ecken hatte ihn noch nie gestört.

Er holte ein Sechserpack Starkbier aus dem Kühlschrank und warf sich rücklings auf die Matratze im Wohnzimmer. Öffnete das Bier mit der rechten Hand, den linken Ellenbogen als Stütze auf der Unterlage, und trank gierig in langen Zügen, bis kein Tropfen mehr in der Büchse war. Dann flog sie in weitem Bogen durch den Raum und landete mit einem Scheppern in der hintersten Ecke auf dem Boden. Nachdem das größte Verlangen für den Moment gestillt war, verschränkte er die Hände hinterm Kopf. Seine Augen starrten blicklos zur Decke, als er für ein Weilchen in einer weit zurückliegenden Zeit versank. Nur in der Vergangenheit konnte er hin und wieder etwas Ruhe finden. Zwischen den kurzen Momenten, in denen er sich in besseren Zeiten befand, schnitt ihm der Schmerz mit nicht nachlassender Intensität ins Herz. Es verwunderte ihn, daß ihm jene Augenblicke so fern und gleichzeitig so nah erschienen.

In seiner Erinnerung strahlte immer die Sonne. Der Asphalt war warm unter den nackten Füßen, und die Lippen schmeckten ständig salzig vom Baden im Meer. Merkwürdigerweise erinnerte er sich nur an die Sommer. Nie an Winter. An keine grauen Tage. Keinen Regen. Nur an Sonne vom strahlend blauen Himmel und an eine leichte Brise, die den blanken Spiegel des Meeres zerbrach.

Alex in sommerleichten Kleidern, die sich um ihre Beine schmiegten. Das Haar, das man ihr nicht abschneiden durfte und das ihr deshalb hell, glatt und lang auf den Rücken fiel. Manchmal war ihm sogar ihr Duft so stark in Erinnerung, daß er ihn in der Nase spürte: Erdbeeren, Salzwasser und Shampoo mit Wiesenlieschgras. Hin und wieder vermischt mit einem überhaupt nicht unangenehmen Schweißgeruch, wenn sie wie die Irren um die Wette geradelt oder auf den Felsen herumgeklettert waren, bis ihnen die Glieder kaum noch gehorchten. Dann legten sie sich rücklings auf den Kamm des Veddeberget, die Füße zum Meer zeigend und die Hände auf dem Bauch gefaltet. Alex in der Mitte zwischen ihnen, die Haare gelöst und die Augen zum Himmel gerichtet. Einige seltene, kostbare Male nahm sie ihrer beider Hände, und einen Augenblick lang war es, als wären sie alle eine einzige Person und nicht drei.

Sie waren sorgfältig darauf bedacht, daß niemand sie zusammen sah. Das würde die Magie zerstören. Die Verzauberung wäre gebrochen, und die Wirklichkeit ließe sich nicht länger verdrängen. Die Wirklichkeit war etwas, das um jeden Preis ferngehalten werden mußte. Sie war grau und häßlich und hatte nichts mit der sonnendurchtränkten Traumwelt zu tun, die sie errichten konnten, wenn sie zusammen waren. Die Wirklichkeit war nichts, über das sie redeten. Statt dessen waren die Tage angefüllt mit simplen Spielen und trivialen Gesprächsthemen. Nichts durfte ernst genommen werden. So konnten sie sich einreden, daß sie unverwundbar, unüberwindlich und unerreichbar waren. Jeder einzelne für sich war ein Nichts. Zusammen waren sie »Die Drei Musketiere«.

Die Erwachsenen waren nur periphere Traumgestalten, Statisten, die sich in ihrer eigenen Welt bewegten, ohne jeden Einfluß auf sie drei. Deren Münder bewegten sich, aber kein Laut war zu hören. Ihre Gesten und Mienen sollten wohl einen Inhalt haben, wirkten aber unecht und sinnlos. Aus dem Zusammenhang gerissen.

Anders lächelte still bei der Erinnerung, aber langsam mußte er aus seinem katatonischen Traumzustand aufsteigen. Ein natürliches Bedürfnis machte sich bemerkbar, und zurückgekehrt in die eigene Angst, stand er auf, um dem Problem abzuhelfen.

Das Toilettenbecken befand sich unterhalb eines mit Staub

und Schmutz bedeckten Spiegels. Als er sich erleichterte, bekam er sich selbst zu Gesicht, und zum erstenmal seit Jahren sah er sich, wie ihn andere sahen. Die Haare waren fettig und verfilzt. Das Gesicht war bleich, die Haut hatte einen ungesunden, fahlen Ton. Jahre der Vernachlässigung hatten ein paar Lücken in die Zahnreihen gerissen, wodurch er um Jahrzehnte älter wirkte, als er tatsächlich war.

Der Entschluß war da, ohne daß er sich eigentlich im klaren darüber war, ihn gefaßt zu haben. Während er unbeholfen den Hosenstall seiner Jeans schloß, wußte er, wie der nächste Schritt auszusehen hatte. Der Blick seiner Augen war unbeirrt, als er die Küche betrat. Nach kurzem Suchen in den Kästen fand er ein großes Küchenmesser, das er am Hosenbein abwischte. Dann ging er ins Wohnzimmer und nahm methodisch die Bilder von den Wänden. Eins nach dem anderen stellte er die Gemälde, die Resultate vieler Jahre Arbeit, auf den Boden. Er hatte nur jene Bilder behalten und hier aufgehängt, mit denen er wirklich zufrieden war. Viele andere hatte er ausgemustert, weil sie seinen Ansprüchen nicht völlig genügten. Jetzt zerschnitt das Messer eine Leinwand nach der anderen. Er arbeitete ruhig und mit sicherer Hand, schnitt die Bilder kurz und klein, bis nichts von dem mehr zu erkennen war, was sie dargestellt hatten. Es war erstaunlich mühsam, das Messer durch die Leinwand zu führen, und als er fertig war, stand ihm der Schweiß in Perlen auf der Stirn. Das Zimmer sah aus wie ein Schlachtfeld der Farben. Die Fetzen bedeckten den Fußboden, und die Rahmen standen weit offen wie zahnlose Münder. Er blickte zufrieden umher.

»Woher wißt ihr, daß es nicht Anders gewesen ist, der Alex ermordet hat?«

»Eine junge Frau, die im selben Treppenaufgang wie Anders wohnt, hat ihn kurz vor sieben nach Hause kommen sehen, und Alex hat um Viertel acht mit ihrer Mutter telefoniert. Er kann es in so kurzer Zeit unmöglich zurück geschafft haben. Das bedeutet, Dagmar Petréns Aussage bringt ihn nur mit dem Haus in Verbindung, als Alex noch am Leben war.«

»Aber was ist mit den Fingerabdrücken und den Fußspuren, die ihr im Bad gefunden habt?«

»Sie beweisen nicht, daß er sie umgebracht hat, nur daß er nach ihrem Tod im Haus gewesen ist. Das reicht jedenfalls nicht, um ihn noch länger in Haft zu behalten. Mellberg wird ihn bestimmt wieder festsetzen, er ist immer noch überzeugt, daß Anders der Mörder ist, aber bis auf weiteres muß er ihn freilassen, sonst könnte irgendein Anwalt Hackfleisch aus ihm machen. Ich habe die ganze Zeit das Gefühl gehabt, daß da etwas nicht stimmt, und das hat sich ja jetzt bestätigt. Anders ist keineswegs von jedem Verdacht befreit, aber es gibt zu viele Fragezeichen, so daß wir Grund haben, uns weiter umzuschauen.«

»Und deshalb sind wir unterwegs zu Alex' Haus. Was erwartest du dort zu finden?« fragte Erica.

»Ich weiß es wirklich nicht. Ich fühle nur, daß ich ein klareres Bild davon brauche, wie es möglicherweise zugegangen ist.«

»Birgit hat doch gesagt, daß Alex nicht weiter mit ihr reden konnte, weil sie Besuch hatte. Wenn es nicht Anders gewesen ist, wer dann?«

»Ja, genau das ist die Frage.«

Patrik fuhr ein bißchen zu schnell für Ericas Geschmack, und sie hielt sich krampfhaft am Griff oberhalb der Tür fest. Er hätte fast die Abfahrt am Klubhaus des Segelvereins verpaßt und nahm die Rechtskurve in allerletzter Sekunde, wodurch er um ein Haar einen Zaun mitgenommen hätte.

»Hast du Angst, daß das Haus nicht mehr dasein könnte, falls wir nicht rechtzeitig dort sind?« Erica lächelte blaß.

»Oh, entschuldige. Es hat mich ein bißchen gepackt.«

Er mäßigte das Tempo auf ein gesetzliches Maß, und das letzte Stück zum Haus von Alex wagte Erica sogar, den Griff loszulassen. Sie verstand noch immer nicht genau, warum er sie dabeihaben wollte, nahm aber die Sache dankbar an. So würde sie vielleicht Informationen für ihr Buch erhalten.

Vor der Tür blieb Patrik mit einfältigem Gesichtsausdruck stehen. »Ich habe nicht daran gedacht, daß ich keinen Schlüssel habe. Ich fürchte, wir kommen nicht rein. Mellberg würde es nicht gerade schätzen, wenn einer seiner Männer auf frischer Tat beim Einsteigen durchs Fenster geschnappt würde.«

Erica seufzte tief und beugte sich hinunter, um unter der Fußmatte nachzufühlen. Mit einem spitzbübischen Lächeln zeigte sie Patrik den Schlüssel, öffnete dann die Tür und ließ ihn vorgehen.

Jemand hatte den Heizkessel wieder in Gang gesetzt, denn jetzt war die Temperatur im Haus bedeutend höher als draußen, und sie zogen ihre Jacken aus und legten sie aufs Geländer der Treppe, die ins Obergeschoß führte.

»Was tun wir jetzt?«

Erica verschränkte die Arme und schaute Patrik auffordernd an.

»Alex hat irgendwann nach dem Gespräch mit ihrer Mutter, also nach Viertel acht, große Mengen Schlafmittel geschluckt. Es gab keine Anzeichen, daß sich jemand gewaltsam Zutritt verschafft hatte, also heißt das aller Wahrscheinlichkeit nach, daß der Besuch jemand war, den sie kannte. Wie hat dieser Jemand später Gelegenheit gehabt, ihr das Schlafmittel zu geben? Ja, sie mußten etwas zusammen gegessen oder getrunken haben.«

Patrik lief beim Sprechen im Wohnzimmer hin und her. Erica setzte sich aufs Sofa und verfolgte interessiert seinen Weg durch den Raum.

»Tatsächlich konnte der Gerichtsmediziner«, er blieb mitten im Schritt stehen und hob den Zeigefinger, »aufgrund des Mageninhalts berichten, was sie zuletzt gegessen hatte. Ihr Magen enthielt Fischauflauf und Cidre. Im Müll war die Auflaufverpackung der Firma Findus gefunden worden, und auf dem Spültisch stand eine leere Cidreflasche. Das also scheint zu stimmen. Ein bißchen merkwürdig war allerdings, daß im Kühlschrank zwei ansehnliche Stücke Rinderfilet lagen und im Herd ein Kartoffelauflauf stand. Der Herd war allerdings nicht eingeschaltet, so daß die Kartoffeln noch immer roh waren. Auf der Spüle befand sich auch eine Flasche Weißwein. Die war geöffnet, und eineinhalb Deziliter fehlten. Das entspricht ungefähr einem Glas.« Patrik gab die Menge zwischen Daumen und Zeigefinger an.

174

»Aber in Alex' Magen war kein Wein gefunden worden?«
Erica beugte sich interessiert vor und stützte die Ellenbogen auf
die Knie.

»Nein, genau. Weil sie schwanger war, hat sie statt Wein wohl
Cidre getrunken, aber die Frage ist, für wen der Wein dann war?«

»Stand irgendwas in der Spüle?«

»Ja, ein Teller, eine Gabel und ein Messer, an denen Reste
des Fischauflaufs klebten. Dann gab es zwei Gläser im Becken,
die man ausgespült hatte. Das eine war voller Fingerabdrücke.
Sie stammten von Alex. An dem anderen befand sich kein einziger.«

Patrik blieb hin und wieder stehen und setzte sich dann in
den Sessel, der Erica zugewandt war, streckte die langen Beine
aus und verschränkte die Finger vor dem Bauch.

»Was bedeuten muß, daß jemand die Fingerabdrücke abge-
wischt hat.«

Erica fühlte sich ungemein intelligent, als sie diese Schluß-
folgerung zog, und Patrik war höflich genug, sich nicht anmerken zu lassen, daß er bereits daran gedacht hatte.

»Ja, so sieht es aus. Da die Gläser ausgespült worden sind, haben wir keine Reste des Schlafmittels finden können, aber ich
vermute, daß Alex es mit dem Cidre aufgenommen hat.«

»Aber warum hat sie allein einen Fischauflauf gegessen, wenn
sie in der Küche eine Supermahlzeit mit Rinderfilet für zwei in
Arbeit hatte?«

»Ja, genau das ist die Frage. Warum überläßt eine Frau ein
Festessen seinem Schicksal und wärmt sich statt dessen irgendwas in der Mikrowelle?«

»Weil sie ein romantisches Abendessen für zwei geplant hat,
aber der Erwartete nicht gekommen ist.«

»Das ist auch meine Vermutung. Sie hat gewartet und gewartet, aber zum Schluß hat sie aufgegeben und nur rasch was aus
dem Tiefkühler in die Mikrowelle gestopft. Ich verstehe sie, es
macht nicht gerade Spaß, Rinderfilet allein zu essen.«

»Aber Anders ist doch zu Besuch gekommen, also kann sie
kaum auf ihn gewartet haben. Was hältst du vom Kindsvater?«
fragte Patrik.

»Ja, das ist wohl das wahrscheinlichste. Puh, wie tragisch. Da hat sie eine Supermahlzeit vorbereitet und Wein kalt gestellt, vielleicht, um die Sache mit dem Kind zu feiern, was weiß ich, und dann kommt er nicht, sie sitzt da und wartet und wartet. Die Frage ist nur, wer statt dessen gekommen ist?«

»Wir können den Erwarteten nicht ganz ausschließen. Er ist vielleicht noch gekommen, wenn auch spät.«

»Ja, das stimmt. Oh, ist das frustrierend! Wenn doch die Wände reden könnten!« Erica blickte bedeutsam im Zimmer umher.

Es war ein sehr schöner Raum. Er wirkte neu und frisch gestrichen. Als sie ein bißchen schnüffelte, konnte sie sogar noch den schwachen Geruch von Malerfarbe spüren. Die Wände waren in einer von Ericas Lieblingsfarben gehalten, einem hellen Blau mit einem Stich ins Graue. Davor hoben sich die weißen Fenster und weißen Möbel deutlich ab, und das Zimmer strahlte eine Ruhe aus, die sie verlockte, den Kopf an die Rückenlehne des Sofas zu legen und die Augen zu schließen. Das Sofa hatte sie bei House in Stockholm gesehen, doch bei ihrem Einkommen konnte sie von so was nur träumen. Es war groß und kuschelig, quoll irgendwie an allen Kanten über. Neue Möbel gingen in diesem Raum eine außerordentlich geschmackvolle Verbindung mit den Antiquitäten ein. Bestimmt hatte Alex die schönen alten Sachen gefunden, als sie damit beschäftigt war, das Göteborger Haus zu restaurieren. Die meisten der antiken Möbel waren im gustavianischen Stil gehalten. Erica hatte es Ikea zu verdanken, daß sie diesen Stil identifizieren konnte. Schon lange hatte sie den Wunsch, ein paar Möbel in diesem Stil aus deren neu produzierter Serie zu kaufen. Sie seufzte tief und neiderfüllt, bevor ihr wieder einfiel, weshalb sie in diesem Haus waren. Das ließ den Neid rasch verschwinden.

»So, du meinst also, daß jemand, der sie kannte, hergekommen ist – ihr Liebhaber oder sonstwer –, und sie haben zusammen ein Glas getrunken, und derjenige hat ihr das Schlafmittel in den Cidre getan«, sagte Erica.

»Ja, so war es höchstwahrscheinlich.«

»Und dann? Was glaubst du, was dann passiert ist? Wie ist sie in der Badewanne gelandet?«

Erica schmiegte sich noch tiefer ins Sofa und erlaubte sich sogar, die Beine auf den Tisch zu legen. Sie mußte sich dieses wunderbare Stück zusammensparen! Einen Moment lang kam ihr der Gedanke, daß sie Geld für alle gewünschten Möbel hätte, wenn sie das Haus verkauften. Aber dann wies sie ihn sofort wieder von sich.

»Ich glaube, der Mörder hat gewartet, bis Alex eingeschlafen ist, hat sie ausgezogen und dann ins Badezimmer geschleppt.«

»Warum denkst du, daß er sie geschleppt und nicht getragen hat?«

»Das Obduktionsprotokoll besagte, daß sie Schürfwunden an den Fersen und blaue Flecke an den Oberarmen hatte.«

Er setzte sich kerzengerade auf und sah Erica hoffnungsvoll an. »Kann ich nicht vielleicht eine Sache ausprobieren?«

Erica wurde stutzig und sagte skeptisch: »Ja, das hängt davon ab, was du testen willst.«

»Ich dachte, du könntest das Mordopfer spielen.«

»Ach ja, na vielen Dank. Glaubst du wirklich, daß mein Schauspieltalent dafür ausreicht?«

Sie lachte, stand aber auf, um sich zur Verfügung zu stellen.

»Nein, nein, setz dich wieder. Aller Wahrscheinlichkeit nach haben sie hier gesessen, und Alex ist auf dem Sofa eingeschlafen. Also kannst du bitte zu einem leblosen Bündel zusammensacken?«

Erica brummte, aber tat ihr Bestes, um eine Bewußtlose zu mimen. Als Patrik an ihr herumzuziehen begann, klappte sie ein Auge auf und sagte: »Ich hoffe, daß du mir nicht auch die Sachen ausziehen willst?«

»O nein, absolut nicht, ich würde nicht, ich hatte nicht vor, ich meine …«, stammelte er und wurde rot.

»Schon gut, ich habe nur Spaß gemacht. Bring mich also um.«

Sie fühlte, wie er sie auf den Fußboden zog, nachdem er zuerst den Sofatisch ein Stück zur Seite gerückt hatte. Dann umfaßte er ihre Handgelenke und begann sie vorwärts zu ziehen, da das aber nicht sonderlich erfolgreich war, packte er sie unter den Oberarmen und verfrachtete sie auf diese Weise ins Badezimmer. Plötzlich war sie sich ihres Gewichts deutlich bewußt. Patrik mußte meinen, sie wiege eine halbe Tonne. Sie versuchte ein bißchen zu schummeln und half nach, damit sie ihm leichter vorkam, erntete von Patrik aber eine Rüge. Oh, warum hatte sie sich in den letzten Wochen nicht etwas strenger an die Weightwatcher-Diät gehalten. Um ehrlich zu sein, hatte sie gar nicht erst versucht, sie auch nur im geringsten zu befolgen, sondern sich statt dessen hemmungslosem Trostessen hingegeben. Um das Maß voll zu machen, rutschte beim Ziehen auch noch der Pullover hoch, und eine verräterische Speckwulst drohte über den Bund zu quellen. Sie versuchte den Bauch einzuziehen, indem sie tief Luft holte, aber nach einer Weile mußte sie schließlich wieder ausatmen.

Der gefliste Boden im Bad fühlte sich kalt am Rücken an, und sie erschauerte unfreiwillig, doch nicht nur wegen der Kälte. Als Patrik sie bis zur Wanne gezogen hatte, ließ er sie vorsichtig nach unten sacken.

»Ja, das ging ja recht glatt. Ist zwar ziemlich schwer zu machen, aber nicht unmöglich. Und Alex hat ja weniger gewogen als du.«

Vielen Dank auch, dachte Erica unten auf dem Boden und versuchte unauffällig, sich den Pullover über den Bauch zu ziehen.

»Nun brauchte der Mörder sie nur noch in die Badewanne zu hieven.«

Er machte den Versuch, ihre Füße anzuheben, aber Erica stand rasch auf und klopfte sich ab.

»Nein, du, daraus wird nichts. Ich habe schon genug blaue Flecke für heute. Und du kriegst mich nie in die Wanne, in der Alex gelegen hat, soviel ist sicher!«

Notgedrungen akzeptierte er ihre Proteste, und sie verließen das Bad, um ins Wohnzimmer zurückzukehren.

»Nachdem der Mörder Alex in die Wanne verfrachtet hatte, war es das Einfachste der Welt, Wasser einlaufen zu lassen und ihre Handgelenke mit der Rasierklinge aufzuschneiden. Die hatte er aus einer Tüte im Badezimmerschrank. Dann mußte er nur noch hinter sich aufräumen. Die Gläser ausspülen und die Fingerabdrücke beseitigen. In der Zwischenzeit blutete sich Alex nebenan langsam zu Tode. Wirklich ungeheuer kaltblütig.«

»Und der Heizkessel, der funktionierte schon nicht, als sie nach Fjällbacka gekommen ist?«

»Ja, so scheint es. Was für ein Glück für uns. Es wäre viel schwieriger gewesen, die Beweise an ihrem Körper zu finden, wenn sie eine ganze Woche bei Zimmertemperatur dagelegen hätte. Anders' Fingerabdrücke zum Beispiel hätte man dann vermutlich überhaupt nicht abnehmen können.«

Erica schauderte. Der Gedanke, daß man an einer Leiche nach Fingerabdrücken suchte, war allzu makaber für ihren Geschmack.

Zusammen gingen sie die restlichen Räume des Hauses durch. Erica nahm sich das Schlafzimmer von Alex und Henrik etwas gründlicher vor, weil sie beim letzten Besuch so rasch unterbrochen worden war. Sie fand jedoch nichts weiter. Das Gefühl, irgend etwas würde fehlen, ließ sich jedoch nicht vertreiben, und es ärgerte sie halb zu Tode, daß sie nicht dahinterkam, was es war. Sie entschloß sich, Patrik davon zu erzählen, und ihn frustrierte die Tatsache ebenso wie sie. Voller Zufriedenheit bemerkte sie außerdem, daß es ihn ziemlich beunruhigte, als sie von dem Eindringling erzählte, vor dem sie sich im Schrank versteckt hatte.

Patrik seufzte schwer, setzte sich auf die Kante des großen Himmelbetts und versuchte ihr zu helfen, das zu finden, was sie in ihrer Erinnerung suchte.

»War es groß oder klein?«

»Keine Ahnung, Patrik, vermutlich klein, sonst hätte ich es ja wohl gemerkt, oder? Wenn etwa das Himmelbett gefehlt hätte, wäre mir das bestimmt aufgefallen.« Sie lächelte und setzte sich neben ihn.

»Aber wo im Zimmer ist es gewesen? An der Tür? Neben dem Bett? Auf der Kommode?« Patrik fingerte an einem kleinen Lederstückchen herum, das er auf Alex' Nachttisch gefunden hatte. Es sah aus wie eine Art Klubzeichen mit eingebrannter Inskription in kindlicher Handschrift. »D.D.M. 1976.« Als er es umdrehte, bemerkte er ein paar verwischte Flecke von etwas, das wie altes, eingetrocknetes Blut aussah. Er fragte sich, woher das wohl stammte.

»Ich weiß nicht, was es war, Patrik. Hätte ich es gewußt, würde ich jetzt nicht hier sitzen und mir die Haare raufen.«

Sie schaute verstohlen auf sein Profil. Er hatte herrlich lange dunkle Wimpern. Der Bartansatz war perfekt. Nur so weit gewachsen, daß er wie feines Sandpapier auf der Haut zu spüren ist, aber noch kurz genug, um nicht unangenehm zu kratzen. Sie überlegte, wie sich das wohl anfühlen mochte.

»Was ist? Habe ich was am Gesicht?« Patrik fuhr sich mit der Hand nervös um den Mund.

Sie schaute schnell weg, voller Verlegenheit, weil er sie erwischt hatte. »Nein nichts. Nur einen Schokoladenkrümel, aber der ist jetzt weg.«

Eine Weile blieb es still.

»Ja, was meinst du. Wir kommen jetzt wohl nicht viel weiter, oder?« fragte Erica schließlich.

»Nein, ich glaube nicht. Aber hör mal, ruf mich sofort an, wenn dir einfällt, was hier fehlt. Wenn es wichtig genug ist, damit jemand herkommt, um es zu holen, dann ist es bestimmt auch für die Ermittlung wichtig.«

Sie schlossen sorgfältig hinter sich ab, und Erica legte den Schlüssel zurück unter die Fußmatte.

»Soll ich dich nach Hause fahren?«

»Nein danke, Patrik. Ich mache gern einen Spaziergang.«

»Ja, dann sehen wir uns morgen abend.«

Patrik trat von einem Fuß auf den anderen und fühlte sich wieder wie ein linkischer Fünfzehnjähriger.

»Ja, ich erwarte dich um acht. Bring Hunger mit.«

»Ich werde es versuchen. Aber ich kann nichts versprechen. Im Moment kommt es mir vor, als würde ich nie wieder Hunger haben«, antwortete Patrik lachend, während er sich auf den Bauch klopfte und mit dem Kopf nach gegenüber auf Dagmar Petréns Haus wies.

Erica lächelte und winkte eifrig, als er in seinem Volvo davonfuhr. Beim Gedanken an den morgigen Tag spürte sie schon ein Kribbeln im Zwerchfell, doch waren da auch Unsicherheit, Nervosität und pure Angst.

Sie ging in Richtung ihres Zuhauses, aber schon nach wenigen Metern verhielt sie plötzlich den Schritt. Der Einfall war aus dem Nichts aufgetaucht, und dem mußte nachgegangen werden, bevor sie ihn verwerfen konnte. Entschlossen kehrte sie zum Haus zurück, holte den Schlüssel unter der Matte vor und ging erneut hinein, nachdem sie den Schnee gründlich von den Schuhen abgetreten hatte.

Was würde eine Frau tun, die auf einen Mann wartet, der zu einem romantischen Abendessen nicht auftaucht? Sie würde ihn natürlich anrufen! Erica flehte zum Himmel, daß Alex ein modernes Telefon hatte und nicht dem Trend zu einem Kobratelefon gefolgt war oder daß es bei ihr nicht etwa noch so einen alten Bakelitkasten gab. Sie hatte Glück. Ein nagelneues Doro hing in der Küche an der Wand. Mit zitternden Fingern bediente sie die Taste, die die zuletzt angerufene Nummer wiederholte, und betete, daß der Apparat von niemandem nach Alex' Tod benutzt worden war.

Nach siebenmaligem Klingeln wollte sie gerade auflegen, als endlich eine Mailbox ansprang. Sie lauschte der Mitteilung, legte dann aber auf, bevor das Piepzeichen ertönte. Ihr Gesicht war bleich, und sie konnte fast hören, wie es in ihrem Kopf rasselte, als die Puzzleteile auf ihren Platz fielen. Plötzlich wußte sie genau, was aus dem Schlafzimmer im Obergeschoß fehlte.

Mellberg kochte vor Wut. Er tobte wie eine Furie durchs Revier, und wenn es möglich gewesen wäre, hätten seine Mitarbeiter Deckung unter ihren Schreibtischen gesucht. Doch erwachsene Menschen taten so etwas nicht, und so mußten sie einen ganzen Tag mit wilden Flüchen, Beschimpfungen und Schmähungen höchst allgemeiner Art über sich ergehen lassen. Annika bekam das meiste ab, und obwohl sie sich in den Monaten unter Mellbergs Regie ein dickes Fell zugelegt hatte, war sie zum erstenmal seit langem den Tränen nahe. Nachmittags gegen vier hatte sie genug. Sie floh aus dem Büro, machte am Konsum halt, kaufte eine große Packung Eis, ging nach Hause, stellte eine Serie im Fernsehen an und ließ die Tränen auf das Schokoladeneis kullern. Es war einfach so ein Tag.

Es ärgerte Mellberg bis zum Wahnsinn, daß er Anders hatte aus der Haft entlassen müssen. Er fühlte mit jeder Faser seines Leibes, daß Anders der Mörder von Alex Wijkner war, und hätte man ihm nur noch etwas mehr Zeit mit ihm allein gegeben, dann hätte er die Wahrheit ganz bestimmt aus ihm herausbekommen. Statt dessen zwang man ihn, Anders freizulassen, und das wegen einer verdammten Zeugin, die behauptete, sie hätte ihn nach Hause kommen sehen, kurz bevor im Fernsehen die Serie »Verschiedene Welten« begann. Das bedeutete, Anders war um sieben in seiner Wohnung gewesen, Alex aber hatte Viertel nach sieben mit Birgit gesprochen. Es war zum Haare-Ausreißen.

Dann war da dieser junge Bursche, dieser Patrik Hedström. Der dauernd versuchte, ihm eine Menge Grillen in den Kopf zu setzen, nämlich daß jemand anders als Nilsson die Frau ermordet hatte. Nein, eins hatte er in all den Jahren bei der Polizei wirklich gelernt, nämlich daß es meist genau so war, wie es zu sein schien. Keine verborgenen Motive, keine komplizierten Komplotte. Nur Pack, das anständigen Bürgern das Leben unsicher machte. Finde das Pack, dann hast du den Täter, das war seine Parole.

Er wählte die Nummer von Patrik Hedströms Handy. »Verdammt, wo bist du?« Keine Höflichkeitsfloskeln bei dem Herrn. »Hockst du irgendwo rum und drehst Däumchen? Wir im Revier hier arbeiten nämlich. Machen Überstunden. Ich weiß nicht, ob dir dieses Phänomen bekannt vorkommt. Wenn nicht, kann ich dafür sorgen, daß du es auch nicht mehr kennenlernen mußt. Jedenfalls nicht an diesem Ort.«

Er hatte jetzt ein besseres Gefühl im Bauch, wo er den jungen Spund ein bißchen heruntergeputzt hatte. Man mußte diese jungen Hähne kurzhalten, sonst schwoll ihnen der Kamm.

»Ich will, daß du zu der Zeugin fährst, die Anders Nilsson gegen sieben zu Hause lokalisiert hat. Setze sie unter Druck, drehe ihr ein bißchen den Arm um, und sieh zu, was du raus-kriegen kannst – ja, verdammt, *jetzt*!«

Er knallte den Hörer auf und genoß die Umstände des Le-bens, die ihm eine Position beschert hatten, in der er andere mit der Drecksarbeit beauftragen konnte. Plötzlich erschien ihm die Welt sehr viel freundlicher. Mellberg lehnte sich in sei-nem Stuhl zurück, öffnete die oberste Schreibtischschublade und nahm eine Packung Schokoladenbälle heraus. Mit seinen kleinen Wurstfingern nahm er einen davon und stopfte ihn ge-nießerisch und im Ganzen in den Mund. Als er mit dem Kauen fertig war, griff er nach einem zweiten. Hart arbeitende Männer wie er brauchten schließlich Brennstoff.

Patrik war bereits nach Tanumshede über Grebbestad abgebo-gen, als Mellberg anrief. Jetzt fuhr er in die Einfahrt von Fjäll-backas Golfplatz und wendete. Er seufzte tief. Es ging auf den späten Nachmittag zu, und er hatte im Revier jede Menge Ar-beit liegen. Er hätte nicht so lange in Fjällbacka bleiben sollen, aber mit Erica zusammenzusein übte eine unwiderstehliche Anziehungskraft auf ihn aus. Es war, als wäre er in ein Magnet-feld geraten, und um daraus wieder loszukommen, mußte er sowohl Kraft als auch Willensstärke aufbringen. Noch ein tie-fer Seufzer. Diese Sache konnte nur auf eine Weise enden. Schlecht. Es war noch nicht so lange her, daß er den Kummer wegen Karin überwunden hatte, und jetzt befand er sich mit Tempo hundertzwanzig unterwegs zu neuem Schmerz. Wenn das nicht masochistisch war. Es hatte über ein Jahr gedauert, die Scheidung zu verarbeiten. Viele Nächte hatte er mit blicklosem Starren vor dem Bildschirm verbracht, wo solche Qualitäts-serien wie »Walker«, »Texas Ranger« und »Mission Impossible« liefen. Sogar das Tele-Shopping war eine bessere Alternative ge-wesen, als einsam im Doppelbett zu liegen und sich von einer Seite auf die andere zu wälzen, während Bilder von Karin mit einem anderen Mann im Bett wie eine schlechte Seifenoper vorüberflimmerten. Dennoch ließ sich die Anziehungskraft, die Karin am Anfang auf ihn ausgeübt hatte, überhaupt nicht mit dieser vergleichen, der er jetzt bei Erica ausgesetzt war. Die Logik flüsterte ihm mit böser Zunge zu, ob der Sturz nicht gerade deshalb um so heftiger ausfallen würde.

Er fuhr rasant abwärts, wie er es in den letzten engen Kurven vor Fjällbacka immer tat. Dieser Fall begann ihm langsam auf die Nerven zu gehen. Er ließ seine Frustration am Auto aus und stellte eine echte Lebensgefahr dar, als er die letzte Kurve vor der Steigung zu jener Stelle hinunter nahm, wo das alte Silo gelegen hatte. Jetzt war es abgerissen, und statt dessen hatte man dort Häuser und Bootsschuppen im alten Stil errichtet. Der Preis betrug ein paar Millionen Kronen pro Haus, und er hörte nie auf, sich zu wundern, wieviel Geld die Leute besitzen mußten, um sich ein Ferienhaus in dieser Preislage zuzulegen.

Ein Motorradfahrer erschien wie aus dem Nichts in der Kurve, und Patrik mußte das Steuer voller Panik herumreißen. Sein Herz hämmerte, und er bremste bis weit unter die erlaubte Geschwindigkeit. Das wäre beinahe ins Auge gegangen. Ein Blick in den Rückspiegel sagte ihm, daß der Motorradfahrer noch immer sicher auf seiner Maschine saß und seine Fahrt fortsetzte.

Er fuhr geradeaus weiter, an der Minigolfanlage vorbei und bis zur Kreuzung an der Tankstelle. Dort bog er nach links zu den Mietshäusern ab. Er dachte wieder einmal darüber nach, wie furchtbar häßlich diese Häuser doch waren. Braunweiße Gebäude aus den sechziger Jahren, die wie viereckige Klötze an der südlichen Einfahrt nach Fjällbacka lagen. Er überlegte, was sich der Architekt wohl dabei gedacht hatte. War es ein Experiment, daß er die Häuser möglichst häßlich gestaltet hatte? Oder hatte er einfach kein Interesse an der Sache gehabt? Vermutlich war das Ganze ein Ergebnis dieses Wahns der Sechziger, sich ein Millionenprogramm vorzunehmen. »Wohnungen für alle.« Nur schade, daß sie nicht lieber beschlossen hatten: »Schöne Wohnungen für alle.«

Er stellte das Auto auf den Parkplatz und betrat den ersten Aufgang. Nummer fünf. Wo Anders wohnte, aber ebenso die Zeugin Jenny Rosén. Oben im zweiten Stock. Er schnaufte, als er auf dem entsprechenden Treppenabsatz angekommen war, was ihn daran erinnerte, daß es für ihn in letzter Zeit viel zuwenig Bewegung und viel zuviel Kuchen gegeben hatte. Nicht, daß er jemals ein Wunder an Durchtrainiertheit gewesen wäre, aber so schlimm wie jetzt hatte es noch nie um ihn gestanden.

Patrik hielt eine Sekunde vor Anders' Tür inne und lauschte. Kein Ton war zu hören. Entweder war der Mann nicht zu Hause, oder er lag völlig ausgezählt in einer Ecke.

Jennys Tür war auf der rechten Schmalseite und befand sich daher genau gegenüber von Anders' Wohnung, die, wenn man die Treppe heraufkam, gleich links lag. Die Frau hatte das Standardnamensschild durch ein persönliches aus Holz ersetzt, auf dem in verschnörkelter Schrift die Namen Jenny und Max Rosén standen, eingerahmt von einem Band aus Rosen. Sie war also verheiratet.

Jenny Rosén hatte heute am frühen Vormittag im Revier angerufen, um ihre Aussage zu machen, und er hoffte, daß sie noch immer zu Hause war. Gestern, als man alle Bewohner des Aufgangs befragt hatte, war die Frau nicht dagewesen, aber sie hatten ihre Visitenkarte hinterlassen und gebeten, sie möge sich im Revier melden, wenn sie zurück sei. Deshalb hatte man die Angaben über Anders' Heimkehr an jenem Freitagabend, als Alex gestorben war, erst heute erhalten.

Das Klingeln hallte in der Wohnung wider, und sofort erklang wütendes Kindergeschrei. Das Geräusch von Schritten war auf dem Flur zu hören, und er spürte mehr, als daß er es sah, wie jemand ihn durch den Spion musterte. Eine Sicherheitskette wurde entfernt, und die Tür öffnete sich.

»Ja?«

Eine Frau mit einem etwa einjährigen Kind auf dem Arm öffnete. Sie war sehr schmal und stark blondiert. Nach dem Haaransatz zu urteilen, lag ihre natürliche Haarfarbe irgendwo zwischen Dunkelbraun und Schwarz, was durch ein paar nußbraune Augen bestätigt wurde. Ihr Gesicht war ungeschminkt und wirkte müde. Sie trug eine abgetragene Jogginghose mit ausgebeulten Knien und ein T-Shirt mit einem großen Adidas-Logo auf der Brust.

»Jenny Rosén?«

»Ja, das bin ich. Worum geht es?«

»Ich heiße Patrik Hedström und komme von der Polizei. Sie haben uns heute vormittag angerufen, und ich würde mit Ihnen gern über die Angaben sprechen, die Sie gemacht haben.« Er sprach mit leiser Stimme, damit es in der Wohnung gegenüber nicht zu hören war.

»Kommen Sie herein.« Sie trat zur Seite, um ihn vorbeizulassen.

Die Wohnung war klein, hatte nur ein Zimmer, und es wohnte definitiv kein Mann hier. Jedenfalls keiner, der älter als ein Jahr war. Die Räume waren eine Explosion in Rosa. Teppiche, Tischdecken, Gardinen, Lampen, alles war rosa. Schleifen waren außerdem ein beliebtes Thema, unzählige verzierten Lampen und Kerzenleuchter. An den Wänden hingen Bilder, die den Hang der Wohnungsinhaberin zur Romantik noch zusätzlich unterstrichen. Frauengesichter in soften Farben und davor Vögel im Flug. Sogar ein Bild mit einem weinenden Kind befand sich über dem Bett.

Sie nahmen auf einem weißen Ledersofa Platz, und Jenny bot ihm glücklicherweise keinen Kaffee an. Davon hatte er für heute genug. Den Jungen nahm sie auf den Schoß, aber er wand sich aus ihrem Griff und wurde auf den Boden gesetzt, wo er unsicher umhertapste.

Patrik fiel auf, wie jung sie war. Sie konnte kaum aus dem Teenageralter heraus sein, er vermutete, daß sie so um die Achtzehn war. Aber er wußte, daß es in diesen kleinen Orten nicht ungewöhnlich war, daß man schon ein oder zwei Kinder hatte, bevor man überhaupt zwanzig war. Da sie das Kind mit Max ansprach, war auch klar, daß der Vater nicht bei ihnen wohnte. Auch das war nicht gerade ungewöhnlich. Beziehungen zwischen Teenagern konnten der Belastung, die ein Baby mit sich brachte, oft nicht standhalten.

Er nahm seinen Notizblock zur Hand. »Es war also am Freitag vorletzter Woche, am Fünfundzwanzigsten, als Sie Anders Nilsson gegen sieben nach Hause kommen sahen. Wieso sind Sie sich des Zeitpunkts so sicher?«

»Ich verpasse ›Verschiedene Welten‹ nie. Die Serie fängt um

sieben an, und es war kurz vorher, als ich draußen auf dem Gang einen Riesenlärm hörte. Wirklich nicht ungewöhnlich, kann ich Ihnen sagen. Bei Anders ist immer eine Menge Zoff. Seine Saufkumpane kommen und gehen zu allen Tageszeiten, und manchmal taucht auch die Polizei auf. Ich bin jedenfalls an die Tür gelaufen und habe durch den Spion geguckt, und da habe ich ihn gesehen. Er hat stinkbesoffen versucht, die Tür aufzuschließen, aber das Schlüsselloch hätte einen Meter breit sein müssen. Am Ende bekam er die Tür auf und ging in die Wohnung, und in dem Moment hörte ich die Erkennungsmelodie der Serie und beeilte mich, vor den Fernseher zu kommen.«

Sie kaute nervös an einer Strähne ihres langen Haars. Patrik sah, daß die Nägel weit abgeknabbert waren und daß Reste von knallrosa Nagellack auf den Fingernagelstümpfen klebten.

Max war zielbewußt um den Sofatisch gerobbt, um zu Patrik zu gelangen, und packte ihn jetzt triumphierend am Hosenbein.

»Hoch, hoch, hoch«, quengelte er, und Patrik schaute seine Mutter fragend an.

»Ja, nehmen Sie ihn nur hoch. Er mag Sie anscheinend.«

Patrik hob den Jungen unbeholfen auf seinen Schoß und gab ihm das Schlüsselbund zum Spielen. Das Kind strahlte wie die Sonne. Es lächelte Patrik übers ganze Gesicht an und präsentierte zwei Schneidezähne, die wie kleine Reiskörner aussahen. Patrik erwischte sich dabei, genauso breit zurückzulächeln. Irgend etwas vibrierte in seiner Brust. Hätten sich die Dinge anders entwickelt, könnte er zu diesem Zeitpunkt einen eigenen Knirps auf dem Schoß halten. Er strich Max behutsam übers flaumige Haar.

»Wie alt ist er?«

»Elf Monate. Er hält mich beschäftigt, kann ich Ihnen sagen.« Ihr Gesicht leuchtete vor Zärtlichkeit, als sie ihren Sohn ansah, und jetzt, wo Patrik hinter ihre müde Oberfläche blicken konnte, sah er plötzlich, wie hübsch sie war. Er konnte sich kaum vorstellen, wie stressig es sein mußte, in ihrem Alter alleinerziehende Mutter zu sein. Sie sollte mit ihren Freundinnen draußen rumziehen, Partys feiern und einen draufmachen. Statt dessen verbrachte sie die Abende mit Windelwechseln und Haushaltsdingen. Als wollte sie die Spannungen in ihrem Inneren illustrieren, angelte sie sich eine Zigarette aus der Schachtel auf dem Sofatisch und zündete sie an. Sie nahm einen tiefen, genießerischen Zug und hielt Patrik dann die Schachtel mit fragendem Blick hin. Er schüttelte den Kopf. In einem Zimmer zu rauchen, in dem ein kleines Kind war, widersprach seiner Auffassung, aber das hier war ihre Sache, nicht seine. Er persönlich verstand nicht, wie man etwas, das so widerlich roch wie Zigaretten, überhaupt in den Mund stecken konnte.

»Wäre es nicht möglich, daß Anders nach Hause gekommen und dann wieder gegangen ist?«

»Diese Häuser sind so hellhörig, daß man eine Stecknadel im Flur fallen hören kann. Alle, die hier wohnen, wissen genau Bescheid, wer kommt und wer geht und wann das ist. Ich bin mir total sicher, daß Anders die Wohnung nicht wieder verlassen hat.«

Patrik verstand, daß er nicht viel weiter kommen würde. Er fragte aus reiner Neugier: »Wie haben Sie reagiert, als Sie gehört haben, daß Anders des Mordes verdächtigt wird?«

»Ich hielt es für Blödsinn.«

Sie nahm noch einen tiefen Zug und formte den Rauch zu Ringen. Patrik mußte sich zusammenreißen, um nicht irgendeine Bemerkung über die Risiken des passiven Rauchens zu machen. Max auf seinem Schoß war voll damit beschäftigt, am Schlüsselbund zu lutschen. Er hielt es zwischen seinen knubbeligen Händen und schaute zwischendurch zu Patrik hoch, wie um ihm zu danken, daß er so ein phantastisches Spielzeug ausleihen durfte.

Jenny fuhr fort: »Sicher ist Anders ein richtiges Wrack, aber er würde nie jemanden umbringen. Er ist okay. Klingelt hin und wieder bei mir, um eine Zigarette zu schnorren, und ob er nun nüchtern ist oder besoffen, er ist immer okay. Ich habe ihn sogar ein paarmal auf Max aufpassen lassen, um schnell einkaufen zu gehen. Allerdings nur, wenn er ganz nüchtern war. Sonst nicht.« Sie drückte den Stummel in dem übervollen Aschenbecher aus. »Eigentlich ist keiner der Penner hier irgendwie bösartig. Es sind einfach nur arme Teufel, die ihr Leben zusammen versaufen. Was Schlimmes tun die sich nur selber an.«

Sie warf den Kopf nach hinten, um die Haare aus dem Gesicht zu bekommen, und streckte die Hand erneut nach der Zigarettenschachtel aus. Ihre Finger waren gelb vom Nikotin. Patrik fühlte sich allmählich etwas zu eingenebelt, und er glaubte auch nicht, daß er noch weitere nützliche Informationen erhalten konnte. Max protestierte, als er ihn von seinem Schoß hob und Jenny reichte.

»Vielen Dank für die Hilfe. Wir haben bestimmt Anlaß, uns noch einmal an Sie zu wenden.«

»Ja, ich bin ja hier. Fahre nirgendwohin.«

Die Zigarette lag jetzt qualmend im Aschenbecher, und der Rauch stieg zu Max auf, der irritiert mit den Augen zwinkerte. Er kaute noch immer an den Schlüsseln und schaute Patrik an, als wollte er sagen, versuch nur, sie mir wegzunehmen. Doch Patrik mußte sie schließlich zurück haben, also zog er vorsichtig an dem Bund, aber die Reiskornzähne waren erstaunlich stark. Zu diesem Zeitpunkt waren die Schlüssel obendrein total vollgesabbert, und es war schwer, sie richtig in den Griff zu bekommen. Patrik zog probeweise ein bißchen fester und erntete ein wütendes Grunzen.

Jenny, die dergleichen Situationen gewöhnt war, griff resolut zu, und es gelang ihr, das Schlüsselbund loszubekommen, so daß sie es Patrik reichen konnte. Max schrie aus vollem Hals, unzufrieden damit, wie sich die Geschichte für ihn entwickelt hatte. Die Schlüssel zwischen Daumen und Zeigefinger haltend, versuchte Patrik, das Bund diskret am Hosenbein abzuwischen, bevor er es wieder in die Gesäßtasche steckte.

Jenny und ein brüllender Max begleiteten ihn zum Ausgang. Das letzte, was er sah, bevor die Tür hinter ihm ins Schloß fiel, waren große Tränen, die über die runden Babywangen kullerten. Irgendwo tief in seinem Inneren verspürte er erneut ein Ziehen.

Das Haus war jetzt zu groß für ihn. Henrik ging von Zimmer zu Zimmer. Alles in diesen Räumen erinnerte an Alexandra. Jeder Zentimeter des Hauses war von ihr gehegt und geliebt worden. Manchmal hatte er sich gefragt, ob sie ihn wegen des Hauses geheiratet hatte. Erst als er sie mit hierhergenommen hatte, war aus ihrer Beziehung Ernst geworden, und zwar von beiden Seiten. Er selbst hatte es schon nach ihrer ersten Begegnung bei einem Universitätstreffen für ausländische Studenten ernst gemeint. Nicht nur, daß sie groß und blond war, sie umgab außerdem eine Aura der Unnahbarkeit, die ihn mehr anzog als sonst irgend etwas im Leben. Er hatte noch nie etwas so heiß begehrt, wie er Alex begehrte. Und er war es gewohnt, alles zu bekommen, was er haben wollte. Seine Eltern waren viel zu beschäftigt mit dem eigenen Leben, als daß sie irgendwelche Energien auf das seine verschwenden konnten.

Die Zeit, die nicht von der Firma beansprucht wurde, war mit unzähligen gesellschaftlichen Verpflichtungen ausgefüllt. Mit Wohltätigkeitsbällen, Cocktailpartys, Geschäftsessen. Henrik durfte brav mit dem Kindermädchen zu Hause bleiben, und was er von seiner Mutter am besten in Erinnerung hatte, war der Geruch ihres Parfüms, wenn sie ihn zum Abschied küßte, in Gedanken bereits unterwegs zu irgendeinem rauschenden Fest. Als Entschädigung hatte er nur auf etwas zu zeigen brauchen, um es auch schon zu bekommen. Nichts Materielles war ihm versagt worden, doch hatte man es mit Gleichgültigkeit gegeben, so als kraulte man mit abwesendem Blick einen Hund, der um Aufmerksamkeit bettelt.

Alex war daher das erste in seinem Leben, das er nicht einfach bekam, indem er darum bat. Sie war unerreichbar und abweisend und daher unwiderstehlich. Unverdrossen und mit Nachdruck hatte er um sie geworben. Rosen, Einladungen zum Essen, Geschenke und Komplimente. Keine Mühen wurden gespart. Und sie hatte sich widerstrebend den Hof machen, sich in eine Beziehung leiten lassen. Nicht unter Protest, er hatte sie nie zu etwas zwingen können, doch mit Gleichgültigkeit.

Erst als er sie im Sommer das erste Mal mit nach Göteborg nahm und sie beide das Haus auf Särö betreten hatten, war sie zum aktiven Partner in ihrer Beziehung geworden. Sie erwiderte seine Umarmungen mit neuer Intensität, und er war glücklicher als je zuvor. Nach nur wenigen Monaten Bekanntschaft heirateten sie noch im selben Sommer hier in Schweden, und nachdem sie dann in Frankreich das letzte Universitätsjahr nebst Examen absolviert hatten, zogen sie endgültig in dieses Haus.

Jetzt, als er in die Vergangenheit zurückblickte, begriff er, daß er sie nur dann richtig glücklich gesehen hatte, wenn sie sich mit dem Haus beschäftigte. Er setzte sich in einen der großen Chesterfieldsessel in der Bibliothek, legte den Kopf zurück und schloß die Augen. Bilder von Alex flimmerten vorbei wie von einem alten Super-8-Film. Er spürte das Leder kühl und rauh unter den Fingern und folgte einem verschlungenen, dem Alter geschuldeten Riß.

Woran er sich vor allem erinnerte, war ihr so unterschiedliches Lächeln. Wenn sie ein Möbelstück für das Haus gefunden hatte, das genau ihren Vorstellungen entsprach, oder wenn sie mit dem Messer eine Tapete weggeschnitten hatte und darunter die Originaltapete in gutem Zustand entdeckte, dann hatte sie froh und innig gelächelt. Wenn er sie auf den Nacken geküßt, ihre Wange gestreichelt oder ihr gesagt hatte, wie sehr er sie liebte, dann lächelte sie auch, manchmal. Ja, manchmal, aber nicht immer. Diese Art Lächeln begann er allmählich zu hassen, ein abwesendes, zerstreutes, nachsichtiges Lächeln. Danach drehte sie sich stets weg, und er konnte sehen, wie sich ihre Geheimnisse gleich Schlangen unter der Oberfläche bewegten.

Er hatte nie gefragt. Aus reiner Feigheit. Er hatte gefürchtet, eine Kettenreaktion auszulösen, deren Konsequenzen er nicht annehmen konnte. Es war besser, sie wenigstens physisch an seiner Seite zu haben und darauf zu hoffen, daß sie ihm eines Tages ganz gehören würde. Er war bereit, das Risiko einzugehen, nie alles zu bekommen, um wenigstens sicher zu sein, daß er einen Teil behielt. Ein kleines Stück von Alex war genug. So sehr liebte er sie.

Er ließ den Blick durch die Bibliothek schweifen. Die Bücher, die alle Wände bedeckten und die sie mühevoll in Göteborgs Antiquariaten zusammengesucht hatte, waren nur zum Anschauen da. Außer den Lehrbüchern in der Universität hatte er sie nie ein Buch lesen sehen. Vielleicht hatte sie genug an dem eigenen Schmerz und brauchte nicht von dem anderer zu lesen.

Was zu akzeptieren ihm am schwersten fiel, war das Kind. Sobald er die Sprache auf Kinder gebracht hatte, war ihre Antwort nur ein heftiges Kopfschütteln gewesen. Sie wollte keine Kinder in eine Welt setzen, hatte sie gesagt, die so aussah, wie sie es nun mal tat.

Den Mann hatte er akzeptiert. Henrik wußte, daß Alex nicht so eifrig Woche für Woche nach Fjällbacka gefahren war, um dort allein zu sein. Damit konnte er leben. Ihr gemeinsames Sexualleben hatte schon seit über einem Jahr nicht mehr existiert. Auch damit hatte er leben können. Er würde, im Laufe der Zeit, sogar lernen können, mit ihrem Tod zu leben. Nicht akzeptieren konnte er jedoch, daß sie bereit gewesen war, das Kind eines anderen Mannes zu gebären, das seine aber nicht. Die Sache verfolgte ihn Nacht für Nacht. Schweißgebadet warf er sich hin und her, ohne jede Hoffnung auf Schlaf. Das Ergebnis waren dunkle Ringe unter den Augen, und er hatte bereits mehrere Kilo Gewicht verloren. Er fühlte sich wie ein Gummiband, das immer weiter und weiter gedehnt wurde, bis es früher oder später einen Punkt erreichte, an dem es mit einem Knall zerriß. Bisher hatte er ohne Tränen getrauert, doch jetzt beugte Henrik Wijkner sich vor, legte das Gesicht in die Hände und weinte.

5

Die Anschuldigungen, die harten Worte, die Beleidigungen, alles lief wie Wasser von ihm ab. Was waren ein paar Stunden Beschimpfungen gegen Jahre voller Schuld. Was gegen ein Leben ohne seine Eisprinzessin.

Er lachte über seine melodramatischen Versuche, die Schuld allein auf sich zu nehmen. Dazu gab es keinen Grund. Solange er einen solchen Grund nicht sah, würde das auch nicht gelingen.

Aber vielleicht hatte sie recht gehabt. Vielleicht war der Tag der Abrechnung nun gekommen. Im Unterschied zu ihr wußte er, daß derjenige, der das Urteil sprach, nicht aus Fleisch und Blut war. Das einzige, was ihn verurteilen konnte, war ein Wesen, größer als der Mensch, größer als das Fleisch, etwas im gleichen Wert mit der Seele. Der einzige, der mich verurteilen kann, ist jener, der meine Seele sieht, dachte er.

Es war sonderbar, wie gänzlich entgegengesetzte Gefühle zu völlig neuen Empfindungen werden konnten. Liebe und Haß wurden zu Gleichgültigkeit. Rachsucht und Vergebung zu Entschlossenheit. Zärtlichkeit und Bitterkeit zu Trauer, die so groß war, daß sie einen Mann vernichten konnte. Für ihn war Alex immer eine seltsame Mischung aus Licht und Dunkelheit gewesen. Ein Janusgesicht, das mal verurteilte, mal verstand. Manchmal überdeckte sie ihn mit heißen Küssen trotz seiner Widerwärtigkeit. Dann wieder schmähte und haßte sie ihn wegen der gleichen Eigenschaft. Es gab keine Ruhe und keinen Frieden in all der Gegensätzlichkeit.

Das letzte Mal, als er sie sah, hatte er sie am meisten geliebt. Endlich war sie die Seine. Endlich gehörte sie ihm ganz, endlich konnte er über sie verfügen, wie es ihm gefiel. Sie lieben oder hassen. Ohne daß sie seiner Liebe erneut mit Gleichgültigkeit begegnete.

Zuvor war es gewesen, als liebte man einen Schleier. Einen aus den Händen gleitenden, durchsichtigen, verführerischen Schleier. Das letzte Mal, als er sie sah, war die Mystik verschwunden, und nur das Fleisch

war geblieben. Und dadurch wurde sie erreichbar. Zum erstenmal
meinte er zu spüren, wer sie war. Er hatte ihre steif gefrorenen Glieder
berührt und ihre Seele wahrgenommen, die noch immer in dem frosti-
gen Gefängnis pulsierte. Nie hatte er sie so geliebt wie in diesem Mo-
ment. Nun war es an der Zeit, dem Schicksal zu begegnen, Auge in
Auge. Er hoffte, es würde sich als verzeihend erweisen. Doch glaubte er
nicht wirklich daran.

Das Telefon weckte sie. Daß die Leute nicht zu vernünftigen
Zeiten anrufen konnten.

»Erica hier.«

»Hallo, ich bin es, Anna.« Ihre Stimme klang abwartend. Mit
Recht, fand Erica.

»Hallo.« Erica hatte nicht vor, sie so leicht davonkommen zu
lassen.

»Wie steht's?« Anna bewegte sich vorsichtig auf vermintem
Terrain.

»Ja, gut, danke. Und dir?«

»Doch, ganz okay. Wie läuft's mit dem Buch?«

»Mal so und mal so. Aber es geht jedenfalls voran. Alles
in Ordnung mit den Kindern?« Erica beschloß, wenigstens ein
bißchen entgegenkommend zu sein.

»Emma hat eine gehörige Erkältung, aber Adrians Bauch-
krämpfe scheinen nachzulassen. Also jetzt kann ich nachts wenigstens mal ein Stündchen schlafen.«

Anna lachte, aber Erica meinte in ihrer Fröhlichkeit einen
bitteren Ton zu vernehmen.

Eine Weile blieb es still.

»Du, wir müssen über die Sache mit dem Haus reden.«

»Ja, das finde ich auch.« Jetzt war Erica an der Reihe, bitter zu
klingen.

»Wir müssen es verkaufen, Erica. Wenn du uns nicht auszah-
len kannst, müssen wir es verkaufen.«

Als Erica keine Antwort gab, plapperte Anna nervös drauf-
los. »Lucas hat mit dem Makler geredet, und der findet, wir
sollten den Angebotspreis auf drei Millionen Kronen festlegen.
Drei Millionen, Erica, verstehst du das? Mit anderthalb Millio-

nen, was dein Anteil wäre, könntest du in aller Ruhe schreiben und brauchtest dir wegen der Finanzen keine Sorgen zu machen. In der jetzigen Situation kann es ja nicht leicht für dich sein, mit dem Schreiben dein Auskommen zu finden. Wie groß ist die Auflage bei jedem Buch? Zweitausend? Dreitausend? Und du verdienst doch nicht gerade viel pro Buch, oder? Versteh doch, Erica, das hier ist schließlich auch eine Chance für dich. Du hast doch immer gesagt, du möchtest Belletristik schreiben. Mit diesem Geld könntest du dir die Zeit dafür nehmen. Der Makler ist der Ansicht, wir sollten mit der Besichtigung wenigstens bis April/Mai warten, um möglichst großes Interesse zu wecken, aber wenn wir es erst zum Verkauf ausgeschrieben haben, sollte die Sache in zwei Wochen erledigt sein. Du verstehst doch wohl, daß wir es tun müssen, oder?«

Annas Stimme klang bittend, aber Erica war nicht in mitleidiger Stimmung. Ihre Entdeckung vom Tag zuvor hatte sie die halbe Nacht wach gehalten, und sie fühlte sich ganz allgemein enttäuscht und mißgelaunt.

»Nein, das verstehe ich nicht, Anna. Das hier ist unser Elternhaus. Wir sind hier aufgewachsen. Mama und Papa haben das Haus gekauft, als sie jung verheiratet waren. Sie haben es geliebt. Und das tue ich auch, Anna. Du kannst das nicht machen.«

»Aber das Geld …«

»Ich scheiße auf das Geld! Ich bin bisher gut zurechtgekommen, und das wird mir auch weiter gelingen.« Erica war jetzt so wütend, daß ihre Stimme zitterte.

»Aber Erica, du mußt doch verstehen, daß du uns nicht zwingen kannst, das Haus zu behalten, wenn ich es nicht will. Die Hälfte gehört doch nun mal mir.«

»Wenn es wirklich darum ginge, daß du es nicht willst, hätte ich es natürlich unglaublich traurig gefunden, aber ich würde deine Meinung akzeptieren. Das Problem ist nur, daß ich hier die Ansichten eines anderen höre. Lucas will es so haben, nicht du. Die Frage ist, ob du überhaupt selber weißt, was du willst. Weißt du es?«

Erica machte sich nicht die Mühe, Annas Antwort abzuwarten. »Und ich weigere mich, mein Leben von Lucas Maxwell dirigieren zu lassen! Dein Mann ist ein verdammter Dreckskerl! Und du solltest dich, zum Kuckuck noch mal, auf die Socken machen, um mir dabei zu helfen, Mamas und Papas Sachen durchzusehen. Ich sitze hier schon seit Wochen, um alles in Ordnung zu bringen, und noch immer ist genausoviel Arbeit übrig. Es ist nicht gerecht, daß ich das alles allein machen muß! Wenn du so verdammt an den Herd gebunden bist, daß du nicht mal die Erlaubnis kriegst, bei der Regelung des Nachlasses deiner Eltern mitzuhelfen, dann solltest du ernsthaft darüber nachdenken, ob du den Rest deines Lebens wirklich auf diese Weise weiterverbringen willst.«

Erica knallte den Hörer so heftig auf, daß das Telefon vom Nachttisch flog. Sie zitterte vor Wut.

In Stockholm saß Anna auf dem Fußboden, den Hörer in der Hand. Lucas war im Büro, und die Kinder schliefen, so daß etwas Ruhe herrschte, und daher hatte sie die Gelegenheit genutzt, Erica anzurufen. Sie hatte das Gespräch tagelang vor sich hergeschoben, aber Lucas hatte ihr ständig in den Ohren gelegen, sie solle Erica wegen des Hauses anrufen, und am Ende hatte sie nachgegeben.

Anna fühlte sich in tausend Stücke zerrissen. Sie liebte Erica, und sie liebte auch das Haus in Fjällbacka, aber was Erica nicht begreifen konnte, war, daß sie ihrer eigenen Familie den Vorrang geben mußte. Es gab nichts, was sie für ihre Kinder nicht tun oder opfern würde, und wenn das bedeutete, daß sie Lucas nur auf Kosten ihrer Beziehung zur großen Schwester bei Laune halten konnte, dann mußte es eben so sein. Nur Emma und Adrian gaben ihr die Kraft, morgens aufzustehen und weiter in der Welt zu bleiben. Wenn es ihr nur gelang, Lucas glücklich zu machen, würde sich alles regeln. Das wußte sie. Nur weil sie so unmöglich war und nicht das tat, was er wollte, mußte er so hart zu ihr sein. Wenn sie ihm dieses Geschenk hier machen, ihm ihr Elternhaus opfern könnte, dann würde er verstehen, wieviel sie für ihn und ihre Familie tun wollte, und alles würde wieder gut werden.

Irgendwo tief in ihr gab es eine Stimme, die etwas ganz anderes sagte. Aber Anna ließ den Kopf hängen und weinte, und mit ihren Tränen ertränkte sie diese schwache Stimme. Der Hörer blieb auf dem Boden liegen.

Erica warf die Decke gereizt zur Seite und schwang die Beine über die Bettkante. Sie bereute ihre harten Worte zu Anna, aber ihre schon vorher schlechte Stimmung und der Mangel an Schlaf hatten sie völlig aus dem Konzept gebracht. Sie versuchte, Anna ihrerseits anzurufen, aber nur das Besetztzeichen war zu hören.

»Scheiße!«

Der Hocker vor dem Spiegeltisch bekam unverschuldet einen Tritt, aber anstatt sich jetzt besser zu fühlen, hatte Erica einen solchen Volltreffer gelandet, daß sie jaulend auf einem Bein herumhüpfte und sich den Zeh hielt. Sie bezweifelte stark, daß selbst eine Entbindung so weh tun könnte. Als der Schmerz verebbt war, stellte sie sich wider besseres Wissen auf die Waage.

Ihr war klar, daß sie das nicht tun sollte, aber die Masochistin in ihr zwang sie, sich Gewißheit zu verschaffen. Sie zog das T-Shirt aus, in dem sie schlief. Das machte immerhin ein paar Gramm aus, und sie überlegte sogar, ob der Slip einen Unterschied ergeben könnte. Wahrscheinlich nicht. Sie stieg mit dem rechten Fuß zuerst auf die Wiegefläche, ließ aber einen Teil des Gewichts auf dem linken ruhen, der noch immer auf dem Fußboden stand. Schrittweise erhöhte sie die Gewichtsübertragung auf das rechte Bein, und als die Nadel die sechzig erreichte, wünschte sie, sie möge da stehenbleiben. Aber nichts da. Als Erica am Ende das ganze Gewicht auf die Waage brachte, zeigte die unbarmherzig dreiundsiebzig Kilo an. Na ja. Ungefähr das, was sie befürchtet hatte, nur noch um ein Kilo schlimmer. Sie hatte vermutet, zwei Kilo zugelegt zu haben, aber die Waage zeigte sogar drei Kilo mehr seit dem letzten Wiegen, was am Morgen von Alex' Tod gewesen war.

Im nachhinein erschien es ihr absolut unnötig, sich da draufgestellt zu haben. Am Hosenbund war zwar zu merken gewesen, daß sie zugenommen hatte, aber bis zu dem Augenblick, an dem einem die Sache schwarz auf weiß bewiesen wurde, war Selbstverleugnung eine dankbare Begleiterin. Alles erschien ihr hoffnungslos, und sie hatte große Lust, das Essen mit Patrik am heutigen Abend abzusagen. Wenn sie ihn traf, wollte sie das Gefühl haben, sexy, schön und schlank zu sein, nicht aufgedunsen und fett. Sie schaute düster auf ihren Bauch und probierte, ihn so weit wie möglich einzuziehen. Sinnlos. Sie betrachtete sich im Standspiegel von der Seite und versuchte statt dessen, ihn, so weit sie konnte, herauszustrecken. Genau, dieses Bild entsprach viel mehr dem Gefühl, das sie jetzt von sich hatte.

Seufzend stieg sie in eine weite Jogginghose mit tolerantem Gummizug und streifte das T-Shirt über, in dem sie geschlafen hatte. Sie gelobte sich, von Montag an etwas gegen das Gewicht zu unternehmen. Jetzt anzufangen lohnte sich nicht, denn sie hatte bereits ein Drei-Gänge-Menü für den Abend geplant. Eine Sache war schließlich sicher: Wollte man einen Mann mit seinen Kochkünsten beeindrucken, dann waren Sahne und Butter als Zutaten unentbehrlich. Der Montag war außerdem immer ein guter Tag, um mit einem neuen Leben zu beginnen. Zum hunderttausendstenmal gelobte sie sich hoch und heilig, am Montag mit Gymnastik anzufangen und sich an ihre Weightwatcher-Diät zu halten. Um ein neuer Mensch zu werden. Für heute aber mußte sie es bleibenlassen.

Ein größeres Problem war schuld daran, daß sie sich seit gestern fast zu Tode gegrübelt hatte. Alternativen waren im Kopf hin und her gewälzt worden, und sie hatte überlegt, was sie tun sollte, ohne bisher auch nur ein bißchen klüger geworden zu sein. Plötzlich verfügte sie über ein Wissen, auf das sie nur zu gern verzichtet hätte.

Aus der Kaffeemaschine duftete es verlockend, und das Leben erschien ihr ein wenig freundlicher. Wirklich phantastisch, was so ein heißes Getränk fertigbringen konnte. Sie goß sich eine Tasse ein und trank den puren Kaffee mit Genuß gleich an der Spüle. Aus Frühstück hatte sie sich nie viel gemacht, und angesichts des bevorstehenden Abends konnte sie gern auf ein paar Kalorien verzichten.

Als es an der Tür klingelte, war sie so bestürzt, daß sie sich mit dem Kaffee das T-Shirt bekleckerte. Sie fluchte lauthals und fragte sich, wer wohl so früh am Morgen etwas von ihr wollte. Sie schaute auf die Küchenuhr. Halb neun. Sie stellte die Tasse ab und öffnete verwundert die Tür. Draußen auf der Treppe stand Julia Carlgren und schlug die Arme um den Leib, um die Kälte zu vertreiben.

»Guten Morgen.« Ericas Stimme klang fragend.

»Ja, guten Morgen.« Mehr kam von Julia nicht.

Erica fragte sich, was die jüngere Schwester von Alex an einem frühen Dienstagmorgen auf ihrer Vortreppe machte, aber ihre gute Erziehung ließ sie Julia hereinbitten.

Die Besucherin stapfte brüsk ins Haus, hängte ihre Jacke auf und ging vor Erica ins Wohnzimmer. »Könnte ich eine Tasse von dem Kaffee bekommen, den ich hier rieche?«

»Äh, jaa, ich kümmere mich drum.«

Erica machte ihr in der Küche eine Tasse zurecht und verdrehte die Augen, ohne daß Julia es sehen konnte. Irgendwas war mit diesem Mädel nicht ganz in Ordnung. Sie reichte ihr die Tasse, behielt die eigene in der Hand und bat Julia, auf dem Korbsofa in der Veranda Platz zu nehmen. Ein Weilchen tranken sie schweigend. Erica beschloß zu warten. Julia sollte selbst erzählen, warum sie gekommen war. Ein paar Minuten vergingen in gedrückter Stimmung, bevor Julia den Mund aufmachte.

»Wohnst du jetzt hier?«

»Nein, nicht wirklich. Ich wohne in Stockholm, bin aber jetzt hier, um alles im Haus in Ordnung zu bringen.«

»Ja, ich habe von der Sache gehört. Mein Beileid.«

»Danke. Dasselbe möchte ich auch sagen.«

Julia lachte kurz und belustigt auf, was Erica verblüffend und unangebracht fand. Ihr fiel das Dokument ein, was sie bei Nelly Lorentz im Papierkorb gefunden hatte, und sie überlegte, wie all die Teile wohl zusammenpaßten.

»Du fragst dich bestimmt, warum ich hier bin.« Julia schaute Erica mit ihrem seltsam festen Blick an.

Erica fiel erneut auf, wie diametral verschieden sie von ihrer großen Schwester war. Julias Haut war uneben, voller Aknenarben, und das Haar sah aus, als hätte sie es mit der Nagelschere selbst geschnitten. Ohne Spiegel. Ihrem Aussehen haftete etwas Ungesundes an. Eine kränkliche Blässe lag wie ein fahler Film auf der Haut. Wie es schien, teilte sie auch das Interesse an Mode nicht mit ihrer Schwester. Ihre Kleidung wirkte, als sei sie in Läden für alte Tanten gekauft, so weit von der heutigen Mode entfernt, wie es nur ging.

»Hast du irgendwelche Fotos von Alex?«

»Wie bitte? Fotos? Ja, ich glaube schon, daß ich die habe. Sogar eine ganze Menge. Mein Vater fotografierte sehr gern, also hat er uns als Kinder ständig geknipst. Und Alex ist ja oft hier gewesen, also ist sie bestimmt auf einer Menge Bilder drauf.«

»Kann ich sie sehen?«

Julia blickte Erica herausfordernd an, als würde sie ihr vorwerfen, daß sie noch nicht losgegangen war, um ihr die Fotos zu bringen. Dankbar ergriff Erica die Gelegenheit, Julias eindringlichem Blick für einen Moment zu entkommen, entschuldigte sich und ging die Alben holen.

Die lagen in einem Koffer auf dem Dachboden. Sie hatte es beim Aufräumen noch nicht bis dorthin geschafft, aber sie wußte sehr genau, wo der Koffer stand. Alle Fotos der Familie wurden darin aufbewahrt, und sie war davor zurückgeschreckt, sie durchsehen zu müssen. Eine große Anzahl der Bilder stapelte sich unsortiert, aber sie wußte, daß die, nach denen sie suchte, sorgfältig in Alben eingeklebt waren. Systematisch blätterte sie diese von oben nach unten durch, und im dritten Album fand sie, worauf sie aus war. Auch im vierten gab es Bilder von Alex, und mit beiden unterm Arm stieg sie vorsichtig die Bodenleiter hinunter.

Julia saß in genau derselben Haltung wie zuvor da. Erica fragte sich, ob sie sich überhaupt bewegt hatte, als sie selbst weg gewesen war.

»Hier habe ich das, was von Interesse sein könnte.« Erica schnaufte und ließ die schweren Fotoalben auf den Sofatisch fallen, so daß der Staub aufwirbelte.

Julia stürzte sich eifrig auf das erste von ihnen, und Erica setzte sich neben sie aufs Korbsofa, um die Bilder erklären zu können.

»Wann ist das hier?« Julia zeigte auf das allererste Foto, das sie von Alex auf der zweiten Seite des Albums gefunden hatte.

»Laß mal sehen. Das muß … 1974 sein. Ja, ich glaube, das stimmt. Wir waren da etwa neun Jahre alt.« Erica strich mit dem Finger über das Bild und verspürte ein starkes Gefühl der Wehmut. Es war so lange her. Sie und Alex standen an einem warmen Sommertag nackt im Garten, und wenn sie ihre Erinnerung nicht trog, hatten sie deshalb keine Sachen an, weil sie schreiend durch den Wasserstrahl des Gartenschlauchs gerannt waren. Was auf dem Foto ein bißchen merkwürdig wirkte, war, daß Alex wollene Fausthandschuhe trug.

»Warum hat sie Handschuhe an? Das hier scheint doch im Juli oder so zu sein?« Julia blickte Erica verblüfft an, die bei der Erinnerung lachte.

»Deine Schwester liebte diese Fäustlinge und bestand darauf, sie anzubehalten, nicht nur den ganzen Winter, sondern auch den größten Teil des Sommers über. Sie war störrisch wie ein Esel, und niemand konnte sie überzeugen, diese verdammten, ekligen Dinger auszuziehen.«

»Sie wußte, was sie wollte, stimmt's?« Julia betrachtete das Bild im Album mit fast so etwas wie Zärtlichkeit. Eine Sekunde später war dieser Ausdruck wieder weg, und sie blätterte ungeduldig weiter zur nächsten Seite.

Erica erschienen die Fotos wie Reliquien aus einer anderen Lebenszeit. Seitdem war so viel geschehen. Manchmal war ihr, als seien die Kinderjahre mit Alex nur ein Traum gewesen. »Wir waren fast mehr wie Geschwister. Haben all unsere wache Zeit zusammen verbracht und übernachteten auch oft beieinander. Jeden Tag haben wir uns erkundigt, was es in dem jeweiligen Zuhause zu essen gab, und dann haben wir uns für den Ort entschieden, wo es das Beste gab.«

»Ihr habt, mit anderen Worten, häufig hier gegessen.« Zum erstenmal wagte sich ein Lächeln auf Julias Lippen.

»Ja, man mag über deine Mutter sagen, was man will, aber mit ihrer Kochkunst könnte sie sich jedenfalls nicht versorgen.«

Ein besonderes Foto zog Ericas Blick auf sich. Sie strich zögernd mit dem Finger darüber. Es war ein unglaublich schönes Bild. Alex saß im Heck von Tores Boot und lachte ausgelassen. Das blonde Haar flog ihr ums Gesicht, und hinter ihr breitete sich die wundervolle Silhouette von Fjällbacka aus. Sie waren bestimmt unterwegs zu den Felseninseln gewesen, um den ganzen Tag in der Sonne zu liegen und zu baden. Es hatte viele solcher Tage gegeben. Ihre Mutter war wie üblich nicht mitgekommen. Sie hatte eine Menge trivialer Aufgaben und Besorgungen vorgeschoben und war zu Hause geblieben. So war es immer. Die Ausflüge, an denen Elsy teilgenommen hatte, konnte Erica leicht an fünf Fingern abzählen. Sie lachte leise, als sie ein Bild von Anna beim selben Bootsausflug sah. Wie immer alberte die herum, und auf diesem Bild hing sie kühn über der Reling und schnitt furchtbare Grimassen in die Kamera.

»Deine Schwester?«

»Ja, meine jüngere Schwester Anna.«

Ericas Ton war schroff und gab zu erkennen, daß sie das Thema nicht weiter vertiefen wollte. Julia verstand die Signale und blätterte mit ihren kurzen dicken Fingern weiter im Album. Ihre Nägeln waren abgekaut, an einigen Fingern sogar so tief, daß sich Wunden an den Rändern gebildet hatten. Erica zwang sich, den Blick von Julias mißhandelten Fingern zu lösen, und schaute statt dessen auf die Bilder, die unter Julias Händen vorbeiflatterten.

Kurz vor dem Ende des zweiten Albums war Alex plötzlich von den Bildern verschwunden. Der Kontrast war scharf. Nachdem sie zuvor auf jeder Seite zu finden gewesen war, gab es jetzt nicht ein weiteres Foto von ihr. Julia legte die Alben auf dem Tisch vorsichtig übereinander und lehnte sich in die Sofaecke zurück, die Tasse zwischen den Händen.

»Willst du nicht lieber etwas frischen Kaffee haben? Der muß doch schon kalt sein.«

Julia schaute in die Tasse. »Ja, wenn noch was da ist, nehme ich es gern.« Sie reichte Erica die Tasse, die froh über die Gelegenheit war, sich ein bißchen zu recken. Das Korbsofa sah gut aus, aber wurde nach einigem Sitzen weder vom Rücken noch vom Hinterteil sonderlich geschätzt. Julias Rücken schien nicht anders zu empfinden, denn sie stand auf und folgte Erica in die Küche.

»Das war ein schönes Begräbnis. Mit vielen Freunden hinterher bei euch zu Hause.« Erica stand von Julia abgewandt und füllte frischen Kaffee in die Tassen. Sie bekam nur ein nichtssagendes Gemurmel zur Antwort und beschloß, ein bißchen kühner zu sein. »Es hatte den Anschein, als wenn du und Nelly Lorentz ziemlich gut bekannt seid. Auf welche Weise kennt ihr euch denn?« Erica hielt den Atem an. Der Zettel, den sie bei Nelly zu Hause im Papierkorb gefunden hatte, machte sie auf Julias Antwort sehr neugierig.

»Papa hat für sie gearbeitet.«

Julia antwortete nur widerwillig. Ihre Finger fuhren in den Mund, ohne daß sie sich dessen bewußt zu sein schien, und sie fing hektisch an zu knabbern.

»Ja, aber das war doch lange vor deiner Geburt.«

»Als ich jünger war, habe ich im Sommer in der Konservenfabrik gearbeitet.« Julia ließ sich die Antworten aus der Nase ziehen und unterbrach das Knabbern nur so lange, wie sie für die Antwort brauchte.

»Es sah aus, als würdet ihr euch sehr gut verstehen.«

»Ja, ich vermute, daß Nelly etwas an mir findet, was sonst keiner sieht.«

Ihr Lächeln war bitter und nach innen gekehrt. Erica empfand mit einemmal große Sympathie für Julia. Das Leben als häßliches junges Entlein mußte hart für sie gewesen sein. Doch sie schwieg, und nach einem Weilchen fühlte Julia sich durch die Stille gezwungen weiterzureden.

»Wir sind ja im Sommer immer hier gewesen, und nach der Achten rief Nelly bei Papa an und fragte, ob ich nicht ein bißchen hinzuverdienen, also den Sommer im Büro arbeiten möchte. Das konnte ich ja kaum ablehnen, und seitdem habe ich dort jeden Sommer gearbeitet, bis ich mit der Lehrerausbildung angefangen habe.«

Erica begriff, daß die Antwort das meiste verschwieg. So

mußte es einfach sein. Aber ihr war auch klar, daß sie aus Julia nicht viel mehr über die Beziehung zu Nelly herausbekommen würde.

Sie setzten sich wieder aufs Sofa in der Veranda und tranken schweigend ein paar Schlucke. Beide schauten hinaus aufs Eis, das sich bis zum Horizont erstreckte.

»Es muß hart für dich gewesen sein, als meine Eltern mit Alex weggezogen sind.« Julia hatte als erste das Wort wieder ergriffen.

»Ja und nein. Wir haben damals nicht mehr zusammen gespielt. Natürlich war es traurig, aber es war nicht so furchtbar, als wenn wir immer noch dick befreundet gewesen wären.«

»Was ist passiert? Warum wart ihr nicht mehr zusammen?«

»Wenn ich das wüßte.«

Es verwunderte Erica, daß die Erinnerung noch immer schmerzte. Daß sie den Verlust von Alex noch immer so stark empfand. Seitdem waren viele Jahre vergangen, und es war ja wohl mehr die Regel als die Ausnahme, daß sich enge Kindheitsfreunde voneinander entfernten. Sie glaubte, der Grund könnte sein, daß die Sache keinen natürlichen Abschluß gefunden hatte, und vor allem, daß sie selbst keine Erklärung dafür wußte. Es hatte keinen Streit wegen irgend etwas gegeben, Alex hatte sich auch keine neue Busenfreundin zugelegt, da war nichts von alledem gewesen, was Freundschaften normalerweise zerstört. Alex hatte sich nur zurückgezogen hinter eine Mauer der Gleichgültigkeit und war dann, ohne ein Wort zu sagen, verschwunden.

»Habt ihr euch gestritten?«

»Nein, soviel ich weiß, nicht. Alex hat nur irgendwie das Interesse verloren. Rief mich nicht mehr an und erkundigte sich auch nicht, ob wir irgendwas zusammen machen wollten. Wenn ich sie fragte, hat sie nicht nein gesagt, aber ich merkte, daß es sie überhaupt nicht interessierte. Dann habe ich sie auch nicht mehr gefragt.«

»Hatte sie irgendwelche neuen Freundinnen, mit denen sie zusammen war?«

Erica fragte sich, warum Julia all diese Fragen über sie und

204

Alex stellte, hatte aber selbst nichts dagegen, die Erinnerung aufzufrischen. Das konnte für das Buch nützlich sein.

»Ich habe sie nie mit jemand anderem gesehen. In der Schule blieb sie die ganze Zeit für sich. Aber trotzdem ...«

»Ja, was?« Julia beugte sich eifrig vor.

»Ich hatte trotzdem das Gefühl, daß da jemand war. Aber ich kann mich total irren. Es war nur ein Gefühl.«

Julia nickte nachdenklich, und Erica schien es, als würde sie nur etwas bestätigen, was Julia bereits wußte.

»Entschuldige, daß ich frage, aber warum willst du das alles wissen?«

Julia vermied es, ihr in die Augen zu sehen. Die Antwort klang ausweichend. »Sie war ja soviel älter als ich und schon im Ausland, als ich geboren wurde. Außerdem waren wir sehr unterschiedlich. Ich finde, ich habe sie nie richtig kennengelernt. Und jetzt ist es zu spät. Ich habe zu Hause nach Bildern von ihr gesucht, aber wir haben fast keine. Da habe ich an dich gedacht.«

Erica spürte, daß Julias Antwort so wenig an Wahrheit enthielt, daß sie vielleicht sogar eine Lüge sein konnte. Dennoch gab sie sich widerstrebend zufrieden.

»Ja, dann werde ich mal wieder gehen. Vielen Dank für den Kaffee.« Julia stand abrupt auf, ging in die Küche und stellte die Tasse ins Spülbecken. Sie hatte es plötzlich eilig wegzukommen. Erica folgte ihr zur Tür.

»Danke, daß ich die Bilder sehen durfte. Das war für mich sehr wichtig.«

Dann war sie weg.

Erica stand lange in der Tür und schaute ihr nach. Eine graue, unförmige Gestalt, die die Straße hinuntereilte, die Arme als Schutz gegen die beißende Kälte eng an den Körper gepreßt. Erica zog langsam die Tür zu und begab sich hinein in die Wärme.

Es war lange her, daß er so nervös gewesen war. Das Gefühl, das er in der Magengrube verspürte, war zugleich wunderbar und schrecklich.

Der Kleiderberg auf seinem Bett wuchs mit jedem neuen Ensemble, das er anprobierte. Alles, was er anzog, erschien ihm entweder zu unmodern, zu schlampig, zu herausgeputzt, zu dämlich oder ganz einfach zu häßlich. Außerdem saßen die meisten Hosen in der Taille unangenehm eng. Mit einem Seufzer warf er eine weitere Hose beiseite und setzte sich nur in Unterhosen auf die Bettkante. Plötzlich hatte er alle Lust auf den Abend verloren, und ihn packte statt dessen eine gehörige Menge rechtschaffener Angst. Vielleicht war es das beste, die Sache abzusagen.

Patrik ließ sich hintenüber fallen und schaute an die Decke, die Hände hinterm Kopf verschränkt. Er hatte hier noch immer das Doppelbett stehen, das er mit Karin geteilt hatte, und jetzt strich er in einem Anfall von Sentimentalität mit der Hand über ihre Seite des Bettes. Erst kürzlich hatte er angefangen, im Schlaf auch auf diese Seite hinüberzurollen. Eigentlich hätte er sich wohl sofort ein neues Bett anschaffen müssen, als sie ausgezogen war, aber er hatte es nicht über sich gebracht.

Trotz aller Trauer, die er verspürt hatte, als sie ihn verließ, fragte er sich manchmal, ob es wirklich Karin war, die er vermißte, oder ob ihm einfach die Illusion fehlte, die er über die Institution Ehe gehabt hatte. Sein Vater hatte seine Mutter wegen einer anderen Frau verlassen, als Patrik zehn Jahre alt war, und die Scheidung, die dann erfolgte, war äußerst aufreibend gewesen, wobei in erster Linie er und seine kleine Schwester Lotta als Schlaghölzer gedient hatten. Damals hatte er sich geschworen, niemals untreu zu sein, aber vor allem, daß er sich nie, wirklich nie scheiden lassen würde. Wenn er heiratete, sollte das fürs ganze Leben sein. Als er und Karin also vor fünf Jahren in der Tanumsheder Kirche vorm Altar standen, hatte er auch nicht eine Sekunde daran gezweifelt, daß dies eine Verbindung für immer war. Aber das Leben gestaltet sich selten so, wie man glaubte. Karin und Leif hatten sich hinter seinem Rücken über ein Jahr lang getroffen, bevor er dahintergekommen war. Eine richtig klassische Geschichte.

Er war eines Tages früher von der Arbeit nach Hause gegangen, weil er sich nicht ganz wohl fühlte, und da lagen sie hier im Schlafzimmer. In dem Bett, auf dem er sich gerade aus-streckte. Vielleicht war er ja ein richtiger Masochist. Wie war es sonst zu erklären, daß er das Bett nicht längst rausgeworfen hatte? Aber jetzt war die Sache erledigt. Es spielte keine Rolle mehr.

Er erhob sich vom Bett, noch immer nicht ganz sicher, ob er heute abend zu Erica gehen wollte oder nicht. Doch, er wollte. Und er wollte auch nicht. Ein Anfall mangelnden Selbstver-trauens hatte mit einem Schlag alle Erwartung weggefegt, die er den ganzen Tag, ja die ganze Woche verspürt hatte. Aber es war zu spät, um abzusagen, also blieb ihm keine Wahl.

Als er am Ende ein paar Chinos fand, die in der Taille akzep-tabel saßen, und dazu ein blaues, frisch gebügeltes Hemd ange-zogen hatte, fühlte er sich plötzlich ein bißchen besser und fing wieder an, sich auf den Abend zu freuen. Etwas Schaumfestiger ließ ihn passend zerzaust aussehen, und nachdem er seinem Spiegelbild viel Glück zugewinkt hatte, fühlte er sich imstande loszufahren.

Draußen war es schwarz wie die Nacht, obwohl es erst halb acht war, und ein leichter Schneefall sorgte für schlechte Sicht, als er sich auf dem Weg nach Fjällbacka befand. Er lag gut in der Zeit und brauchte nicht zu hetzen. Die Gedanken an Erica wurden für ein Weilchen von den Ereignissen verdrängt, die sich in den letzten Tagen bei der Arbeit abgespielt hatten. Mell-berg war nicht zufrieden gewesen, als Patrik ihm nur mitteilen konnte, daß die Zeugin Jenny Rosén, die Nachbarin von An-ders Nilsson, ihrer Sache sicher zu sein schien und Anders so-mit für den kritischen Zeitpunkt tatsächlich ein Alibi besaß. Pa-trik hatte aufgrund dieser Sache zwar nicht denselben Grad an Aggressivität erreicht wie Mellberg, aber er konnte nicht leug-nen, daß ihn irgendwie Hoffnungslosigkeit gepackt hielt. Es war drei Wochen her, daß sie Alex gefunden hatten, doch schie-nen sie einer Lösung heute nicht viel näher zu sein als damals.

Jetzt war es wichtig, den Mut nicht völlig sinken zu lassen, sondern sich zusammenzunehmen und von vorn anzufangen. Jeder Anhaltspunkt, jede Zeugenaussage mußten mit neuen Augen betrachtet werden. Patrik stellte im Kopf eine Liste darüber auf, was er morgen im Büro zu erledigen gedachte. Das allerwichtigste war herauszufinden, wer als Vater des Kindes, das Alex erwartet hatte, in Betracht kam. Es mußte jemanden in Fjällbacka geben, der etwas dazu gesehen oder gehört hatte, wen sie an den Wochenenden hier traf. Allerdings stand es noch immer nicht ganz außer Zweifel, daß Henrik der Vater sein konnte, und schließlich war auch Anders ein möglicher Kandidat. Aber irgendwie glaubte Patrik nicht, daß Anders für Alex als geeigneter Kindsvater in Betracht gekommen wäre. Er glaubte, daß das, was Erica von Francine gehört hatte, der Wahrheit viel mehr entsprach. Es gab jemanden in ihrem Leben, der ihr ungeheuer wichtig war. Jemanden, der immerhin eine solche Bedeutung hatte, daß sie sich über ein Kind mit ihm freute. Was sie zusammen mit ihrem Mann nicht gekonnt oder gewollt hatte.

Die sexuelle Beziehung zu Anders war ebenfalls eine Sache, die er näher unter die Lupe nehmen wollte. Was hatte eine Dame der besseren Göteborger Gesellschaft mit einem heruntergekommenen Trinker gemein? Irgend etwas sagte ihm, wenn er herausfinden konnte, wie sich deren Bahnen gekreuzt hatten, würde er eine Antwort auf viele der gesuchten Fragen erhalten. Dann war da dieser Artikel über das Verschwinden von Nils Lorentz. Alex war damals noch ein Kind gewesen. Warum hob sie einen fünfundzwanzig Jahre alten Zeitungsausschnitt auf, noch dazu versteckt in einer Schublade? Es gab so viele Fäden, und die waren so verfitzt, daß ihm war, als würde er eines dieser Bilder betrachten, auf dem es nur undeutliche Punkte zu geben schien, und erst wenn man die Augen auf die richtige Weise zusammenkniff, trat plötzlich eine Form in gewünschter Deutlichkeit hervor. Leider konnte er aber die perfekte Ausgangslage nicht finden, bei der die Punkte ein Muster bildeten. In schwächeren Momenten fragte er sich manchmal, ob er als Kriminalbeamter überhaupt gut genug war, um die Sache zu klären. Vielleicht käme der Mörder davon, nur weil er selbst nicht ausreichend kompetent war.

Ein Reh sprang vor dem Auto auf die Straße, und Patrik wurde schockartig aus seinen düsteren Gedanken gerissen. Er trat auf die Bremse, und es glückte ihm, das Hinterteil des Rehs um ein paar Zentimeter zu verpassen. Der Wagen schleuderte auf der glatten Straße und kam erst nach ein paar langen, schreckensvollen Sekunden zum Stehen. Er legte den Kopf auf die Hände, die das Steuer noch immer krampfhaft umklammerten, und wartete darauf, daß der Puls wieder in seiner normalen Frequenz schlug. So saß er ein paar Minuten. Dann setzte er die Fahrt nach Fjällbacka fort, aber ein, zwei Kilometer kroch er förmlich dahin, bevor er die Geschwindigkeit wieder zu erhöhen wagte.

Als er in Sälvik die mit Sand bestreute Steigung zu Ericas Haus hinauffuhr, war er fünf Minuten verspätet. Er stellte das Auto hinter das ihre auf die Garageneinfahrt und griff sich die Flasche Wein, die er mitgebracht hatte. Ein tiefer Atemzug und eine letzte Kontrolle der Frisur im Rückspiegel, dann war er bereit.

Der Kleiderberg auf Ericas Bett kam dem von Patrik gleich, ja, er war sogar eine Kleinigkeit höher. Der Schrank war fast ausgeräumt, und auf der Stange klapperten etliche leere Bügel. Sie seufzte schwer. Nichts gefiel ihr richtig. Die in den letzten Wochen hinzugekommenen Pfunde ließen keins der Kleidungsstücke sitzen, wie es sollte. Sie bereute noch immer bitter, daß sie am Morgen auf die Waage gestiegen war. Kritisch betrachtete sie ihr Bild im Standspiegel.

Das nächste Dilemma hatte sich nach dem Duschen eingestellt, als sie in Übereinstimmung mit ihrer Lieblingsheldin Bridget Jones vor der Wahl des richtigen Unterhöschens stand. Vielleicht der schöne Stringtanga mit Spitze für den höchst unwahrscheinlichen Fall, daß sie und Patrik im Bett landeten? Oder sollte sie die vernünftigen und schrecklich häßlichen Höschen anziehen, die Bauch und Hintern extra stützten und die Chance, daß sie überhaupt im Bett landeten, beträchtlich vergrößerten? Eine schwierige Entscheidung, aber im Hinblick auf den Umfang ihres Bauches entschloß sie sich nach reiflichem Überlegen doch für die stützende Variante. Darüber kamen dann noch Strumpfhosen mit formender Funktion. Die schwere Artillerie, mit anderen Worten.

Sie schaute auf die Uhr und stellte fest, daß es Zeit war, zu einem Entschluß zu kommen. Nach einem Blick auf den Kleiderhaufen auf dem Bett zog sie das Teil von unten vor, das sie zuerst probiert hatte. Schwarz machte schlank, und das klassische, kniefreie Kleid im Stil des Jackie-Kennedy-Modells schmeichelte der Figur. Ein Paar Perlenohrringe und die Armbanduhr würden der einzige Schmuck sein. Die Haare ließ sie glatt auf die Schultern herunterfallen. Sie stellte sich wieder seitlich vor den Spiegel und zog probeweise den Bauch ein. Ja, mit Hilfe der Kombination aus Stützhöschen, Strumpfhosen und leicht behinderter Atmung sah sie richtig akzeptabel aus. Die zusätzlichen Pfunde waren nicht nur zum Nachteil, mußte sie sich eingestehen. Auf die, die auf dem Bauch gelandet waren, hätte sie gern verzichtet, aber das Kilo, das sich über die Brüste verteilt hatte, verhalf ihr zu einem ziemlich passablen Ausschnitt. Zwar nur mit leichter Hilfe eines gepolsterten Push-up-BHs, aber solche Hilfsmittel waren heutzutage schließlich Pflicht. Der BH, den sie jetzt trug, war außerdem die allerneueste Erfindung. Gelee in den Körbchen bewirkte ein naturgetreues Schaukeln der Brüste. Ein erstklassiger Beweis für den Fortschritt der Wissenschaft im Dienst des Menschen.

Die Anprobiererei und der gefühlsmäßige Streß hatten zu einem Schweißausbruch unter den Armen geführt, und sie wusch sich seufzend noch einmal. Das Make-up beanspruchte fast zwanzig Minuten, bis es perfekt war, und als sie die Sache beendet hatte, stellte sie fest, daß es etwas zuviel Zeit gekostet hatte, sich herauszuputzen, und sie sich schon längst hätte an das Essen machen müssen. Rasch schuf sie im Schlafzimmer Ordnung. Es hätte viel zu lange gedauert, die Kleider wieder auf die Bügel zu hängen, also packte sie den ganzen Berg, verfrachtete ihn auf den Boden des Schranks und schloß ihn. Für alle Eventualitäten machte sie das Bett und ließ den Blick durch das Zimmer schweifen, um sicherzugehen, daß auf dem Boden nirgendwo ein benutzter Slip herumlag. Ein Paar schmutzige Alltagshöschen aus der üblichen Mehrfachpackung würden jedem beliebigen Mann sofort die Lust rauben.

Völlig außer Atem eilte Erica in die Küche hinunter, und der

Streß hatte zur Folge, daß sie plötzlich überhaupt nicht mehr wußte, wo sie anfangen sollte.

Sie zwang sich zur Ruhe und atmete tief durch. Zwei Rezepte lagen vor ihr auf dem Tisch, und ausgehend von diesen, versuchte sie die Arbeit zeitlich zu strukturieren. Sie war keine Meisterköchin, aber beherrschte die Sache ganz ordentlich, und die Rezepte hatte sie gefunden, nachdem sie die alten Nummern der »Elle Gourmet«, die sie abonnierte, durchforstet hatte. Als Vorspeise würde es Kartoffelpuffer mit Crème fraiche, Steinforellenrogen und feingehackten roten Zwiebeln geben. Als Hauptgericht hatte sie sich zu Schweinefilet in Blätterteig mit Portweinsoße entschlossen, dazu wollte sie Quetschkartoffeln servieren, und zum Dessert sollte Gino mit Vanilleeis folgen. Die Nachspeise hatte sie glücklicherweise schon am Nachmittag vorbereitet, die konnte sie also streichen. Sie beschloß, zunächst die Kartoffeln für das Hauptgericht aufzusetzen und dann ein paar roh für die Vorspeise zu reiben.

Anderthalb Stunden lang arbeitete sie konzentriert, und als die Türglocke läutete, fuhr sie heftig zusammen. Die Zeit war ein bißchen zu schnell vergangen, und sie hoffte, daß Patrik nicht schon einen Mordshunger mitbrachte, weil es noch eine ganze Weile dauern würde, bis das Essen fertig war.

Erica war schon unterwegs, um zu öffnen, als sie bemerkte, daß sie noch immer die Schürze umhatte, und ein zweites Klingeln ertönte schon von der Tür, als sie noch mit dem Altweiberknoten kämpfte, den sie im Rücken zustande gebracht hatte. Endlich bekam sie ihn auf, riß sich die Schürze über den Kopf und warf sie auf einen Stuhl in der Diele. Sie strich sich mit der Hand übers Haar, ermahnte sich, den Bauch einzuziehen, und atmete tief durch, bevor sie mit einem Lächeln auf den Lippen die Tür öffnete.

»Hallo Patrik. Willkommen! Bitte komm rein.«

Sie umarmten sich leicht, und Patrik übergab ihr die Weinflasche, die in Aluminiumfolie eingewickelt war.

»O danke, wie nett!«

»Ja, sie haben ihn mir im Alkoholladen empfohlen. Chilenischer Wein. Soll offenbar kräftig und rund, mit leichtem Geschmack nach roten Beeren und einer Spur Schokolade sein. Ich selber habe nicht viel Ahnung von Weinen, aber die wissen normalerweise, wovon sie sprechen.«

»Er ist bestimmt ausgezeichnet.« Erica lachte herzlich und stellte die Flasche auf der alten Dielenkommode ab, um Patrik mit seiner Jacke zu helfen. »Ich hoffe, du bist nicht völlig ausgehungert. Wie immer bin ich bei meiner Zeitplanung viel zu optimistisch gewesen, also wird es noch ein Weilchen dauern, bevor das Essen fertig ist.«

»Kein Problem.« Patrik folgte Erica in die Küche. »Kann ich dir irgendwie helfen?«

»Ja, du kannst vielleicht einen Korkenzieher aus der obersten Schublade dort nehmen und eine Flasche Wein für uns aufmachen. Vielleicht probieren wir gleich zu Anfang den von dir?«

Er gehorchte willig, und Erica stellte zwei große Gläser auf die Arbeitsplatte und begann dann in Töpfen zu rühren und nachzusehen, wie weit das war, was im Ofen lag. Das Schweinefilet mußte noch eine ganze Weile garen, und als sie in die Kartoffeln stach, waren die erst halb fertig. Patrik reichte ihr eins der Gläser, die jetzt mit tiefrotem Wein gefüllt waren. Sie schwenkte das Glas ein wenig, um die Düfte des Weins freizusetzen, steckte die Nase tief ins Glas und sog den Geruch bei geschlossenem Mund ein. Der warme Eichenduft des Weines schien den ganzen Körper zu durchdringen. Wunderbar. Sie kostete vorsichtig und ließ den Wein ein wenig durch den Mund rollen, während sie zugleich etwas Luft einatmete. Der Geschmack war genauso angenehm wie der Geruch, und sie verstand, daß Patrik für diese Flasche so einige Kronen hingelegt hatte.

Er sah sie erwartungsvoll an.

»Phantastisch.«

»Ja, ich habe letztens bemerkt, daß du etwas davon verstehst. Ich selber würde leider nicht mal einen Unterschied zwischen einem Fünfzig-Kronen-Wein im Karton und einem für mehrere tausend Kronen feststellen.«

»Doch, das würdest du. Aber es ist natürlich auch eine Frage der Gewohnheit. Außerdem muß man sich Zeit nehmen und einen Wein wirklich schmecken und ihn nicht nur in sich hineinkippen.«

Patrik schaute beschämt auf das Glas in seiner Hand. Es war schon zu einem Drittel geleert. Er versuchte vorsichtig, Ericas Methode zu folgen, während sie ihm den Rücken zuwandte, um etwas am Herd zu richten. Tatsächlich, schien das jetzt nicht ein ganz anderer Wein zu sein? Er ließ einen Schluck durch den Mund rollen, so wie er es bei Erica gesehen hatte, und plötzlich konnte er eine deutliche Geschmacksrichtung ausmachen. Er meinte sogar, einen leichten Anflug von Schokolade, dunkler Schokolade, und den ziemlich starken Geschmack roter Beeren, vielleicht roter Weintrauben, vermischt mit etwas Erdbeere, wahrzunehmen. Unglaublich.

»Wie steht's mit den Ermittlungen?« Erica bemühte sich, so zu klingen, als hätte sie nur ganz nebenbei gefragt, aber sie wartete gespannt auf die Antwort.

»Wir befinden uns wieder am Anfang, kann man sagen. Anders hat für die Zeit des Mordes ein Alibi, und viel mehr haben wir im Moment nicht in der Hand, wonach wir gehen könnten. Leider haben wir wohl einen klassischen Fehler gemacht. Waren zu sicher, die richtige Person gefunden zu haben, und ließen andere Möglichkeiten außer acht. Obwohl ich unserem Kommissar zustimmen muß, daß Anders bestens in die Rolle des Mörders paßt. Ein Trinker, der aus irgendeinem unerfindlichen Grund ein sexuelles Verhältnis mit einer Frau hat, die in der Regel für einen Saufbruder wie Anders völlig unerreichbar sein müßte. Dann, als das unausweichliche Ende kommt und sein unwahrscheinliches Glück vorbei ist, schließlich ein Verbrechen aus Eifersucht. Auf der Leiche und im Badezimmer überall seine Fingerabdrücke. Wir haben sogar seinen Fußabdruck in der Blutlache auf dem Fußboden gefunden.«

»Aber das müßte doch als Beweis genügen?«

Patrik drehte das Weinglas zwischen den Händen und schaute nachdenklich in die roten Wirbel, die sich im Glas bildeten. »Wenn er kein Alibi hätte, würde das vielleicht ausreichen. Aber nun besitzt er eins für die Zeit, die wir für den Mord als wahrscheinlich ansehen, und das reicht, wie gesagt, um zu beweisen, daß er *nach* dem Mord vor Ort gewesen ist, aber nicht *während* des Mordes. Ein kleiner, aber wichtiger Unterschied, wenn wir Anklage erheben wollen, die dann auch Bestand haben soll.«

Der Duft, der sich in der Küche ausbreitete, war wunderbar. Erica nahm die Kartoffelpuffer, die sie vor einer Stunde fertiggebraten hatte, aus dem Kühlschrank und schob sie in den Ofen, um sie aufzuwärmen. Sie stellte zwei Teller für die Vorspeise auf den Tisch, öffnete erneut die Kühlschranktür und nahm einen Becher Crème fraiche und eine Dose Forellenrogen heraus. Die Zwiebel lag bereits gehackt in einer Schale auf der Arbeitsplatte. Sie war sich äußerst deutlich bewußt, wie nahe Patrik bei ihr stand.

»Und du? Hast du noch etwas wegen dem Haus gehört?«

»Ja, leider. Der Makler hat gestern angerufen und vorgeschlagen, daß wir die Besichtigung auf die Osterfeiertage festlegen sollten. Nach dem, was er sagte, halten Lucas und Anna das offenbar für eine glänzende Idee.«

»Bis Ostern sind ja noch ein paar Monate. Bis dahin kann noch viel passieren.«

»Ja, ich kann immerhin hoffen, daß Lucas einen Herzinfarkt oder was Ähnliches erleidet. Nein, entschuldige, das will ich nicht gesagt haben. Die Sache macht mich nur so verdammt wütend!« Sie schlug den Backofen ein wenig zu heftig zu.

»Ui, laß die Einrichtung ganz.«

»Ja, ich muß mich wohl einfach an den Gedanken gewöhnen und langsam überlegen, was ich mit all dem Geld anfangen will, das mir der Verkauf bringt. Obwohl ich eigentlich immer gedacht habe, ich würde bedeutend mehr Freude daran haben, wenn ich eines Tages Millionärin werde.«

»Du brauchst keine Angst zu haben, daß du Millionärin wirst. Bei den Steuern in diesem Land mußt du wohl den größeren Teil deines Gewinns für die Finanzierung miserabler Schulen und eines noch schlechteren Gesundheitswesens hergeben. Um nicht von dem vollkommen unglaublich haarsträubend skandalös unterbezahlten Polizeistand zu reden. Du wirst sehen, wir werden schon einen Großteil deines Vermögens durchbringen.«

Jetzt mußte sie doch lachen. »Ja, das ist wirklich großartig. Dann brauche ich mir nicht mehr den Kopf zu zerbrechen, ob ich mir einen Nerz- oder einen Blaufuchsmantel zulegen soll. Ob du's glaubst oder nicht, aber jetzt ist die Vorspeise tatsächlich fertig.«

Sie nahm die Teller und ging ins Eßzimmer voran. Sie hatte lange überlegt, ob sie sich in die Küche oder ins Eßzimmer setzen sollten, am Ende hatte sie sich aber für letzteres entschieden, weil es einen so schönen Holzklapptisch hatte, der im Schein der Kerzen noch schöner wirkte. Und mit denen hatte sie nicht gegeizt. Nichts schmeichelte dem Aussehen einer Frau mehr als brennende Kerzen, hatte sie irgendwo gelesen, also hatte sie ordentlich Feuer gegeben.

Der Tisch war mit Besteck, Leinenservietten und für das Hauptgericht mit den blau umrandeten Tellern aus Rörstrandporzellan gedeckt, und sie erinnerte sich, wie ängstlich ihre Mutter dieses Geschirr gehütet hatte. Es wurde nur zu ganz besonderen Anlässen aus dem Schrank geholt. Diese Anlässe schlossen die Geburtstage der Kinder oder etwas anderes, das mit ihnen zusammenhing, nicht ein, dachte Erica bitter. Da genügte das Alltagsgeschirr auf dem Küchentisch. Aber wenn der Pastor und seine Frau oder die Diakonisse zum Essen kamen, dann konnte ihnen nicht genug schöngetan werden. Erica zwang sich, ihre Gedanken auf die Gegenwart zu richten, und stellte die Teller mit der Vorspeise auf zwei gegenüberliegende Plätze.

»Das sieht wirklich verlockend aus.« Patrik schnitt ein Stück von dem Puffer ab, legte einen ordentlichen Klecks Crème fraiche, Zwiebeln und Rogen darauf und hatte die Gabel schon halb zum Mund geführt, als er bemerkte, daß Erica mit erhobenem Weinglas und hochgezogener Braue dasaß. Beschämt legte er die Gabel wieder zurück und nahm sein Glas.

»Prost und willkommen hier.«

»Prost.«

Erica lächelte über seinen Fauxpas. Wie erfrischend im Vergleich zu den Männern, mit denen sie in Stockholm Dates gehabt hatte. Diese Männer waren so wohlerzogen und vertraut mit der Etikette, daß sie alle wie geklont wirkten. Patrik hingegen wirkte echt, und von ihr aus konnte er mit den Fingern essen, wenn er das wollte, ihr war das egal. Außerdem sah er unglaublich süß aus, wenn er rot wurde.

»Ich habe heute überraschenden Besuch gehabt.«

»Ach ja, und wen?«

»Julia.«

Patrik sah Erica verwundert an, und sie konstatierte erfreut, daß er sich anscheinend nur schwer vom Essen losreißen konnte. »Ich wußte nicht, daß ihr euch kennt.«

»Das tun wir auch nicht. Auf Alex' Beerdigung sind wir uns das erste Mal begegnet. Aber heute morgen stand sie hier vor der Tür.«

»Und was wollte sie?«

Patrik fuhr mit der Gabel so eifrig über den Teller, daß es aussah, als wollte er die Farbe vom Porzellan kratzen.

»Sie hat mich gebeten, Kindheitsbilder von Alex und mir ansehen zu dürfen. Laut Julia haben sie selber nicht sehr viele, und sie hoffte, bei mir vielleicht mehr davon zu finden. Und so war es ja auch. Dann hat sie eine Menge Fragen gestellt über früher. Man hatte mir erzählt, daß sich die Schwestern nicht besonders nahestanden, was bei dem Altersunterschied nicht sehr verwunderlich ist, ja, und jetzt wollte sie wohl mehr über Alex erfahren. Wollte sie kennenlernen. Den Eindruck hatte ich jedenfalls. Hast du Julia übrigens schon mal getroffen?«

»Nein, noch nicht. Aber wie ich gehört habe, sind oder waren die beiden sich nicht besonders ähnlich.«

»Nein, weiß Gott. Sie sind eher totale Gegensätze, jedenfalls dem Äußeren nach. Die Verschlossenheit scheint Julia mit Alex gemeinsam zu haben, obwohl bei der jüngeren Schwester eine Mürrischkeit zu finden ist, die es bei Alex meines Erachtens nicht gab. Alex wirkte mehr, wie soll ich sagen ... gleichgültig, zumindest hat man mir das so erzählt. Julia ist eher erbost. Oder sogar wütend. Auf mich wirkt es, als würde es unter ihrer Oberfläche brodeln und gären. Ein bißchen wie bei einem Vulkan. Ein schlafender Vulkan. Klingt das verworren?«

»Nein, das finde ich nicht. Ich vermute, als Schriftstellerin hat man Fingerspitzengefühl für Menschen. Weiß etwas über die menschliche Natur.«

»Äh, bezeichne mich nicht als Schriftstellerin. Ich finde, daß ich das noch nicht verdient habe.«

»Vier publizierte Bücher, und du findest immer noch nicht, daß du eine Schriftstellerin bist?« Patrik wirkte völlig verständnislos, und Erica versuchte ihm zu erklären, was sie meinte.

»Ja, vier Biographien und die fünfte in Arbeit. Ich will das nicht herabsetzen, aber für mich ist ein Schriftsteller jemand, der etwas schreibt, das aus seinem eigenen Herzen und dem eigenen Hirn kommt. Und nicht einer, der nur vom Leben eines anderen erzählt. An dem Tag, an dem ich etwas geschrieben habe, das ganz aus mir kommt, kann ich mich eine Schriftstellerin nennen.«

Ihr fiel plötzlich auf, daß die Sache nicht ganz der Wahrheit entsprach. Nach dieser Definition gab es eigentlich keinen Unterschied zwischen den Biographien, die sie über authentische Persönlichkeiten geschrieben hatte, und dem Buch, mit dem sie sich jetzt beschäftigte und das von Alex handelte. Auch hier ging es um das Leben eines anderen Menschen. Aber irgendwie war es trotzdem anders. Einerseits tangierte Alex' Leben ihr eigenes auf höchst konkrete Weise, und andererseits konnte sie in dem Text etwas Eigenes ausdrücken. Sie schuf, im Rahmen der tatsächlichen Ereignisse, dennoch die Seele des Buches. Noch aber vermochte sie Patrik das nicht zu erklären. Niemand durfte wissen, daß sie ein Buch über Alex schrieb.

»Also Julia ist gekommen und hat eine Menge Fragen zu Alex gestellt. Hast du Gelegenheit gehabt, sie nach Nelly Lorentz und ihrem Verhältnis zu ihr zu fragen?«

Erica führte einen heftigen inneren Kampf und kam zu dem Schluß, daß sie Patrik diese Information nicht guten Gewissens vorenthalten konnte. Vielleicht vermochte er Schlußfolgerungen daraus zu ziehen, die sie nicht gesehen hatte. Es ging um das kleine, wesentliche Puzzlestück, das sie ihm nicht hatte erzählen wollen, als sie bei ihm zum Essen war. Da sie mit der Sache nicht sehr viel weitergekommen war, sah sie keinen Grund mehr, sie noch immer zu verschweigen. Aber erst einmal wollte sie das Hauptgericht auf den Tisch bringen.

Sie beugte sich vor, um seinen Teller zu nehmen, und nutzte die Gelegenheit, es besonders tief zu tun. Die Trumpfkarten, die sie in der Hand hatte, gedachte sie so gut wie möglich auszuspielen. Nach Patriks Gesichtsausdruck zu urteilen, saß sie mit drei Assen da. Bisher hatten sich also die fünfhundert Kronen, die sie für ihren Wonderbra hingeblättert hatte, als gute Investition erwiesen. Auch wenn ihr Portemonnaie beim Einkauf ordentlich gefleddert worden war.

»Laß mich das machen.«

Patrik nahm ihr die Teller ab und folgte ihr in die Küche. Sie goß die Kartoffeln ab und beauftragte ihn, sie durch die Kartoffelpresse in eine große Schüssel zu quetschen. Unterdes ließ sie die Soße ein letztes Mal aufkochen und schmeckte sie ab. Ein Schluck Portwein und ein ordentlicher Klecks Butter dazu, dann konnte sie serviert werden. Kalorienarme Sahne kam dafür nicht in Frage. Jetzt mußte nur noch das in Blätterteig gebackene Filet aus dem Ofen genommen und in Scheiben geschnitten werden. Es sah perfekt aus. Leicht rosa im Inneren, aber ohne den roten Saft, der signalisierte, daß das Fleisch nicht richtig durchgebraten war. Als Gemüsebeilage hatte sie kurz gekochte Zuckererbsen gewählt, und die schüttete sie in genauso eine Schüssel aus Rörstrandporzellan wie die, in der die Quetschkartoffeln lagen. Gemeinsam trugen sie alles ins Eßzimmer. Sie wartete so lange, bis er sich bedient hatte, bevor sie die Bombe platzen ließ.

»Julia ist von Nelly Lorentz als Universalerbin eingesetzt.«

Patrik war gerade dabei, einen Schluck aus seinem Glas zu nehmen, und offensichtlich bekam er den Wein in die falsche Kehle, denn er hustete und griff sich an die Brust. Seine Augen tränten von dem Malheur. »Entschuldige, was hast du gesagt?« fragte er mühsam.

»Ich habe gesagt, daß Julia die einzige Erbin von Nellys Vermögen ist. Das steht im Testament«, entgegnete Erica ruhig und goß ihm etwas Wasser ein, damit er den Husten bekämpfen konnte.

»Wage ich überhaupt zu fragen, wie du das wissen kannst?«

»Weil ich ein bißchen in Nellys Papierkorb herumgeschnüffelt habe, als ich bei ihr zum Tee war.«

Patrik bekam einen erneuten Hustenanfall und schaute Erica ungläubig an. Während er fast das ganze Wasserglas in einem Zug austrank, fuhr Erica fort: »Es lag eine Kopie des Testaments im Papierkorb. Dort stand klar und deutlich, daß Julia Carlgren das Vermögen von Nelly Lorentz erben soll. Ja, natürlich bekommt Jan sein Erbteil, aber der Rest geht an Julia.«

»Weiß Jan davon?«

»Keine Ahnung. Aber wenn ich raten soll, würde ich sagen – nein, das weiß er wohl nicht.«

Erica sprach weiter, während sie sich von dem Gericht auftat.

»Ich habe Julia, als sie hier war, übrigens gefragt, wieso sie Nelly Lorentz so gut zu kennen scheint. Natürlich bekam ich nur Nonsens zur Antwort, nämlich daß sie Nelly kennt, weil sie ein paar Sommer in der Konservenfabrik gearbeitet hat. Ich zweifle nicht daran, daß es so war, aber den Rest der Wahrheit hat sie ausgespart. Kein Zweifel, daß ihr das Thema höchst unlieb war.«

Patrik wirkte nachdenklich. »Ist dir aufgefallen, daß es dadurch in dieser Geschichte zwei äußerst ungleiche Paare gibt? Paare, die geradezu undenkbar wirken, würde ich sogar sagen. Alex und Anders und jetzt Julia und Nelly. Und was ist bei der Sache der kleinste gemeinsame Nenner? Wenn wir den finden, denke ich, halten wir die Lösung des Ganzen in Händen.«

»Alex. Ist Alex nicht der kleinste gemeinsame Nenner?«

»Nein«, sagte Patrik, »ich glaube, das wäre ein bißchen zu einfach. Da ist noch was anderes. Etwas, das wir nicht sehen können oder nicht verstehen.« Er fuchtelte eifrig mit der Gabel. »Und dann haben wir Nils Lorentz. Oder besser gesagt, sein Verschwinden. Du hast doch zu der Zeit in Fjällbacka gewohnt, was hast du davon in Erinnerung?«

»Ich war damals noch ziemlich jung, und Kindern erzählt ja niemand was. Aber ich weiß noch, daß es eine Menge Geheimnistuerei um die Sache gab.«

»Geheimnistuerei?«

»Ja, du weißt schon, Gespräche, die unterbrochen werden, wenn man ins Zimmer kommt. Erwachsene, die sich mit leiser Stimme unterhalten. ›Psst, die Kinder müssen es nicht hören‹ und ähnliche Kommentare. Mit anderen Worten, ich weiß nicht mehr, als daß es zur Zeit von Nils' Verschwinden eine Menge Gerede gab. Ich war zu klein und habe nichts erfahren.«

»Hm, ich werde wohl etwas tiefer nachgraben. Das kommt auf die Liste der Dinge, die ich mir für morgen vornehme. Aber jetzt bin ich zum Essen bei einer Frau, die nicht nur toll aussieht, sondern auch großartig kochen kann. Auf das Wohl der Gastgeberin.«

Er erhob das Glas, und Erica wurde ganz warm von dem Kompliment. Nicht so sehr, weil er das Essen lobte, sondern weil er fand, daß sie toll aussah. Wieviel einfacher doch alles wäre, wenn man die Gedanken des anderen lesen könnte. Dieses ganze Spiel wäre unnötig. Statt dessen saß sie hier und hoffte, daß er ihr irgendeinen kleinen Wink gab, ob er interessiert war oder nicht. Als Teenager konnte man es sich leisten, so eine Sache auf gut Glück zu versuchen, aber mit den Jahren war es, als würde das Herz immer unelastischer werden. Der Einsatz wurde höher und die Beschädigung des Selbstvertrauens mit jedem Mal größer.

Nachdem sich Patrik dreimal nachgenommen hatte und Mord und Totschlag seit langem abgehakt waren – statt dessen hatten sie sich über Träume, das Leben an sich und diverse Weltfragen unterhalten –, setzten sie sich in die Veranda, um dem Magen vor dem Dessert eine kleine Pause zu gönnen. Jeder von ihnen saß in seiner Ecke des Sofas und nippte an dem Wein. Flasche Nummer zwei war schon bald ausgetrunken, und beide spürten die Wirkung des Getränks. Die Glieder waren schwer und heiß, und der Kopf schien in schmeichelnde Watte verpackt. Die Nacht vor dem Fenster war pechschwarz, und nicht ein einziger Stern erleuchtete den Himmel. Die kompakte Finsternis vor dem Haus vermittelte das Gefühl, als seien sie in einen großen Kokon gehüllt. Die Illusion, die einzigen Menschen auf der Erde zu sein, war total. Erica konnte sich nicht erinnern, daß sie sich je so zufrieden, je so zu Hause im

eigenen Dasein gefühlt hatte. Sie ließ die Hand mit dem Weinglas durch die Veranda schweifen, und es glückte ihr, mit dieser
Geste zu zeigen, daß sie das ganze Gebäude meinte. »Kannst
du begreifen, daß Anna das hier verkaufen will? Nicht nur, daß
es einfach das schönste Haus ist, was es gibt, in den Wänden
steckt auch Geschichte. Und da meine ich nicht nur Annas und
meine Geschichte, sondern die jener Menschen, die vor uns
hier gewohnt haben. Weißt du, daß es ein Schiffskapitän gewesen ist, der dieses Haus 1889 für sich und seine Familie errichten ließ? Kapitän Wilhelm Jansson hieß er. Es ist übrigens eine
ziemlich traurige Geschichte. Wie so viele andere in diesem
Ort. Er baute das Haus für sich und seine junge Frau Ida. Sie
bekamen fünf Kinder in genauso vielen Jahren, aber beim sechsten Kind starb Ida im Wochenbett. Zur damaligen Zeit gab es
so was wie alleinerziehende Väter noch nicht, also zog seine un-
verheiratete ältere Schwester bei ihm ein und kümmerte sich
um die Kinder, während er auf den sieben Meeren herumfuhr.
Seine Schwester Hilda war als Stiefmutter nicht die beste Wahl,
die er hatte treffen können. Sie war die frommste Frau weit und
breit, und das besagt nicht wenig, wenn man bedenkt, wie
strenggläubig die Leute hier waren. Die Kinder durften sich
kaum rühren, ohne daß man ihnen Sündhaftigkeit vorwarf,
und die Prügel, die sie erhielten, wurden von Hilda mit harter,
gottesfürchtiger Hand ausgeteilt. Heute würde man sie wohl
eine Sadistin nennen, aber damals ließ sich so was wunderbar
unter dem Deckmantel der Religion verbergen. Kapitän Jansson war nicht oft genug zu Hause, um zu sehen, wie schlimm
die Kinder dran waren, aber er muß seine Vermutungen gehabt
haben. Doch nach Männerart meinte er, Kindererziehung sei
Frauensache und daß er seine väterlichen Pflichten erfülle, indem er dafür sorgte, daß sie ein Dach über dem Kopf und Essen
auf dem Tisch hatten. Bis er eines Tages nach Hause kam und
entdeckte, daß seine jüngste Tochter Märta eine Woche lang
mit gebrochenem Arm herumgelaufen war. Da flog Hilda mit
Donner und Getöse raus, und der Kapitän, der ein Mann der
Tat war, suchte sich unter den unverheirateten Frauen der Gegend eine geeignete Ziehmutter für die Kinder. Er traf eine gute

Wahl. Innerhalb von zwei Monaten hatte er eine tüchtige Bauerntochter mit Namen Lina Månsdotter geehelicht, und sie nahm die Kinder an ihr Herz, als seien es ihre eigenen. Sieben weitere bekamen sie obendrein gemeinsam, also muß es hier ziemlich eng gewesen sein. Wenn man genau hinsieht, kann man noch Spuren von ihnen sehen. Kleine Kerben und Löcher und abgewetzte Stellen überall im Haus.«

»Wie kam es, daß dein Vater das Haus gekauft hat?«

»Die Geschwister zerstreuten sich mit der Zeit in alle Winde. Kapitän Jansson und seine Lina, die sich mit den Jahren sehr gern gehabt hatten, machten die Augen zu. Der einzige, der im Haus verblieb, war der älteste Sohn Allan. Er hat nie geheiratet, und als er älter wurde, kam er mit dem Haus allein nicht zurecht und entschloß sich, es zu verkaufen. Meine Eltern hatten gerade geheiratet und suchten eine Bleibe. Vater hat erzählt, daß er sich auf der Stelle in das Haus verliebte. Er hat nicht eine Sekunde gezögert. Als Allan das Haus an Vater verkaufte, hat er ihm auch die Geschichte übergeben. Die Geschichte des Hauses und die seiner Familie. Es sei ihm wichtig, hat er gesagt, daß Vater diejenigen kannte, deren Füße die alten Holzfußböden abgewetzt hatten. Er hat auch Papiere hinterlassen. Briefe, die Kapitän Jansson von allen Enden der Welt geschickt hatte, zunächst an seine Frau Ida, dann an Lina. Er hat auch die Rute hier gelassen, die Hilda benutzte, um die Kinder zu bestrafen. Sie hängt noch immer im Keller. Anna und ich sind, als wir klein waren, manchmal runtergegangen und haben sie befühlt. Wir hatten die Geschichte über diese Hilda gehört und versuchten uns immer vorzustellen, wie sich die harte Gerte wohl auf der nackten Haut anfühlte. Und die kleinen Kinder taten uns leid, denen es so schlimm ergangen war.«

Erica schaute Patrik an. Dann sagte sie: »Verstehst du jetzt, warum es mir so das Herz zerreißt, wenn ich daran denke, das Haus zu verkaufen. Wenn wir das tun, bekommen wir es nie, nie wieder zurück. Die Sache wäre unwiderruflich. Mir wird übel bei der Vorstellung, daß irgendwelche reichen Stockholmer hier reingestiefelt kommen und damit anfangen, die Fußböden abzuschleifen und neue Tapeten mit Muschelmuster an

die Wände zu kleben, ganz zu schweigen von dem Panoramafenster, das sich schneller, als ich auch nur ›geschmacklos‹ sagen
kann, hier in der Veranda befände. Wer würde sich darum kümmern, die Bleistiftstriche auf der Innenseite der Speisekammer-
tür zu bewahren, wo Lina Jahr für Jahr angezeichnet hat, um
wieviel die Kinder gewachsen waren? Oder wen würde es inter-
essieren, die Briefe zu lesen, in denen Kapitän Jansson seinen
Frauen, die das Kirchspiel kaum verlassen hatten, zu beschreiben versuchte, wie es in der Südsee aussieht? Ihre Geschichte
wäre ausradiert, und dann wäre dieses Haus hier nichts anderes
als … eben ein Haus. Irgendeins. Zwar ein unglaublich schönes, aber eins ohne Seele.«

Sie hörte, daß sie ins Plappern kam, aber aus irgendeinem
Grund war es ihr wichtig, daß Patrik sie verstand. Sie schaute
ihn an. Er beobachtete sie intensiv, und ihr wurde warm unter
seinem Blick. Irgend etwas passierte. Es war ein Augenblick des
absoluten Einvernehmens, und bevor sie noch wußte, was geschah, saß Patrik dicht neben ihr, und nach sekundenlangem
Zögern drückte er seine Lippen auf die ihren. Zuerst spürte sie
nur den Geschmack des Weins, der an ihrer beider Lippen haftete, aber dann schmeckte sie Patrik. Vorsichtig öffnete sie den
Mund und fühlte seine Zungenspitze suchend an der ihren.
Der ganze Körper war wie elektrisiert.

Einen Moment später wurde es fast unerträglich, und Erica
stand auf, nahm ihn an der Hand, und ohne ein Wort zu sagen,
führte sie ihn nach oben ins Schlafzimmer. Sie legten sich aufs
Bett, küßten und streichelten einander, und ein Weilchen später begann Patrik mit fragendem Blick die Knöpfe auf dem Rükken ihres Kleides zu öffnen. Sie gab ihre schweigende Einwilli-
gung, indem sie die Knöpfe an seinem Hemd öffnete. Ihr fiel
plötzlich ein, daß die Unterwäsche, für die sie sich entschieden
hatte, nicht gerade die war, in der sie sich Patrik beim ersten
Mal zeigen wollte. Auch die Strumpfhose, die sie anhatte, war
bei Gott nicht gerade das aufreizendste Kleidungsstück. Die
Frage war nur, wie sie aus Strumpf- und Miederhose kommen
sollte, ohne daß Patrik sie zu Gesicht bekam. Erica setzte sich
abrupt auf.

»Entschuldige, ich muß nur erst aufs Klo.« Sie stürzte ins Bad und schaute sich gehetzt um. Sie hatte Glück, ein Stapel sauberer Kleidungsstücke, die sie noch nicht hatte wegpacken können, lag auf dem Wäschekorb. Mühsam wand sie sich aus der eng sitzenden Strumpfhose und legte sie zusammen mit dem Tantenschlüpfer in den Korb. Dann streifte sie einen dünnen weißen Spitzenslip über, der sich mit dem BH sehr gut machen würde. Sie zog das Kleid wieder über den Po und nutzte die Gelegenheit, ihr Aussehen im Spiegel zu kontrollieren. Die Haare waren zerwühlt und lockig, und die Augen hatten einen fiebrigen Glanz. Ihr Mund war röter als normal und leicht geschwollen von all den Küssen, und wenn sie es selbst sagen durfte, dann sah sie tatsächlich ziemlich sexy aus. Ohne die Stützhöschen war der Bauch nicht so platt, wie sie gewünscht hätte, und sie zog ihn ein und streckte statt dessen die Brust heraus, als sie zu Patrik hineinging, der in derselben Stellung dalag, in der sie ihn verlassen hatte.

Die Kleidungsstücke an ihnen wurden immer weniger, eins nach dem anderen landete auf dem Fußboden. Das erste Mal war nicht so phantastisch, wie es in Liebesromanen stets beschrieben stand, sondern es war genauso eine Mischung aus starken Gefühlen und peinlicher Bewußtheit, wie sie für das wirkliche Leben typisch waren. Während ihre Körper explosionsartig auf die Berührung durch den anderen reagierten, waren sie sich ihrer Nacktheit zugleich deutlich bewußt, machten sich Sorgen wegen kleiner Mängel und befürchteten, es könnten peinliche Geräusche entstehen. Sie waren ungeschickt und ängstlich, weil sie nicht wußten, was dem anderen gefallen könnte und was nicht. Waren sich des anderen nicht sicher genug, um darüber zu sprechen, sondern benutzten statt dessen kurze gutturale Laute, um kundzutun, was funktionierte und was vielleicht berichtigt werden müßte. Aber schon beim zweiten Mal wurde es besser. Das dritte Mal war völlig akzeptabel, das vierte Mal sehr gut und das fünfte Mal phantastisch. Sie schliefen ein, eng aneinandergeschmiegt, und das letzte, was Erica spürte, bevor sie der Schlaf übermannte, war Patriks Arm, der beschützend um ihre Brust lag, und seine mit den ihren verflochtenen Finger. Mit einem Lächeln auf den Lippen schlief sie ein.

Der Kopf wollte in Stücke zerspringen. Der Mund war so trocken, daß die Zunge am Gaumen klebte, aber irgendwann mußte Speichel darin gewesen sein, denn an der Wange spürte er einen feuchten Sabberfleck auf dem Kissen. Ihm schien, als würde irgend etwas seine Lider herunterdrücken und seine Versuche behindern, die Augen aufzukriegen. Nach wiederholtem Bemühen gelang es ihm jedoch.

Vor sich sah er eine Offenbarung. Auch Erica lag auf der Seite, mit dem Gesicht zu ihm, das von ihrem blonden, zerzausten Haar eingerahmt war. Ihre tiefen ruhigen Atemzüge zeigten, daß sie noch immer schlief. Vermutlich träumte sie gerade, da ihre Wimpern flatterten und ihre Augenlider leicht zuckten. Patrik dachte, daß er immerzu so liegen und sie betrachten könne, ohne dessen je müde zu werden. Das ganze Leben lang, wenn es sein sollte. Sie zuckte im Schlaf zusammen, aber kehrte rasch wieder zu den tiefen Atemzügen zurück. In seinen schwärzesten Tagen und Nächten war es ihm unmöglich vorgekommen, daß er so etwas je wieder erleben würde. Nun schien es ihm unmöglich, so etwas *nicht* zu fühlen.

Erica bewegte sich unruhig, und er sah, daß sie dabei war, an die Oberfläche zu kommen. Nachdem auch sie ein Weilchen gekämpft hatte, um wach zu werden, schlug sie die Augen auf, und es verblüffte ihn erneut, wie blau die waren.

»Guten Morgen, Schlafmütze.«

»Guten Morgen.«

Das Lächeln, das sich auf ihrem Gesicht ausbreitete, gab ihm das Gefühl, Millionär zu sein.

»Hast du gut geschlafen?«

Patrik schaute auf die leuchtenden Zahlen des Weckers. »Ja, die zwei Stunden, die ich geschlafen habe, waren wundervoll. Allerdings waren die wachen Stunden davor noch wundervoller.«

Erica lächelte bloß als Erwiderung.

Patrik hatte den Verdacht, daß sein Atem wie die Pest roch, konnte es aber dennoch nicht lassen, sich vorzubeugen und sie zu küssen. Der Kuß wurde tiefer, und eine Stunde war rasch verflogen. Hinterher lag Erica auf seinem linken Arm und malte mit dem Zeigefinger Kreise auf seiner Brust. Sie blickte zu ihm hoch.

»Als du gestern hergekommen bist, hast du da geglaubt, daß wir hier landen?«

Er überlegte ein Weilchen, bevor er antwortete, und legte dabei die rechte Hand unter den Kopf. »Neeiin, ich kann nicht sagen, daß ich es geglaubt habe. Aber gehofft.«

»Ich auch. Also gehofft, nicht geglaubt.«

Patrik dachte darüber nach, ob er so kühn sein konnte, aber mit Erica auf dem Arm fühlte er sich so geborgen, daß er einfach alles wagte. »Der Unterschied ist nur, daß du erst kürzlich zu hoffen angefangen hast, stimmt's? Weißt du, wie lange ich gehofft habe?«

Sie schaute ihn verwundert an. »Nein, wie lange denn?«

Patrik machte eine Pause, um die Wirkung zu erhöhen. »Solange ich denken kann. Ich war in dich verliebt, solange ich denken kann.« Als er sich das sagen hörte, bemerkte er, wie wahr das klang. Genauso war es.

Erica sah ihn groß an. »Du machst Scherze! Soll das heißen, daß ich hier herumgetigert bin und mir 'nen Kopf gemacht habe, ob du vielleicht ein klein bißchen an mir interessiert bist, und dann war die Sache nicht schwieriger, als reifes Fallobst aufzuheben? Man brauchte sich einfach nur zu bedienen?«

Ihr Ton war scherzhaft, aber er sah, daß seine Worte sie etwas erschüttert hatten. »Ja, nicht, daß ich deshalb mein ganzes Leben im Zölibat und in einer gefühlsmäßigen Wüste gelebt habe. Natürlich war ich auch in andere verliebt, zum Beispiel in Karin. Aber du bist immer was Besonderes gewesen. Jedesmal wenn ich dich gesehen habe, passierte hier was.«

Er zeigte mit der Faust auf die Stelle überm Herzen. Erica nahm seine Hand, küßte sie und legte sie an ihre Wange. Diese Geste sagte ihm alles.

Sie benutzten den Morgen, um sich kennenzulernen. Patriks Antwort auf die Frage, wofür er sich am meisten interessierte, löste bei Erica einen frustrierten Aufschrei aus.

»Neeeiiin! Nicht noch ein Sportfanatiker! Warum, um Himmels willen, kann ich nicht einen Mann finden, der clever genug ist, zu begreifen, daß es eine ganz normale Beschäftigung ist, einen Ball über den Rasen zu treiben – ja, wenn man fünf ist! Oder der sich zumindest ein bißchen skeptisch zu der Frage verhält, welchen Nutzen die Menschheit von jemandem hat, der über eine Latte zwei Meter hoch in die Luft springen kann.«

»Zwei fünfundvierzig.«

»Was heißt zwei fünfundvierzig?« sagte Erica mit einer Stimme, die andeutete, daß die Antwort sie nicht sonderlich interessierte.

»Der Weltbeste, Sotomayor, springt zwei fünfundvierzig hoch. Die Frauen springen gut zwei Meter.«

»Ja, whatever.« Sie sah ihn mißtrauisch an. »Hast du Eurosport?«

»Klar.«

»Super Channel, also nicht wegen der Filme, sondern wegen dem Sport?«

»Klar.«

»TV 1000 aus demselben Grund?«

»Klar. Aber um ganz genau zu sein, habe ich TV 1000 aus zwei Gründen.«

Erica schlug scherzhaft nach ihm. »Habe ich was vergessen?«

»Jaah, TV 3 bringt 'ne Menge Sport.«

»Ich muß sagen, mein Radarsystem für Sportfanatiker ist wirklich gut entwickelt. Neulich habe ich einen unglaublich öden Abend bei meinem Kumpel Dan verbracht, wo ich mir ein olympisches Eishockeyspiel ansehen mußte. Ich verstehe wirklich nicht, wie man es interessant finden kann, daß in dicke Watte verpackte Jungs einem kleinen schwarzen Ding hinterherjagen.«

»Das ist auf jeden Fall bedeutend lustiger und auch produktiver, als von früh bis spät durch irgendwelche Kleiderläden zu ziehen.«

Als Antwort auf diesen unmotivierten Angriff auf das größte Laster ihres Lebens rümpfte Erica die Nase und schnitt Patrik eine Fratze. Dann bemerkte sie, daß seine Augen plötzlich stumpf wurden.

»Scheiß.«

Er setzte sich stocksteif im Bett auf.

»Bitte?«

»Verdammte Scheiße noch mal.«

Erica sah ihn groß an.

»Wie konnte mir so was entgehen?« Er klopfte sich mehrmals mit der Faust gegen die Stirn.

»Hallo, ich bin hier! Könntest du mir mal sagen, wovon du redest?«

Erica fuchtelte demonstrativ mit den Händen vor seinen Augen.

Patrik verlor einen Moment die Konzentration, als er bemerkte, wie diese Geste ihre bloßen Brüste zum Hüpfen brachte. Dann sprang er rasch aus dem Bett, splitternackt wie ein Neugeborener, und stürzte die Treppe hinunter. Er kam wieder nach oben, ein paar Zeitungen in der Hand, setzte sich aufs Bett und begann hektisch darin zu blättern. Erica hatte ihr Fragen zu diesem Zeitpunkt aufgegeben und beobachtete ihn nur interessiert.

»Aha!« rief Patrik voller Triumph. »Was für ein Glück, daß du deine alten Fernsehbeilagen nicht weggeworfen hast.« Er wedelte mit einer Zeitschrift vor Ericas Augen. »Schweden–Kanada!«

Noch immer schweigend, begnügte sich Erica damit, fragend ihre Brauen zu heben.

Frustriert versuchte Patrik zu erklären. »Schweden schlug Kanada bei einem OS-Spiel. Freitag, den fünfundzwanzigsten Januar. Im vierten Programm.«

Sie schaute ihn noch immer verständnislos an. Patrik seufzte.

»Alle planmäßigen Sendungen waren wegen des Spiels gestrichen. Also kann Anders an jenem Freitag nicht nach Hause gekommen sein, als die Serie anfing, denn sie ist nicht gelaufen. Verstehst du?«

Langsam ging Erica auf, wovon er redete. Anders hatte kein Alibi mehr. Selbst wenn es nur ein schwaches Alibi gewesen war, so durfte die Polizei sich nicht einfach darüber hinwegsetzen. Jetzt konnten sie Anders aufgrund des Materials, das sie bereits besaßen, wieder festsetzen. Patrik nickte zufrieden, als er sah, daß Erica begriff.

»Aber du glaubst doch nicht, daß Anders der Mörder ist?« sagte Erica.

»Nein, das tue ich zwar nicht. Aber einerseits kann ich mich manchmal vielleicht vertun, auch wenn ich verstehe, daß du dir das nicht recht vorstellen kannst.« Er blinzelte ihr mit einem Auge zu. »Und andererseits, also falls ich mich nicht irre, würde ich jede Wette eingehen, daß Anders bedeutend mehr weiß, als er erzählt. Jetzt haben wir die Möglichkeit, ihn härter unter Druck zu setzen.«

Patrik machte sich im Schlafzimmer auf die Suche nach seinen Sachen. Sie lagen überall verstreut, aber das alarmierendste war, daß er die Socken noch immer anhatte. Schnell stieg er in die Hose und hoffte, daß Erica die Sache in der Hitze der Leidenschaft auch nicht bemerkt hatte. Man sah nicht eben wie ein Sexgott aus, wenn man weiße Frotteesocken mit der Aufschrift »Tanumshede IF« an den Füßen trug.

Plötzlich erschien ihm die Sache ungeheuer eilig, und er zog sich mit ungeschickten Fingern an. Beim ersten Versuch, das Hemd zuzuknöpfen, ging alles schief, und er fluchte, als er die Knöpfe wieder aufmachen und von vorn anfangen mußte. Dann begriff er mit einemmal, wie sein überstürzter Aufbruch gedeutet werden konnte, und setzte sich auf die Bettkante, nahm Ericas Hände in die seinen und sah ihr fest in die Augen.

»Es tut mir leid, daß ich jetzt so losstürze, aber ich muß es einfach tun. Ich möchte nur, daß du weißt, das hier war die wunderbarste Nacht meines Lebens und ich kann es kaum erwarten, dich das nächste Mal zu sehen. Willst du, daß wir uns wiedersehen?«

Was zwischen ihnen bestand, war noch immer sehr zerbrechlich, und er hielt die Luft an, um auf ihre Antwort zu warten. Sie nickte nur.

»Dann komme ich wieder her, wenn ich mit der Arbeit fertig bin?«

Erica nickte erneut zur Antwort. Er beugte sich vor und küßte sie.

Als er aus der Schlafzimmertür ging, saß sie mit hochgezogenen Knien auf dem Bett, die Decke lose um ihren Körper geschlungen. Die Sonne schien durch das kleine runde Fenster der Dachschräge und schuf die Illusion eines Heiligenscheins um ihren blonden Kopf. Es war das Schönste, was er je gesehen hatte.

Der Schnee war naß und drang hartnäckig durch seine dünnen Loafers. Die Schuhe waren besser für den Sommer geeignet, aber Alkohol war eine effektive Weise, die Kälte zu lindern, und bei der Wahl, ein Paar Winterschuhe oder eine Flasche Klaren zu kaufen, fiel ihm die Entscheidung nicht schwer.

Die Luft war so frisch und rein und das Licht so spröde an diesem frühen Mittwochmorgen, daß Bengt Larsson ein Gefühl empfand, das er seit langem nicht verspürt hatte. Es glich beunruhigend dem Gefühl von Ruhe und Frieden, und er fragte sich, was an einem normalen Mittwochmorgen einen solch sonderbaren Eindruck hervorrief. Er blieb stehen und sog die Morgenluft mit geschlossenen Augen ein. Man stelle sich vor, das Leben könnte voll von solchen Morgen sein! Er wußte noch genau, wann er am Scheideweg gestanden hatte. Er konnte den Tag bestimmen, an dem sein Leben eine unglückliche Wendung genommen hatte. Wußte sogar die Uhrzeit zu nennen. Eigentlich hatte er alle Voraussetzungen besessen. Es gab keine Mißhandlung, auf die er es hätte schieben können. Auch keine Armut, keinen Hunger oder irgendwelchen gefühlsmäßigen Mangel. Schuld war ganz allein seine eigene Dummheit und sein viel zu großes Vertrauen in die eigene Vortrefflichkeit. Natürlich spielte auch ein Mädchen eine Rolle.

Er war damals siebzehn Jahre alt, und da gab es nichts, was er tat, bei dem nicht irgendein Mädchen eine Rolle spielte. Aber dieses Mädchen war etwas Besonderes. Maud, mit ihrer üppigen Blondheit und ihrer angeblichen Bescheidenheit. Die auf seinem Ego wie auf einer gut gestimmten Geige spielte. »Bengt, Lieber, ich brauche nur …«, »Bengt, Lieber, könntest du mir nicht das besorgen ...«. Sie hatte die Leine in der Hand, und er war gehorsam am Gängelband gegangen. Nichts war für sie zu schade. Er sparte alles Geld, was er verdiente, und kaufte ihr schöne Kleider, Parfüm, einfach alles, worauf sie zeigte. Aber sobald sie das bekam, worum sie so eifrig gebettelt hatte, warf sie es beiseite und bettelte um das nächste, was allein sie glücklich machen konnte.

Maud war wie ein Fieber in seinem Blut, und ohne daß er es merkte, drehten sich die Räder immer schneller, bis er nicht mehr wußte, was oben und was unten war. Als er achtzehn wurde, beschloß Maud, daß sie mit ihm unbedingt in einem Cadillac Convertible herumfahren wollte. Der kostete mehr, als Bengt in einem ganzen Jahr verdiente, und er lag nächtelang wach und grübelte, wie er das Geld nur zusammenbringen sollte. Während er Qualen ausstand, machte Maud einen Schmollmund und gab ihm deutlich zu verstehen, daß er das Auto zu beschaffen habe, denn sonst gäbe es wahrhaftig andere, die sie so behandeln würden, wie sie es verdiente. Jetzt quälte ihn die Eifersucht in den angsterfüllt durchwachten Nächten, und am Ende ertrug er es nicht mehr.

Am 10. September 1954, genau um 14.00 Uhr, betrat er die Bank in Tanumshede, mit einem Nylonstrumpf über dem Gesicht und ausgerüstet mit einer alten Armeepistole, die sein Vater all die Jahre zu Hause aufbewahrt hatte. Nichts lief so, wie es sollte. Das Bankpersonal hatte zwar eilig Geld in die Tasche geworfen, die er ihnen hinhielt, aber bei weitem nicht so viel, wie er gehofft hatte. Außerdem erkannte ein Kunde, der Vater eines seiner Klassenkameraden, Bengt trotz des Nylonstrumpfes wieder. Schon nach einer Stunde war die Polizei bei ihm zu Hause und fand die Tasche mit dem Geld in seinem Zimmer unterm Bett. Bengt vergaß nie den Ausdruck im Gesicht seiner Mutter. Sie war jetzt seit vielen Jahren tot, aber ihre Augen verfolgten ihn noch immer, wenn die Angst ihm im Delirium zusetzte.

Drei Jahre Gefängnis hatten alle Hoffnung auf eine Zukunft vernichtet. Als er wieder rauskam, war Maud seit langem verschwunden. Wohin, wußte er nicht, und es interessierte ihn auch nicht. Alle seine alten Freunde waren ihren Weg weiter-gegangen, hatten sichere Arbeitsplätze und ein Familienleben und wollten nichts mit ihm zu tun haben. Sein Vater war in der Zeit, als Bengt im Gefängnis saß, verunglückt, und so zog er zu seiner Mutter. Mit der Mütze in der Hand versuchte er einen Job zu finden, stieß aber überall, wohin er auch ging, auf Ablehnung. Niemand wollte etwas mit ihm zu schaffen haben. Das, was ihn schließlich dazu trieb, seine Zukunft auf dem Grund der Flasche zu suchen, waren all die Blicke, die ihm ständig folgten.

Für einen, der in der Geborgenheit eines kleinen Ortes, wo sich alle auf der Straße grüßten, seine Kindheit verbracht hatte, war das Gefühl, ausgestoßen zu sein, genauso schmerzhaft wie körperliche Schläge. Er hatte überlegt, aus Fjällbacka wegzuzie-hen, aber wohin sollte er gehen? Da war es einfacher, hierzu-bleiben und sich statt dessen vom gesegneten Alkohol einlullen zu lassen.

Anders und er hatten sich im Handumdrehen gefunden. Zwei arme Teufel nannten sie sich immer und lachten bitter. Bengt hegte eine geradezu väterliche Zuneigung zu Anders und empfand größere Trauer über dessen Schicksal als über das eigene. Er wünschte oft, daß er etwas tun könnte, um Anders' Leben eine andere Richtung zu geben, aber da er selbst die ver-führerischen Locktöne des Alkohols kannte, wußte er, wie un-möglich es war, sich von einer solch anspruchsvollen Geliebten loszureißen, die der Schnaps im Laufe der Jahre geworden war. Sie verlangte alles und gab nichts zurück, und das einzige, was sie beide tun konnten, war, sich gegenseitig ein wenig zu trö-sten und sich Gesellschaft zu leisten.

Der Weg zu Anders' Hauseingang war sorgfältig freigeschau-felt und mit Sand bestreut, und er brauchte nicht vorsichtig zu trippeln, um die Flasche in seiner Innentasche zu schützen, wie er es in diesem strengen Winter viele Male hatte tun müssen, als das Eis blank und glatt bis zu den Stufen reichte.

Die drei Treppen zu Anders' Wohnung hoch waren immer eine Herausforderung, denn ein Fahrstuhl fehlte hier. Mehr-mals blieb er stehen, um Luft zu holen, und zweimal nutzte er die Gelegenheit, um sich mit einem Schluck aus der Flasche zu stärken. Als er endlich vor Anders' Wohnung stand, keuchte er heftig und lehnte sich ein Weilchen an den Türpfosten, bevor er die Tür öffnete, die Anders, wie er wußte, nie abschloß.

Es war still in der Wohnung. Vielleicht war Anders nicht zu Hause? Wenn er seinen Rausch ausschlief, hörte man die tiefen Atemzüge und die schniefenden Schnarchlaute schon im Korridor. Bengt schaute in die Küche. Niemand dort, außer den üblichen Bakterienkulturen. Die Badezimmertür stand weit offen, und auch dort war keiner. Als er um die Ecke bog, hatte er ein ungutes Gefühl im Bauch. Der Anblick des Wohnzimmers ließ ihn abrupt stehenbleiben. Die Flasche, die er in der Hand hielt, fiel mit einem dumpfen Poltern zu Boden, aber das Glas hielt.

Das erste, was er sah, waren die nackten Füße, die ein Stück über dem Fußboden baumelten. Sie schwangen in einer pendelnden Bewegung leicht hin und her. Anders trug eine Hose, sein Oberkörper war unbekleidet. Der Kopf hing in einem merkwürdigen Winkel herunter. Das Gesicht war geschwollen und verfärbt, und die Zunge schien zu groß für den Mund, denn sie ragte ein Stück über die Lippen heraus. Es war der traurigste Anblick, der sich Bengt je geboten hatte. Er machte kehrt und ging langsam aus der Wohnung, doch zuvor hob er die Flasche vom Boden auf. Blind suchte er in seinem Inneren nach irgend etwas, um sich daran festzuhalten, doch da war nur Leere. Statt dessen griff er nach der einzigen Rettungsleine, die er kannte. Er setzte sich auf die Schwelle von Anders' Zuhause, nahm die Flasche an den Mund und weinte.

Es war nicht sicher, daß der Promillegehalt in seinem Blut mit dem Gesetz übereinstimmte, aber im Augenblick kümmerte das Patrik wenig. Sicherheitshalber fuhr er ein bißchen langsamer als gewöhnlich, aber da er auf seinem Handy gleichzeitig eine Nummer nach der anderen wählte und unentwegt in den Hörer sprach, war es zweifelhaft, ob die Verkehrssicherheit dadurch sonderlich verbessert wurde.

Das erste Gespräch führte er mit TV4, wo man ihm bestätigte, daß die Serie »Verschiedene Welten« zugunsten des Eishockeyspiels am Freitag, dem Fünfundzwanzigsten, aus dem Programm genommen worden war. Dann rief er Mellberg an, der, nicht gerade überraschend, hocherfreut auf die Nachricht reagierte und verlangte, daß Anders sofort wieder festgesetzt würde. Durch das dritte Gespräch erhielt Patrik die erbetene Verstärkung, und er fuhr also direkt in Richtung des Wohnblocks, wo Anders zu Hause war. Jenny Rosén mußte einfach die Tage verwechselt haben. Ein nicht gerade seltener Fehler bei Zeugen.

Trotz der Aufregung angesichts einer eventuellen Wende bei dem Fall konnte er sich nicht völlig auf den Auftrag konzentrieren. Die Gedanken gingen unentwegt zurück zu Erica und der vergangenen Nacht. Er ertappte sich dabei, dämlich von einem Ohr zum anderen zu grinsen, und seine Hände trommelten wie von selbst kurze Rhythmen auf das Lenkrad. Er stellte im Radio den Sender mit den alten Ohrwürmern ein und bekam Aretha Franklins »Respect« zu hören. Der fröhliche Motownsound paßte perfekt zu seiner Stimmung, und er drehte die Lautstärke auf. Als der Refrain ertönte, sang er aus vollem Halse mit und tanzte, so gut er es in seiner sitzenden Stellung vermochte. Er fand, daß es ungeheuer gut klang, bis der Empfang plötzlich gestört war und er nur noch seine eigene Stimme »R.E.S.P.E.C.T.« grölen hörte. Das war alles andere als schmeichelnd für die Trommelfelle.

Die vergangene Nacht erschien ihm wie ein einziger sagenhafter Rausch, und das lag nicht nur an der Menge Wein, die sie am Abend getrunken hatten. Es war, als würde ein Schleier oder Nebel aus Gefühlen, Liebe und Erotik über diesen Stunden liegen.

Als er auf den Parkplatz vor dem Wohnblock einbog, mußte er sich gegen seinen Willen von den Gedanken an gestern lösen. Die Verstärkung war ungewöhnlich schnell erschienen. Vermutlich war sie in der Nähe gewesen. Er sah zwei Polizeiwagen mit Blaulicht und runzelte ein wenig die Stirn. Wirklich typisch, daß man seine Instruktionen so mißverstand. Er hatte gebeten, *einen* Wagen zu schicken, nicht zwei. Als er näher kam, sah er, daß hinter den Autos ein Krankenwagen stand. Irgend etwas stimmte hier nicht.

Er erkannte Lena wieder, die blonde Kriminalbeamtin aus Uddevalla, und ging zu ihr hin. Sie sprach in ihr Handy, aber als er bei ihr ankam, hörte er ein »Tschüs dann«, und sie steckte es wieder in die Halterung, die am Gürtel befestigt war.

»Hallo, Patrik.«

»Hallo, Lena. Was ist hier los?«

»Einer der Saufbrüder hat Anders Nilsson oben in der Wohnung erhängt aufgefunden.«

Sie wies mit dem Kopf in Richtung Eingang. Patrik verspürte ein eisiges Gefühl im Bauch.

»Ihr habt ja wohl nichts angefaßt?«

»Nein, was denkst du denn von uns? Ich habe gerade bei der Zentrale in Uddevalla angerufen, und die schicken ein Team her, um den Tatort zu untersuchen. Wir hatten mit Mellberg gesprochen, und deshalb nahm ich an, daß er sich bei dir gemeldet hat.«

»Nein, ich war schon auf dem Weg hierher, um Anders wieder zur Vernehmung zu holen.«

»Aber ich habe doch gehört, daß er ein Alibi hatte?«

»Ja, das glaubten wir, aber es war gerade geplatzt, und deshalb wollten wir ihn wieder festnehmen.«

»Was für ein verdammter Mist. Und was glaubst du, was das hier bedeutet? Ich meine, die Wahrscheinlichkeit, daß es in Fjällbacka plötzlich zwei Mörder geben soll, ist ja wohl gleich Null, also hat ihn wohl dieselbe Person umgebracht, die Alex Wijkner getötet hat. Habt ihr überhaupt irgendwelche anderen Verdächtigen außer Anders?«

Patrik wand sich. Es stimmte, daß diese Sache hier alles veränderte, doch noch war er nicht bereit, dieselben Schlußfolgerungen wie Lena zu ziehen, nämlich daß Anders von derselben Person umgebracht worden war wie Alex. Sicher war es fast eine statistische Unmöglichkeit, daß hier jahrzentelang kein einziger Mord passierte und dann gleich zwei Mörder frei herumliefen, aber er war auch nicht bereit, so etwas völlig auszuschließen.

»Wir können dann wohl hochgehen, damit ich mir das ansehe, und unterdes kannst du mir erzählen, was du weißt. Zum Beispiel, wie ihr verständigt worden seid.«

Lena übernahm die Führung und ging vor ihm ins Treppenhaus.

»Ja, wie ich schon gesagt habe, hat ihn einer von Anders' Saufkumpanen gefunden. Er heißt Bengt Larsson. Heute früh ist er hergekommen, um mit dem Trinken anzufangen, solange die Morgenstund noch Gold im Mund hatte. Normalerweise ging er einfach rein, und das hat er heute auch getan. Als er in die Wohnung kam, fand er Anders an einem Strick aufgehängt, der im Wohnzimmer an der Halterung für die Deckenlampe befestigt war.«

»Hat er sofort Alarm geschlagen?«

»Nein, das hat er nicht. Er hat sich auf die Schwelle der Wohnung gesetzt und seinen Kummer mit einer Flasche Explorer ertränkt, und erst als ein Nachbar aus der Tür kam und ihn fragte, was los sei, hat er von sich gegeben, was passiert ist. Dann hat uns der Nachbar angerufen. Bengt Larsson ist zu betrunken, um genauer gehört zu werden, also habe ich ihn gerade in eure Ausnüchterungszelle schaffen lassen.«

Patrik fragte sich im stillen, warum Mellberg ihn nicht angerufen und von der ganzen Aktion informiert hatte, aber resignierte dann und begnügte sich mit der Erklärung, daß die Wege des Kommissars in den meisten Fällen völlig unergründlich waren.

Patrik nahm immer zwei Stufen auf einmal und überholte Lena auf der Treppe. Als sie im dritten Stock ankamen, stand die Tür weit offen, und er sah Menschen, die sich in der Wohnung bewegten. Jenny stand mit Max auf dem Arm in ihrer Tür. Als Patrik zu ihnen trat, fuchtelte Max begeistert mit seinen kleinen, drallen Händen und zeigte lächelnd seine spärlich bestückte Zahnreihe.

»Was ist passiert?« Jenny zog Max fester an sich, der sein Bestes tat, um sich aus ihrer Umarmung zu befreien.

»Wir wissen es noch nicht. Anders Nilsson ist tot, aber viel mehr ist uns nicht bekannt. Sie haben nichts Ungewöhnliches gehört oder gesehen?«

»Nein, ich kann mich an nichts Besonderes erinnern. Das erste, was ich gehört habe, war, daß der Nachbar von nebenan mit jemandem im Treppenhaus sprach, ein Weilchen später kamen die Streifenwagen und ein Krankenwagen, und hier draußen ging ein Mordsspektakel los.«

»Sonst nichts, besonders am frühen Morgen oder gestern im Laufe des Abends oder der Nacht?«

»Nein, nichts.«

Also beließ es Patrik vorläufig dabei.

»Okay, danke für die Hilfe.« Er lächelte Max zu und ließ ihn seinen Zeigefinger packen, was für Max offenbar unglaublich lustig war, denn er lachte so sehr, daß er fast keine Luft bekam. Widerstrebend riß Patrik sich los und wich langsam zu Anders' Wohnung zurück, während er Max weiter zuwinkte und sich mit kindlichem Lallen verabschiedete.

Lena stand mit einem spöttischen Lächeln auf den Lippen in der Tür. »Hast wohl ein bißchen Appetit bekommen?«

Patrik spürte zu seinem Entsetzen, daß er rot wurde, was Lenas Lächeln nur noch breiter werden ließ. Undeutlich murmelte er etwas zur Antwort. Sie betrat vor ihm die Wohnung und sagte über die Schulter: »Ja, hör mal, brauchst doch nur Bescheid zu sagen. Ich bin frei, Single, und meine biologische Uhr tickt so laut, daß ich nachts kaum schlafen kann.«

Patrik wußte, daß sie Spaß machte, dieses scherzhafte Flirten war typisch für Lena. Trotzdem konnte er nicht verhindern, daß er noch mehr errötete. Er sparte sich die Antwort, und als sie das Wohnzimmer betraten, verging beiden das Lachen.

Jemand hatte Anders' Leiche abgeschnitten, und jetzt lag er auf dem Boden. Direkt über ihm hing noch immer das Ende des Stricks, der ungefähr zehn Zentimeter unterhalb der Halterung gekappt worden war. Der Rest lag Anders als Schlinge um den Hals, und Patrik konnte die tiefe feuerrote Linie sehen, wo der Strick sich in die Haut eingeschnitten hatte. Was ihm bei toten Personen immer am schwersten ankam, war der Anblick ihrer unnatürlichen Gesichtsfarbe. Erdrosselung führte zu einer schrecklichen blaulila Verfärbung, die das Opfer äußerst merkwürdig aussehen ließ. Auch die dicke, geschwollene Zunge, die zwischen den Lippen herausragte, war ihm als typisch für Opfer bekannt, die erwürgt oder erhängt worden waren. Obwohl seine Erfahrung bei Mordfällen, gelinde gesagt, begrenzt war, so hatte die Polizei doch jedes Jahr einen gehörigen Anteil an Selbstmorden, und er selbst war im Laufe seiner Tätigkeit dreimal gezwungen gewesen, die Toten mit herunterzuholen.

Als er sich im Wohnzimmer umsah, war da jedoch ein Punkt, durch den sich diese Szene hier deutlich von den Selbstmorden durch Erhängen unterschied, die er bisher gesehen hatte. Es gab keine Möglichkeit, daß Anders nach oben geklettert sein konnte, um den Kopf unter der Decke in die Schlinge zu stecken. Weder Stühle noch Tische in der Nähe. Anders hatte wie ein makabres menschliches Mobile frei im Raum geschwebt.

In weitem Kreis ging Patrik vorsichtig um die Leiche herum. Anders' Augen standen offen und starrten geradeaus in die Luft. Patrik konnte nicht anders, als sich zu bücken und dem Toten die Augen zu schließen. Er wußte, daß er keinerlei Kontakt mit der Leiche haben durfte, bevor der Gerichtsmediziner gekommen war, eigentlich hätte man sie nicht einmal herunterholen dürfen, aber irgend etwas an dem stieren Blick erzeugte ein Kribbeln in seinen Nervenenden. Ihm war, als folgten ihm diese Augen durch den Raum.

Er konstatierte, daß das Zimmer ungewöhnlich kahl wirkte, und bemerkte in dem Moment, daß sämtliche Bilder von den Wänden verschwunden waren. Zurückgeblieben waren nur große, häßliche Flecke an den Stellen, wo sie gehangen hatten. Ansonsten war das Zimmer genauso verlottert, wie er es von seinem letzten Besuch her in Erinnerung hatte, aber damals hatten die Bilder es irgendwie aufgehellt. Sie hatten Anders' Zuhause mit seiner Kombination aus Schönheit und Schmutz einen gewissen dekadenten Anstrich verliehen. Jetzt wirkte es nur dreckig und widerwärtig.

Lena redete unaufhörlich in ihr Handy. Nach einem Gespräch, bei dem er sie nur einsilbig antworten hörte, klappte sie ihr kleines Ericsson-Teil zu und wandte sich an Patrik. »Wir bekommen Verstärkung von Leuten der Gerichtsmedizin zur Tatortuntersuchung. Sie fahren jetzt in Göteborg los. Wir dürfen nichts anrühren. Ich schlage vor, daß wir sicherheitshalber draußen warten.«

Sie gingen in den Gang, und Lena machte vorsichtig die Tür zu und verschloß sie mit dem Schlüssel, der an der Innenseite gesteckt hatte. Die Kälte war durchdringend, als sie vor dem Haus standen, und beide stampften leicht auf der Stelle.

»Wo hast du Janne gelassen?« Lenas Kollege hätte eigentlich mit ihr im Streifenwagen sitzen müssen.

»Er macht heute KiBe.«

»KiBe?« Patriks Gesicht war ein einziges Fragezeichen.

»Kinderbetreuung. Das Gör ist krank. Aufgrund aller Streichungen konnte keiner kurzfristig einspringen, also mußte ich allein los, als der Notruf kam.«

Patrik nickte zerstreut. Er war geneigt, Lenas Theorie zuzustimmen. Es gab vieles, was dafür sprach, daß sie es hier mit ein und demselben Mörder zu tun hatten. Zu rasche Schlußfolgerungen zu ziehen war zwar fast das Gefährlichste, was ein Kriminalbeamter tun konnte, doch die Chance, daß es hier in diesem kleinen Ort gleich zwei Mörder geben sollte, war einfach verschwindend klein. Wenn man hinzufügte, daß zwischen den beiden Opfern eine starke Verbindung existiert hatte, wurden die Möglichkeiten noch geringer.

Sie wußten, daß die Fahrt von Göteborg hierher mindestens anderthalb, vermutlich sogar zwei Stunden dauern dürfte, und um die Kälte durchzustehen, setzten sie sich in Patriks Auto und drehten die Heizung auf. Auch das Radio wurde eingeschaltet, und lange Zeit saßen sie schweigend da und lauschten fröhlicher Popmusik. Sie genossen sie als willkommenen Kontrast. Nach einer Stunde und vierzig Minuten sahen sie zwei Streifenwagen auf den Parkplatz einbiegen und stiegen aus dem Auto, um der Verstärkung entgegenzugehen.

»Jan, bitte, können wir uns nicht eine eigene Villa anschaffen? Ich habe gesehen, daß eins der Häuser bei Badholmen zum Verkauf steht. Können wir nicht hinfahren und es uns ansehen? Es hat die wunderbarste Aussicht, und ein kleines Bootshaus gehört auch dazu. Bitte!«

Lisas quengelige Stimme ließ seine Gereiztheit nur noch ansteigen. Das schaffte sie neuerdings fast immer. Mit ihr verheiratet zu sein wäre bedeutend angenehmer, wenn sie nur so vernünftig wäre, die Klappe zu halten und einfach bloß hübsch auszusehen. In letzter Zeit hatten nicht mal ihre großen, festen Brüste und ihr runder Po ihn überzeugen können, daß es die Mühe wert war. Ihr Genörgel war immer schlimmer geworden, und in Momenten wie diesen bereute er bitter, daß er ihrem Drängen auf Heirat nachgegeben hatte.

Lisa hatte als Kellnerin im »Röde Orm« in Grebbestad gearbeitet, als er auf sie aufmerksam geworden war. Allen Jungs der Clique hatte praktisch der Zahn getropft, wenn sie ihren tiefen Ausschnitt und die langen Beine erblickten, und Jan hatte auf der Stelle beschlossen, daß er sie haben mußte. Normalerweise bekam er, was er wünschte, und Lisa war darin keine Ausnahme. Er sah nicht schlecht aus, aber was letztlich immer den Ausschlag gab, war, wenn er sich als Jan Lorentz vorstellte. Die Erwähnung des Familiennamens ließ die Augen der Frauen funkeln, und dann hatte er freie Bahn.

Anfangs war er von Lisas Körper wie besessen gewesen. Er konnte nicht genug von ihr bekommen, und es gelang ihm, die Ohren vor ihren einfältigen Bemerkungen gründlich zu verschließen, die sie mit schriller Stimme ständig von sich gab. Die neidischen Blicke anderer Männer, wenn er mit ihr am Arm auftauchte, taten das Ihre, um Lisas Anziehungskraft noch zu steigern. Anfangs waren ihre kleinen Hinweise, er solle sie zu einer ehrbaren Frau machen, auf unfruchtbaren Boden gefallen, und ehrlich gesagt hatte ihre Einfältigkeit auch allmählich zur Folge, daß sie ein wenig an Attraktivität verlor. Was jedoch letztlich den Ausschlag gab und den Gedanken, sie zu seiner Frau zu machen, unwiderstehlich werden ließ, war Nellys heftiger Widerstand gegen diese Idee. Sie verabscheute Lisa vom ersten Augenblick an und verpaßte keine Gelegenheit, ihren Standpunkt klarzumachen. Sein kindischer Wunsch, sich aufzulehnen, hatte ihn in seine jetzige Lage versetzt, und er verfluchte die eigene Dummheit.

Lisa machte einen Schmollmund, wie sie da bäuchlings auf

ihrem breiten Doppelbett lag. Sie war nackt und tat ihr Bestes, um verführerisch zu wirken, aber ihn ließ das nunmehr kalt. Er wußte, daß sie eine Antwort erwartete.

»Du weißt, daß wir Mama nicht allein lassen können. Sie ist nicht gesund und kommt mit diesem Haus ohne uns nicht zurecht.«

Er drehte Lisa den Rücken zu und band sich vor dem großen Spiegel auf ihrem Toilettentisch den Schlips um. Im Spiegel sah er, daß sie verärgert die Brauen zusammenzog. Das stand ihr nicht.

»Kann der alte Drachen nicht so vernünftig sein und in irgendein nettes Heim ziehen, statt ihrer Familie zur Last zu fallen? Begreift sie denn nicht, daß wir das Recht auf ein eigenes Leben haben? Statt dessen müssen wir tagaus, tagein auf die Alte aufpassen. Und was bringt es ihr, auf all ihrem Geld zu sitzen? Ich wette, sie genießt es, daß wir uns erniedrigen und gezwungen sind, zu kriechen, um an die kleinen Brocken zu gelangen, die von ihrem Tisch herunterfallen. Begreift sie nicht, wieviel du für sie tust? Schuftest in dieser Firma und bist den Rest der Zeit noch ihr Babysitter. Die Alte gibt uns zum Dank für die Hilfe nicht mal die besten Zimmer im Haus, sondern wir müssen hier im Kellergeschoß wohnen, während sie sich in den Salons breitmacht.«

Jan drehte sich um und schaute seine Frau kalt an. »Habe ich dir nicht gesagt, daß du über meine Mutter nicht so reden sollst.«

»Deine Mutter.« Lisa schnaufte verächtlich. »Jan, du bildest dir doch wohl nicht ein, daß sie dich wirklich als Sohn betrachtet. Du wirst nie mehr als ein bedauernswerter Mensch für sie sein, an dem sie sich wohltätig erweisen kann. Wäre ihr geliebter Nils nicht verschwunden, wärst du sicher früher oder später achtkantig rausgeflogen. Jan, du bist nichts anderes als eine Notlösung. Wer würde denn sonst rund um die Uhr praktisch gratis für sie schuften? Das einzige, was du hast, ist ein Versprechen, daß du eines Tages, wenn sie abkratzt, all das Geld bekommst. Erstens aber dürfte das Weib leben, bis es mindestens hundert ist, und zweitens hat sie die Kohle bestimmt einem

Heim für herrenlose Hunde vermacht und lacht sich hinter unserem Rücken ins Fäustchen. Manchmal bist du so verdammt blöd, Jan.«

Lisa rollte auf den Rücken und studierte ihre sorgfältig manikürten Nägel. Mit eiskalter Ruhe machte Jan einen Schritt auf sie zu. Er hockte sich vors Bett, wickelte ihre langen blonden Haare, die auf den Fußboden hinunterhingen, um seine Hand und begann langsam daran zu ziehen, immer fester und fester, bis sie vor Schmerz das Gesicht verzog. Er führte sein Gesicht dicht an das ihre, so nahe, daß er ihren Atem spürte, und zischte mit leiser Stimme: »Nenne mich nie, nie wieder blöd, hast du verstanden? Und glaube mir, das Geld wird eines Tages mir gehören. Die Frage ist nur, ob du lange genug hier bist, um in seinen Genuß zu kommen.«

Mit Zufriedenheit bemerkte er, wie sich in ihren Augen Furcht zeigte. Er sah, wie ihr Gehirn, das voller Dummheit, aber auch voll primitiver Schläue war, die Information bearbeitete und zu dem Schluß kam, daß es Zeit war, die Taktik zu ändern. Sie streckte sich auf dem Bett aus, machte einen Schmollmund und wölbte die Hände um ihre Brüste. Sie ließ den Zeigefinger langsam um die Brustwarzen kreisen, bis sie steif wurden, und sagte einschmeichelnd: »Entschuldige, das war dumm von mir, Jan. Du weißt doch, wie ich bin. Manchmal rede ich, ohne zu denken. Kann ich dich irgendwie entschädigen?«

Sie sog suggestiv an ihrem Zeigefinger und führte die Hand dann an sich hinunter.

Jan fühlte widerstrebend, daß sein Körper reagierte, und kam zu dem Schluß, daß es wenigstens etwas gab, wofür sie gut war. Er knotete den Schlips wieder auf.

Mellberg kratzte sich versonnen zwischen den Beinen, ohne den Ausdruck des Widerwillens zu registrieren, den diese Geste auf den Gesichtern jener hervorrief, die um ihn versammelt saßen. Zu Ehren des Tages trug er einen Anzug, der zwar ein bißchen eng war, aber das schrieb er der chemischen Reinigung zu, wo jemand offenbar geschlampt und ihn in zu hoher Temperatur gewaschen hatte. Er brauchte sich nicht zu wiegen, um bestätigt zu bekommen, daß er nicht ein Gramm zugenommen hatte, seit er ein junger Rekrut gewesen war, und deshalb betrachtete er den Erwerb eines neuen Anzugs als reine Geldverschwendung. Gute Qualität war zeitlos. Daß die Idioten in der Reinigung ihre Arbeit nicht ordentlich machten, war schließlich nicht seine Schuld.

Er räusperte sich, um die volle Aufmerksamkeit aller auf sich zu ziehen. Das Geplauder und das Scharren mit den Stühlen hörten auf, und die Blicke richteten sich auf ihn, der hinter seinem Schreibtisch Platz genommen hatte. Aus dem ganzen Revier waren Stühle herbeigeschafft und im Halbkreis vor ihm aufgestellt worden. Mellberg schaute sein Personal mit feierlicher Miene an, ohne etwas zu sagen. Das hier war ein Augenblick, den er so lange wie möglich auskosten wollte. Er registrierte mit gerunzelter Stirn, daß Patrik entsetzlich ausgepumpt aussah. Zwar konnte das Personal in seiner Freizeit machen, was es wollte, aber wenn man bedachte, daß sie sich jetzt mitten in der Arbeitswoche befanden, dann sollte man ja wohl erwarten können, daß die Leute sich bei Alkohol und Festivitäten ein bißchen zurückhielten. Mellberg verdrängte effektiv die Erinnerung an die halbe Flasche, die im Laufe des gestrigen Abends in seine eigene Kehle gegluckert war. Er prägte sich ein, daß er mit dem jungen Patrik unter vier Augen zu reden hatte, und dabei würde er ihm seine Ansicht zum Umgang mit Alkohol in diesem Revier zu verstehen geben.

»Wie ihr zu diesem Zeitpunkt alle wißt, ist in Fjällbacka ein weiterer Mord geschehen. Die Wahrscheinlichkeit, daß es zwei Mörder geben könnte, ist äußerst gering, und ich glaube deshalb, wir können davon ausgehen, daß dieselbe Person, die Alexandra Wijkner umgebracht hat, auch für den Mord an Anders Nilsson verantwortlich ist.«

Er genoß den Klang seiner eigenen Stimme sowie Eifer und Interesse, die er an den Gesichtern der Zuhörer ablesen konnte. Er fühlte sich in seinem Element. Er war dazu geboren, eine gehobene Position einzunehmen.

Mellberg fuhr fort: »Anders Nilsson wurde heute morgen

von Bengt Larsson, einem seiner Saufkumpane, gefunden. Man hatte ihn erhängt, und nach einer ersten vorläufigen Information aus Göteborg hatte er dort schon mindestens seit gestern gehangen. Bis wir genauere Angaben erhalten, ist das die Hypothese, von der wir ausgehen.«

Er genoß es, das Wort Hypothese zu formulieren. Die Versammlung vor ihm war nicht sonderlich groß, aber in seiner Vorstellung waren es weitaus mehr Zuhörer, und ihr Interesse ließ nichts zu wünschen übrig. Und es waren seine Worte und seine Anweisungen, auf die alle warteten. Er blickte sich zufrieden im Kreis um. Annika schrieb eifrig auf einem Laptop, die Brille ganz vorn auf der Nasenspitze. Ihre wohlbemessenen weiblichen Formen waren mit einem äußerst gut sitzenden gelben Jackett und dem dazu passenden Rock bekleidet, und er zwinkerte ihr mit einem Auge zu. Das mußte reichen. Besser, man verwöhnte die Frau nicht. Neben ihr saß Patrik, der aussah, als würde er jeden Moment zusammenbrechen. Schwere Lider, und die Augen, die man darunter kaum noch sah, waren deutlich rot geädert. Er mußte ihn sich wirklich bei nächster Gelegenheit vorknöpfen. Man hatte ja wohl das Recht, von seinem Personal etwas Manieren zu erwarten.

Neben Patrik und Annika gab es im Polizeirevier von Tanumshede drei weitere Angestellte. Gösta Flygare war der Älteste hier, und er setzte sich mit seiner ganzen Kraft dafür ein, bis zur Rente, die nur noch ein paar Jahre ausstand, sowenig wie möglich zu tun. Danach würde er all seine Zeit dem Golfspielen, seiner großen Leidenschaft, widmen. Er hatte vor zehn Jahren damit angefangen, als seine Frau an Krebs gestorben war und ihm die Wochenenden plötzlich viel zu lang und trostlos vorkamen. Der Sport war für ihn bald so was wie Gift im Blut, und er betrachtete derzeit seine Arbeit, die ihn übrigens noch nie sehr interessiert hatte, nur noch als störendes Element, das ihn daran hinderte, seine Zeit auf dem Golfplatz zu verbringen.

Obwohl das Gehalt mager war, hatte er genügend beiseite legen können, um sich eine Wohnung an der spanischen Sonnenküste kaufen zu können, und bald würde er sich in den Sommermonaten dem Golfspiel in Schweden widmen und den

Rest des Jahres auf den Plätzen in Spanien verbringen. Allerdings mußte er zugeben, daß diese Morde zum erstenmal seit langem ein gewisses Interesse bei ihm weckten. Doch war es nicht groß genug, als daß er, wenn es die Jahreszeit zugelassen hätte, nicht viel lieber eine Achtzehnlochrunde gespielt hätte.

Neben ihm saß der Jüngste des Reviers. Martin Molin rief bei jedem von ihnen ein variierendes Maß an Elterngefühlen wach, und sie bemühten sich, ihm bei der Arbeit eine Stütze zu sein. Allerdings achteten sie genauestens darauf, daß er es nicht bemerkte. Sie betrauten ihn ausschließlich mit Aufgaben, die auch ein Kind hätte erledigen können, und wechselten sich darin ab, die von ihm geschriebenen Berichte durchzusehen und zu korrigieren, bevor sie an Mellberg weitergeschickt wurden.

Martin hatte vor nicht mehr als einem Jahr die Polizeihochschule abgeschlossen, und die Verblüffung war groß, erstens, weil er es bei den strengen Aufnahmebedingungen überhaupt geschafft hatte, dort angenommen zu werden, und zweitens darüber, daß es ihm gelungen war, die Ausbildung zu absolvieren und ein Examen zu bekommen. Aber Martin war nett und herzlich, und trotz seiner Naivität, die ihn für den Polizeiberuf denkbar ungeeignet sein ließ, waren alle der Ansicht, daß er hier in Tanumshede keinen größeren Schaden anrichten konnte, und sie halfen ihm gern über alle Hindernisse hinweg. Insbesondere Annika hatte ihn in ihr großes Herz geschlossen und zeigte zum Entzücken aller immer mal wieder ihre Gefühle, indem sie ihn spontan an ihren gewaltigen Busen drückte.

Die Farbe seines Gesichts konnte sich in diesen Momenten mit seinen feuerroten, ständig zu Berge stehenden Haaren und den ebenso roten Sommersprossen messen. Aber er vergötterte Annika und hatte viele Abende zu Hause bei ihr und ihrem Mann verbracht, um sie um Rat zu fragen, wenn er mal wieder unglücklich verliebt war. Und das war er ständig. Seine Naivität und Weichherzigkeit schienen ihn zum unwiderstehlichen Magneten für solche Frauen zu machen, die Männer zum Frühstück verspeisten und die Reste wieder ausspuckten. Aber Annika war immer zur Stelle, um ihm ihr Ohr zu leihen, das kaputte Selbstvertrauen zusammenzuflicken und ihn dann wieder in die Welt hinauszuschicken, in der Hoffnung, daß er eines Tages einer Frau begegnen würde, die begriff, was für ein Goldstück von Mann unter der sommersprossigen Oberfläche steckte.

Das letzte Mitglied der Gruppe war auch das am wenigsten beliebte. Ernst Lundgren war ein Arschkriecher großen Stils, und er verpaßte keine Gelegenheit, um sich selber, gern auf Kosten anderer, herauszustreichen. Niemand war verwundert, daß er noch immer ledig war. Er war alles andere als attraktiv, und sicher hatten auch häßlichere Männer als er eine Partnerin gefunden, weil sie eine einigermaßen angenehme Persönlichkeit aufwiesen, doch bei Ernst Lundgren war nichts davon zu bemerken. Also wohnte er jetzt zusammen mit seiner alten Mutter auf einem Bauernhof, zehn Kilometer südlich von Tanumshede. Die Gerüchte besagten, sein Vater, der in der Gegend als ständig betrunkener und höchst aggressiver Mann verschrien gewesen war, hätte von seiner Frau eine hilfreiche Hand erhalten, als er vom Heuboden stürzte und auf einer Heugabel landete. Aber das lag jetzt viele Jahre zurück, und Gerüchte kamen schließlich schnell in Umlauf, wenn die Leute nichts Interessanteres zu reden hatten. Was jedoch der Wahrheit entsprach, war, daß nur eine Mutter diesen Ernst lieben konnte, bei dem zu den vorstehenden Zähnen, dem strähnigen Haar und den großen Ohren noch ein cholerisches Temperament und eine selbstgefällige Art hinzukamen. Jetzt hing er an Mellbergs Lippen, als wären dessen Worte Perlen, und er verpaßte keine einzige Gelegenheit, die anderen gereizt zur Ruhe zu mahnen, wenn sie sich erlaubten, das geringste Geräusch zu verursachen, das die Aufmerksamkeit von Mellbergs Ausführungen ablenken konnte. Eifrig wie ein Schuljunge streckte er jetzt die Hand in die Höhe, um eine Frage zu stellen.

»Woher wissen wir, daß er nicht von dem Saufkumpan umgebracht worden ist, der dann vielleicht nur so getan hat, als hätte er ihn heute morgen gefunden?«

Mellberg nickte Ernst Lundgren anerkennend zu. »Eine sehr gute Frage, Ernst, wirklich sehr gut. Aber wie ich schon sagte, gehen wir davon aus, daß wir es hier mit derselben Person zu tun haben, die Alex Wijkner ermordet hat. Aber kontrolliere für alle Fälle Bengt Larssons Alibi für den gestrigen Tag.«

Mellberg zeigte mit dem Stift auf Ernst Lundgren, während er den Blick über den Rest der Versammlung gleiten ließ. »Solch waches Denken ist vonnöten, damit wir diese Sache hier lösen können. Ich hoffe, ihr habt zugehört und nehmt euch ein Beispiel an Ernst. Ihr habt noch eine Strecke vor euch, bevor ihr an sein Niveau heranreicht.«

Ernst schlug bescheiden die Augen nieder, doch sobald Mellberg seine Aufmerksamkeit in eine andere Richtung lenkte, konnte er es nicht lassen, den Kollegen einen triumphierenden Blick zuzuwerfen. Annika schnaufte verächtlich und starrte, ohne zu zwinkern, zurück, als Lundgren wütend in ihre Richtung schaute.

»Wo bin ich stehengeblieben?« Mellberg schob die Daumen unter die Hosenträger, die er unter dem Jackett trug, und ließ seinen Stuhl herumwirbeln, so daß er mit dem Gesicht vor der Pinnwand landete, die hinter ihm hing und den Fall Alex Wijkner dokumentierte. Eine ebensolche Pinnwand war jetzt daneben angebracht, aber auf ihr war bisher lediglich ein Polaroidfoto zu sehen, das man von Anders gemacht hatte, bevor das Personal des Krankenwagens ihn abschnitt.

»Ja, also, was wissen wir bisher? Anders Nilsson wurde heute morgen gefunden, und entsprechend einem ersten vorläufigen Gutachten ist er bereits seit gestern tot, die Zeit läßt sich noch nicht genau sagen. Er ist von einer oder mehreren unbekannten Personen erhängt worden, vermutlich von mehreren, da es erhebliche Kraft erfordert, einen ausgewachsenen Mann so hoch zu heben, daß man ihn an der Decke aufknüpfen kann. Wir wissen jedoch nicht, wie man vorgegangen ist. Es sind keine Spuren eines Kampfes festzustellen, weder in der Wohnung noch an Anders' Leiche. Keine blauen Flecken, die auf einen unsanften Umgang mit dem Körper vor oder nach Eintreten des Todes hinweisen. Das sind, wie gesagt, nur vorläufige Ergebnisse, aber wir dürften es bald genauer wissen, wenn Anders erst obduziert worden ist.«

Patrik hob den Stift, um sich bemerkbar zu machen. »Wie bald können wir mit den Ergebnissen der Obduktion rechnen?«

»Man hat dort offensichtlich einen ganzen Haufen Leichen liegen, und bisher habe ich leider nicht in Erfahrung gebracht, wann sie soweit sein können.«

Niemand schien erstaunt.

»Was wir außerdem noch wissen, ist, daß es eine deutliche Verbindung zwischen Anders Nilsson und unserem ersten Mordopfer, Alexandra Wijkner, gibt.«

Mellberg erhob sich jetzt und wies auf Alexandras Bild, das sich mitten auf der ersten Pinnwand befand. Sie hatten das Foto von ihrer Mutter erhalten, und erneut fiel allen auf, wie schön sie gewesen ist. Das ließ das Bild daneben, auf dem Alexandra mit bleichem, bläulich verfärbtem Gesicht und bereiften Haaren und Augenwimpern in der Wanne lag, noch entsetzlicher wirken.

»Dieses äußerst ungleiche Paar hatte eine sexuelle Beziehung, wie Anders selber zugegeben hat, und wie ihr wißt, sind wir auch im Besitz von Beweisen, die diese Behauptung bestätigen. Wir wissen jedoch nicht, wie lange die Sache schon ging, wie sie einander trafen, und vor allem nicht, warum eine schöne Frau aus der besseren Gesellschaft sich einen so merkwürdigen Bettgenossen ausgesucht hat wie diesen dreckigen, unappetitlichen Alki. Irgendwas ist an der Sache faul, das rieche ich.«

Mellberg schlug mit dem Zeigefinger ein paarmal an seine voluminöse, blau geäderte Nase. »Martin, du bekommst den Auftrag, die Sache näher zu untersuchen. Nimm vor allem Henrik Wijkner bedeutend härter in die Mangel, als es bisher getan wurde. Dieser Bursche weiß mehr, als er sagt, da könnte ich wetten.«

Martin nickte eifrig und schrieb, was das Zeug hielt, auf seinem Block. Annika sah ihn über den Rand der Lesebrille mit zärtlichem Muttergefühl an.

»Leider bringt uns das hier an den Ausgangspunkt zurück, was die Verdächtigen im Mordfall Alex angeht. Anders erschien in dieser Rolle äußerst vielversprechend, und, ja, jetzt hat die

248

Sache ein anderes Aussehen bekommen. Patrik, du gehst noch mal das ganze Material durch, was wir zum Wijkner-Mord haben. Nimm jedes Detail gründlich unter die Lupe. Irgendwo steckt jener Anhaltspunkt, der uns entgangen ist.« Mellberg hatte diesen Satz in einem Fernsehkrimi gehört und ihn sich für späteren Gebrauch gemerkt.

Gösta war jetzt der einzige, der noch keine Aufgabe erhalten hatte, und Mellberg betrachtete die Wand mit der Übersicht und überlegte einen Moment.

»Gösta, du wirst mit Alexandra Wijkners Familie reden. Sie wissen vielleicht noch etwas, was sie nicht erzählt haben. Frage nach Freunden und Feinden, nach der Kindheit, der Persönlichkeit, einfach nach allem, was dir einfällt. Sprich mit ihren Eltern und der Schwester, aber sieh zu, daß du mit jedem allein redest. Nach meiner Erfahrung bekommt man so am meisten aus den Leuten heraus. Stimm dich aber mit Molin ab, der mit ihrem Mann reden wird.«

Gösta sackte zusammen unter der Last einer konkreten Aufgabe und seufzte resigniert. Nicht, daß ihm die Sache Zeit vom Golfspielen stehlen könnte, jetzt mitten im eiskalten Winter, aber in den letzten Jahren hatte er es sich geradezu abgewöhnt, eine richtige Arbeit zu erledigen. Er hatte die Kunst verfeinert, beschäftigt auszusehen, und statt dessen auf dem Bildschirm Patience gelegt, um die Zeit vergehen zu lassen. Daß er jetzt konkrete Ergebnisse aufweisen sollte, lag ihm wie eine schwere Last auf den Schultern. Die Zeit der Ruhe und des Friedens war vorbei. Sie würden die Überstunden vermutlich nicht mal bezahlt kriegen. Er konnte sich glücklich preisen, wenn er überhaupt den Sprit für die Fahrt nach Göteborg und zurück ersetzt bekam.

Mellberg klatschte in die Hände und scheuchte dann alle los. »Also ab jetzt. Wir können hier nicht auf unseren Ärschen hokken, wenn wir den Fall lösen wollen. Ich rechne damit, daß ihr härter arbeitet als je zuvor, und was die Freizeit anbelangt, der könnt ihr euch wieder widmen, wenn die Sache hier vorbei ist. Bis dahin gehört eure Zeit mir, über die ich nach Wunsch verfügen kann. Also los.«

Selbst wenn jemand etwas dagegen hatte, daß sie wie Kleinkinder losgescheucht wurden, so reagierte doch keiner. Sie standen auf, nahmen ihre Stühle in die eine und Block und Stift in die andere Hand. Nur Ernst Lundgren blieb noch stehen, aber Mellberg war erstaunlicherweise nicht in der Stimmung für Schmeicheleien, sondern schickte auch ihn aus dem Zimmer.

Das war ein äußerst lohnender Tag gewesen. Zwar hatte es ihm einen Strich durch die Rechnung gemacht, daß sich sein erster Kandidat auf der Verdächtigenliste als Fehlschluß herausstellte, aber die Tatsache, daß eins plus eins bedeutend mehr als zwei ergab, wog das mehr als auf. Ein Mord war ein Ereignis, zwei Morde waren eine Sensation in einem so kleinen Bezirk wie diesem. War er sich früher ziemlich sicher gewesen, daß er mit der Lösung des Wijkner-Falls eine Direktfahrkarte ins Zentrum des Geschehens erhielt, war er jetzt felsenfest davon überzeugt, daß man ihn bei einer sauberen Paketlösung auf den Knien anflehen würde zurückzukommen.

Mit so guten Zukunftsaussichten in Reichweite lehnte sich Bertil Mellberg auf seinem Stuhl zurück, streckte die Hand routiert nach der dritten Schublade aus, nahm einen Schokoladenball und stopfte ihn im Ganzen in den Mund. Dann verschränkte er die Hände hinterm Kopf, machte die Augen zu und beschloß, ein Nickerchen zu halten. Trotz allem war es schließlich schon fast Mittag.

Nachdem Patrik gegangen war, hatte sie versucht, ein paar Stunden zu schlafen. Daraus wurde nicht viel. All die Gefühle, die sich in ihrer Brust drängten, führten dazu, daß sie sich hin und her warf, und unentwegt ließ ein Lächeln ihre Mundwinkel nach oben rutschen. Es sollte verboten sein, derart glücklich zu sein. Das Gefühl des Wohlbefindens war so stark, daß sie kaum wußte, was sie mit sich anfangen sollte. Sie drehte sich auf die Seite und legte ihre rechte Wange auf die Hände.

Heute erschien ihr alles heller. Der Mord an Alex, das Buch, auf das ihr Verleger ungeduldig wartete und für das sie den richtigen Rhythmus nicht finden konnte, die Trauer über den Tod von Vater und Mutter und nicht zuletzt der Verkauf ihres El-

250

ternhauses, alles schien sich heute leichter ertragen zu lassen. Die Probleme waren nicht verschwunden, aber Erica war zum erstenmal wirklich überzeugt, daß ihre Welt nicht aus den Angeln kippte und daß sie alle Schwierigkeiten, die sich ihr in den Weg stellten, bewältigen würde.

Was für einen Unterschied ein Tag, nur ganze vierundzwanzig Stunden, doch ausmachen konnte. Gestern um diese Zeit war sie mit einer schweren Last auf der Brust aufgewacht. War aufgewacht in einer Einsamkeit, über die sie nicht hinwegschauen konnte. Jetzt war ihr, als würde sie noch immer Patriks Zärtlichkeiten auf der Haut spüren. Körperlich spüren, obwohl sie eigentlich weit darüber hinaus wirkten.

Sie empfand mit ihrem ganzen Wesen, daß die Einsamkeit durch Zweisamkeit ersetzt war, und die Stille im Schlafzimmer war jetzt voller Frieden, obwohl sie ihr früher bedrohlich und unendlich erschienen war. Zwar vermißte sie Patrik bereits, trotzdem lag sie sicher in der Gewißheit, daß er, wo er sich auch aufhielt, in Gedanken bei ihr war.

Erica hatte das Gefühl, als nähme sie einen Besen und fege resolut alle Spinnweben und allen Staub aus den Ecken, die sich in ihrem Gemüt angesammelt hatten. Doch die neue Klarheit machte ihr auch bewußt, daß sie nicht länger vor dem fliehen konnte, was ihre Gedanken die letzten Tage beschäftigt hatte.

Seit die Wahrheit darüber, wer der Vater von Alex' Kind war, wie mit Feuerschrift vor ihr am Himmel stand, war sie vor der Konfrontation zurückgeschreckt. Noch immer hatte sie ein ungutes Gefühl dabei, aber eine neue Kraft ermöglichte es ihr, die Sache in Angriff zu nehmen, statt sie, wie gewöhnlich, weiter vor sich her zu schieben. Sie wußte, was sie zu tun hatte.

Sie duschte lange in kochend heißem Wasser. Alles an diesem Morgen fühlte sich wie ein neuer Anfang an, und sie wollte ihm blitzsauber begegnen. Nach der Dusche und einem Blick auf das Thermometer zog sie sich warm an und betete darum, daß sie das Auto in Gang brachte. Sie hatte Glück. Es startete beim ersten Versuch.

Während der Fahrt überlegte Erica, wie sie das Thema zur Sprache bringen sollte. Sie probierte ein paar Einleitungen, aber eine klang lahmer als die andere, und so beschloß sie zu improvisieren. Sie hatte nicht viel in der Hand, aber ihr Gefühl sagte ihr, daß sie recht hatte. Den Bruchteil einer Sekunde überlegte sie, Patrik anzurufen und ihm von ihrem Verdacht zu erzählen, doch dann schob sie den Gedanken rasch beiseite und entschloß sich, der Sache zunächst selbst nachzugehen. Allzuviel stand auf dem Spiel.

Der Weg bis zum Ziel ihrer Fahrt war kurz, aber ihr schien es eine Ewigkeit zu dauern. Als sie auf den Parkplatz unterhalb des Strandhotels einbog, winkte ihr Dan fröhlich vom Boot aus zu. Sie hatte sich gedacht, daß er hier zu finden war. Erica winkte, aber lächelte nicht zurück. Sie schloß das Auto ab, und die Hände in den Taschen ihres hellbraunen Dufflecoat vergraben, schlenderte sie auf Dan zu. Der Tag war diesig und grau, aber die Luft wirkte frisch, und sie atmete ein paarmal tief ein, um die letzten Wolken aus ihrem Kopf zu vertreiben, verursacht von dem erheblichen Weinkonsum des gestrigen Tages.

»Hallo, Erica.«

»Hallo.«

Dan arbeitete weiter an seinem Boot, schien sich aber zu freuen, daß er Gesellschaft bekam. Erica schaute sich leicht nervös nach Pernilla um, noch immer beunruhigt von dem Blick, den Dans Frau ihnen beim letzten Mal zugeworfen hatte. Aber im Licht der Wahrheit gesehen, verstand sie das alles weitaus besser.

Zum erstenmal bemerkte Erica, wie schön das alte, abgenutzte Fischerboot war. Dan hatte es von seinem Vater übernommen und mit viel Liebe gepflegt. Die Fischerei saß ihm im Blut, und es war sein großer Kummer, daß man mit diesem Beruf keine Familie mehr versorgen konnte. Zwar fühlte er sich in seiner Lehrerrolle an der Tanumsschule wohl, aber diese Sache hier war seine wirkliche Berufung. Während er an dem Boot herumwirtschaftete, war das Lächeln die ganze Zeit nicht weit weg. Die anstrengende Arbeit machte ihm nichts aus, und die Winterkälte hielt er sich mit warmer Kleidung vom Leib. Er hievte eine schwere Taurolle auf die Schulter und drehte sich zu Erica um.

»Was soll denn das bedeuten? Kommst du heute etwa ohne Essen vorbei? Ich hoffe, das läßt du nicht zur Gewohnheit werden!«

Ein paar Strähnen seines blonden Haares lugten unter der Strickmütze vor, und er stand da, groß und stark wie ein Pfeiler. Er strahlte Kraft und Freude aus, und es schmerzte sie, daß sie ihm die Freude verderben mußte. Aber wenn sie es nicht tat, dann tat es jemand anders. Im schlimmsten Fall die Polizei. Sie redete sich ein, daß sie ihm einen Dienst erwies, wußte aber genau, daß sie sich etwas vormachte. Der Hauptgrund war, daß sie es selbst wissen wollte. Wissen mußte.

Dan ging mit der Taurolle zum Bug, warf sie aufs Deck und kam zurück zu Erica, die am Heck an der Reling lehnte.

Sie schaute, ohne etwas zu sehen, zum Horizont. »Ich kaufte meine Liebe für Geld, keine andere war mir geblieben.«

Dan lächelte und ergänzte: »Sing schön mit falschen Tönen, sing dennoch schön vom Lieben.«

Erica lächelte nicht. »Ist Fröding immer noch dein Lieblingsdichter?«

»Ist er immer gewesen, und das wird er immer sein. Die Kinder in der Schule sagen schon, daß ihnen Fröding bald zum Hals raushängt, aber ich finde, man kann nicht genug von seinen Gedichten lesen.«

»Ja, ich habe immer noch den Fröding-Band, den du mir geschenkt hast, als wir zusammen waren.«

Sie sprach jetzt zu seinem Rücken, da Dan sich umgedreht hatte, um ein paar Kästen voller Netze, die an der gegenüberliegenden Reling standen, wegzurücken. Sie fuhr unerbittlich fort. »Gibst du den deinen Frauen immer?«

Er hörte abrupt mit seiner Tätigkeit auf und wandte sich mit verblüfftem Gesichtsausdruck zu Erica um. »Was meinst du damit? Du hast ihn bekommen, und, ja, Pernilla habe ich ihn auch geschenkt, wenn ich auch bezweifle, daß sie jemals reingeguckt hat.«

Erica sah Unruhe in seinem Gesicht, umfaßte die Reling in ihrem Rücken noch fester und schaute ihm entschlossen in die Augen. »Und Alex? Hat sie auch ein Exemplar bekommen?«

Dans Gesicht nahm die gleiche Farbe an wie der Schnee, der auf der Eisfläche hinter ihm lag, aber sie bemerkte auch kurz einen Ausdruck der Erleichterung.

»Wie meinst du das? Alex?«

Noch war er nicht bereit aufzugeben.

»Ich habe dir doch das letzte Mal erzählt, daß ich an einem Abend der vorigen Woche in Alex' Haus gewesen bin. Was ich nicht erzählt habe, war, daß in dieser Zeit jemand ins Haus kam. Jemand, der geradewegs ins Schlafzimmer ging und etwas holte. Mir ist erst nicht eingefallen, was es war, aber als ich kontrolliert habe, wen Alex zuletzt von zu Hause aus angerufen hat, und das Gespräch zu deinem Handy ging, da erinnerte ich mich, was in dem Zimmer fehlte. Ich habe ja genau dieselbe Gedichtsammlung zu Hause.«

Dan stand schweigend vor ihr, und sie fuhr fort: »Es war nicht so schwer, sich auszurechnen, warum sich jemand die Mühe machte, bei Alex einzusteigen, um dann lediglich etwas so Simples wie eine Gedichtsammlung mitgehen zu lassen. Es stand eine Widmung darin, nicht wahr? Eine Widmung, die direkt auf den Mann hinwies, der ihr Liebhaber war?«

»Mit all meiner Liebe überreiche ich hiermit meine Leidenschaft – Dan.« Er deklamierte, die Stimme voll Gefühl. Jetzt war es an ihm, blicklos vor sich hin zu starren. Er sackte auf einen der Kästen, die auf Deck standen, und riß sich die Mütze vom Kopf. Die Haare standen wild nach allen Seiten, und er zog die Handschuhe aus und fuhr sich durchs Haar. Dann sah er Erica direkt an. »Ich konnte das nicht herauskommen lassen. Was wir miteinander hatten, war die reinste Besessenheit. Eine intensive, verzehrende Besessenheit. Nichts, was mit unserem wahren Leben kollidieren durfte. Wir wußten beide, daß es ein Ende haben mußte.«

»Und es war geplant, daß ihr euch an jenem Freitag, als sie gestorben ist, treffen solltet?«

In Dans Gesicht zuckte es bei der Erinnerung. Seit Alex gestorben war, mußte er unzählige Male darüber nachgegrübelt haben, was wohl passiert wäre, wenn er sich nicht gedrückt hätte. Ob sie dann wohl noch am Leben wäre.

»Ja, wir wollten uns an jenem Freitagabend treffen. Pernilla hatte vor, mit den Kindern zu ihrer Schwester nach Munkedal zu fahren. Ich hatte mir eine Ausrede ausgedacht und gesagt, daß ich mich schlapp fühle und lieber zu Hause bleibe.«

»Aber Pernilla ist nicht gefahren, oder?«

Es folgte ein langes Schweigen. »Doch. Pernilla ist gefahren, aber ich blieb zu Hause. Habe das Handy abgestellt, und ich wußte, daß sie es nie wagen würde, auf dem anderen Telefon anzurufen. Ich blieb zu Hause, weil ich feige war. Ich traute mich nicht, ihr in die Augen zu sehen und zu sagen, daß die Geschichte zu Ende ist. Auch wenn ich wußte, ihr war es genauso klar, habe ich nicht gewagt, derjenige zu sein, der den Schritt macht. Ich habe gedacht, wenn ich mich langsam zurückziehe, bekommt sie mich satt und wird mit mir brechen. Typisch Mann, stimmt's?«

Erica wußte, daß der schwierigste Teil noch bevorstand, aber sie mußte weitermachen. Besser, er erfuhr es von ihr. »Nur war die Sache die, Dan, daß ihr nicht klar war, daß es ein Ende nehmen muß. Sie hat für euch eine Zukunft gesehen. Eine Zukunft, in der du deine Familie verläßt und sie sich von Henrik trennt und in der ihr glücklich bis ans Ende eurer Tage zusammen lebt.«

Mit jedem Wort schien er mehr in sich zusammenzusinken, und dennoch war das Schlimmste noch nicht gesagt. »Dan, sie erwartete ein Kind. Dein Kind. Vermutlich hat sie es dir an jenem Abend erzählen wollen. Sie hatte ein Festessen vorbereitet und Champagner kalt gestellt.«

Dan war unfähig, sie anzusehen. Er versuchte, den Blick nach draußen, irgendwo in die Ferne zu richten, aber die Augen wurden ihm feucht, und alles verschwamm zu einem Dunst. Irgendwo tief aus seinem Inneren stieg ein Weinen auf, und Tränen rannen ihm über die Wangen. Es wurde zu einem heftigen Schluchzen, und er fuhr sich mit dem Handschuh ständig um die Nase. Am Ende legte er den Kopf in die Hände und gab den Versuch auf, das Gesicht trockenzuwischen.

Erica hockte sich daneben und legte die Arme um ihn. Aber Dan schüttelte sie ab, und sie verstand, daß er aus der Hölle, in der er sich jetzt befand, aus eigener Kraft herauskommen mußte. Deshalb wartete sie mit verschränkten Armen, bis seine Tränen langsamer liefen und er wieder Luft zu bekommen schien.

»Woher weißt du, daß sie ein Kind erwartete?« Die Worte kamen nur stotternd.

»Ich war mit Birgit und Henrik bei der Polizei, wo sie es erzählt haben.«

»Weiß man, daß es nicht Henriks Kind ist?«

»Henrik weiß es offensichtlich, aber nein, Birgit weiß es nicht, sie glaubt, es ist von Henrik.«

Er nickte. Es schien ihn ein wenig zu trösten, daß es ihre Eltern nicht wußten.

»Wie habt ihr euch kennengelernt?«

Erica wollte ihn, wenn auch nur für einen Augenblick, von den Gedanken an sein ungeborenes Kind ablenken, damit er etwas Luft holen konnte.

Er lächelte bitter. »Auf ziemlich klassische Weise. Wo trifft man sich in Fjällbacka in unserem Alter? Natürlich in der ›Galeere‹. Wir haben uns quer durch den Raum gesehen, und es war, als bekäme man einen Schlag in die Magengrube. Ich habe mich nie zuvor von jemandem so angezogen gefühlt.«

Erica verspürte einen ganz kleinen Stich der Eifersucht. Dan fuhr fort: »Damals ist nichts passiert, aber ein paar Wochenenden später rief sie mich auf meinem Handy an. Ich bin hingefahren. Dann ging es einfach so weiter. Gestohlene Minuten, wenn Pernilla irgendwo anders war. Mit anderen Worten, nicht gerade viele Abende und Nächte, sondern wir trafen uns meist am Tage.«

»Hattest du keine Angst, daß die Nachbarn dich sehen, wenn du zu ihr gehst? Du weißt doch selber, wie schnell sich die Dinge hier rumsprechen.«

»Doch, natürlich habe ich daran gedacht. Ich bin auf der Rückseite über den Zaun gesprungen und habe dann den Kellereingang genommen. Um ehrlich zu sein, machte das wohl einen Teil der Anziehung zwischen uns aus. Die Gefahr, das Risiko.«

»Aber war dir nicht klar, was du alles aufs Spiel setzt?«

Dan drehte die Mütze in den Händen und hielt den Blick starr aufs Deck gerichtet, während er antwortete. »Natürlich war mir das klar. Einerseits. Andrerseits fühlte ich mich unverwundbar. So was passiert bloß anderen, nicht mir. Ist es nicht immer so?«

»Weiß es Pernilla?«

»Nein. Jedenfalls nicht ausdrücklich. Aber ich glaube, sie vermutet etwas. Du hast ja selber erlebt, wie sie reagiert hat, als sie uns hier antraf. So ist sie die ganzen letzten Monate gewesen, eifersüchtig, mißtrauisch. Ich glaube, sie fühlt, daß da was ist.«

»Dir ist doch wohl klar, daß du es ihr jetzt erzählen mußt.«

Dan schüttelte heftig den Kopf, und wieder stiegen ihm Tränen in die Augen. »Das geht nicht, Erica. Ich kann nicht. Erst durch das mit Alex habe ich wirklich begriffen, wieviel mir Pernilla bedeutet. Alex war eine Leidenschaft, aber Pernilla und die Kinder sind mein Leben. Ich kann nicht!«

Erica beugte sich vor und legte ihre Hand auf die seine. Ihre Stimme war ruhig und klar und ließ nichts von der Erregung erkennen, die sie im Inneren spürte.

»Dan, du mußt. Die Polizei muß es erfahren, und du hast jetzt die Chance, es Pernilla auf deine Weise zu erzählen. Früher oder später kommen die selber dahinter, und dann hast du keine Möglichkeit mehr, es deiner Frau so zu erzählen, wie du möchtest. Dann kannst du nicht mehr wählen. Du hast doch auch gesagt, daß sie es vermutlich weiß oder zumindest ahnt. Vielleicht ist es sogar befreiend für euch beide, wenn ihr darüber redet. Wenn die Luft gereinigt wird.«

Sie sah, daß Dan ihr zuhörte und über das, was sie sagte, nachdachte, und sie fühlte, wie er zitterte.

»Und wenn sie mich nun verläßt? Wenn sie die Kinder nimmt und geht, Erica, was wird dann aus mir? Ohne die drei bin ich ein Nichts.«

Erica hörte es in sich boshaft flüstern, daß er daran früher hätte denken sollen, aber stärkere Stimmen übertönten das Zischeln und sagten, die Zeit der Vorwürfe sei vorbei. Jetzt gebe es wichtigere Dinge zu tun. Sie beugte sich vor, legte die Arme um ihn und strich ihm mit den Händen tröstend über den Rücken. Das Schluchzen nahm erst an Stärke zu, verebbte dann aber langsam, und als er sich aus ihrer Umarmung löste und sich die Tränen abwischte, sah sie ihm an, daß er beschlossen hatte, das Unausweichliche nicht aufzuschieben.

Als sie vom Kai abfuhr, sah sie ihn im Rückspiegel, wie er reglos auf seinem geliebten Kutter stand und den Blick auf den Horizont gerichtet hielt. Sie drückte ihm die Daumen, daß er die richtigen Worte finden möge. Es würde schwer werden.

Das Gähnen fühlte sich an, als käme es von ganz unten, von den Zehen, und würde durch den ganzen Körper aufsteigen. Nie zuvor war er so müde gewesen. Und auch nie so glücklich.

Es war schwer, sich auf die großen Papierberge zu konzentrieren, die sich vor ihm auftürmten. Ein Mordfall brachte ungeheure Mengen von Dokumenten mit sich, und es war jetzt seine Arbeit, sie im Detail durchzugehen, um jenes kleine wichtige Puzzlestück zu finden, das die Ermittlungen weiterbringen konnte. Er rieb sich mit Daumen und Mittelfinger die Augen und atmete tief durch, um sich Energie für die Aufgabe zu verschaffen.

Alle zehn Minuten mußte er vom Stuhl aufstehen, um sich zu strecken, Kaffee zu holen, ein bißchen auf der Stelle zu hüpfen oder sonstwas zu tun, damit er wach bleiben und sich eine Zeitlang weiter konzentrieren konnte. Mehrmals war seine Hand wie von selbst zum Telefon unterwegs, um Erica anzurufen, aber er beherrschte sich. Wenn sie genauso müde war wie er, dann lag sie noch im Bett und schlief. Er hoffte, daß dem so war. Er gedachte nämlich, falls er etwas zu sagen hatte, sie auch heute nacht, so lange es nur ging, wach zu halten.

Ein Stapel, der gewachsen war, seit er die Papiere das letzte Mal durchgearbeitet hatte, war der mit den Informationen zur Familie Lorentz. Annika hatte offenbar, eifrig wie immer, weiter nach alten Artikeln, Notizen und allem möglichen gesucht, in dem sie genannt wurden, und hatte das dann ordentlich dem bereits Vorhandenen auf Patriks Schreibtisch hinzugefügt. Er arbeitete methodisch, frischte die Erinnerung auf, indem er den

Haufen umdrehte und von unten anfing, so daß er zuerst die Artikel durchging, die er bereits kannte. Zwei Stunden später gab es noch immer nichts, was seine Phantasie angeregt hätte. Doch war da nach wie vor so ein Gefühl, daß er etwas übersehen haben mußte, etwas, das ihn die ganze Zeit zum Narren zu halten schien.

Die erste wirklich interessante neue Information kam ziemlich weit unten im Stapel. Annika hatte eine Notiz über eine Brandstiftung in Bullaren, etwa fünfzig Kilometer von Fjällbacka gelegen, hinzugefügt. Die Notiz war aus dem Jahr 1975 und hatte fast eine ganze Seite in der »Bohuslän Tidning« beansprucht. Das Haus war in der Nacht zwischen dem sechsten und siebten Juli 1975 explosionsartig niedergebrannt. Als man das Feuer gelöscht hatte, war von dem Haus nicht viel mehr als Asche übrig, doch darin wurden die Überreste von zwei Menschen gefunden, die sich als das Ehepaar Stig und Elisabeth Norin herausstellten, die Besitzer des Hauses. Wie durch ein Wunder war deren zehnjähriger Sohn dem Brand entkommen, und man fand ihn in einem der Schuppen. Die Umstände des Unglücks waren gemäß der Zeitung suspekt, und die Polizei hielt es für Brandstiftung.

Der Artikel war mit einer Büroklammer auf einer Mappe befestigt, in der Patrik die polizeiliche Ermittlung zu dem Fall fand. Er fragte sich noch immer, was die Sache wohl mit der Familie Lorentz zu tun hatte, bis er die Mappe öffnete und den Namen des zehnjährigen Sohns der Norins las. Der Junge hieß Jan, und in der Mappe lag auch ein Bericht des Sozialamtes, in dem seine Unterbringung bei den Pflegeeltern Lorentz erwähnt wurde. Patrik pfiff leise durch die Zähne. Es war noch immer nicht klar, was das mit Alex' Tod und übrigens auch mit dem von Anders zu tun haben konnte, aber irgend etwas begann sich am Rand seines Bewußtseins zu bewegen. Schatten, die auswichen und verschwanden, sobald er den Blick darauf fixieren wollte, aber die anzeigten, daß er auf dem richtigen Weg war. Er machte sich einen Vermerk und fuhr dann mit der mühseligen Durchsicht des vor ihm liegenden Materials fort.

Der Block füllte sich allmählich mit Notizen. Seine Handschrift war so unleserlich, daß Karin ihn immer aufgezogen hatte, er hätte lieber Arzt werden sollen, aber er selbst konnte sie entziffern, und das war die Hauptsache. Ein paar zu erledigende Punkte nahmen Form an, aber dominierend waren in erster Linie all die Fragen, die das Material aufwarf, hervorgehoben mit großen schwarzen Fragezeichen. Auf wen hatte Alex mit ihrem Festessen gewartet? Wer war der Mann, den sie insgeheim getroffen hatte und mit dessen Kind sie schwanger war? Konnte es Anders sein, obwohl er selbst das Gegenteil behauptet hatte, oder gab es jemanden, dessen Namen sie noch nicht kannten? Wie kam es, daß eine Frau wie Alex, die ein solches Aussehen, Klasse und Geld hatte, eine Affäre mit so einem wie Anders eingegangen war? Warum bewahrte Alex einen Artikel über das Verschwinden von Nils Lorentz in der Kommodenschublade auf?

Die Liste der Fragen wurde immer länger. Patrik hatte bereits mit der dritten A4-Seite angefangen, bevor er zu den Ungereimtheiten von Alex' Tod kam. Der Stapel mit den Papieren in Bezug auf Anders war bisher bedeutend kleiner. Früh genug würden sich die Dokumente auch dazu häufen, doch im Moment lagen dort nur etwa zehn Blätter, unter anderen das, was bei der Haussuchung in seiner Wohnung konfisziert worden war. Das größte Fragezeichen in seinem Fall betraf die Art seines Todes. Patrik markierte diese Frage mehrmals mit heftigen schwarzen Strichen. Wie hatte der Mörder oder wie hatten die Mörder ihn zu dem Haken an der Decke hochbekommen? Die Obduktion würde weitere Antworten bringen, aber soviel Patrik gesehen hatte, gab es keine Spuren am Körper, die auf einen Kampf hinwiesen, genau wie Mellberg beim morgendlichen Durchgang betont hatte. Ein schlaffer Körper erscheint ungemein schwer, und Anders' Leiche mußte ein gutes Stück senkrecht nach oben gehoben werden, damit man den Strick am Haken befestigen konnte.

Er mußte zugeben, daß er dazu tendierte, Mellberg ausnahmsweise einmal recht zu geben, nämlich daß hier mehrere Personen am Werk gewesen waren. Obwohl das nicht mit dem Mord an Alex übereinzustimmen schien, und Patrik hätte Gift darauf nehmen können, daß sie es hier mit demselben Mörder zu tun hatten. Nachdem er bei dieser Frage zunächst gezweifelt hatte, war er nun immer mehr davon überzeugt, daß genau das der Fall war.

Er schaute auf die Papiere, die sie in Anders' Wohnung gefunden hatten, und breitete sie wie einen Fächer vor sich auf dem Schreibtisch aus. Zwischen seinen Lippen steckte ein Bleistift, den er bis zur Unkenntlichkeit zerkaut hatte, und er spürte, daß sein Mund voller gelber Teilchen war. Er spuckte sie vorsichtig aus und versuchte die Reste mit den Fingern von der Zunge zu pulen. Das brachte nicht viel. Jetzt hingen die Blättchen statt dessen an den Fingern fest. Er ließ die Hand ein paarmal durch die Luft schnellen, um das Zeug loszuwerden, gab es dann aber auf und widmete sich wieder dem Papierfächer auf seinem Tisch. Nicht eins der Blätter weckte sein besonderes Interesse, und er nahm müde die Telefonrechnung zur Hand, um irgendwo anzufangen. Anders hatte sehr wenige Gespräche geführt, aber zusammen mit all den festen Kosten war die Summe dennoch ziemlich gravierend. Die Auflistung der Telefonate lag der Rechnung noch immer bei, und Patrik seufzte, als er begriff, daß er einiges an rechtschaffener Grundarbeit würde leisten müssen, um sich da durchzuarbeiten. Irgendwie war ihm heute nicht nach öden Routineaufgaben.

Systematisch telefonierte er die Nummern auf dem Einzelnachweis ab und bemerkte schon bald, daß Anders nur eine sehr kleine Anzahl von Nummern gewählt hatte. Eine aber hob sich von den anderen ab. Zunächst war sie auf der Liste überhaupt nicht vorhanden, doch nachdem sie irgendwo in der Mitte zum erstenmal aufgetaucht war, wurde sie zu dem am häufigsten gewählten Anschluß. Patrik gab die Nummer ein und wartete.

Nach achtmaligem Klingeln wollte er gerade auflegen, als er den Anrufbeantworter anspringen hörte. Der Name am anderen Ende der Leitung führte dazu, daß er sich kerzengerade auf dem Stuhl aufrichtete, was seine Oberschenkelmuskeln schmerzhaft anspannte, da er vergessen hatte, daß die Beine träge auf den Tisch lagen. Er schwang sie zu Boden und massierte einen Muskel am rechten inneren Oberschenkel, den die heftige Bewegung ein bißchen mehr beansprucht hatte, als er vertrug.

Langsam legte Patrik den Hörer auf, noch ehe der Piepton, der informierte, daß man eine Nachricht hinterlassen konnte, zu Ende war. Er zeichnete einen Kreis um eine der Notizen auf dem Block, und nachdem er einen Moment überlegt hatte, kam ein weiterer Kreis hinzu.

Die eine Aufgabe wollte er sich persönlich vornehmen, aber die andere konnte er Annika überlassen. Mit seinen Notizen in der Hand ging er zu ihr hinüber.

Intensiv hieb Annika auf die Tastatur ein. Die Computerbrille saß ganz vorn auf ihrer Nasenspitze. Sie schaute ihn fragend an. »Du kommst mit dem Angebot, ein paar meiner Arbeitsaufgaben zu übernehmen und mir so die unangemessen schwere Bürde zu erleichtern, stimmt's?«

»Tja, ganz so hatte ich mir das wohl nicht vorgestellt.« Patrik verzog den Mund.

»Nein, den Verdacht hatte ich schon.« Annika sah Patrik mit gespielt strenger Miene an.

»Nun, was hast du zu meinem beginnenden Magengeschwür beizutragen?«

»Bloß eine ganz, ganz kleine Aufgabe.« Patrik zeigte, wie klein sie war, indem er einen Millimeter zwischen Daumen und Zeigefinger abmaß.

»Ja, dann laß mal hören.«

Patrik zog einen Stuhl heran und setzte sich vor ihren Schreibtisch. Annikas Zimmer war, obwohl nur äußerst klein, das ohne alle Konkurrenz gemütlichste des Reviers. Sie hatte Unmengen Pflanzen angeschleppt, die bestens zu wachsen und zu gedeihen schienen, was man ein kleines Wunder nennen konnte, da das einzige Licht im Raum durch die Glasscheibe des Schalters drang, der auf den Eingang hinausging. Die kalten Betonwände waren mit Bildern der zwei großen Leidenschaften Annikas und ihres Mannes Lennart vollgehängt, Hunde und Dragster-Rennen. Sie hatten zwei schwarze Labradore, die auch dabeisein durften, wenn Annika und Lennart an den Wochenenden durch Schweden fuhren, zu wirklich jedem Ort, wo Dragster-Rennen stattfanden. Lennart war derjenige von ihnen, der tatsächlich an den Start ging, aber Annika war immer zur Stelle, um ihn anzufeuern und Proviant und Kaffee bereitzuhalten. Es waren im Prinzip stets dieselben Leute, die sie bei den Wettkämpfen trafen, und mit den Jahren war daraus eine feste Clique geworden, in der man seine besten Freunde hatte. Zumindest an zwei Wochenenden im Monat fanden diese Rennen statt, und dann war es ein Ding der Unmöglichkeit, Annika zum Arbeiten zu bewegen.

Er schaute auf seine Notizen.

»Ja, könntest du mir vielleicht helfen, eine kleine Auflistung von Alexandra Wijkners Leben zu machen? Fang mit ihrem Tod an, und kontrolliere alle Zeitangaben, die wir besitzen, gleich zweimal. Wie lange sie mit Henrik verheiratet war. Wie lange sie in Schweden gewohnt hat. Überprüfe ihre Angaben zu den Schulen in Frankreich und der Schweiz und so weiter und so weiter. Verstehst du, worauf ich aus bin?«

Während er sprach, hatte sich Annika Notizen gemacht und schaute jetzt mit einem bestätigenden Blick auf. Er war sich absolut sicher, daß er alles erfahren würde, was sich zu wissen lohnte, und vor allem würde er Kenntnis erhalten, ob irgendeine der Angaben, die er besaß, das Papier nicht wert war, auf dem sie geschrieben stand. Denn es mußte etwas geben, was nicht stimmte, darin war er sich vollkommen sicher.

»Danke für die Hilfe, Annika. Du bist eine Perle.«

Patrik erhob sich langsam vom Stuhl, aber ein barsches »Sitz!« von Annika ließ ihn mitten in der Bewegung erstarren und dann den Hintern wieder auf dem Stuhlsitz plazieren. Er verstand plötzlich, warum ihre Labradore so gut dressiert waren.

Sie lehnte sich mit zufriedenem Lächeln zurück, und er begriff, daß es ein großer Fehler gewesen war, persönlich in ihrem Zimmer zu erscheinen, statt ihr nur einfach einen Zettel hinzulegen. Er hätte wissen sollen, daß sie alles sofort durchschaute, und außerdem war ihr Gespür für Romanzen geradezu übernatürlich. Man konnte nur die weiße Fahne hissen und kapitulieren. Also lehnte er sich zurück und wartete auf das Sperrfeuer von Fragen, das unverkennbar bevorstand. Sie leitete die Sache sanft, aber hinterhältig ein. »Du siehst heute vielleicht mitgenommen aus.«

»Hmm …«

Für die Information würde sie allerdings etwas arbeiten müssen.

»Gab es gestern 'ne Party?« Annika fischte weiter und suchte mit machiavellistischer List nach Löchern in seiner Rüstung.

»Tja, was heißt Party. Das hängt wohl davon ab, wie man es sieht. Was genau versteht man unter einer Party?« Er warf die Arme in die Luft und riß die hellblauen Augen unschuldig auf.

»Äh, laß den Scheiß, Patrik. Erzähle jetzt. Wer ist sie?«

Er sagte nichts, sondern ließ sie in der Stille leiden. Nach einigen Sekunden sah er an ihren Augen, daß ihr ein Licht aufging.

»Aha!« Der Ausruf klang triumphierend, und Annika fuchtelte siegesgewiß mit ihrem Zeigefinger vor seiner Nase.

»Sie ist es, wie heißt sie bloß, wie heißt sie …«

Sie schnippte mit den Fingern, während sie fieberhaft in ihrer Erinnerung suchte. »Erica! Erica Falck!« Erleichtert lehnte sie sich auf dem Stuhl zurück. »Sooo, Patrik … Wie lange geht das schon …?«

Er hörte nie auf, sich zu wundern, mit welch unglaublicher Präzision sie immer sofort die richtige Lösung fand. Es hatte auch keinen Sinn, das Ganze abzustreiten. Er fühlte, daß er knallrot wurde, und das sprach eine deutlichere Sprache als alles, was er hätte sagen können. Außerdem konnte er nicht verhindern, daß ein Lächeln auf seinem Gesicht erschien, und damit war er Annika endgültig ausgeliefert.

Nach fünf Minuten ununterbrochenem Ausgefrage gelang es Patrik endlich, Annikas Fängen zu entkommen, und er hatte das Gefühl, man habe ihn durch die Mangel gedreht. Es war jedoch nicht unangenehm gewesen, das Thema Erica zu erörtern, und nur mit Schwierigkeit kehrte er zu der Aufgabe zurück, die er beschlossen hatte sich sofort vorzunehmen. Er zog seine

Jacke an, teilte Annika mit, wohin er zu gehen gedachte, und begab sich in das Winterwetter hinaus, wo jetzt große Schneeflocken langsam zu Boden fielen.

Vor ihrem Fenster sah Erica Schneeflocken fallen. Sie saß vor dem Computer, hatte ihn aber ausgeschaltet und starrte auf den schwarzen Schirm. Trotz der dröhnenden Kopfschmerzen hatte sie sich gezwungen, zehn Seiten über Selma Lagerlöf zu schreiben. Sie verspürte bei dem Thema keinen Enthusiasmus mehr, aber sie war an ihren Vertrag gebunden, und in ein paar Monaten mußte das Buch fertig sein. Das Gespräch mit Dan hatte ihrer guten Laune einen Dämpfer versetzt, und sie fragte sich, ob er die Sache wohl in diesem Moment Pernilla erzählte. Sie beschloß, ihre Besorgnis in bezug auf Dan für etwas Kreatives zu nutzen, und startete den Computer erneut.

Der Entwurf zu dem Buch über Alex lag auf dem Arbeitsplatz des Computers, und sie öffnete das Dokument mit den jetzt gut hundert Seiten. Sie las es methodisch von Anfang bis Ende durch. Es war gut. Sogar sehr gut. Nur machte es ihr Sorgen, wie all die Personen in Alex' Umkreis reagieren würden, wenn das Buch gedruckt vorlag. Zwar hatte Erica die Geschichte um einiges verändert, die Namen der Personen und die Orte ausgetauscht und obendrein ihre Phantasie ein wenig schweifen lassen, aber der Kern des Buches handelte unverkennbar von Alex' Leben, gesehen mit den Augen Ericas. Nicht zuletzt die Sache mit Dan bereitete ihr gehöriges Kopfzerbrechen. Sie konnte doch ihn und seine Familie nicht auf diese Weise bloßstellen. Gleichzeitig spürte sie, daß sie das hier einfach schreiben mußte. Zum erstenmal hatte der Stoff zu einem Buch sie wirklich begeistert. Es hatte im Laufe der Jahre zu viele andere Ideen gegeben, die ihren Ansprüchen nicht genügt hatten und die sie deshalb wieder verworfen hatte, als daß sie es sich nun leisten konnte, die Sache fallenzulassen. Zunächst wollte sie sich darauf konzentrieren, das Buch zu Ende zu schreiben, dann konnte sie sich des Problems annehmen, wie sie mit den Gefühlen der Beteiligten umzugehen gedachte.

Fast eine Stunde war mit eifrigem Schreiben vergangen, als es an der Tür klingelte. Erst war sie verärgert, daß man sie gerade jetzt störte, wo sie endlich in Gang gekommen war, aber dann dachte sie, es könnte vielleicht Patrik sein, und sprang vom Stuhl auf. Sie überprüfte ihr Aussehen schnell im Spiegel, bevor sie die Treppe hinunter zur Haustür lief. Das Lächeln auf ihren Lippen verblaßte, als sie bemerkte, wer vor der Tür stand. Pernilla sah entsetzlich aus. Sie schien zehn Jahre gealtert, seit Erica sie das letzte Mal gesehen hatte. Ihre Augen waren rot geweint und geschwollen, die Haare zerzaust, und in der Eile hatte sie wohl vergessen, sich etwas überzuziehen, und stand jetzt zitternd in einer dünnen Strickjacke da. Erica ließ sie ins Warme kommen und schlang impulsiv die Arme um sie, strich ihr tröstend über den Rücken, genauso wie sie es erst vor ein paar Stunden bei Dan getan hatte. Das ließ Pernilla den letzten Rest an Selbstbeherrschung verlieren, und sie weinte laut schluchzend an Ericas Schulter. Als sie nach einer Weile den Kopf hob, war die Wimperntusche noch weiter verschmiert, was ihr ein clowneskes Aussehen gab.

»Entschuldige.« Pernilla schaute durch den Tränennebel auf Ericas Schulter, wo der weiße Pullover einen schwarzen Fleck bekommen hatte.

»Das macht nichts. Kümmere dich nicht darum. Komm rein.«

Erica legte den Arm um Pernilla und führte sie ins Wohnzimmer. Sie konnte spüren, daß Pernilla am ganzen Leib zitterte, und sie glaubte nicht, daß es nur an der Kälte lag. Eine Sekunde lang fragte sie sich, warum Pernilla wohl ausgerechnet zu ihr gekommen war. Erica war immer viel mehr Dans als Pernillas Freundin gewesen, und sie fand es etwas merkwürdig, daß Pernilla nicht lieber zu einer ihrer eigenen Freundinnen oder zu ihrer Schwester gegangen war. Aber jetzt war sie nun mal hier, und Erica wollte alles, was in ihrer Macht stand, tun, um ihr zu helfen.

»Ich habe eine Kanne Kaffee gemacht. Willst du eine Tasse? Er steht zwar schon ungefähr eine Stunde, ist aber noch genießbar.«

»Ja, danke.«

Pernilla nahm auf dem Sofa Platz und schlang sich die Arme fest um den Leib, als hätte sie Angst, sie könnte auseinanderfallen. In gewisser Weise war es bestimmt auch so.

Erica kam mit zwei Tassen Kaffee zurück. Sie stellte die eine auf den Sofatisch vor Pernilla und die andere für sich selbst hin. Dann nahm sie in dem großen Ohrensessel Platz, so daß sie der Freundin gegenüber saß. Sie wartete darauf, daß Pernilla selbst anfing.

»Hast du es gewußt?«

Erica zögerte. »Ja, allerdings wirklich erst seit kurzem.« Erneutes Zögern. »Ich habe Dan aufgefordert, mit dir zu sprechen.«

Pernilla nickte. »Was soll ich tun?«

Die Frage war rein rhetorisch, und Erica ließ sie deshalb unbeantwortet.

Pernilla fuhr fort: »Ich weiß, am Anfang war ich nur dazu da, Dan über den Verlust von dir hinwegzuhelfen.«

Erica fing an zu protestieren, aber Pernilla stoppte sie mit einer Handbewegung.

»Ich weiß, daß es so war, aber ich habe gedacht, daß mit der Zeit sehr viel mehr daraus geworden ist und wir uns wirklich lieben. Wir hatten es gut miteinander, ich habe ihm völlig vertraut.«

»Dan liebt dich, Pernilla. Ich weiß, daß er es tut.«

Es sah nicht so aus, als hörte Pernilla ihr zu, sie redete einfach weiter und starrte in ihren Kaffee. Erica sah, wie sie die Tasse so fest umklammert hielt, daß ihre Fingerknöchel weiß wurden. »Ich könnte damit leben, daß er eine Affäre gehabt hat, und es auf eine frühe Midlifecrisis oder so was schieben, aber daß er diese Frau geschwängert hat, kann ich ihm nie verzeihen.«

Der Zorn in Pernillas Stimme ließ Erica zurückschrecken. Als Pernilla den Kopf hob und Erica anschaute, war der Haß in ihren Augen so stark, daß es Erica eiskalt überlief und sie ihre Vorahnungen hatte. Noch nie hatte sie einen so glühenden Haß gesehen, und einen Moment fragte sie sich, wie weit Pernilla wohl gehen würde, um Rache zu nehmen. Dann verjagte sie den Gedanken ebenso schnell, wie er gekommen war. Das hier war Pernilla, Hausfrau mit drei Kindern und seit vielen Jahren mit Dan verheiratet, keine rasende Furie, die gegenüber der Geliebten ihres Mannes als Racheengel auftrat. Aber dennoch, da war ein kaltes Blitzen in Pernillas Blick, das Erica angst machte.

»Was werdet ihr jetzt tun?«

»Ich weiß nicht. Im Moment weiß ich überhaupt nichts. Ich mußte nur einfach aus dem Haus. Das war der einzige Gedanke in meinem Kopf. Ich konnte Dan nicht mal mehr ansehen.«

Erica sandte dem Freund einen mitleidigen Gedanken. Er befand sich im Augenblick ganz bestimmt in seiner ganz privaten Hölle. Ihr wäre es natürlicher erschienen, wenn Dan hergekommen wäre, um sich trösten zu lassen. Dann hätte sie gewußt, was sie sagen sollte, welche Worte lindern könnten. Pernilla kannte sie nicht gut genug, um zu wissen, wie sie ihr helfen sollte. Vielleicht genügte es, ihr einfach zuzuhören.

»Warum, glaubst du, hat er das getan? Was hat er bei mir nicht bekommen, das er bei der fand?«

Erica verstand plötzlich, warum Pernilla zu ihr und nicht zu einer ihrer viel engeren Freundinnen gegangen war. Sie glaubte, daß Erica, was Dan anging, über eine Antwort verfügte. Daß sie Pernilla den Grund mitteilen konnte, weshalb er so gehandelt hatte. Leider würde Erica sie enttäuschen müssen. Ihr war Dan immer als die Ehrlichkeit selbst erschienen, und es wäre ihr nicht im Traum eingefallen, daß er untreu sein könnte. Nie zuvor war sie so verwundert gewesen wie in dem Moment, als in Alex' Telefon nach der zuletzt gewählten Nummer Dans Stimme von der Mailbox ertönte.

Um ganz ehrlich zu sein, hatte sie in dem Augenblick eine maßlose Enttäuschung verspürt. Jene Enttäuschung, die man erlebt, wenn jemand, der einem nahesteht, sich als völlig fremde Person erweist. Deshalb verstand sie, daß Pernilla sich nicht nur verraten und betrogen fühlte, sondern sich auch fragte, wer der Mann eigentlich war, mit dem sie all die Jahre zusammen gelebt hatte.

»Ich weiß es nicht, Pernilla. Es hat mich wirklich total überrascht. Es paßt nicht zu dem Dan, den ich kenne.«

Pernilla nickte, und es schien sie etwas zu trösten, daß sie
nicht als einzige getäuscht worden war. Sie zupfte nervös unsichtbare Fussel von ihrer geräumigen Jacke. Ihre langen dun-
kelbraunen Haare mit Resten einer Dauerwelle waren flüchtig
zu einem Pferdeschwanz nach hinten genommen, und ihre
ganze Erscheinung wirkte ungepflegt. Erica hatte immer leicht
abfällig gedacht, daß Pernilla weit mehr aus sich machen könnte. Sie legte sich immer noch eine Dauerwelle, obwohl die ungefähr genauso lange aus der Mode war wie Herrenblousons,
und ihre Sachen kaufte sie permanent über Versandhäuser, bil-
lig im Preis und, was Mode anging, von genauso billiger Qualität. Aber so verwahrlost hatte Erica sie noch nie gesehen.

»Pernilla, ich weiß, daß es für dich im Moment unglaublich
schwer ist, aber ihr seid eine Familie, du, Dan und die Kinder.
Ihr habt drei wunderbare Töchter, und ihr beide hattet fünfzehn gute Jahre zusammen. Tue nichts Übereiltes. Versteh mich
richtig, ich will ihn für das, was er getan hat, nicht in Schutz
nehmen. Vielleicht könnt ihr nach dieser Sache nicht weitermachen. Vielleicht läßt es sich nicht verzeihen. Aber warte mit
irgendwelchen Beschlüssen, bis sich das hier ein wenig gesetzt
hat. Überlege genau, bevor du etwas tust. Ich weiß, daß Dan
dich liebt, er hat es erst heute gesagt, und ich weiß auch, daß er
das Geschehene tief bereut. Er sagt, daß er die Geschichte beenden wollte, und ich glaube ihm.«

»Ich weiß nicht mehr, was ich glauben soll, Erica. Nichts von
dem, was ich bisher geglaubt habe, entsprach der Wahrheit,
also woran soll ich jetzt glauben?«

Darauf ließ sich nichts antworten, und das Schweigen zwischen ihnen war bedrückend.

»Wie ist sie gewesen?«

Wieder sah Erica tief in Pernillas Augen ein kaltes Funkeln.
Sie brauchte nicht zu fragen, wen Pernilla meinte.

»Das ist so lange her. Ich habe sie nicht mehr gekannt.«

»Sie war schön. Ich habe sie jeden Sommer hier gesehen. Sie
war genau so, wie ich mir immer gewünscht habe zu sein.

Schön, elegant und kultiviert. Neben ihr fühlte ich mich wie eine Bauerngans, und ich hätte alles dafür gegeben, so wie sie zu sein. Irgendwie kann ich Dan verstehen. Stell mich und Alex nebeneinander, dann ist klar, wer gewinnt.«

Sie zerrte frustriert an ihrer praktischen, aber unmodernen Kleidung, wie um zu demonstrieren, was sie meinte.

»Ich habe auch dich immer beneidet. Seine große Jugendliebe, die in die Großstadt gefahren ist und ihn, der ihr hinterherseufzte, hier zurückließ. Die Autorin aus Stockholm, die wirklich etwas aus ihrem Leben gemacht hat und die ab und zu herkam und vor uns normalen Sterblichen glänzte. Dan hat sich auf deine Besuche schon immer Wochen im voraus gefreut.«

Die Bitterkeit in Pernillas Stimme entsetzte Erica, und zum erstenmal schämte sie sich ihrer herablassenden Gedanken Pernilla gegenüber. Wie wenig sie doch begriffen hatte. Wenn sie sich selbst prüfte, mußte sie zugeben, daß es ihr eine gewisse Genugtuung bereitet hatte, den Unterschied zwischen sich und Pernilla zu demonstrieren. Zwischen ihrem Fünfhundert-Kronen-Schnitt aus einem Salon am Stureplan und Pernillas selbstgemachter Dauerwelle. Zwischen ihrer Markenkleidung, erworben in der glamourösen Stockholmer Biblioteksgatan, und Pernillas billigen Blusen und langen Röcken. Was spielte das für eine Rolle? Warum hatte sie sich in schwächeren Stunden über diesen Unterschied gefreut? Schließlich war doch sie es gewesen, die Dan verlassen hatte. Wollte sie nur ihr eigenes Ego befriedigen, oder war sie eigentlich neidisch, weil Dan und Pernilla soviel mehr besaßen als sie selbst? Hatte sie tief im Inneren die beiden um ihre Familie beneidet und vielleicht sogar bereut, daß sie nicht hier geblieben war? Daß nicht sie diese Familie besaß? Hatte sie bewußt versucht, Pernilla zu erniedrigen, weil sie eigentlich neidisch auf sie war? Der Gedanke war scheußlich, aber sie konnte ihn nicht vertreiben. Er führte dazu, daß sie sich aus tiefster Seele schämte. Zugleich fragte sie sich, wie weit sie wohl selbst gegangen wäre, um das zu verteidigen, was Pernilla besaß. Und Pernilla, wie weit war sie bereit zu gehen? Erica sah sie nachdenklich an.

»Was werden die Kinder sagen?«

Es schien, als würde es Pernilla erst jetzt einfallen, daß noch andere außer ihr und Dan betroffen waren.

»Das wird doch herauskommen, oder nicht? Das mit dem Kind, meine ich. Was werden die Mädels sagen?«

Der Gedanke schien Pernilla in Panik zu versetzen, und Erica tat ihr Bestes, um sie zu beruhigen.

»Die Polizei muß erfahren, daß es Dan war, der sich mit Alex getroffen hat, aber das bedeutet nicht, daß es alle erfahren müssen. Ihr könnt selbst bestimmen, was ihr den Kindern erzählt. Du hast das noch immer unter Kontrolle, Pernilla.«

Das schien sie zu beruhigen, und sie nahm ein paar große Schlucke vom Kaffee. Der mußte längst kalt sein, aber das schien ihr nichts auszumachen. Zum erstenmal empfand Erica einen heftigen Zorn auf Dan. Es wunderte sie, daß sie den nicht schon eher verspürt hatte, jetzt aber merkte sie, daß er immer mehr zunahm. Wie bekloppt war dieser Mann eigentlich? Wie konnte er alles, was er besaß, einfach wegwerfen, egal, wie sehr die andere ihn anzog? Begriff er nicht, wie gut er es hatte? Sie ballte die Hände im Schoß und versuchte Pernilla ihre Sympathie über den Tisch hinweg zu vermitteln. Ob sie bei ihr ankam oder nicht, wußte sie nicht.

»Danke, daß du zugehört hast. Es war mir wirklich wichtig.«

Ihre Blicke begegneten sich. Nicht mal eine Stunde war vergangen, seit Pernilla an der Tür geklingelt hatte, aber Erica fühlte, daß sie in dieser Zeit eine Menge gelernt hatte, nicht zuletzt über sich selbst.

»Kommst du klar? Gibt es irgendeinen Ort, wohin du gehen kannst?«

»Ich werde nach Hause gehen.« Pernillas Stimme klang klar und entschieden. »Sie soll mich nicht aus meinem Zuhause und von meiner Familie vertreiben. Diese Genugtuung werde ich ihr nicht geben. Ich werde heimgehen zu meinem Mann, und wir werden die Sache hier klären. Aber nicht ohne Forderungen. Von jetzt an werden die Dinge anders laufen.«

Erica konnte nicht umhin, mitten in dem ganzen Elend zu lächeln. Dan würde einiges durchzustehen haben, das war klar. Aber das hatte er schließlich verdient.

An der Tür umarmten sie sich unbeholfen. Als Erica sah, daß sich Pernilla ins Auto setzte und losfuhr, wünschte sie den beiden von ganzem Herzen Glück. Zugleich plagte sie jedoch ein Gefühl der Unruhe. Sie konnte Pernillas haßerfüllten Blick nicht vergessen. Darin hatte es keine Nachsicht gegeben.

Alle Fotos lagen vor ihr auf dem Küchentisch ausgebreitet. Das einzige, was ihr nun von Anders geblieben war, waren diese Bilder. Die meisten waren alt und vergilbt. Seit vielen Jahren hatte es keinen Grund gegeben, ihn zu fotografieren. Die Bilder, auf denen er ein Baby war, waren schwarzweiß. Dann, als er immer älter wurde, lösten verblichene Farbfotos sie ab. Anders war ein fröhliches Kind gewesen. Ein bißchen wild, aber immer fröhlich. Rücksichtsvoll und lieb. Er hatte sich um sie gekümmert, hatte die Rolle des Mannes im Hause ernsthaft übernommen. Manchmal vielleicht ein bißchen zu ernsthaft, aber sie hatte ihn gewähren lassen. Richtig oder falsch? Das war so schwer zu entscheiden. Vielleicht gab es eine Menge, was sie hätte anders machen müssen, vielleicht hätte es aber auch keine Rolle gespielt. Wer wußte das schon?

Vera lächelte, als sie eins ihrer Lieblingsbilder betrachtete. Anders saß auf seinem Fahrrad, stolz wie ein Pfau. Sie hatte viele Abende und Wochenenden zusätzlich gearbeitet, um ihm das Rad kaufen zu können. Es war dunkelblau und hatte einen Bananensattel und war, wie er sagte, das einzige, was er sich in seinem ganzen Leben je wünschen würde. Er hatte sich schon so lange danach gesehnt, und sie vergaß nie seine Miene, als er es an seinem achten Geburtstag bekam. Jede freie Minute fuhr er mit dem Fahrrad herum, und auf diesem Foto war es ihr gelungen, ihn im Vorbeisausen zu erwischen. Seine Haare waren lang und kringelten sich unterhalb des Kragens seiner glänzenden, eng anliegenden Adidas-Jacke mit den Streifen auf den Ärmeln. So wollte sie ihn in Erinnerung behalten. Bevor alles angefangen hatte schiefzulaufen.

Schon seit langer Zeit hatte sie auf diesen Tag gewartet. Jedes Telefonklingeln, jedes Klopfen an der Tür hatten sie in Angst versetzt. Vielleicht brachte gerade dieses Klingeln oder dieses

Klopfen das, was sie schon so lange befürchtete. Dennoch hatte sie nicht wirklich geglaubt, daß der Tag kommen würde. Es war gegen die Natur, daß das eigene Kind vor einem selbst starb, und deshalb konnte sie sich diese Möglichkeit nur schwer vorstellen. Die Hoffnung starb zuletzt, und irgendwie hatte sie doch geglaubt, daß alles gut werden würde. Notfalls durch ein Wunder. Aber es gab keine Wunder. Und es gab keine Hoffnung. Übriggeblieben waren nur Hoffnungslosigkeit und ein Haufen vergilbter Fotos.

Die Küchenuhr tickte laut in der Stille. Zum erstenmal bemerkte sie, wie heruntergekommen ihr Heim war. In all den Jahren hatte sie nichts an dem Haus gemacht, und danach sah es auch aus. Den Schmutz hatte sie ferngehalten, aber die Gleichgültigkeit hatte sie nicht wegputzen können, die saß wie festgeklebt an Decken und Wänden. Alles war grau und leblos. Vergeudet. Das bedrückte sie am meisten. Daß alles vergeudet und vertan war.

Anders' fröhliches Gesicht verhöhnte sie von den Bildern. Es sagte deutlicher als alles andere, daß sie gescheitert war. Sie hatte die Aufgabe gehabt, dieses Lächeln in seinem Gesicht zu bewahren, ihm Glauben zu geben, Hoffnung und vor allem Liebe angesichts der Zukunft. Statt dessen hatte sie schweigend zugesehen, wie er all dessen beraubt wurde. Sie hatte ihre Arbeit als Mutter schlecht gemacht, und die Schande würde sie nie aus ihrem Bewußtsein tilgen können.

Ihr fiel auf, wie wenige Beweise es dafür gab, daß Anders wirklich gelebt hatte. Seine Bilder waren weg, die wenigen Möbel, die er in der Wohnung stehen hatte, würde man bald entsorgen, wenn niemand sie haben wollte. In ihrem Haus gab es nichts mehr von seinen Sachen. Die hatte er entweder verkauft oder mit den Jahren kaputtgemacht. Nur die Handvoll Fotos auf dem Tisch vor ihr bewies, daß er tatsächlich existiert hatte. Und ihre Erinnerungen. Zwar würden auch andere Leute sich an ihn erinnern, aber für sie war er nur der versoffene Penner, nicht jemand, der einem fehlt und den man betrauert. Sie war die einzige, die freundliche Erinnerungen an ihn hatte. Manchmal war es ihr schwergefallen, diese hervorzuholen, aber sie waren vorhanden, und an einem Tag wie diesem waren es die einzigen Erinnerungen an ihn, die wach wurden. Nichts anderes wurde zugelassen.

Die Minuten wurden zu Stunden, und noch immer saß Vera mit den Fotos am Küchentisch. Die Glieder wurden ihr steif, und es fiel ihr immer schwerer, die Details auf den Bildern zu erkennen, da die Winterdunkelheit das Licht langsam drosselte. Aber es spielte keine Rolle. Sie war jetzt vollständig und unerbittlich allein.

Die Türklingel erschallte im Haus. Es dauerte lange, bis er irgendeine Bewegung dort drinnen hörte, und er wollte schon kehrtmachen, um zum Auto zurückzugehen. Doch dann vernahm er, daß jemand vorsichtig auf die Tür zukam. Sie wurde langsam geöffnet, und Nelly Lorentz schaute ihn fragend an. Er war verwundert, weil sie selbst öffnete. In seiner Vorstellung hatte er einen reservierten Butler in Livree erwartet, der ihn gnädig ins Haus wies. Aber so einen hatte wohl heute niemand mehr.

»Mein Name ist Patrik Hedström, und ich komme von der Polizei in Tanumshede. Ich suche Ihren Sohn Jan.«

Er hatte zunächst im Büro angerufen, doch den Bescheid erhalten, daß Jan am heutigen Tag von zu Hause aus arbeitete.

Die alte Dame hob nicht einmal die Brauen, sondern trat nur zur Seite und ließ ihn ein. »Ich werde Jan rufen, einen Moment.«

Langsam, aber elegant ging Nelly auf eine Tür zu, die, wie sich zeigte, zu einer Treppe in die untere Etage führte. Patrik hatte gehört, daß Jan in dem luxuriösen Haus über das Kellergeschoß verfügte, und schloß daraus, daß die Treppe zu ihm hinunterging.

»Jan, du hast Besuch. Die Polizei.«

Patrik überlegte, ob Nellys alte, brüchige Stimme wirklich so weit zu hören war, aber Schritte auf der Treppe beseitigten allen Zweifel. Als Jan in die Diele heraufkam, wurde zwischen Mutter und Sohn ein Blick voll verborgener Bedeutung gewechselt, aber dann ging Nelly, indem sie Patrik kurz zunickte, in ihre Zimmer, und Jan kam mit ausgestreckter Hand und einem Lächeln auf ihn zu, das eine Menge Zähne zeigte. Patrik sah das Bild eines Alligators vor sich. Eines lächelnden Alligators.

»Guten Tag, Patrik Hedström vom Polizeirevier Tanumshede.«

»Jan Lorentz. Freut mich.«

»Ich arbeite an der Aufklärung des Mordes an Alex Wijkner und habe ein paar Fragen, die ich Ihnen, wenn Sie nichts dagegen haben, stellen möchte.«

»Natürlich. Ich weiß nicht, was ich zu der Sache beitragen könnte, aber das zu entscheiden ist ja Ihr Job, nicht meiner, nicht wahr?«

Erneut das Alligatorlächeln. Patrik spürte, wie es ihm in den Fingern juckte. Am liebsten würde er dieses Lächeln ausradieren. Irgend etwas daran brachte ihn in Rage.

»Wir können ja wohl in meine Wohnung hinuntergehen, dann hat Mutter hier oben ihre Ruhe.«

»Ja, sicher, das geht in Ordnung.«

Es ließ sich nicht leugnen, daß Patrik das Wohnarrangement ein wenig merkwürdig fand. Erstens tat er sich schwer mit erwachsenen Männern, die immer noch zu Hause bei ihrer Mutter wohnten, und zweitens konnte er nicht verstehen, daß Jan es akzeptierte, in einen dunklen Keller verbannt zu sein, während die Alte hier oben in mindestens zweihundert Quadratmetern residierte. Jan wäre kein Mensch, wenn ihm nicht der Gedanke gekommen wäre, daß man Nils, wenn er heute hier lebte, wohl kaum in den Keller verwiesen hätte.

Patrik folgte Jan die Treppe hinunter. Er mußte zugeben, daß diese Behausung für eine Kellerwohnung nicht eben übel war. Man hatte keine Kosten gespart, und die Räume waren von jemandem eingerichtet, der es für wichtig hielt, seinen Wohlstand zu demonstrieren. Es gab jede Menge Goldfransen, Samt und Brokat der teuersten Marken, aber leider kam die Einrichtung ohne Tageslicht nicht zu ihrem Recht. Die Wirkung war daher leicht bordellartig. Patrik wußte, daß Jan eine Frau hatte, und fragte sich, wer von den beiden auf alldem hier bestanden hatte. Seiner eigenen Erfahrung nach tippte er auf die Frau.

Jan wies ihn in ein kleines Arbeitszimmer, wo außer Schreibtisch und Computer auch ein Sofa stand. Sie setzten sich jeder in eine Ecke des Sofas, und Patrik holte einen Notizblock aus der Tasche, die er bei sich trug. Er hatte beschlossen, Jan erst von Anders Nilssons Tod zu berichten, wenn es sich nicht mehr umgehen ließ. Strategie und Timing waren wichtig, wenn er die Hoffnung haben wollte, etwas Nützliches aus Jan Lorentz herauszubekommen.

Er betrachtete den Mann vor sich genau. Er sah ganz einfach zu perfekt aus. Das Hemd und der Anzug hatten nicht eine Falte. Der Schlips war untadelig geknotet, und das Gesicht war absolut frisch rasiert. Kein Haar war in Unordnung, und seine ganze Person strahlte Ruhe und Zuversicht aus. Zuviel Ruhe und Zuversicht. Patriks Erfahrung sagte ihm, daß alle Leute, die von der Polizei befragt wurden, mehr oder weniger nervös waren, auch wenn sie nichts zu verbergen hatten. Ein völlig ruhiges Äußeres deutete darauf hin, daß die entsprechende Person etwas zu verbergen hatte, das war Patriks eigene, ganz und gar selbstgezimmerte Theorie. Sie hatte sich auffällig oft als richtig erwiesen.

»Schön haben Sie es hier.« Es schadete nichts, ein bißchen höflich zu sein.

»Ja, es war Lisa, meine Frau, die sich um die Einrichtung gekümmert hat. Ich finde selber, daß es ihr ziemlich gut gelungen ist.«

Patrik ließ den Blick durch das kleine dunkle Arbeitszimmer schweifen, das verschwenderisch mit Kissen, an denen Goldtroddeln hingen, und spiegelblankem Marmor dekoriert war. Ein glänzendes Beispiel dafür, was zuwenig Geschmack in Kombination mit zuviel Geld zustande bringen konnte.

»Sind Sie der Lösung etwas näher gekommen?«

»Wir habe eine Reihe Informationen erhalten und fangen wohl an, uns ein Bild von dem zu machen, was passiert sein kann.«

Nicht völlig der Wahrheit entsprechend, aber man konnte ja immerhin versuchen, ihn ein bißchen durcheinanderzubringen. »Haben Sie Alex Wijkner gekannt? Ich habe zum Beispiel gehört, daß Ihre Mutter zum Begräbniskaffee dort war?«

»Nein, ich kann nicht sagen, daß ich sie gekannt habe. Natürlich wußte ich, wer sie war, und in Fjällbacka kennt man ja mehr oder weniger alle, aber die Familie ist vor vielen, vielen Jahren hier weggezogen. Wir haben uns auf der Straße gegrüßt, wenn wir uns begegnet sind, aber mehr war es nicht. Was Mutter angeht, so kann ich nicht für sie sprechen. Sie müssen sie da schon selber fragen. Übrigens, wollen wir nicht du sagen?«

»Ja gut. Was die Ermittlungen angeht, so hat sich unter anderem gezeigt, daß Alex Wijkner ein, ja, wie soll ich es nennen … ein Verhältnis zu Anders Nilsson hatte. Er ist dir ja wohl bekannt, nehme ich an?«

Jan lächelte. Ein schiefes, abfälliges Lächeln. »Ja, Anders ist jemand, den hier notgedrungen jeder kennt. Er ist mehr berüchtigt als bekannt, würde ich sagen. Du sagst, er und Alex hatten ein Verhältnis? Du mußt entschuldigen, aber ich habe meine Schwierigkeiten, das zu glauben. Ein etwas ungewöhnliches Paar, um es vorsichtig auszudrücken. Ich kann verstehen, was er in ihr gesehen hat, aber es fällt mir ungeheuer schwer, mir vorzustellen, weshalb sie sich mit ihm hätte einlassen sollen. Bist du sicher, daß sich die Polizei da nicht irrt?«

»Wir sind sicher, daß es tatsächlich so ist. Und wie war das bei Anders? Hast du ihn richtig gekannt?«

Wieder sah Patrik ein überlegenes Lächeln auf Jans Lippen, aber diesmal war es noch breiter. Er schüttelte amüsiert den Kopf.

»Nein. Wir haben uns nicht gerade in denselben Kreisen bewegt, kann man ruhig behaupten. Ich habe ihn manchmal zusammen mit den anderen Alkis unten auf dem Markt gesehen, aber daß ich ihn gekannt hätte, nein, wirklich nicht.«

Er ließ deutlich erkennen, für wie absurd er diesen Gedanken hielt. »Wir verkehren mit Menschen einer ganz anderen Gesellschaftsschicht, und Asoziale gehören nun einmal nicht zu unserem Bekanntenkreis.«

Jan tat Patriks Frage ab, als sei sie ein Scherz, aber war da nicht ein Funken Unruhe in seinen Augen zu sehen? Falls dem so war, verschwand er genauso schnell, wie er aufgetaucht war, aber Patrik war sich seiner Sache sicher. Jan gefielen die Fragen nach Anders nicht. Gut, dann wußte Patrik, daß er auf dem richtigen Weg war. Er gönnte es sich, die nächste Frage schon zu genießen, bevor er sie überhaupt gestellt hatte, machte eine theatralische Pause und fragte dann mit unschuldiger Verwunderung: »Aber wie kommt es dann, daß Anders in letzter Zeit eine Menge Telefonate hierher geführt hat?«

Zu seiner großen Zufriedenheit sah er das Lächeln aus Jans Gesicht verschwinden. Die Frage brachte ihn offenbar aus dem Konzept, und einen Moment konnte Patrik hinter das Dandy-Image blicken, das Jan so gründlich pflegte. Hinter der Fassade sah er unverfälschte Furcht. Dann nahm Jan sich zusammen, aber er versuchte Zeit zu gewinnen, indem er mit großer Sorgfalt eine Zigarre anzündete und es vermied, Patrik in die Augen zu sehen.

»Du entschuldigst doch, daß ich rauche?«

Er wartete die Antwort nicht ab, und Patrik gab auch keine.

»Daß Anders hier angerufen haben soll, verstehe ich wirklich nicht. Ich habe jedenfalls nicht mit ihm geredet, und das kann ich von meiner Frau wohl auch sagen. Nein, das ist wirklich sehr merkwürdig.«

Er zog an seiner Zigarre und lehnte sich auf dem Sofa zurück, den Arm lässig auf die Kissen gelegt.

Patrik sagte nichts. Nach seiner Erfahrung war es die beste Methode, Leute zu veranlassen, mehr zu sagen, als sie wollten, indem man ganz einfach schwieg. Es gab ein Bedürfnis, zu lange währendes Schweigen zu brechen. Patrik kannte sich in diesem Spiel bestens aus. Er wartete.

»Ach, ich glaube, jetzt weiß ich es.« Jan beugte sich vor und fuchtelte animiert mit der Zigarre. »Jemand hat unseren Anrufbeantworter angerufen und nichts gesagt. Wir haben nur Atemzüge auf dem Band gehört. Und ein paarmal, als ich den Hörer abgenommen habe, war niemand dran. Das muß Anders gewesen sein, der wohl unsere Nummer irgendwoher hatte.«

»Weshalb sollte er hier anrufen?«

»Was weiß ich!« Jan hob die Hände. »Vielleicht Neid. Wir haben genügend Geld, und das sticht vielen ins Auge. Solche wie Anders schieben ihr Unglück gern auf andere und da besonders

278

auf Leute, die, im Unterschied zu ihnen, etwas aus ihrem Leben gemacht haben.«

Patrik fand, das klang mager. Es würde schwer werden, das, was Jan gesagt hatte, zu widerlegen, aber er glaubte ihm kein Wort. »Ich vermute, du hast von den erwähnten Anrufen nichts mehr auf dem Band?«

»Nein, leider.«

Jan legte die Stirn in tiefe Falten, um sein Bedauern auszudrücken. »Das ist von anderen Telefonaten überspielt. Leider, ich hätte gewünscht, dir helfen zu können. Aber wenn er wieder anruft, werde ich das Band selbstverständlich aufheben.«

»Du kannst sicher sein, daß Anders kein weiteres Mal hier anruft.«

»Ach ja, und wieso?«

Patrik konnte unmöglich feststellen, ob die verwunderte Miene echt war oder falsch. »Weil man Anders ermordet aufgefunden hat.«

Ein Stück Zigarrenasche fiel auf Jans Schoß. »Ist Anders ermordet worden?«

»Ja, er wurde heute morgen gefunden.« Patrik blickte Jan forschend an. Wenn er nur hören könnte, was jetzt in dessen Kopf vorging. Wieviel einfacher dann doch alles wäre. War dieses Erstaunen echt, oder war er nur ein hervorragender Schauspieler?

»Ist es derselbe Täter wie bei Alex?«

»Es ist noch zu früh, um darauf zu antworten.« Er wollte Jan noch nicht von der Angel lassen. »Du bist dir also ganz sicher, daß du weder Alexandra Wijkner noch Anders Nilsson kanntest?«

»Ich weiß nun wirklich recht gut darüber Bescheid, mit wem ich Umgang habe und mit wem nicht. Ich kannte die beiden vom Sehen, mehr nicht.« Jan war wieder er selbst, lächelte ganz ruhig.

Patrik beschloß, einen anderen Weg einzuschlagen. »In der Wohnung von Alex Wijkner wurde ein Artikel über das Verschwinden deines Bruders gefunden, den sie aus der ›Bohuslän

Tidning‹ ausgeschnitten hatte. Weißt du, warum sie interessiert gewesen sein könnte, einen Artikel darüber aufzubewahren?«

Wieder hob Jan die Hände und riß die Augen auf eine Weise auf, die besagte, daß ihm das völlig unverständlich war. »Hier in Fjällbacka war das vor ziemlich vielen Jahren das große Gesprächsthema. Vielleicht hat sie den Artikel aus reinem Interesse an Kuriositäten aufgehoben?«

»Vielleicht, ja. Was hältst du von diesem Verschwinden? Es gibt ja eine Reihe verschiedener Theorien.«

»Ja, ich glaube, daß Nils es sich in irgendeinem warmen Land gutgehen läßt. Mutter ihrerseits ist vollkommen davon überzeugt, daß ihm ein Unglück zugestoßen ist.«

»Standet ihr einander nahe?«

»Nein, das kann ich nicht behaupten. Nils war soviel älter als ich, und er war wohl auch nicht sonderlich begeistert, einen neuen Bruder zu bekommen, mit dem er sich Mamas Aufmerksamkeit teilen mußte. Aber wir waren auch keine Feinde, ich glaube, wir waren uns in erster Linie gleichgültig.«

»Es war nach Nils' Verschwinden, daß du von Nelly Lorentz adoptiert worden bist, nicht wahr?«

»Ja, das stimmt. Ein Jahr später ungefähr.«

»Und damit bekamst du auch das halbe Königreich.«

»Ja, so kann man es vielleicht ausdrücken.«

Von der Zigarre war nur ein Stummel übrig und drohte, Jan die Finger zu verbrennen. Er drückte ihn abrupt in einem pompösen Aschenbecher aus.

»Daß es auf Kosten eines anderen geschah, ist nicht sehr angenehm, aber ich kann wohl behaupten, daß ich im Laufe der Jahre meinen Teil dafür getan habe. Als ich die Leitung der Konservenfabrik übernahm, ging es mit ihr bergab, aber ich habe den Betrieb von Grund auf umstrukturiert, und jetzt exportieren wir Konserven mit Fisch und Krustentieren in die ganze Welt, in die USA, nach Australien, Südamerika …«

»Was glaubst du, warum hat sich Nils ins Ausland abgesetzt?«

»Ich sollte das hier wohl eigentlich nicht erzählen, aber es war so, daß aus der Fabrik, kurz bevor Nils verschwand, eine

280

ganze Menge Geld abhanden gekommen war. Außerdem fehlte einiges an Kleidung, ein Koffer und sein Paß.«

»Warum hat es wegen des verschwundenen Geldes keine Anzeige bei der Polizei gegeben?«

»Mutter hat sich geweigert. Sie behauptete, es müsse ein Irrtum sein und daß Nils so etwas nie tun könnte. Mütter, du weißt ja. Es ist schließlich ihre Aufgabe, nur Gutes von den Kindern zu denken.«

Eine neue Zigarre wurde angesteckt. Patrik fand, daß die Luft in dem kleinen Zimmer ziemlich verräuchert war, aber er sagte nichts.

»Übrigens, du möchtest nicht vielleicht eine? Es sind kubanische. Handgerollt.«

»Nein, danke. Ich bin Nichtraucher.«

»Schade. Du weißt nicht, was dir entgeht.« Jan studierte die Zigarre voller Genuß.

»Ich habe in unserem Archiv von dem Brand gelesen, der deine Eltern getötet hat. Das muß sehr schwer gewesen sein. Wie alt bist du damals gewesen? Neun oder zehn?«

»Ich war zehn Jahre alt. Und du hast recht. Es war schwer. Aber ich hatte Glück. Die meisten Waisen werden nicht von einer Familie wie den Lorentzens aufgenommen.«

Patrik fand es ein wenig geschmacklos, in diesem Zusammenhang von Glück zu reden. »Soviel ich begriffen habe, sprach man von Brandstiftung. Hat man jemals mehr erfahren?«

»Nein, du hast ja die Berichte gelesen. Die Polizei ist nie weitergekommen. Persönlich glaube ich, daß Vater wie immer im Bett geraucht hat und eingeschlafen ist.«

Zum erstenmal während des Gespräches zeigte er Ungeduld.

»Darf ich fragen, was das hier mit den Mordfällen zu tun hat? Ich habe bereits gesagt, daß ich keinen der beiden kannte, und ich kann nicht ganz begreifen, welchen Zusammenhang das mit meiner schweren Kindheit hat.«

»Wir gehen im Moment auch den kleinsten Spuren nach. Die Anrufe von Anders hier im Haus waren der Grund, weshalb ich der Sache nachgehen wollte. Aber das scheint ja nicht weiterzuführen. Ich bitte um Entschuldigung, daß ich deine Zeit unnötigerweise in Anspruch genommen habe.«

Patrik stand auf und streckte ihm die Hand hin. Jan erhob sich ebenfalls, legte die Zigarre in den Aschenbecher, bevor er Patriks ausgestreckte Hand ergriff.

»Kein Problem, wirklich nicht. Es war nett, dich kennenzulernen.«

Wie schmeichelhaft, dachte Patrik. Er folgte Jan dicht auf den Fersen die Treppe hoch. Die äußerst geschmackvolle Einrichtung der oberen Etage ließ ihn den Kontrast zum Souterrain besonders deutlich empfinden. Wirklich schade, daß man Jans Frau nicht die Nummer von Nellys Innenarchitekten gegeben hatte.

Er bedankte sich und verließ das Haus mit dem Gefühl, entscheidende Dinge übersehen zu haben. Einerseits war ihm, als hätte er unten bei Jan etwas bemerkt, dessen Geheimnis er hätte entschlüsseln müssen. Etwas, das in dem spendabel eingerichteten Zimmer hervorstach. Andrerseits stimmte irgend etwas an Jan Lorentz nicht. Patrik kam auf seinen ersten Gedanken zurück: Der Kerl war zu perfekt.

Es war jetzt fast sieben, und es schneite gehörig, als Patrik endlich auf ihrer Schwelle stand. Erica war verwundert, welche starken Gefühle sie bei seinem Anblick empfand und wie natürlich es ihr vorkam, ihm um den Hals zu fallen und sich an ihn zu schmiegen. Er stellte zwei Einkaufsbeutel auf den Boden des Flurs und erwiderte ihre Umarmung herzlich und lange.

»Du hast mir gefehlt.«

»Du mir auch.«

Sie küßten sich zärtlich. Einen Moment später knurrte Patriks Magen so laut, daß sie darin eine Aufforderung sahen, mit den Tüten in die Küche zu gehen. Er hatte viel zuviel Essen eingekauft, aber Erica stellte das, was nicht gebraucht wurde, in den Kühlschrank. In stiller Übereinkunft sprachen sie nicht über die Ereignisse des Tages, solange sie mit dem Essen beschäftigt waren. Erst als sie ihren Hunger gestillt hatten und sich am Tisch gesättigt gegenübersaßen, begann Patrik zu erzählen, was geschehen war.

»Anders Nilsson ist tot. Er wurde heute morgen in seiner Wohnung gefunden.«

»Hast du ihn gefunden, als du hingefahren bist?«

»Nein, aber es fehlte nicht viel.«

»Wie ist er gestorben?«

Patrik zögerte einen Moment.

»Er wurde erhängt.«

»Was, erhängt? Du willst sagen, daß er ermordet wurde.« Erica konnte ihre Aufregung nicht verbergen.

»Ist es derselbe Täter wie bei Alex?«

Patrik fragte sich, wie viele Male er diese Frage wohl heute schon gehört hatte. Aber sie war zweifellos von Bedeutung. »Wir glauben es.«

»Habt ihr noch andere Anhaltspunkte? Hat jemand etwas gesehen? Habt ihr was Konkretes gefunden, das die Morde verbindet?«

»Immer mit der Ruhe, ja?« Patrik hatte abwehrend die Hände gehoben. »Ich kann nicht mehr sagen. Wir können doch wohl auch von was Netterem reden. Wie war zum Beispiel dein Tag?«

Erica lächelte schief. Wenn er wüßte, daß ihr Tag auch nicht viel angenehmer gewesen war! Aber das konnte sie ihm nicht erzählen. Sie mußte es Dan überlassen, selbst davon zu sprechen. »Ich habe ziemlich lange geschlafen, und dann habe ich den größten Teil des Tages geschrieben. Ein bedeutend weniger spannender Tag als deiner.«

Ihrer beider Hände hatten sich über dem Tisch gefunden. Die Finger verflochten sich. Man fühlte sich gut und geborgen, so zusammenzusitzen, während die kompakte Dunkelheit das Haus umschloß. Große Schneeflocken fielen noch immer herab, gleich Sternschnuppen am schwarzen Nachthimmel.

»Dann habe ich auch ziemlich viel über Anna und das Haus nachgedacht. Ich habe dieser Tage bei einem Gespräch mit ihr den Hörer aufgeknallt, und seitdem plagt mich das schlechte Gewissen. Vielleicht bin ich egoistisch gewesen. Habe nur daran gedacht, was es für mich bedeutet, wenn das Haus verkauft wird, wie sehr es mir fehlen wird. Aber Anna hat es wirklich auch nicht so leicht. Sie versucht das Beste aus ihrer Situation zu machen, und selbst wenn ich finde, daß es falsch ist, so tut sie es doch nicht, um mir eins auszuwischen. Zwar kann sie manchmal ziemlich naiv und gedankenlos sein, aber sie ist immer rücksichtsvoll und großzügig gewesen, und ich habe in letzter Zeit meinen Kummer und meine Enttäuschung an ihr ausgelassen. Vielleicht ist es doch am besten, das Haus zu verkaufen. Von vorn anzufangen. Ich kann mir ja sogar ein neues, wenn auch viel kleineres Haus für das Geld anschaffen. Vielleicht bin ich zu sentimental. Es ist Zeit, nach vorn zu schauen und damit aufzuhören, das, was hätte sein können, zu beklagen. Statt dessen sollte ich die Dinge ins Auge fassen, die ich tatsächlich habe.«

Patrik verstand, daß sie jetzt nicht nur von ihrem Haus sprach. »Wie ist der Unfall mit deinen Eltern passiert? Wenn du nichts gegen die Frage hast?«

»Nein, geht schon klar.« Sie atmete tief durch. »Sie waren in Strömstad bei meiner Tante gewesen. Es war dunkel, und es hatte geregnet, und in der Kälte wurde die Straße spiegelglatt. Vater fuhr immer vorsichtig, aber man glaubt, daß ihnen ein Tier vor den Wagen gelaufen ist. Er ist abrupt ausgeschert, kam ins Schleudern, und das Auto fuhr direkt gegen einen Baum. Sie waren vermutlich sofort tot. Wenigstens hat man mir und Anna das so gesagt. Aber man weiß ja nicht, ob das stimmt.«

Eine einzelne Träne lief Erica die Wange hinunter, und Patrik beugte sich vor und strich sie weg. Er faßte sie ums Kinn und zwang sie, ihn direkt anzusehen.

»Man würde euch das nicht sagen, wenn es nicht wahr wäre. Ich bin sicher, daß sie nicht gelitten haben, Erica. Ganz sicher.«

Sie nickte stumm. Sie glaubte seinen Worten, und ihr war, als nähme man eine große Last von ihrer Brust. Das Auto hatte gebrannt, und sie hatte nächtelang wach gelegen und sich voller Entsetzen ausgemalt, daß ihre Eltern lange genug gelebt haben könnten, um das Feuer noch zu spüren. Patriks Worte nahmen ihr die Unruhe, und zum erstenmal fühlte sie eine Art Frieden, als sie an den Unfall dachte, der ihre Eltern das Leben gekostet hatte. Die Trauer war noch immer da, aber die Angst war verschwunden. Mit dem Daumen strich Patrik noch ein paar Tränen weg, die über ihr Gesicht irrten.

»Arme Erica. Meine arme Kleine.«

Sie nahm seine Hand und legte sie sich an die Wange. »Ich bin kein bißchen zu bedauern, Patrik. Ich bin wirklich noch nie so glücklich gewesen wie jetzt, wie in diesem Augenblick. Es ist merkwürdig, ich fühle mich so unglaublich sicher mit dir. Merke nichts von der Unsicherheit, die man sonst verspürt, wenn man gerade zusammengekommen ist. Was glaubst du, woran das liegt?«

»Ich glaube, es liegt daran, daß wir füreinander bestimmt sind.«

Erica errötete bei seinen großen Worten. Aber sie mußte zugeben, daß sie es genauso empfand. Es war, als sei man angekommen.

Wie auf ein Signal standen sie vom Tisch auf, ließen den Abwasch stehen, wo er war, und gingen eng umschlungen ins Schlafzimmer hoch. Draußen wütete ein Schneesturm.

Es war ein sonderbares Gefühl, wieder in seinem alten Kinderzimmer zu wohnen. Besonders, da ihr Geschmack sich im Laufe der Jahre verändert hatte, der Raum aber noch immer so war wie früher. Viel Rosa und jede Menge Spitze, das war nicht mehr richtig ihre Sache.

Julia lag rücklings auf dem schmalen Mädchenbett und starrte an die Decke, die Hände auf dem Bauch gefaltet. Alles war im Begriff einzustürzen. Ihr ganzes Leben fiel um sie herum zusammen und bestand nur noch aus einem einzigen Haufen Scherben. Es war, als hätte sie die ganzen Jahre im Spiegelkabinett gelebt, wo nichts so war, wie es zu sein vorgab. Was aus ihrem Studium werden würde, wußte sie nicht. Jede Begeisterung war mit einem Schlag von ihr abgefallen, und jetzt ging das Semester ohne sie weiter. Obwohl sie nicht glaubte, daß jemand ihr Fehlen bemerkte. Es war ihr nie sonderlich leichtgefallen, Freunde zu finden.

Wenn es nach ihr ging, konnte sie ebensogut hier in ihrem rosa Zimmer liegenbleiben und die Decke anstarren, bis sie alt und grau geworden war. Birgit und Karl-Erik würden es nicht wagen, sie zu hindern. Wenn nötig, konnte sie den Rest ihres Lebens auf deren Kosten leben. Das schlechte Gewissen würde das Portemonnaie für alle Zukunft offenhalten.

Es war, als bewege sie sich durch Wasser. Alle Bewegungen waren schwer und kraftraubend, und die Geräusche drangen nur wie durch einen Filter zu ihr. Anfangs war es anders gewesen. Da hatten rechtmäßiger Zorn und ein Haß sie erfüllt, der so stark war, daß er sie erschreckte. Noch immer haßte sie, doch jetzt nicht mehr voller Energie, sondern eher resigniert. Sie war es so gewöhnt, sich selbst zu verachten, daß sie geradezu körperlich spürte, wie der Haß die Richtung änderte, sich statt nach außen nun nach innen wandte und ihr große Löcher in die Brust ätzte. Alte Gewohnheiten waren schwer abzulegen. Sich selbst zu hassen war eine Kunstart, die sie bis zur Perfektion zu praktizieren gelernt hatte.

Sie drehte sich auf die Seite. Auf dem Schreibtisch stand ein Foto von ihr und Alex, und sie nahm sich vor, es wegzuschmeißen. Sobald sie imstande war, vom Bett aufzustehen, würde sie es in tausend Stücke reißen. Die Bewunderung, die in ihrem Blick auf dem Bild lag, ließ sie das Gesicht verziehen. Alex war kühl und schön wie immer, während das häßliche junge Entlein neben ihr sie vergötternd ansah. In Julias Augen war Alex fehlerlos gewesen, und insgeheim hatte Julia stets die Hoffnung genährt, daß sie eines Tages aus ihrer Puppe schlüpfen und selbst genauso schön und selbstsicher sein würde wie Alex. Sie lächelte höhnisch über ihre eigene Naivität. Was für ein Spaß! Dieser Spaß ging außerdem ganz und gar auf ihre Kosten. Sie fragte sich, ob die anderen hinter ihrem Rücken darüber geredet hatten. Ob sie über diese dumme, häßliche kleine Gans Julia gelacht hatten.

Als es vorsichtig an der Tür klopfte, zog sie sich total in sich zusammen. Sie wußte, wer da stand.

»Julia, wir machen uns Sorgen um dich. Willst du nicht ein bißchen zu uns runterkommen?«

Sie gab Birgit keine Antwort. Statt dessen studierte sie mit äußerster Konzentration eine Strähne ihres Haares.

»Bitte, Julia, Liebes.«

Birgit kam herein und setzte sich auf den Stuhl am Schreibtisch, Julia zugewandt. »Ich verstehe, daß du wütend bist und uns vielleicht sogar haßt, aber glaube mir, es war nicht unsere Absicht, dir weh zu tun.«

Es verschaffte Julia Befriedigung, daß sie so mitgenommen und gedrückt wirkte. Es sah aus, als hätte sie nächtelang nicht geschlafen. Vielleicht hatte sie das auch nicht. Neue Krähenfüße waren um ihre Augen erschienen, und Julia dachte hämisch, daß das Liften, was sich Birgit nächstes Jahr zu ihrem Fünfundsechzigsten gönnen wollte, vielleicht früher gemacht werden mußte, als sie gerechnet hatte. Birgit zog den Stuhl ein wenig näher und legte Julia die Hand auf die Schulter. Die schüttelte sie sofort wieder ab, und Birgit zuckte verletzt zurück.

»Kleine, wir lieben dich alle. Das weißt du.«

Nicht im Traum wußte sie das. Was sollte dieses Theater? Sie waren sich doch beide im klaren darüber, was sie voneinander zu halten hatten, und was Liebe war, wußte Birgit ohnehin nicht. Die einzige, die sie geliebt hatte, war Alex. Immer nur Alex.

»Wir müssen doch darüber reden, Julia. Wir müssen uns jetzt gegenseitig stützen.«

Birgits Stimme bebte. Julia fragte sich, wie oft Birgit wohl gewünscht hatte, daß statt Alex lieber sie, Julia, gestorben wäre. Dann sah sie Birgit aufgeben; ihre Hand zitterte, als sie den Stuhl zurückstellte. Bevor sie aus dem Zimmer ging, warf sie ihr einen letzten flehenden Blick zu. Demonstrativ drehte sich Julia zur Wand. Sie hörte, wie sich die Tür leise hinter Birgit schloß.

Der Morgen war normalerweise nicht eben Patriks Lieblingszeit des Tages, und der heutige war besonders miserabel. Erstens war er gezwungen, Erica in ihrem warmen Bett allein zu lassen, um zur Arbeit zu gehen. Zweitens mußte er eine halbe Stunde Schnee schippen, um überhaupt an sein Auto zu gelangen. Und drittens startete die Scheißkarre nicht, als er sie endlich freigeschaufelt hatte. Nach wiederholten Versuchen mußte er die Sache aufgeben und zu Erica zurückgehen, um zu fragen, ob er ihr Auto ausborgen dürfe. Das ging in Ordnung, und zum Glück sprang ihr Wagen gleich beim ersten Versuch an.

Eine halbe Stunde verspätet stürzte er ins Büro. Das Schneeschippen hatte ihn total ins Schwitzen gebracht, und er zupfte ein paarmal an seinem Hemd, um Luft an den Körper zu lassen. Die Kaffeemaschine war ein notwendiger Haltepunkt, bevor er mit der Arbeit beginnen konnte, und erst als er mit der Tasse in der Hand am Schreibtisch saß, fühlte er, daß sich sein Puls langsam beruhigte. Er gestattete sich, einen Moment zu träumen und in dem Gefühl der unbeschreiblichen, besinnungslosen Verliebtheit zu versinken. Die vergangene Nacht war genauso wundervoll gewesen wie die erste, aber sie hatten dennoch ein Fünkchen Vernunft aufgebracht und zugesehen, daß sie ein paar Stunden Schlaf bekamen. Zu behaupten, daß er ausgeruht sei, war übertrieben, aber er befand sich wenigstens nicht im Koma wie am Tag zuvor.

Die Notizen von der gestrigen Begegnung mit Jan waren das erste, was er sich vornahm. Er hatte keine neuen Details erfahren, die sein Interesse geweckt hätten, aber er betrachtete diese Stunde dennoch nicht als verlorene Zeit. Es war mindestens ebenso wichtig für die Ermittlung, daß er ein Gefühl für die Personen bekam, die in die Sache verwickelt waren oder es sein konnten. »Bei Mordermittlungen geht es um Menschen«, hatte einer seiner Lehrer auf der Polizeihochschule oft gesagt, und der Satz war Patrik im Gedächtnis geblieben. Er hielt sich außerdem für einen guten Menschenkenner, und bei der Befragung von Zeugen und Verdächtigen versuchte er stets, eine Zeitlang von den trockenen Fakten abzusehen und den Eindruck auf sich wirken zu lassen, den die vor ihm sitzende Person machte. Jan hatte nicht gerade positive Gefühle bei ihm ausgelöst. Unzuverlässig, glatt und lüstern waren Wörter, die in seinem Gehirn auftauchten, als er Jans Persönlichkeit zu beschreiben versuchte. Völlig klar war, daß er mehr verschwieg als erzählt hatte. Erneut griff Patrik nach dem Papierstapel über die Familie Lorentz. Noch immer hatte er keinen konkreten

Zusammenhang zwischen dieser und den beiden Mordfällen finden können. Mit Ausnahme der Anrufe, die Anders an Jan gerichtet hatte, nur in dem Fall konnte er nicht beweisen, daß Jans Geschichte von den stummen Anrufen nicht stimmte. Patrik nahm die Akte über den Tod von Jans Eltern zur Hand. Irgend etwas in Jans Stimme, als er von dem Ereignis gesprochen hatte, beunruhigte Patrik. Da war ein falscher Ton gewesen. Ihm kam eine Idee. Er hob den Hörer ab und gab eine Nummer ein, die er im Kopf hatte.

»Hallo, Vicky, wie geht's?«

Die Person am anderen Ende der Leitung versicherte, daß alles bestens war. Nach den einleitenden Höflichkeitsfloskeln konnte Patrik zu seinem eigentlichen Anliegen kommen. »Du, ich möchte gern wissen, ob du mir einen Gefallen tun könntest. Ich habe gerade einen Burschen im Visier, der etwa fünfundsiebzig in den Papieren des Jugendamts aufgetaucht sein muß. Zehn Jahre alt, Jan Norin hieß er damals. Glaubst du, daß ihr darüber noch was habt? Okay, ich warte.«

Er trommelte ungeduldig mit den Fingern auf der Schreibtischplatte, während Vicky Lind vom Jugendamt die Daten eingab. Nach ein paar Minuten hörte er sie wieder im Hörer.

»Du hast die Angaben dort? Spitze. Kannst du sehen, wer den Fall in der Hand hatte? Siv Persson. Wunderbar, Siv kenne ich. Hast du ihre Nummer?«

Patrik notierte die Telefonnummer eifrig auf einem Zettel und legte auf, nachdem er versprochen hatte, Vicky irgendwann mal zum Mittagessen einzuladen. Er wählte die erhaltene Nummer und hörte umgehend eine muntere Stimme am Apparat. Es zeigte sich, daß Siv den Fall Jan Norin sehr gut in Erinnerung hatte und daß Patrik gern sofort vorbeikommen konnte.

Patrik zerrte die Jacke mit solchem Eifer vom Garderobenständer, daß er ihn zum Umkippen brachte. Um das Maß voll zu machen, glückte es dem Ständer auf seinem Weg nach unten nicht nur, ein Bild von der Wand, sondern auch einen Blumentopf aus dem Bücherregal zu reißen, was ein gehöriges Gepolter verursachte. Patrik ließ erst mal alles liegen, und als er auf den

Korridor kam, sah er, daß man die Köpfe aus allen Türöffnungen steckte. Er winkte nur ab und rannte aus der Haustür, während neugierige Augenpaare seinen Abgang verfolgten.

Das Jugendamt lag nicht mehr als ein paar hundert Meter vom Polizeirevier entfernt, und Patrik stapfte durch den Schnee in Richtung Einkaufsstraße. Am Ende der Straße bog er am Restaurant »Tanumshede Gestgifveri« nach links ab und ging ein kurzes Stück geradeaus weiter. Das Amt befand sich im selben Haus wie die Gemeindeverwaltung, und Patrik stieg die Treppen hoch. Er wurde zu Siv eingelassen, nachdem er das Mädel an der Rezeption fröhlich begrüßt hatte, mit der er in den letzten Jahren der Grundschule in dieselbe Klasse gegangen war. Siv Persson machte sich nicht die Mühe, vom Stuhl aufzustehen und ihn zu begrüßen, als er ins Zimmer kam. Ihre Wege hatten sich in den Jahren, seit Patrik bei der Polizei war, häufig gekreuzt, und sie respektierten das berufliche Können des anderen, auch wenn sie nicht immer derselben Ansicht waren, wie man einen Fall am besten behandeln sollte. Hinzu kam, daß Siv eine der warmherzigsten Personen war, die er kannte, wobei es für eine Sozialarbeiterin vielleicht nicht immer so gut war, nur das Beste im Menschen zu sehen. Zugleich bewunderte er sie, weil sie trotz aller Fehlschläge, die sie im Laufe der Jahre erlitten hatte, ihre unerschütterlich positive Sicht auf die menschliche Natur behalten hatte. Was ihn selbst anbetraf, fühlte Patrik, daß es sich eher in die andere Richtung entwickelt hatte.

»Hallo Patrik! Hast dich also durch das Schneechaos gekämpft.«

Patrik reagierte instinktiv auf den unnatürlich munteren Klang ihrer Stimme. »Ja, fast hätte man einen Schneepflug gebraucht, um hierher durchzukommen.«

Sie griff nach der Brille, die ihr an einer Schnur um den Hals baumelte, und setzte sie sich auf die Nasenspitze. Siv liebte kräftige Farben, und heute paßte die rote Brille genau zu ihrer Kleidung. Seit er sie kannte, trug sie dieselbe Frisur, einen kerzengerade geschnittenen Pagenkopf, wobei die Haare genau bis zum Kinn reichten und das kurze Pony über den Augenbrauen endete. Ihre Haare waren kupferrot und glänzten, die kräftigen Farben sorgten dafür, daß sich Patrik bei ihrem Anblick frischer fühlte.

»Du hast gesagt, du willst einen Blick auf einen meiner alten Fälle werfen? Auf Jan Norin.«

Noch immer ein viel zu bemühter Tonfall. Sie hatte das Material herausgesucht, noch ehe er gekommen war, und eine dicke Akte lag vor ihr auf dem Tisch.

»Ja, über den Jungen haben wir so einiges Material, wie du siehst. Beide Eltern waren drogenabhängig, und wären sie nicht verunglückt, hätten wir früher oder später eingreifen müssen. Sie kümmerten sich nicht um das Kind, und er mußte sich praktisch allein erziehen. Kam in schmutziger und zerrissener Kleidung zum Unterricht und wurde von den anderen gemobbt, weil er stank. Offenbar mußte er in dem alten Stall schlafen und dann in den Sachen, in denen er geschlafen hatte, zur Schule gehen.« Sie sah ihn über die Brille hinweg an. »Ich nehme an, du wirst mein Vertrauen nicht mißbrauchen, sondern dir die erforderlichen Genehmigungen beschaffen, um diese Auskünfte über Jan zu erhalten, auch wenn es erst hinterher ist!«

Patrik nickte nur. Er wußte, daß es wichtig war, die Regeln zu befolgen, aber manchmal erforderten die Ermittlungen eine gewisse Effektivität, und da mußten die Mühlen der Bürokratie eben hinterher mahlen. Siv und er hatten schon seit längerem eine gut funktionierende Arbeitsbeziehung, und er wußte, daß sie diese Frage stellen mußte. Er erwiderte: »Warum habt ihr nicht früher eingegriffen? Wieso konnte das so weit gehen? Das hier klingt ja, als sei Jan seit der Geburt vernachlässigt worden, und er war doch schließlich schon zehn Jahre alt, als die Eltern starben.«

Siv seufzte tief. »Ja, ich verstehe, was du meinst, und glaube mir, ich habe oft dasselbe gedacht. Aber als ich hier zu arbeiten anfing, übrigens erst gut einen Monat vor dem Brand, galten noch andere Regeln. Es mußte unglaublich viel geschehen, bevor sich der Staat einmischte und das Recht der Eltern beschränkte, ihre Kinder so zu erziehen, wie es ihnen gefiel. Viele traten auch für eine freie Erziehung ein, und das hatten Kinder wie Jan bedauerlicherweise auszubaden. Außerdem wies er nie irgendwelche Spuren körperlicher Mißhandlung auf. Um es kraß zu sagen, wäre es vielleicht das beste für ihn gewesen, wenn er geprügelt worden und im Krankenhaus gelandet wäre. In diesen Fällen warf man ein Auge auf die Familienverhältnisse. Aber entweder wurde er so mißhandelt, daß es nach außen nicht zu sehen war, oder sie haben ihn ›nur‹ vernachlässigt.« Siv markierte die Anführungszeichen in der Luft.

Gegen seinen Willen verspürte Patrik eine Welle der Sympathie für den kleinen Jan. Verdammt, wie sollte man ein normaler Mensch werden, wenn man unter solchen Verhältnissen aufwuchs?

»Aber noch hast du das Schlimmste nicht gehört. Wir hatten nie irgendwelche Beweise dafür, aber so manches deutete daraufhin, daß die Eltern den Jungen gegen Geld oder Drogen von Männern mißbrauchen ließen.«

Patrik fühlte, wie ihm der Unterkiefer herunterklappte. Das hier war weit abscheulicher, als er es sich vorgestellt hatte.

»Wie gesagt, wir konnten es nie mit Sicherheit sagen, aber heute sehen wir beispielsweise, daß Jan sehr genau dem Bild entsprach, das, wie wir jetzt wissen, typisch für Kinder ist, die sexuell mißbraucht wurden. So hatte er große Disziplinprobleme in der Schule. Die anderen Kinder mobbten ihn, wie ich schon sagte, aber sie fürchteten ihn auch.« Siv öffnete die Akte und blätterte in den Papieren, bis sie das gefunden hatte, was sie suchte. »Hier ist es. In der zweiten Klasse hat er ein Messer in die Schule mitgebracht, mit dem er dem schlimmsten seiner Peiniger drohte. Er hat ihm sogar ins Gesicht geschnitten, aber die Schulleitung hat das Ganze vertuscht, und soviel ich sehen kann, bekam er keine Strafe. In der Folge gab es mehrere solcher Vorfälle, bei denen Jan große Aggressivität gegenüber seinen Mitschülern zeigte, aber die Sache mit dem Messer war der schlimmste. Bei einigen Gelegenheiten wurde er auch der Schule gemeldet, weil er sich ungebührlich zu den Mädchen seiner Klasse verhielt. Für sein Alter waren die sexuellen Annäherungen und Anspielungen, die er machte, äußerst fortgeschritten. Auch diese Meldungen führten zu nichts. Man wußte ganz einfach nicht, was man mit einem Kind machen sollte, das in seiner Beziehung zu den Menschen seiner Umgebung derartige Störungen aufwies. Heute hätte man sicher auf diese Zeichen reagiert und irgend etwas getan, aber du darfst nicht vergessen, daß man sich damals in den frühen Siebzigern befand. Das war eine ganz andere Welt.«

Patrik fühlte sich völlig erledigt vor Mitleid und vor Wut darüber, daß man ein Kind so behandeln konnte. »Und nach dem Brand. Gab es dann weitere solcher Vorfälle?«

»Nein, das ist das Merkwürdige. Nach dem Brand wurde er quasi sofort bei der Familie Lorentz untergebracht, und danach haben wir nie wieder gehört, daß Jan irgendwelche Probleme hätte. Ich bin selber ein paarmal hingefahren, um mir ein Bild von der Situation zu machen, und damals traf ich einen ganz anderen Jungen an. Er saß dort in seinem Anzug, die Haare sorgfältig gekämmt, blickte mir, ohne zu zwinkern, in die Augen und antwortete höflich auf alle Fragen. Übrigens war das ziemlich beängstigend. Eine Person verändert sich nicht über Nacht auf eine solche Weise.«

Patrik war total verblüfft. Bisher hatte er es noch nie erlebt, daß Siv bei einem ihrer Fälle etwas Negatives auch nur angedeutet hätte. Er begriff, daß er hier weiter nachbohren sollte. Sie wollte irgend etwas sagen, aber er würde danach fragen müssen.

»Was den Brand betrifft …« Er ließ die Worte ein Weilchen in der Luft hängen und sah, daß Siv sich auf dem Stuhl gerader hinsetzte. Das bedeutete, er war auf dem richtigen Weg. »… ich habe gewisse Gerüchte über den Brand gehört.« Er schaute sie fragend an.

»Für Gerüchte kann ich nichts. Was hast du gehört?«

»Daß es Brandstiftung gewesen ist. In den Ermittlungen bei uns steht sogar ›höchstwahrscheinlich Brandstiftung‹, doch keiner hat je eine Spur der Täter gefunden. Der Brand begann im Erdgeschoß des Hauses. Das Ehepaar Norin schlief in einem Zimmer des Obergeschosses und hatte nicht die geringste Chance. Hast du jemals gehört, ob irgend jemand die Norins so sehr gehaßt hat, daß er zu so was fähig gewesen wäre?«

»Ja.« Sie antwortete einsilbig und so leise, daß er nicht sicher war, ob er richtig gehört hatte. Sie wiederholte es mit lauterer Stimme: »Ja, ich weiß, wer die Norins so sehr gehaßt hat, daß er sie verbrennen lassen wollte.«

Patrik saß schweigend da und ließ sie in ihrem eigenen Tempo weiterreden: »Ich bin mit der Polizei zu dem Haus gefahren. Die Feuerwehr war zuerst vor Ort, und einer der Männer war in den Stall gegangen, um nachzusehen, ob irgendwelche Funken dorthin geflogen waren und jetzt vor sich hin schwelten. Der Feuerwehrmann fand Jan im Stall, und da er sich weigerte, das Gebäude zu verlassen, hat man uns informiert. Ich war neu im Beruf, und jetzt im nachhinein muß ich zugeben, daß ich die Sache ziemlich spannend fand. Der Junge saß im Stall, in der hintersten Ecke mit dem Rücken zur Wand, und wurde von einem der Männer bewacht, der sehr erleichtert war, als wir kamen. Ich scheuchte den Polizisten weg und ging allein zu Jan hinein, um ihn, wie ich glaubte, zu trösten und von dort wegzuholen. Seine Hände bewegten sich unentwegt in der Dunkelheit, aber es war nicht zu sehen, was er machte. Doch als ich näher kam, bemerkte ich, daß er an etwas auf seinem Schoß herumfingerte. Es war eine Schachtel Streichhölzer. Mit unverhohlenem Entzücken sortierte er die Streichhölzer, schwarze, abgebrannte in die eine Hälfte der Schachtel und rote, unverbrauchte in die andere. In seinem Gesicht war die reinste Freude zu lesen. Das ganze Kind leuchtete wie von einer inneren Glut. Das war das Schrecklichste, was mir in meinem Leben je begegnet war, Patrik. Immer noch kommt es vor, daß ich dieses Gesicht vor mir sehe, wenn ich mich abends schlafen lege. Als ich zu ihm hinkam, nahm ich ihm vorsichtig die Schachtel aus den Händen. Da blickte er zu mir hoch und sagte: ›Sind sie jetzt tot?‹ Nur das. ›Sind sie jetzt tot?‹ Dann kicherte er und ließ sich bereitwillig aus dem alten Stall führen. Das letzte, was ich gesehen habe, als wir von dort weggingen, war eine Decke, eine Taschenlampe und ein Berg Kleider in einer Ecke des Gebäudes. Da begriff ich, daß wir am Tod seiner Eltern mitschuldig waren. Wir hätten viele Jahre früher reagieren müssen.«

»Hast du das irgend jemandem erzählt?«

»Nein, was hätte ich sagen sollen? Daß er seine Eltern umgebracht hat, nur weil ich gesehen habe, daß er mit Streichhölzern spielte? Nein, ich habe nie etwas gesagt, bis du jetzt mit deinen Fragen gekommen bist. Aber ich habe immer befürchtet, daß er auf die eine oder andere Weise bei der Polizei auffällig wird. Worin ist er jetzt verwickelt?«

»Ich kann noch nichts sagen, aber ich verspreche, daß ich dich informiere, sobald es möglich ist. Ich bin ungemein dankbar, daß du mir das hier erzählt hast, und ich werde mich sofort um den Papierkram kümmern, damit ihr keinen Ärger kriegt.« Er winkte und war auch schon weg.

Als er gegangen war, blieb Siv Persson an ihrem Schreibtisch sitzen. Die rote Brille hing an der Schnur um ihren Hals, und sie massierte sich mit Daumen und Zeigefinger die Nasenwurzel, während sie die Augen geschlossen hielt.

Im selben Augenblick, als Patrik in die Schneewehen auf dem Bürgersteig trat, klingelte sein Handy. Er hatte in der schneidenden Kälte Mühe, das Teil aufzuklappen. Er hoffte, es war Erica, aber erkannte enttäuscht die Nummer der Zentrale vom Revier auf dem Display.

»Patrik Hedström. Hallo Annika. Nein, ich bin auf dem Weg. Ja, aber warte damit, ich bin gleich da.«

Er klappte das Handy zu. Annika war erneut erfolgreich gewesen. Sie hatte etwas in Alex' Lebenslauf gefunden, was nicht stimmte.

Es knirschte unter seinen Füßen, als er in eiligem Tempo in Richtung Revier lief. Der Schneepflug war in der Zeit, als er bei Siv gesessen hatte, vorbeigekommen, und der Rückweg war nicht so mühselig wie der Hinweg. Nur wenige mutige Menschen waren bei dem eisigen Wetter draußen, und die Einkaufsstraße lag verlassen da, bis auf die eine oder andere Person, die mit hochgeschlagenem Kragen und tief ins Gesicht gezogener Mütze vorüberhastete.

Als er zur Tür hereingekommen war, stampfte er den Schnee von den Füßen, der an den Schuhen haftengeblieben war. Er mußte sich merken, daß Schnee in Verbindung mit Halbschuhen zu unangenehm feuchten Socken führte. Eigentlich hätte er sich das vorher ausrechnen können.

Er ging direkt in Annikas Zimmer. Sie wartete schon auf ihn, und nach ihrem zufriedenen Gesicht zu urteilen, war das, was sie gefunden hatte, richtig gut.

»Sind alle Sachen in der Wäsche, oder?«

Patrik verstand die Frage erst nicht, aber schloß aufgrund ihres spöttischen Lächelns, daß es ein Spaß auf seine Kosten war. Der Groschen fiel dann eine Sekunde später, und er sah an sich herunter. Verdammt, er trug seit vorgestern, als er zu Erica gefahren war, ständig dieselbe Kleidung. Ihm fiel das morgendliche Schippmanöver ein, und er fragte sich, ob er nur *schlecht* oder *furchtbar* schlecht roch.

Er murmelte irgendwas auf Annikas Kommentar und versuchte, sie so böse wie möglich anzustarren. Das fand sie nur noch amüsanter.

»Ja, ja, schrecklich komisch. Komm jetzt zur Sache. Mach schon den Mund auf, Weib!«

Er ließ die Faust mit gespieltem Ärger auf ihre Schreibtischplatte krachen. Eine Blumenvase reagierte sofort, kippte um, und Wasser lief über den Tisch.

»O Verzeihung. Das wollte ich nicht. Ich bin vielleicht ein Tolpatsch …«

Er suchte nach etwas zum Aufwischen, aber wie gewöhnlich war ihm Annika einen Schritt voraus und zauberte irgendwo hinter dem Schreibtisch eine Rolle Haushaltspapier hervor. Ruhig beseitigte sie die Lache auf der Platte, während sie ihm ein bestens bekanntes Kommando zurief.

»Sitz!«

Er gehorchte unmittelbar und fand es ein bißchen ungerecht, daß er zur Belohnung keinen Leckerbissen bekam, wo er doch nun schon so tüchtig war. »Wollen wir dann anfangen?« Annika wartete Patriks Antwort nicht ab, sondern richtete ihren Blick auf den Bildschirm. »Wollen mal sehen. Ich habe mit dem Zeitpunkt ihres Todes angefangen und bin dann immer weiter zurückgegangen. Alles scheint zu stimmen für die Zeit, in der sie in Göteborg gewohnt hat. Die Kunstgalerie hat sie

1989 zusammen mit ihrer Freundin eröffnet. Davor studierte sie fünf Jahre an der Universität in Frankreich, Hauptfach Kunstgeschichte. Ich habe ihr Diplom heute per Fax bekommen, und sie hat all ihre Prüfungen pünktlich und mit guten Ergebnissen abgelegt. Das Gymnasium besuchte sie in Göteborg. Auch von dort habe ich ihre Zeugnisse erhalten. Sie war keine glänzende Schülerin, aber auch nicht schlecht, hielt sich, was die Noten anging, immer so in der Mitte.«

Annika legte eine Pause ein und schaute Patrik an, der sich jetzt vorgebeugt hatte, um auf ihrem Bildschirm weiterzulesen. Sie drehte den Monitor ein bißchen von ihm weg, damit er ihr die Entdeckung nicht zu früh wegschnappen konnte.

»Davor gab es das Internat in der Schweiz. Sie ging in eine internationale Schule, ›L'École de Chevalier‹, eine sauteure Angelegenheit.« Annika betonte das vorletzte Wort ganz besonders. »Nach den Auskünften, die ich am Telefon erhielt, kostet der Besuch dort rund hunderttausend Kronen im Halbjahr, und dazu kommen noch Unterkunft, Essen, Kleidung und Bücher. Und ich habe es nachgeprüft, die Preise waren genauso hoch, als Alexandra Wijkner dort war.«

Patrik nahm die Worte nachdenklich auf und sagte laut: »Die Frage ist also, wie Familie Carlgren es sich leisten konnte, ihre Tochter da hinzuschicken. Birgit war, soviel ich weiß, die ganzen Jahre Hausfrau, und Karl-Erik kann unmöglich genug Geld verdient haben, um solche Ausgaben bestreiten zu können. Hast du kontrolliert …«

Annika unterbrach ihn. »Ja, ich habe nachgefragt, woher die Einzahlungen für Alexandra gekommen sind, aber solche Auskünfte erteilt man dort nicht. Um das zu erfahren, ist eine Verfügung der Schweizer Polizei erforderlich, aber bei der herrschenden Bürokratie würde es uns mindestens ein halbes Jahr kosten, bevor wir die erhalten. Ich habe statt dessen am anderen Ende angefangen und mir die finanzielle Situation der Carlgrens im Laufe der Jahre vorgenommen. Vielleicht haben sie ja irgendeinen Verwandten beerbt, was weiß ich? Ich warte auf Bescheid von der Bank, aber es wird ein paar Tage dauern, bevor wir mit der Information rechnen können. Aber«, eine neue Kunstpause, »das ist noch nicht das interessanteste. Nach den Angaben der Carlgrens hat Alex das Internat vom Frühjahrssemester 1977 an besucht. Laut Register der Schule hat sie aber erst im Frühjahr 78 angefangen.« Triumphierend lehnte sich Annika auf dem Stuhl zurück und verschränkte die Arme.

»Bist du dir da sicher?« Patrik konnte seine Erregung kaum zügeln.

»Ich habe es einmal, dann zweimal und schließlich dreimal kontrolliert. Das Jahr zwischen dem Frühjahr 1977 und dem Frühjahr 78 fehlt in Alex' Leben. Wir haben keine Ahnung, wo sie in der Zwischenzeit gewesen ist. Die Familie ist hier im März 1977 weggezogen, und dann gibt es nichts, keinen einzigen Hinweis, bevor Alex im Jahr darauf mit der Schule in der Schweiz anfing. Zur gleichen Zeit tauchen ihre Eltern in Göteborg auf. Sie kaufen ein Haus, und Karl-Erik übernimmt seinen neuen Posten als Chef eines mittelgroßen Unternehmens im Großhandelsgeschäft.«

»Wir wissen also auch nicht, wo die Familie in der Zwischenzeit gewesen ist?«

»Nein, noch nicht. Aber ich suche weiter. Nichts deutet jedoch darauf hin, daß sie in dem betreffenden Jahr in Schweden waren, soviel ist klar.«

Patrik nahm die Finger beim Zählen zu Hilfe. »Alex ist 1965 geboren, sie war also, wollen mal sehen, 77 genau zwölf Jahre alt.«

Annika sah wieder auf den Schirm. »Sie ist am dritten Januar geboren, das stimmt also, sie war zwölf Jahre, als die Familie wegzog.«

Patrik nickte nachdenklich. Es waren wertvolle Informationen, die Annika da ausgegraben hatte, aber im Moment gaben sie nur neue Rätsel auf. Wo hatte sich Familie Carlgren zwischen 1977 und 78 aufgehalten? Eine ganze Familie konnte nicht einfach verschwinden. Die Spuren waren da, man mußte sie nur finden. Zugleich war da ganz sicher noch mehr.

»Hast du wirklich keine andere Lücke in ihrem Lebenslauf gefunden? Können ihre Prüfungen an der Universität nicht von jemand anderem gemacht worden sein? Oder kann ihre Galeriepartnerin den Laden nicht vielleicht eine Zeitlang allein geführt haben? Nicht, daß ich dem, was du herausgefunden hast, nicht traue, aber könntest du die Angaben vielleicht trotzdem noch mal unter die Lupe nehmen? Und kontrolliere in den Krankenhäusern, ob irgendeine Alexandra Carlgren oder Wijkner dort ein Kind geboren hat. Fang mit den Kliniken in Göteborg an, und wenn du da nichts findest, dann geh weiter raus ins Land mit Göteborg als Ausgangspunkt. Es muß irgendwo eine Information dazu geben. Ein Kind kann sich nicht in Luft auflösen.«

»Kann sie das Kind nicht im Ausland bekommen haben? Zum Beispiel in der Internatszeit? Oder in Frankreich?«

»Ja, natürlich, warum habe ich daran nicht gedacht! Schau nach, ob du etwas über die internationalen Kanäle erfahren kannst. Und dann versuche irgendeine Möglichkeit aufzuspüren, die uns hilft herauszufinden, wohin Carlgrens verschwunden waren. Pässe, Visum, die Botschaften. Irgendwo muß es Angaben dazu geben.«

Annika notierte, was das Zeug hielt.

»Übrigens, ist einer der anderen schon auf was Vernünftiges gestoßen?«

»Ernst hat Bengt Larssons Alibi kontrolliert, und das ist okay, also ihn können wir streichen. Martin hat mit Henrik Wijkner telefoniert und nichts Neues über die Verbindung zwischen Anders und Alex erfahren. Er wollte sich bei Anders' Saufkumpanen umhören, vielleicht hat Anders ihnen ja was erzählt. Und Gösta … Gösta sitzt in seinem Zimmer, bemitleidet sich selber und versucht genug Energie aufzubringen, um nach Göteborg zu fahren und Carlgrens zu befragen. Ich tippe darauf, daß er sich frühestens Montag dazu aufrafft.«

Patrik seufzte. Wollten sie diesen Fall hier lösen, war es wohl das beste, daß er sich nicht auf seine Kollegen verließ, sondern all die notwendige Kleinarbeit selbst erledigte.

»Du denkst nicht daran, Carlgrens direkt zu fragen? Vielleicht ist ja gar nichts Suspektes an der Geschichte. Vielleicht gibt es ja eine natürliche Erklärung«, sagte Annika.

»Die Angaben zu Alex kommen von ihnen. Aus irgendeinem Grund haben sie zu vertuschen versucht, was sie zwischen

77 und 78 gemacht haben. Ich werde mit ihnen reden, aber erst will ich ein bißchen mehr in der Hand haben. Ihnen soll keine Chance bleiben, sich herauszuwinden.«

Annika lehnte sich zurück und lächelte hinterhältig. »Und wann hören wir die Hochzeitsglocken läuten?«

Patrik sah ein, daß sie nicht die Absicht hatte, diesen Leckerbissen so leicht wieder loszulassen. Also galt es, sich damit abzufinden, daß man die nächste Zeit hier im Revier als Quelle der Unterhaltung diente.

»Naja, dafür ist es ja wohl doch ein bißchen früh. Vielleicht sollten wir erst mal eine Woche zusammen gewesen sein, bevor wir einen Termin in der Kirche buchen.«

»Sooo, ihr seid also zusammen.«

Er begriff, daß er mit offenen Augen direkt in die Falle getapst war. »Nein, oder doch, ja, das sind wir vielleicht ... Ich weiß nicht, bisher fühlen wir uns gut, wenn wir zusammen sind, aber das alles ist so wahnsinnig frisch, und vielleicht verschwindet sie ja bald wieder nach Stockholm, äh, ich weiß nicht. Das muß dir erst mal genügen.« Patrik wand sich wie ein Wurm.

»Also okay, aber ich wünsche einen fortlaufenden Bericht darüber, wie es läuft, hast du verstanden?« Annika drohte mit dem Finger.

Er nickte resigniert. »Ja, ja, du erfährst, wie es läuft. Ich verspreche es. Zufrieden?«

»Ja, das muß wohl erst mal genügen.« Sie stand auf, umrundete den Schreibtisch, und noch ehe er sich versah, war er von ihren Armen gefangen und wurde an die üppige Brust gedrückt. »Ich freue mich so für dich. Sieh zu, daß das hier gutgeht, Patrik. Versprich es.«

Sie preßte ihn noch einmal fest an sich, was seine Rippen zum Protestieren brachte. Da er im Moment über keine Luft verfügte, konnte er nicht antworten, aber sie betrachtete sein Schweigen offenbar als Bestätigung und gab ihn frei, doch erst nachdem sie die Sache mit einem ordentlichen Kniff in seine Wange abgerundet hatte.

»Geh jetzt nach Hause und zieh dich um, hörst du. Du stinkst!«

Mit dem Kommentar fand er sich auf den Flur befördert. Wange und Rippen schmerzten. Er befühlte vorsichtig seinen Brustkorb. Er mochte Annika wirklich wahnsinnig gern, aber manchmal wünschte er, sie würde einen armen Fünfunddreißigjährigen, mit dessen Konstitution es rasch abwärtsging, etwas behutsamer behandeln.

Badholmen lag einsam und verlassen da. Im Sommer war es hier knüppeldicke voll mit fröhlichen Badegästen und tobenden Kindern, aber jetzt pfiff der Wind schneidend über den Schnee, der in der Nacht zu einer dicken Decke angewachsen war.

Erica trat vorsichtig in die Schicht, die auf den glattgeschliffenen Klippen lag. Sie hatte das starke Bedürfnis nach frischer Luft verspürt, und hier, von Badholmen aus, konnte sie ungestört auf die Inseln und die anscheinend unendliche weiße Eisfläche blicken. Autogeräusche erklangen in der Ferne, aber ansonsten war es barmherzig still, und sie konnte fast ihre eigenen Gedanken hören. Neben ihr ragte der Sprungturm in die Höhe. Er war nicht genauso hoch, wie sie in ihrer Kindheit geglaubt hatte – damals schien er bis in den Himmel zu reichen –, aber noch immer war er hoch genug, daß sie es nie wagen würde, an einem warmen Sommertag von der obersten Plattform in die Tiefe zu springen.

Sie könnte ewig hier stehenbleiben. Dick eingemummelt, widerstand sie der Kälte, die durch die Kleidung zu dringen suchte, und in ihrem Inneren fühlte sie das Eis schmelzen. Ihr war selbst nicht klar gewesen, wie einsam sie sich gefühlt hatte, das merkte sie erst jetzt, wo sie es nicht mehr war. Aber was würde aus ihr und Patrik werden, wenn sie nach Stockholm zurückziehen mußte? Dann lagen mehrere hundert Kilometer zwischen ihnen, und zu einer Fernbeziehung fühlte sie sich viel zu alt.

Wenn man sie zwang, sich auf den Verkauf des Hauses einzulassen, gab es dann trotzdem eine Möglichkeit für sie, hier in der Gegend zu bleiben? Sie wollte nicht bei Patrik einziehen, bevor die Haltbarkeit ihrer Beziehung von der Zeit geprüft worden war, und so bliebe ihr also nur die Möglichkeit, sich nach einer anderen Unterkunft in Fjällbacka umzusehen.

Das Problem war nur, daß sie das überhaupt nicht lockte. Der Hauptgrund war, daß sie bei einem Verkauf ihrer jetzigen Bleibe lieber alle Verbindungen zu Fjällbacka kappen würde, als daß sie herkommen und fremde Leute in ihrem Elternhaus herumlaufen sehen wollte. Sie konnte sich auch nicht vorstellen, hier eine Wohnung zu mieten, das käme ihr gar zu komisch vor. Sie spürte, wie die Freude im gleichen Maße abnahm, wie sich die negativen Gedanken häuften. Sicher ließ sich das Problem irgendwie lösen, aber sie mußte zugeben, daß, obwohl sie nicht gerade uralt war, die vielen Jahre, in denen sie nur an sich selber hatte denken müssen, ihre Spuren hinterlassen hatten. Sie fühlte sich einfach nicht mehr richtig flexibel. Nach reiflicher Überlegung war sie zu dem Schluß gekommen, daß sie bereit war, ihr Leben in Stockholm aufzugeben, aber nur, wenn sie in dem vertrauten Milieu des Hauses wohnen bleiben konnte. Ansonsten wären es einfach zu viele Veränderungen in ihrem Universum, und auch wenn sie noch so verliebt war, würde sie das nicht verkraften.

Vielleicht hatte auch der Tod der Eltern dazu beigetragen, daß sie zu großen Veränderungen nicht mehr sonderlich bereit war. Die eingetretene genügte ihr erst einmal für viele Jahre, und jetzt wollte sie in ein ruhiges, sicheres, voraussagbares Dasein eintauchen. Sie wollte ihr Leben mit all den üblichen Schritten planen. Zusammenziehen, verloben, Heirat, Kinder und dann eine lange Reihe sich aneinanderfügender Tage, bis sie beide sich dann irgendwann ansehen und feststellen würden, daß sie zusammen alt geworden waren. Das war doch wohl nicht zuviel verlangt.

Zum erstenmal empfand sie plötzliche Trauer beim Gedanken an Alex. Es war, als würde sie erst jetzt begreifen, daß deren Leben unwiderruflich zu Ende war. Obwohl ihre Wege sich so viele Jahre nicht gekreuzt hatten, war Alex immer wieder in Ericas Gedanken aufgetaucht, und sie hatte gewußt, daß Alex' Leben weiterging, parallel zu ihrem eigenen. Jetzt war es nur noch sie, die eine Zukunft hatte, die alle Freuden und allen Kummer erleben würde, die die Jahre brachten. Jedesmal wenn sie jetzt an Alex dachte, und so würde es für den Rest ihres Lebens sein, tauchte das Bild von Alex' Leiche vor ihr auf. Das Blut auf den Fliesen und die Haare, die wie ein gefrorener Heiligenschein um ihren Kopf lagen. Vielleicht war das der Grund, weshalb Erica angefangen hatte, dieses Buch zu schreiben. Es war eine Möglichkeit, die Jahre wiederzuerleben, in denen sie einander nahe gewesen waren, und zugleich diejenige kennenzulernen, zu der Alex nach ihrer Trennung geworden war.

Sorge bereitete ihr in den letzten Tagen, daß das Material ein bißchen platt wirkte. Ihr war, als würde sie eine dreidimensionale Figur von nur einer Seite betrachten. Die anderen Seiten, die genauso wichtig waren, um ein Bild des Ganzen zu erhalten, hatte sie noch nicht zu Gesicht bekommen. Sie schloß daraus, daß sie sich die Menschen um Alex näher ansehen mußte, also nicht nur die Hauptpersonen, sondern auch all jene, die eine Nebenrolle innehatten. Ihre Gedanken waren in erster Linie auf jene Sache gerichtet, die sie mit der Empfindsamkeit des Kindes gespürt, über die sie jedoch niemals Klarheit erlangt hatte.

Irgend etwas war in dem Jahr geschehen, bevor Alex weggezogen war, und niemand hatte sich je darum gekümmert, ihr mitzuteilen, was es war. Das Getuschel verstummte, sobald sie in die Nähe kam, und man hatte sie vor etwas geschützt, was sie, das fühlte sie jetzt, unbedingt erfahren mußte. Das Problem war nur, daß sie keine Ahnung hatte, wo sie anfangen sollte. Das einzige, was ihr von den wenigen Malen in Erinnerung geblieben war, als sie versucht hatte, die flüsternd geführten Gespräche der Erwachsenen zu belauschen, war das Wort »Schule«, das wiederholt gefallen war. Das war nicht viel. Erica wußte, daß ihr Grundschullehrer noch immer in Fjällbacka wohnte, und sie konnte ebensogut dort anfangen.

Der Wind hatte zugenommen, und trotz der dicken Kleidung machte sich die Kälte bemerkbar. Erica fühlte, daß es Zeit war, sich zu bewegen.

Sie warf einen letzten Blick auf Fjällbacka, das in seiner geschützten Position dalag, am Fuße des Berges, der hinter dem

Ort aufragte. Was im Sommer meist in goldgelbes Licht getaucht war, wirkte jetzt grau und karg, aber Erica gefiel es besser so. Im Sommer erinnerte all das mehr an einen Ameisenhaufen, in dem ständige Bewegung herrschte. Jetzt lag Friede über dem kleinen Ort, und sie konnte sich geradezu vorstellen, daß er schlief. Zugleich wußte sie, daß dieser Friede trügerisch war. Unter der Oberfläche gab es genausoviel Schlechtigkeit wie überall dort, wo sich Menschen befanden. Davon hatte sie in Stockholm so einiges gesehen, aber Erica glaubte, daß es hier sogar noch gefährlicher werden konnte. Haß, Neid, Gier und Rache, alles verschwand unter einem großen Deckel mit der Aufschrift »Was werden die Leute sagen?«. All das Böse, Kleinliche und Gefährliche durfte in aller Ruhe unter einer Oberfläche gären, die immer gut geputzt sein mußte. Jetzt, als Erica auf den abgewaschenen Felsen von Badholmen stand und den schneebedeckten kleinen Ort betrachtete, fragte sie sich, welche Geheimnisse er wohl hütete.

Es überlief sie kalt, sie steckte die Hände tief in die Taschen und kehrte ins Dorf zurück.

Mit jedem Jahr, das verging, war das Leben bedrohlicher geworden. Er entdeckte ständig neue Gefahren. Es hatte damit angefangen, daß er sich plötzlich all der Bazillen und Bakterien bewußt geworden war, die zu Billionen und Trillionen um ihn herumwirbelten. Etwas anfassen zu müssen wurde zur Herausforderung, und wenn er es nicht umgehen konnte, sah er ganze Armeen von Bakterien über sich herfallen, die Myriaden von bekannten und unbekannten Krankheiten mitzubringen drohten, die ihm einen langsamen, quälenden Tod bringen würden. Schließlich war alles in seiner Umgebung bedrohlich geworden. Große Flächen enthielten große Gefahren und kleine Flächen kleine. Wenn er in eine Menschenmenge geriet, drang ihm der Schweiß aus allen Poren, und sein Atem wurde schnell und flach. Die Lösung war einfach. Das einzige Umfeld, das er zumindest teilweise kontrollieren konnte, war sein eigenes Zuhause, und er erkannte rasch, daß er sein Leben tatsächlich leben konnte, ohne je wieder vor die Tür zu gehen.

Das letzte Mal war er vor acht Jahren draußen gewesen, und jede eventuelle Sehnsucht danach, die Welt da draußen zu erleben, verdrängte er so effektiv, daß er nicht mehr wußte, ob sie überhaupt noch existierte. Er war zufrieden mit seinem Leben und sah keinen Grund, etwas zu ändern.

Axel Wennerström verbrachte seine Tage, indem er einem zu diesem Zeitpunkt längst routinierten Ablauf folgte. Jeder Tag sah aus wie der andere, und das traf auch auf den heutigen zu. Er stand um sieben Uhr auf, frühstückte und putzte dann die ganze Küche mit starken Reinigungsmitteln, um alle eventuellen Bakterien auszurotten, die das Essen, das er zum Frühstück zu sich genommen hatte, in der Zeit, als es nicht im Kühlschrank stand, hatte ausstreuen können. Die folgenden Stunden nutzte er, um das restliche Haus zu reinigen, Staub zu wischen und Ordnung zu machen. Erst gegen eins konnte er sich eine Pause gönnen und sich mit einer Zeitung auf die Veranda setzen. Nach spezieller Absprache mit der Briefträgerin Signe erhielt er sein Blatt jeden Morgen in einer Plastiktüte. So konnte er das Bild all der schmutzigen Menschenhände, die es angefaßt hatten, bevor es in seinem Briefkasten landete, wenigstens notdürftig verdrängen.

Ein Klopfen an der Tür ließ seinen Adrenalinspiegel in die Höhe schnellen. Niemand wurde um diese Zeit erwartet. Die Lieferung der Nahrungsmittel erfolgte freitags, und zwar früh am Morgen. Das war im Prinzip der einzige Besuch, den er bekam. Mühsam bewegte er sich Zentimeter für Zentimeter auf die Tür zu. Das Klopfen wiederholte sich hartnäckig. Er streckte seine zitternde Hand nach dem oberen Schloß aus und drehte den Schlüssel um. Er wünschte, daß er einen Spion besäße, wie er sich oft an Wohnungstüren befand, aber in seinem alten Haus gab es nicht einmal ein Fenster neben der Tür, durch das er den Eindringling hätte sehen können. Er schloß auch das untere Schloß auf und öffnete die Tür mit wild klopfendem Herzen, wobei er die Lust bezwingen mußte, einfach die Augen zuzumachen, um sich den Anblick des Schrecklichen, Namenlosen zu ersparen, das dort draußen wartete.

»Axel? Axel Wennerström?«

Er entspannte sich. Frauen waren weniger bedrohlich als Männer. Sicherheitshalber öffnete er die Kette nicht.

»Ja, das bin ich.« Er versuchte so abweisend wie möglich zu klingen. Er wollte nur, daß sie, wer immer sie auch war, verschwinden und ihn in Ruhe lassen sollte.

»Hallo, Axel. Ich weiß nicht, ob du dich an mich erinnerst, aber du hattest mich in der Schule. Erica Falck.«

Er suchte in seinem Gedächtnis. Es waren so viele Jahre und so viele Kinder gewesen. Schwach tauchte das Bild eines kleinen blonden Mädchens auf. Genau, Tores Tochter.

»Könnte ich vielleicht ein paar Worte mit dir wechseln?«

Sie schaute ihn auffordernd durch den Türspalt an. Axel seufzte tief, hakte die Kette ab und ließ sie herein. Er versuchte nicht daran zu denken, welche Mengen an unbekannten Organismen sie in sein sauberes Zuhause einschleppte. Er wies auf ein Schuhregal, um ihr zu zeigen, daß sie die Schuhe ausziehen sollte. Sie gehorchte brav und hängte auch ihren Mantel an den Haken. Um ihren Schmutz nicht ins ganze Haus zu schleppen, zeigte er auf die Korbmöbel in der Veranda. Sie setzte sich aufs Sofa, und er nahm sich vor, die Kissen sofort zu waschen, wenn sie gegangen war.

»Ja, das ist nicht gerade gestern gewesen.«

»Stimmt, es muß so fünfundzwanzig Jahre her sein, daß du in meine Klasse gegangen bist, wenn ich richtig rechne.«

»Ja, genau. Die Jahre vergehen schnell.«

Axel fand das Geplauder frustrierend, aber er fügte sich widerwillig. Er wünschte, sie würde auf den Anlaß zu sprechen kommen, wegen dem sie ihn aufgesucht hatte, damit sie schnell wieder ging und er sein Haus für sich hatte. Er konnte sich beim besten Willen nicht vorstellen, was sie von ihm wollte. Schüler waren im Laufe der Jahre zu Hunderten gekommen und gegangen, bisher aber war er davon verschont geblieben, daß ihn einer von ihnen aufsuchte. Jetzt aber befand sich Erica Falck hier vor ihm, und er saß ihr in seinem Korbsessel wie auf glühenden Kohlen gegenüber, eifrig bemüht, sie möglichst bald loszuwerden. Seine Augen gingen ständig zu dem Kissen, auf dem sie saß, und er konnte buchstäblich sehen, wie all die

Bakterien, die sie mitgebracht hatte, vom Sofa herunterwimmelten und sich über den Fußboden ausbreiteten. Es genügte wohl nicht, das Kissen zu waschen, er mußte, nachdem sie gegangen war, einfach das ganze Haus reinigen und desinfizieren.

»Du fragst dich bestimmt, warum ich hier bin.«

Er nickte nur zur Antwort.

»Du mußt gehört haben, daß Alexandra Wijkner ermordet wurde.«

Das hatte er, und die Sache hatte Dinge an die Oberfläche gewirbelt, die zu verdrängen er einen großen Teil seines Lebens gebraucht hatte. Jetzt wünschte er noch dringlicher, daß Erica Falck aufstand und aus der Tür ging. Aber sie saß weiter vor ihm, und er mußte den kindlichen Impuls bekämpfen, einfach die Hände an die Ohren zu pressen und laut zu summen, um all die Worte fernzuhalten, die, wie er wußte, jetzt kommen würden.

»Ich habe meine eigenen Gründe, gewisse Dinge, die Alex und ihren Tod betreffen, zu untersuchen, und ich möchte dir ein paar Fragen stellen, wenn du einverstanden bist?«

Axel schloß die Augen. Er hatte gewußt, daß dieser Tag irgendwann einmal kommen würde. »Ja, das läßt sich schon machen.«

Er unterließ es, nach ihren Gründen zu fragen. Wenn sie es für sich behalten wollte, dann durfte sie das gern. Es interessierte ihn nicht. Er hatte nichts dagegen, daß sie ihre Fragen stellte, aber das hieß nicht, daß er darauf antworten mußte. Zugleich fühlte er zu seiner Verwunderung den starken Wunsch, dieser vor ihm sitzenden blonden Frau die ganze Sache zu erzählen, wollte all das, was er fünfundzwanzig Jahre mit sich herumgeschleppt hatte, einfach auf jemand anders abladen, egal wen. Es hatte sein Leben vergiftet. Hatte in der Tiefe seines Gewissens wie ein Samenkorn gekeimt und sich dann wie ein Gift langsam in Körper und Sinn ausgebreitet. In klareren Momenten wußte er, daß diese Sache der Ursprung seines Bedürfnisses nach Sauberkeit und seiner immer größer werdenden Angst vor all den Dingen war, die die Kontrolle über sein Umfeld bedrohen konnten. Erica Falck durfte fragen, was sie wollte, aber er würde alles tun, um die Lust zu bezwingen, es ihr zu erzählen. Er wußte, wenn er erst nachgab, würden Dämme brechen, die den sorgfältig errichteten Schutzwall zu zerstören drohten. Das durfte nicht geschehen.

»Erinnerst du dich an Alexandra aus der Schulzeit?«

Insgeheim lächelte er bitter. Die meisten Kinder in seinen Klassen hatten nur schwache, schattenhafte Erinnerungen hinterlassen, aber Alexandra stand ihm heute genauso deutlich vor Augen wie vor fünfundzwanzig Jahren. Doch das konnte er kaum zugeben.

»Ja, ich erinnere mich an Alexandra. Aber natürlich als Alexandra Carlgren, nicht Wijkner.«

»Ja, selbstverständlich. Wie ist sie dir von damals im Gedächtnis?«

»Als still, etwas zurückhaltend und ziemlich frühreif.«

Er sah, daß Erica leicht frustriert war, weil er so wortkarg reagierte, aber er versuchte ganz bewußt, sowenig wie möglich zu sagen, als könnten die Wörter die Sache an sich reißen und, wenn sie zu viele wären, von selbst losprudeln.

»War sie gut in der Schule?«

»Tja, weder noch, würde ich sagen. Sie gehörte nicht zu den Ehrgeizigsten, soweit ich mich erinnere, aber sie war intelligent auf eine ruhige Weise, lag wohl irgendwo in der Mitte.«

Erica zögerte einen Augenblick, und Axel war klar, daß sie sich jetzt den Fragen näherten, auf die Erica eigentlich eine Antwort haben wollte. Das Bisherige war für sie nur eine Vorübung gewesen.

»Die Carlgrens sind ja mitten im Halbjahr weggezogen. Kannst du dich erinnern, was Alex' Eltern für Gründe angegeben haben?«

Er tat so, als überlegte er, legte die Fingerspitzen aneinander und stützte wie im Nachdenken sein Kinn darauf. Er bemerkte, daß Erica zur Sofakante vorrutschte und begierig auf seine Antwort wartete. Er würde sie enttäuschen müssen. Das einzige, was er ihr nicht bieten konnte, war die Wahrheit.

»Ja, ich meine, ihr Vater hat irgendwo anders eine Arbeit bekommen. Wenn ich ehrlich sein soll, weiß ich es nicht mehr so genau, aber ich erinnere mich vage, daß es irgend so was gewesen ist.«

Erica konnte ihre Enttäuschung nicht verbergen. Erneut überkam ihn die Lust, sich die Brust aufzureißen und das bloßzulegen, was all die Jahre dort verborgen gewesen war. Sein Gewissen zu erleichtern, indem er die ganze ungeschminkte Wahrheit erzählte. Statt dessen holte er nur tief Luft und drückte all das zurück, was nach oben steigen und herauskommen wollte.

Sie fragte hartnäckig weiter. »Aber kam das alles nicht ein bißchen plötzlich? Hattest du vorher schon davon gehört, hatte Alex erzählt, daß sie umziehen?«

»Ja, also, ich fand es nicht so merkwürdig. Wie du schon sagst, kam es, wenn ich mich recht erinnere, ein bißchen überstürzt, aber so was kann ja schnell gehen, und ihr Vater hat vielleicht ein kurzfristiges Angebot erhalten, was weiß ich.«

Er hob die Hände zu einer Geste, die besagte, daß seine Vermutung genauso gut war wie die von Erica, und die Falte zwischen ihren Augenbrauen vertiefte sich. Das war nicht die Antwort, die sie gewünscht hatte. Aber sie mußte sich damit begnügen.

»Ja, dann war da noch was anderes. Ich erinnere mich vage, daß damals im Zusammenhang mit Alex über irgendwas geredet wurde. Ich weiß auch noch, daß die Erwachsenen dabei die Schule erwähnten. Hast du vielleicht eine Ahnung, was das gewesen sein könnte? Meine Erinnerungen sind wirklich nur sehr unbestimmt, aber da war irgendwas, was man uns Kinder nicht hören lassen wollte.«

Axel fühlte, wie alle seine Glieder plötzlich erstarrten. Er hoffte, man sah ihm seine Bestürzung nicht genauso deutlich an, wie er sie spürte. Er wußte natürlich, daß das Gerücht die Runde gemacht hatte, so geschah es schließlich immer. Nichts ließ sich geheimhalten, aber trotzdem hatte er geglaubt, daß der Schaden in Grenzen gehalten worden war. Er selbst hatte dabei mitgeholfen. Das zerfraß ihn noch immer von innen her. Erica wartete auf eine Antwort.

»Nein, ich kann mir nicht vorstellen, was das sein könnte. Aber es wird ja so viel geredet. Du weißt doch, wie die Leute sind. Da steckt doch nur selten was dahinter. An deiner Stelle würde ich nicht viel darauf geben.«

Die Enttäuschung war ihrem Gesicht abzulesen. Sie hatte nichts über die Sache erfahren, die sie hergeführt hatte, soviel war ihm klar. Aber er hatte keine Wahl. Es war wie bei einem Schnellkochtopf. Würde er den Deckel auch nur eine Winzigkeit lüften, könnte das alles zur Explosion bringen. Gleichzeitig drang noch immer etwas darauf, erzählt zu werden. Als hätte jemand anders seinen Körper eingenommen, öffnete sich der Mund, und die Zunge fing an, Worte zu formen, die nicht gesagt werden durften. Zu seiner Erleichterung erhob sich Erica, und der Augenblick war vorüber. Sie zog Mantel und Stiefel an und streckte ihm die Hand hin. Er blickte die Hand an und schluckte ein paarmal, bevor er sie ergriff. Er mußte sich beherrschen, um nicht angewidert das Gesicht zu verziehen. Der Kontakt mit der Haut eines anderen Menschen ekelte ihn unbeschreiblich. Endlich ging sie aus der Tür, drehte sich aber im selben Augenblick um, als er sie schließen wollte.

»Ach, übrigens, ist dir bekannt, ob Nils Lorentz irgendeinen Bezug zu Alex oder, in diesem Zusammenhang, auch zur Schule hatte?«

Axel zögerte, faßte aber dann einen Entschluß. Sie würde es doch irgendwie erfahren, wenn nicht von ihm, dann von jemand anderem. »Erinnerst du dich denn nicht? Er war doch in euren Klassen für ein Halbjahr als Hilfslehrer tätig.«

Dann schloß er die Tür, drehte die Schlüssel in beiden Schlössern um, legte die Kette vor, lehnte sich mit dem Rücken an die Füllung und machte die Augen zu.

Kurz darauf nahm er die Putzmittel zur Hand und beseitigte alle Spuren der unwillkommenen Besucherin. Erst dann erschien ihm seine Welt wieder sicher.

Der Abend hatte nicht gut angefangen. Bereits als er nach Hause kam, war Lucas schlecht gelaunt, und sie versuchte ihm die ganze Zeit einen Schritt voraus zu sein, damit er keinen weiteren Grund zur Verärgerung finden konnte. Inzwischen wußte sie, daß er, wenn er in schlechter Stimmung heimkam, nur noch nach einem Grund suchte, um seiner Wut Auslauf zu verschaffen.

Sie verwandte besondere Sorgfalt auf das Essen, bereitete sein Lieblingsgericht zu und deckte den Tisch mit viel Liebe. Die Kinder hielt sie sich vom Leib, indem sie im Videorecorder in Emmas Zimmer »Der König der Löwen« laufen ließ und Adrian mit der Flasche fütterte, so daß er einschlief. In den CD-Player hatte sie Lucas' Lieblingsscheibe von Chet Baker eingeschoben, und schließlich zog sie sich noch ein bißchen extra schick an und widmete sich Frisur und Make-up besonders gründlich. Aber sie begriff sehr bald, daß alles, was sie tat, an diesem Abend keine Rolle spielte. Lucas hatte offensichtlich einen sehr schlimmen Tag im Job gehabt, und die Wut, die sich in ihm angestaut hatte, mußte einfach heraus. Anna sah das Funkeln in seinen Augen, und es war, als würde sie hier herumlaufen und nur darauf warten, daß die Bombe explodierte.

Der erste Schlag kam ohne Vorwarnung. Eine schallende Ohrfeige von rechts. Sie hielt sich die Wange und schaute zu Lucas hoch, als hoffte sie noch immer, daß etwas in ihm sich erweichen ließe beim Anblick der Spuren, die seine Hand an ihr hinterlassen hatte. Statt dessen weckte das erst recht seine Lust, ihr weh zu tun. Genau das zu verstehen und zu akzeptieren hatte sie die längste Zeit gekostet, nämlich daß er es tatsächlich genoß, ihr Schaden zuzufügen. Jahrelang hatte sie seinen Versicherungen geglaubt, daß ihn die Schläge genauso schmerzten wie sie selbst, doch jetzt war es damit vorbei. Sie hatte das Ungeheuer in ihm schon öfter zu Gesicht bekommen, und inzwischen kannte sie es nur zu gut.

Sie kauerte sich instinktiv zusammen, um sich vor den Schlägen zu schützen, die, wie sie wußte, jetzt folgen würden. Als die dann auf sie herabregneten, versuchte sie sich auf einen Punkt in ihrem Inneren zu konzentrieren, den Lucas nicht erreichen konnte. Darin war sie immer besser geworden, und obwohl ihr der Schmerz bewußt war, konnte sie sich die meiste Zeit von ihm distanzieren. Es war, als würde sie an der Decke über sich schweben und auf ihr eigenes Ich hinuntersehen, das zusammengekrümmt am Boden lag, während Lucas seine Wut an ihr ausließ.

Ein Geräusch ließ sie überstürzt in die Wirklichkeit zurückkehren und in ihrem Körper Platz nehmen. Emma stand in der

Tür, den Daumen im Mund und ihre Kuscheldecke im Arm. Anna hatte es geschafft, daß sie seit über einem Jahr nicht mehr den Daumen nahm, doch jetzt lutschte sie krampfhaft daran, um sich zu trösten. Lucas hatte sie noch nicht entdeckt, weil er mit dem Rücken zur Tür stand, doch er drehte sich um, als er bemerkte, daß Annas Blick auf etwas hinter ihm haftete.

Ehe Anna ihn hindern konnte, war er mit einem raschen Schritt bei der Tochter, packte sie und schüttelte sie so heftig, daß Anna hören konnte, wie ihre Zähne klapperten. Anna stand vom Boden auf, aber alles schien in Zeitlupe zu geschehen. Sie wußte, daß diese Szene für immer vor ihrem inneren Auge ablaufen würde: Lucas, der Emma schüttelte, die mit großen, verständnislosen Augen zu ihrem geliebten Papa aufsah, der sich plötzlich in einen furchterregenden Fremden verwandelt hatte.

Anna stürzte zu Lucas, um Emma zu schützen, aber bevor sie ihn noch erreichen konnte, sah sie mit Entsetzen, wie Lucas den kleinen Körper gegen die Wand drosch. Ein scheußliches Knirschen war zu hören, und Anna wußte, daß ihr Leben sich jetzt unwiderruflich veränderte. Lucas' Augen waren von einem glänzenden Film überzogen, und er schaute fast verständnislos auf das Kind in seinen Händen, bevor er es vorsichtig und liebevoll absetzte. Dann nahm er Emma wieder in seine Arme, diesmal wie ein kleines Baby, und sah Anna mit blanken, roboterhaften Augen an.

»Sie muß ins Krankenhaus. Sie ist auf der Treppe gefallen und hat sich weh getan. Wir müssen es ihnen erklären. Sie ist auf der Treppe gefallen.«

Er redete zusammenhanglos und ging auf die Wohnungstür zu, ohne nachzusehen, ob Anna hinterherkam. Sie befand sich in einer Art Schockzustand und folgte ihm schlaff. Es war, als bewegte sie sich durch einen Traum, aus dem sie jeden Augenblick aufwachen würde.

Lucas wiederholte immer wieder: »Sie ist auf der Treppe gefallen. Die müssen uns glauben, wenn wir nur dasselbe sagen, Anna. Denn wir sagen doch dasselbe, Anna, sie ist auf der Treppe gefallen, stimmt's?«

Lucas brabbelte weiter, aber Anna war nur imstande zu nikken. Sie wollte Emma, die jetzt vor Schmerz und Verwirrung hysterisch weinte, aus Lucas' Armen reißen, aber sie wagte es nicht. Im letzten Moment, als sie bereits im Treppenhaus standen, wachte sie aus ihrem umnebelten Zustand auf und begriff, daß Adrian allein in der Wohnung zurückgeblieben war. Sie lief eilig zurück, um ihn zu holen, und wiegte ihn auf dem ganzen Weg zur Notaufnahme beschützend in ihren Armen, während der Knoten in ihrem Magen immer größer wurde.

»Willst du herkommen und mit mir Mittag essen?«

»Ja, gern. Wann soll ich kommen?«

»Ich könnte es ungefähr in einer Stunde fertig haben, ist das okay für dich?«

»Ja, perfekt. Da schaffe ich es noch, ein bißchen was wegzuräumen. Dann sehen wir uns in einer Stunde.«

Es folgte eine kleine Pause, dann sagte Patrik zögernd: »Küßchen, bis später.«

Erica fühlte, wie sie vor Freude leicht rot wurde über diesen ersten kleinen, aber bedeutsamen Vorwärtsschritt bei ihren Beziehungsfloskeln. Sie erwiderte dasselbe, und dann legten sie auf.

Während sie das Essen vorbereitete, schämte sie sich ein bißchen über das, was sie geplant hatte. Zugleich war ihr klar, daß sie nicht anders handeln konnte, und als es eine Stunde später an der Tür klingelte, holte sie tief Luft und ging öffnen. Es war Patrik, und er erhielt einen leidenschaftlichen Empfang, den Erica abbrechen mußte, als der Küchenwecker schrillte und mitteilte, daß die Spaghetti fertig waren.

»Was gibt's zu Mittag?« Patrik klopfte sich auf den Bauch, um zu zeigen, daß das Essen sehr gelegen kam.

»Spaghetti Bolognese.«

»Mmm, wunderbar. Du bist die Traumfrau jedes Mannes, weißt du das?« Patrik schlich sich hinter Erica, schlang die Arme um sie und biß sie leicht in den Hals. »Du bist sexy, intelligent, phantastisch im Bett, aber vor allem, das allerallerwichtigste: Du bist eine gute Köchin. Was kann man mehr begehren ...«

Es klingelte an der Tür. Patrik sah Erica fragend an, die den Blick niederschlug und öffnen ging, nachdem sie zuerst die Hände am Küchenhandtuch abgetrocknet hatte. Draußen stand Dan. Er sah fix und fertig aus. Sein ganzer Körper wirkte schlaff, und die Augen waren wie tot. Erica war geschockt, als sie ihn so erblickte, aber sie nahm sich zusammen, um es nicht zu zeigen.

Als Dan in die Küche kam, sah Patrik Erica fragend an. Sie räusperte sich und stellte die beiden einander vor. »Patrik Hedström – Dan Karlsson. Dan will dir etwas erzählen. Aber erst setzen wir uns.«

Sie ging mit dem Soßentopf in der Hand ins Eßzimmer voran. Man nahm am Tisch Platz, um zu essen, und die Stimmung war gedrückt. Das Herz war ihr schwer, aber sie wußte, daß diese Sache notwendig war. Sie hatte Dan am Vormittag angerufen und ihn überredet, der Polizei von seinem Verhältnis zu Alex zu berichten, und sie hatte auch vorgeschlagen, daß er es bei ihr zu Hause tun solle, um ihm die schwierige Aufgabe hoffentlich ein wenig zu erleichtern.

Sie ignorierte Patriks fragenden Blick und erklärte: »Patrik, Dan ist heute hier, weil er dir etwas zu erzählen hat, in deiner Eigenschaft als Kriminalbeamter.«

Sie winkte Dan auffordernd zu, jetzt anzufangen. Dan schaute auf seinen Teller hinunter, das Essen hatte er nicht angerührt. Nach einem weiteren Moment betretenen Schweigens begann er zu reden.

»Ich bin der Mann, den Alex hier im Ort getroffen hat. Der Vater des Kindes, das sie erwartet hat.«

Ein Klirren war zu hören, als Patriks Gabel auf den Teller fiel. Erica legte ihm die Hand auf den Arm und erklärte: »Dan ist einer meiner ältesten und besten Freunde, Patrik. Mir wurde gestern klar, daß er der Mann ist, mit dem sich Alex in Fjällbacka getroffen hat. Ich habe euch beide zum Essen eingeladen, weil ich dachte, es ist vielleicht leichter, in dieser Umgebung davon zu reden als im Polizeirevier.«

Sie konnte Patrik ansehen, daß es ihm nicht gefiel, wie sie sich in die Geschichte eingemischt hatte, aber das mußte später ge-

314

klärt werden. Dan war ein guter Freund, und sie wollte alles tun, um die Situation für ihn nicht noch zu verschlimmern. Heute vormittag am Telefon hatte sie erfahren, daß Pernilla die Kinder genommen hatte und zu ihrer Schwester nach Munkedal gefahren war. Sie müsse nachdenken, hatte sie gesagt. Sie wisse nicht, was werden würde. Sie könne nichts versprechen. Dan sah sein ganzes Leben um sich herum zusammenbrechen. In gewisser Weise würde es eine Befreiung sein, es der Polizei erzählen zu können. Die letzten Wochen waren furchtbar gewesen. Während er einerseits gezwungen war, heimlich über Alex zu trauern, war er andererseits bei jedem Telefonklingeln und jedem Klopfen an der Tür zusammengefahren, überzeugt davon, es sei die Polizei, die herausgefunden habe, daß er und Alex sich getroffen hatten. Jetzt, wo Pernilla davon wußte, hatte er keine Angst mehr, es der Polizei zu erzählen. Nichts konnte noch schlimmer werden, als es schon war. Es interessierte ihn nicht, was mit ihm geschah, wenn er nur seine Familie nicht verlor.

»Dan hat mit dem Mord nichts zu tun, Patrik. Er ist bereit, alles zu erzählen, war ihr über ihn und Alex wissen wollt, aber er schwört, daß er ihr nichts angetan hat, und ich glaube ihm. Du kannst ja wohl versuchen, diese Sache hier, soweit es geht, innerhalb der Polizei zu halten. Du weißt ja, wieviel hier geredet wird, und Dans Familie hat bereits genug leiden müssen. Dan übrigens auch. Er hat einen Fehler gemacht, und glaube mir, er bezahlt einen sehr hohen Preis dafür.«

Patrik sah noch immer nicht sonderlich zufrieden aus, aber nickte zum Zeichen, daß er verstanden hatte.

»Ich möchte mit Dan unter vier Augen sprechen, Erica.«

Sie protestierte nicht, sondern stand folgsam auf und ging in die Küche, um dort aufzuräumen. Sie hörte, wie sich die Stimmen der beiden im Zimmer hoben und senkten. Dans dunkle, tiefe Stimme und Patriks etwas hellere. Die Diskussion klang zeitweise hitzig, aber als die Männer nach einer guten halben Stunde zu ihr in die Küche kamen, sah Dan erleichtert aus, während Patriks Gesicht noch immer finster wirkte. Dan umarmte Erica, bevor er ging, und gab Patrik die Hand.

»Ich melde mich, wenn wir noch mehr Fragen haben«, sagte

Patrik. »Es ist möglich, daß du vorbeikommen und auch einen schriftlichen Bericht abfassen mußt.«

Dan nickte nur stumm und ging, nachdem er den beiden ein letztes Mal zugewinkt hatte.

Der Blick in Patriks Augen versprach nichts Gutes. »Mach das nie, nie wieder, Erica. Wir untersuchen hier einen Mord und müssen alles auf die richtige Weise erledigen.«

Wenn er zornig wurde, legte sich seine ganze Stirn in Falten. Erica mußte sich beherrschen, um ihm die Falten nicht wegzuküssen. »Ich weiß, Patrik. Aber bei euch stand der Kindsvater ganz oben auf der Liste der Verdächtigen, und ich wußte, wenn er im Revier erschiene, würdet ihr ihn in einen Vernehmungsraum setzen und vermutlich kein Federlesen mit ihm machen. Dan käme damit jetzt nicht klar. Seine Frau hat die Kinder genommen und ihn verlassen, und er weiß nicht, ob sie je wieder zurückkommen werden. Außerdem hat er jemanden verloren, also Alex, die ihm, egal, wie man das sehen will, etwas bedeutet hat. Und er hat seine Trauer niemandem zeigen, mit niemandem darüber sprechen können. Deshalb dachte ich, wir könnten es erst mal so machen, daß ihr hier redet, auf neutralem Boden und ohne andere Leute von der Polizei. Ich verstehe schon, daß ihr ihn weiter verhören müßt, aber jetzt ist das Schlimmste getan. Ich bitte wirklich um Verzeihung, daß ich dich so hinters Licht geführt habe, Patrik. Glaubst du, daß du mir verzeihen kannst?«

Sie spitzte die Lippen so verführerisch, wie sie nur konnte, und schmiegte sich an ihn. Nahm seine Arme und legte sie sich um die Taille und stellte sich dann auf Zehenspitzen, um seinen Mund zu erreichen. Vorsichtig ließ sie ihre Zungenspitze zwischen seine Lippen gleiten, und es dauerte nur wenige Sekunden, bevor sie eine Reaktion verspürte. Ein Weilchen später schob er sie von sich weg und schaute ihr ruhig in die Augen.

»Für diesmal sei dir verziehen, aber mach das nicht noch mal, hörst du. Jetzt finde ich, wir sollten den Rest des Essens in der Mikrowelle aufwärmen, damit ich was gegen das Knurren in meinem Magen tun kann.«

Erica nickte, und eng umschlungen gingen sie ins Eßzimmer, wo das meiste noch unberührt auf den Tellern lag.

Als Patrik zum Revier zurück mußte und schon fast aus der Tür war, fiel Erica ein, was sie ihm noch hatte berichten wollen.

»Du weißt, ich habe dir von meiner unbestimmten Erinnerung erzählt, daß man, kurz bevor Alex weggezogen ist, über irgendwas geredet hat, das mit der Schule zusammenhing. Ich habe versucht, die Sache zu kontrollieren, bin aber nicht viel schlauer geworden. Allerdings hat man mich darauf gebracht, daß es tatsächlich einen weiteren Zusammenhang zwischen Alex und Nils Lorentz gab, ich meine außer dem, daß Karl-Erik in der Konservenfabrik angestellt war. Nils ist nämlich für ein Halbjahr als Hilfslehrer an der Schule gewesen. Ich hatte ihn nicht, aber ich weiß, daß er bei Alex' Klasse eingesprungen ist. Keine Ahnung, ob das irgendeine Bedeutung hat, aber ich wollte es dir jedenfalls erzählen.«

»Ach, Alex hatte Nils als Lehrer.« Patrik war nachdenklich auf der Vortreppe stehengeblieben. »Wie du schon sagst, hat es vielleicht keine Bedeutung, aber im Moment sind einfach alle Verbindungen zwischen Nils Lorentz und Alex von Interesse. Wir haben nicht viel anderes in der Hand, wonach wir gehen könnten.« Er sah sie voller Ernst an. »Eine Sache, die Dan gesagt hat, gibt mir wirklich zu denken. Er hat erzählt, daß Alex in letzter Zeit viel davon gesprochen hat, daß man bei der eigenen Vergangenheit reinen Tisch machen müsse. Daß man auch wagen müsse, Dinge in Angriff zu nehmen, die einem schwerfallen, damit man weitergehen kann. Ich frage mich, ob das mit dem zu tun hat, was du sagst, Erica.«

Patrik schwieg kurz, aber kehrte dann in die Gegenwart zurück und sagte: »Ich kann Dan als Verdächtigen nicht völlig ausschließen, ich hoffe, du siehst das ein.«

»Ja, Patrik, das tue ich. Aber sei so lieb, und behandele es ein bißchen vorsichtig. Kommst du heute abend?«

»Ja, ich muß nur nach Hause, was zum Umziehen und so holen. Aber ich bin gegen sieben hier.«

Sie verabschiedeten sich mit einem Küßchen. Patrik ging zu seinem Wagen, und Erica stand weiter auf der Treppe und sah ihm hinterher, bis das Auto außer Sichtweite war.

Patrik fuhr nicht sofort zurück. Ohne eigentlich zu wissen, warum, hatte er, kurz bevor er das Revier verließ, die Schlüssel zu Anders Wohnung eingesteckt. Er beschloß, dort haltzumachen und sich in aller Ruhe ein wenig umzusehen. Was er jetzt brauchte, war irgend etwas, das die Ermittlungen weiterbrachte. Ihm war, als würde er ständig in Sackgassen geraten, egal, wohin er sich auch wandte, und als ob es ihnen niemals gelingen würde, den oder die Mörder zu finden. Alex' heimlicher Geliebter hatte, genau wie Erica sagte, ganz oben auf der Liste der Verdächtigen gestanden, aber jetzt war sich Patrik nicht mehr so sicher. Er war nicht gewillt, Dan völlig abzuschreiben, mußte aber zugeben, daß ihm die Spur nicht mehr so heiß vorkam.

Die Atmosphäre in Anders' Wohnung war gespenstisch. Vor seinem inneren Auge sah Patrik noch immer die Gestalt, die langsam in der Schlinge hin und her pendelte, obwohl Anders bereits abgeschnitten war, bevor Patrik ihn zu Gesicht bekommen hatte. Er wußte nicht, wonach er suchte, zog sich aber sicherheitshalber ein Paar Handschuhe über, um keine Spuren zu verwischen. Er stellte sich direkt unter den Haken an der Decke, an dem das Seil befestigt gewesen war, und versuchte sich vorzustellen, wie es vor sich gegangen sein mochte, als man Anders aufgehängt hatte. Es wollte einfach nicht stimmen. Die Decke war hoch, und der Knoten der Schlinge hatte direkt unter dem Haken gesessen. Es erforderte erhebliche Kraft, Anders' Körper so weit nach oben zu heben. Zwar war er ziemlich mager gewesen, aber wenn man seine Größe bedachte, mußte er einiges gewogen haben. Patrik sagte sich, daß er Anders' Gewicht kontrollieren wollte, wenn das Obduktionsprotokoll kam. Die einzige Erklärung, die ihm blieb, war, daß es mehrere Personen gewesen sein mußten, die Anders gemeinsam hochgehoben hatten. Aber wie kam es, daß sich an der Leiche keine Spuren feststellen ließen? Selbst wenn Anders irgendwie betäubt worden war, so müßte das Anheben des Körpers irgendwelche Abdrücke hinterlassen haben. Es stimmte irgendwie nicht.

Er ging weiter durch die Wohnung und sah sich ein bißchen planlos um. Da es nicht sehr viele Möbel gab, außer der Matratze im Wohnzimmer und einem Tisch mit zwei Stühlen in der Küche, hatte er nicht viel zu untersuchen. Patrik registrierte, daß zur Aufbewahrung lediglich die Küchenschubladen dienten, und ging eine nach der anderen systematisch durch. Sie waren schon einmal kontrolliert worden, aber er wollte sichergehen, daß nichts übersehen worden war.

In der vierten Schublade fand er ein Kollegheft, das er herausnahm und auf den Tisch legte, um es näher zu untersuchen. Er hielt es schräg gegen das Fenster, um in dem scharfen Tageslicht festzustellen, ob darauf irgendwelche Abdrücke zu erkennen waren. Und richtig, das, was auf das Blatt darüber geschrieben worden war, hatte sich durchgedrückt, und Patrik benutzte einen altbewährten Trick, um zu versuchen, etwas von dem Text sichtbar zu machen. Mit einem Bleistift, den er in derselben Schublade wie das Heft gefunden hatte, strich er ganz leicht über das Blatt. Nur ein Bruchteil des Textes ließ sich deutlich machen, aber das genügte, um ihn ahnen zu lassen, worum es sich handelte. Patrik pfiff leise vor sich hin. Das war interessant, sehr interessant, und brachte die Zahnräder knirschend in Bewegung. Vorsichtig steckte er das Heft in eine der Plastiktüten, die er vom Auto mitgebracht hatte.

Dann fuhr er mit der Untersuchung der Küchenschubladen fort. Das meiste, was dort lag, war reiner Plunder, aber in dem allerletzten Kasten, den er durchsah, fand er etwas Interessantes. Er betrachtete das kleine Lederstück, das er zwischen den Fingern hielt. Es war haargenau das gleiche, das er bei Alex gesehen hatte, als Erica und er in deren Wohnung waren. Es hatte dort auf dem Nachttisch gelegen, und er hatte dieselbe eingebrannte Inschrift bemerkt, die auf diesem hier zu lesen stand. »D.D.M. 1976.«

Als er es umdrehte, sah er, daß sich auf der Rückseite, genau wie bei Alex, ein paar undeutliche Blutflecke befanden. Daß es irgendeine Verbindung zwischen Alex und Anders gab, die sie noch nicht gefunden hatten, war nichts Neues. Was ihn hingegen verblüffte, war das nagende Gefühl, das er beim Anblick des Lederstückchens empfand.

Irgend etwas in seinem Unterbewußtsein forderte Aufmerksamkeit und versuchte ihm klarzumachen, daß dieser kleine Lederfleck etwas Wichtiges zu sagen hatte. Ihm entging hier offenbar etwas, aber es gab sich einfach nicht zu erkennen. Hingegen verstand er, daß dieses Lederstück auf einen Zusammenhang zwischen Alex und Anders hinwies, der in die Zeit weit zurück reichte. Mindestes bis 1976. Das Jahr, bevor Alex mit ihrer Familie aus Fjällbacka weggezogen und ein ganzes Jahr lang nicht aufzufinden war. Das Jahr, bevor Nils Lorentz für immer verschwand. Nils, der laut Erica Lehrer an jener Schule gewesen war, die sowohl Alex als auch Anders besucht hatten.

Patrik sah ein, daß er mit Alexandras Eltern sprechen mußte. Stimmte der Verdacht, der jetzt in ihm Gestalt annahm, waren sie im Besitz der fehlenden Antworten, jener Antworten, die die Stücke zusammenfügten, die er zu erkennen glaubte.

Er nahm das Heft und das Lederstückchen, jedes steckte in einer extra Folie, und warf einen letzten Blick ins Wohnzimmer, bevor er ging. Wieder sah er das Bild von Anders' bleichem, magerem Körper vor seinem innen Auge, und er schwor sich, daß er der Sache auf den Grund gehen wollte, die dazu geführt hatte, daß Anders sein trauriges Leben in einer Schlinge beendete. Stimmte das, was er jetzt in Konturen wahrnam, ging es um eine Tragödie jenseits alles Faßbaren. Er hoffte wirklich, daß er sich irrte.

Patrik suchte Göstas Namen im Adreßbuch heraus und wählte die Nummer seines Anschlusses im Revier. Vermutlich würde er den Kollegen mitten bei einer Patience stören.

»Hallo, hier ist Patrik.«

»Hallo Patrik.«

Göstas Stimme am anderen Ende klang genauso müde wie gewöhnlich. Überdruß und Mißmut hatten bei ihm zu ständiger äußerer und innerer Müdigkeit geführt.

»Du, hast du schon einen Besuch bei Carlgrens in Göteborg verabredet?«

»Nein, ich habe es noch nicht geschafft. Hatte soviel anderes am Hals.«

Gösta klang abwartend, reagierte defensiv auf Patriks Frage, aus Sorge, man könnte ihn kritisieren, weil er seine Aufgabe noch nicht in Angriff genommen hatte. Den Hörer zu nehmen und anzurufen erschien unmöglich und sich ins Auto zu setzen und nach Göteborg zu fahren geradezu undenkbar.

»Hättest du was dagegen, wenn ich das für dich erledige?«

Patrik wußte, daß es sich hierbei um eine rhetorische Frage handelte. Er war sich völlig bewußt, daß Gösta überglücklich war, wenn er um die Sache herumkam. Und wirklich antwortete Gösta mit plötzlicher Freude in der Stimme: »Nein, absolut nicht! Wenn du daran interessiert bist, dann von mir aus gern. Ich habe soviel anderes auf dem Tisch, verstehst du, und weiß eigentlich nicht, wie ich das sonst schaffen soll.«

Sie waren sich beide im klaren, daß sie hier ein Spiel spielten, aber so ging es schon seit vielen Jahren, und für jeden von ihnen war es von Nutzen. Patrik konnte das tun, was er tun wollte, und Gösta konnte in der ruhigen Gewißheit, daß die Arbeit dennoch erledigt würde, zu seinem Computerspiel zurückkehren.

»Könntest du die Nummer für mich raussuchen, dann rufe ich sofort an.«

»Ja, natürlich, ich habe sie hier. Wollen mal sehen …« Er las die Nummer vor.

Patrik schrieb sie auf den Block, den er am Armaturenbrett befestigt hatte. Er bedankte sich bei Gösta und legte auf, um Carlgrens unmittelbar anzurufen. Er drückte die Daumen, daß sie zu Hause waren, und hatte Glück. Karl-Erik meldete sich nach dem dritten Klingelzeichen. Als Patrik sein Anliegen vorbrachte, reagierte er erst zögernd, stimmte dann aber zu, daß Patrik kommen und ein paar Fragen stellen könne. Karl-Erik versuchte zu erfahren, worum es dabei ging, aber Patrik wich der Antwort aus und sagte nur, es seien ein paar Fragezeichen aufgetaucht, und er hoffe, daß sie ihm helfen könnten, die Sache zu klären.

Er fuhr rückwärts aus dem Parkplatz vor dem Wohnblock und dann zuerst nach rechts und bei der nächsten Kreuzung nach links, um in Richtung Göteborg zu kommen. Das erste Stück ging schleppend, über kleine Straßen, die sich durch den Wald wanden, aber sobald er die Autobahn erreicht hatte, lief es bedeutend schneller. Er kam zuerst an Dingle, dann an Munkedal vorbei, und als er Uddevalla erreicht hatte, wußte er, daß die halbe Strecke hinter ihm lag. Wie immer, wenn er Auto fuhr, ließ er Musik in großer Lautstärke spielen. Das fand er beim Fahren sehr beruhigend. Vor der großen hellblauen Villa in Kålltorp blieb er einen Augenblick im Auto sitzen und sammelte Kraft. Wenn er mit seinen Vermutungen recht hatte, würde er das Familienidyll unwiderruflich zerstören. Aber manchmal war das einfach sein Job.

Ein Auto fuhr auf die Auffahrt. Sie sah es nicht, hörte aber das Geräusch auf dem Kies. Erica öffnete die Haustür und schaute nach draußen. Der Mund blieb ihr vor Verwunderung offenstehen, als sie sah, wer aus dem Wagen stieg. Anna winkte ihr müde zu und öffnete dann die Hintertüren, um die Kleinen aus ihren Kindersitzen zu heben. Erica zog ein paar Holzpantoffel an die Füße und ging nach draußen, um Anna zu helfen. Sie war mit keinem Wort unterrichtet worden, daß Anna unterwegs war, um sie zu besuchen, und Erica fragte sich, was wohl los sei.

Anna sah blaß aus in ihrem schwarzen Mantel. Sie hob Emma vorsichtig auf die Erde, und Erica öffnete den Gurt an Adrians Kindersitz und nahm ihn hoch. Sie bekam ein breites zahnloses Lächeln als Dankeschön und fühlte, daß sich auch auf ihrem Gesicht ein Lächeln ausbreitete. Dann sah sie ihre Schwester fragend an, aber Anna schüttelte nur leicht den Kopf, um ihr zu bedeuten, daß sie nicht fragen solle. Erica kannte ihre Schwester gut genug, um zu wissen, daß Anna erzählen würde, wenn sie selbst die Zeit für gekommen hielt, vorher war es unmöglich, ihr etwas zu entlocken.

»Was für schönen Besuch ich doch heute kriege. Daß ihr eure Tante besuchen kommt!«

Erica brabbelte mit dem Baby in ihren Armen und lugte dann um das Auto, um auch Emma zu begrüßen. Sie war bei Emma immer sehr beliebt gewesen, aber diesmal erwiderte die Kleine ihr Lächeln nicht. Sie hielt sich statt dessen krampfhaft am Mantel der Mutter fest und starrte Erica mißtrauisch an.

Erica ging mit Adrian ins Haus voraus, und Anna stieg dicht

hinter ihr die Stufen hoch, mit Emma an der einen Hand und einer kleinen Reisetasche in der anderen. Erica bemerkte verblüfft, daß der Kofferraum des Kombis vollgepackt war, aber hielt mit Mühe eine Frage zurück.

Mit klammen, ungeübten Händen zog sie Adrian die Sachen aus, und Anna tat bei Emma das gleiche, allerdings mit bedeutend routinierteren Griffen. Erst da bemerkte Erica, daß Emmas Arm bis zum Ellenbogen in Gips lag, und sie schaute Anna erschrocken an, die erneut fast unmerklich den Kopf schüttelte. Emma sah Erica noch immer mit großen, ernsten Augen an und hielt sich die ganze Zeit dicht bei Anna. Sie hatte ihren Daumen im Mund, und das war ein weiterer Grund, der Erica sagte, daß etwas Ernsthaftes passiert war. Anna hatte bereits vor einem Jahr erzählt, daß sie es Emma abgewöhnt hatten, am Daumen zu lutschen.

Adrians warmen kleinen Körper fest an sich gedrückt, ging Erica ins Wohnzimmer und setzte sich aufs Sofa, das Kind auf dem Schoß. Adrian schaute sie fasziniert an, und ein kleines Lächeln kam und ging auf seinem Gesicht, als könne er sich nicht entschließen, ob er lachen wolle oder nicht. Er war ein so süßer Kleiner, richtig zum Anbeißen.

»War die Fahrt okay?« Erica wußte nicht recht, was sie sagen sollte, also mußte irgendwelches Gerede genügen, bis Anna sich entschloß zu erzählen, was los war.

»Ja, es ist ja eine ziemliche Strecke. Wir sind über Dalsland gefahren. Emma wurde auf diesen kurvenreichen Waldstraßen schlecht, also mußten wir ein paarmal anhalten, damit sie etwas frische Luft schnappen konnte.«

»Das war ja gar nicht lustig, Emma, stimmt's?«

Erica machte den Versuch, zu Emma Kontakt aufzunehmen. Das Kind schüttelte den Kopf, schielte aber noch immer schräg von unten zu ihr hoch und hing an ihrer Mutter.

»Ich denke, ihr solltet jetzt ein bißchen schlafen, meinst du, das geht in Ordnung, Emma? Ihr habt ja die ganze Fahrt über nicht ein Auge zugetan und müßt doch schrecklich müde sein.«

Emma nickte zustimmend und begann sich wie auf Bestellung mit der gesunden Hand die Augen zu reiben.

»Kann ich sie oben hinlegen, Erica?«

»Ja, natürlich. Lege sie ins Schlafzimmer von Mama und Papa. Ich schlafe da jetzt, also ist alles bezogen und fertig.«

Anna nahm Adrian von Ericas Schoß, der zu ihrer Freude grunzend protestierte, von der lustigen Tante weg zu müssen.

»Die Decke, Mama«, erinnerte Emma, als sie schon auf der halben Treppe waren, und Anna kam wieder nach unten, um die Tasche mitzunehmen, die sie in der Diele gelassen hatte.

»Soll ich dir helfen?«

Erica fand, es sah ein bißchen riskant aus, wie Anna Adrian auf dem einen Arm balancierte und in der anderen Hand die Tasche trug, während Emma gleichzeitig darauf beharrte, sich ständig an ihr festzuhalten.

»Ach wo, das geht schon. Ich bin es gewöhnt.«

Anna verzog ihr Gesicht zu einem bitteren Lächeln, das Erica nur schwer zu deuten wußte.

Während Anna die Kinder hinlegte, beschäftigte sie sich damit, frischen Kaffee zu machen. Sie fragte sich, wie viele Kannen sie sich in letzter Zeit wohl zu Gemüte geführt hatte. Ihr Magen fing bestimmt bald an zu protestieren. Sie erstarrte mitten in der Bewegung, als sie gerade einen Meßlöffel Kaffee über den Filter hielt. Verdammt. Patriks Sachen lagen im ganzen Schlafzimmer verstreut, und Anna müßte bekloppt sein, wenn sie nicht zwei und zwei zusammenrechnen könnte. Annas spöttisches Lächeln, als sie ein Weilchen später die Treppe herunterkam, bestätigte ihre Vermutung.

»Ja, also, Schwester. Was hast du mir da nicht erzählt? Wer ist denn der Mann, dem es so schwerfällt, seine Sachen ordentlich aufzuhängen?«

Unfreiwillig errötete Erica. »Also das, ja das hat sich alles ein bißchen schnell ergeben, weißt du.«

Sie hörte, wie sie stotterte, was Anna noch mehr erheiterte. Ihre müden Züge glätteten sich, und einen Moment bekam Erica ihre Schwester so zu Gesicht, wie sie gewesen war, bevor sie Lucas kennenlernte.

»Nuun, und wer ist es? Hör auf zu brabbeln, und versorge dein Schwesterchen mit ein paar schnuckeligen Details. Du kannst zum Beispiel mit dem Namen anfangen. Ist es jemand, von dem ich schon gehört habe?«

»Ja, das hast du tatsächlich. Ich weiß nicht, ob du dich an Patrik Hedström erinnerst?«

Anna schrie entzückt auf und schlug sich auf die Knie. »Patrik! Klar erinnere ich mich an Patrik! Er ist dir ja immer hinterhergelaufen, wie ein Hündchen mit hängender Zunge. Hat er also endlich eine Chance bekommen …«

»Ja, ich meine, ich wußte ja, daß er, als wir jünger waren, ziemlich vernarrt in mich war, aber ich wußte wohl nicht, wie sehr …«

»Mein Gott, du mußt blind gewesen sein! Er war doch total in dich verschossen. Himmel, wie romantisch. Er hat sich also all die Jahre nach dir verzehrt, und dann guckst du ihm endlich tief in die Augen und entdeckst die große Liebe.«

Anna legte mit dramatischer Geste die Hand aufs Herz, und Erica konnte nicht anders, als über sie zu lachen. Das hier war die Schwester, die sie kannte und liebte.

»Na ja, ganz so ist es wohl nicht. Er ist nämlich in der Zwischenzeit verheiratet gewesen, aber seine Frau hat ihn vor einem guten Jahr verlassen, und jetzt ist er geschieden und wohnt in Tanumshede.«

»Was macht er? Aber sag jetzt nicht, daß er Handwerker ist. Dann werde ich so verdammt neidisch. Ich habe immer von richtigem Handwerkersex geträumt.«

Erica streckte ihr kindisch die Zunge raus, und Anna tat es ihr gleich.

»Nein, er ist kein Handwerker. Er ist bei der Polizei, wenn du es wissen willst.«

»Polizist, guck an. Mit anderen Worten ein Mann mit Gummiknüppel. Ja, das ist ja auch nicht so schlecht …«

Erica hatte fast vergessen, was für ein Lästermaul ihre Schwester sein konnte, und schüttelte nur müde den Kopf, während sie ihnen beiden Kaffee einschenkte. Anna, die hier zu Hause war, ging zum Kühlschrank, nahm die Milch heraus und goß sich und Erica einen Schluck in die Tasse. Das neckische Lächeln verschwand aus ihrem Gesicht, und Erica verstand, daß sie nun zu dem Grund kommen würden, weshalb die drei so plötzlich in Fjällbacka aufgetaucht waren.

»Ja, meine Liebesgeschichte ist vorbei. Endgültig. Das war sie wohl eigentlich schon seit vielen Jahren, aber erst jetzt habe ich es wirklich begriffen.« Sie verstummte und blickte traurig in ihre Tasse. »Ich weiß, daß du Lucas nie gemocht hast, aber ich habe ihn wirklich geliebt. Irgendwie ist es mir geglückt, die Tatsache, daß er mich schlug, wegzurationalisieren, er hat ja immer um Verzeihung gebeten und versichert, daß er mich liebt, früher jedenfalls. Ich habe mir wohl einreden können, daß es meine Schuld ist. Wenn ich nur ein bißchen besser sein könnte, als Frau, als Geliebte und als Mutter, würde er mich nicht schlagen müssen.«

Anna antwortete auf Ericas stumme Fragen. »Ja, ich weiß, wie absurd das klingt, aber ich war unheimlich gut darin, mich selber zu betrügen. Außerdem war er ein guter Vater für Emma und Adrian, und in meinen Augen entschuldigte das so manches. Ich wollte ihnen ihren Papa nicht wegnehmen.«

»Aber etwas ist passiert.« Erica half Anna auf die Sprünge. Sie sah, wie schwer ihr das Erzählen fiel. Auch Annas Stolz war verletzt worden, und die Schwester war immer eine ungemein stolze Person gewesen, die Fehler nur ungern zugab.

»Ja, etwas ist passiert. Gestern abend fiel er über mich her, wie er es zu tun pflegte. Übrigens immer öfter in letzter Zeit. Aber gestern …« Anna versagte die Stimme, und sie schluckte ein paarmal, um das Weinen zu unterdrücken. »Gestern ist er über Emma hergefallen. Er war so wütend, und sie kam mittendrin ins Zimmer, und er konnte sich nicht zügeln.« Anna schluckte erneut. »Wir fuhren zur Notaufnahme, und dort stellte man fest, daß sie einen Riß im Arm hat.«

»Ich nehme an, Lucas wurde angezeigt?« Erica fühlte den Zorn wie einen harten Knoten im Magen, und dieser Knoten wurde immer größer.

»Nein.« Die Antwort kam fast unhörbar über Annas Lippen, und Tränen liefen ihr über die bleichen Wangen. »Nein, wir haben gesagt, daß sie auf der Treppe gefallen ist.«

»Aber mein Gott, haben die das wirklich geglaubt?«

Anna lächelte schief. »Du weißt doch, wie charmant Lucas sein kann. Er hat den Arzt und die Schwestern völlig eingewickelt, und sie haben ihn fast genauso bedauert wie Emma.«

»Aber Anna, dann mußt du ihn anzeigen. Du kannst ihn doch nicht so davonkommen lassen?«

Sie sah ihre weinende Schwester an. Das Mitleid konkurrierte mit dem Zorn. Anna wurde ganz klein vor ihrem Blick.

»Das wird nie wieder passieren, dafür werde ich sorgen. Ich habe so getan, als würde ich mir seine Entschuldigungen anhören, und sobald er zur Arbeit gegangen ist, habe ich das Auto vollgepackt und bin losgefahren. Ich habe nicht die Absicht, je wieder zu ihm zurückzugehen, Lucas wird den Kindern nicht mehr weh tun können. Wenn ich ihn angezeigt hätte, wäre bestimmt das Jugendamt eingeschaltet worden, und dann hätten sie uns vielleicht beiden die Kinder weggenommen.«

»Aber Lucas wird dir die Kinder nie stillschweigend überlassen, Anna. Ohne eine Anzeige und die notwendige Ermittlung, ja, wie willst du da zum Beispiel durchdrücken, daß du allein das Sorgerecht bekommst?«

»Ich weiß es nicht, ich weiß es nicht, Erica. Im Moment bin ich nicht fähig, darüber nachzudenken, ich mußte nur einfach weg von ihm. Das andere muß später gelöst werden. Bitte, schimpfe mich jetzt nicht aus!«

Erica stellte ihre Tasse auf den Tisch, stand vom Stuhl auf und legte die Arme um ihre Schwester. Sie strich ihr übers Haar, während sie ihr zugleich beruhigend zumurmelte. Sie ließ Anna sich an ihrer Schulter ausweinen und fühlte, wie der Pullover immer feuchter wurde. Ihr Haß auf Lucas nahm noch zu. Liebend gern würde sie dem Scheißkerl eine verpassen.

Birgit lugte auf die Straße, versteckt hinter der Gardine. Karl-Erik sah an ihren hochgezogenen Schultern, wie angespannt sie war. Seit man von der Polizei angerufen hatte, war sie ängstlich hin und her gewandert. Er selbst hatte zum erstenmal seit langem Ruhe verspürt. Karl-Erik hatte beschlossen, dem Beamten auf alles zu antworten – wenn er nur die richtigen Fragen stellte.

All die Geheimnisse hatten so viele Jahre lang in ihm geschwelt. Irgendwie war es für Birgit leichter gewesen. Um mit der Situation fertig zu werden, hatte sie sich eingeredet, daß all das nicht passiert sei. Sie weigerte sich, darüber zu reden, und flatterte weiter durchs Leben, als wäre nichts geschehen. Aber es war geschehen. Und kein Tag war vergangen, ohne daß er nicht daran gedacht hatte, und von einem Mal zum anderen war ihm die Bürde schwerer erschienen. Er wußte, daß es nach außen den Eindruck machte, als sei Birgit die stärkere von ihnen. Bei allen gesellschaftlichen Anlässen glänzte sie wie ein Stern am Himmel, während er neben ihr grau und unsichtbar wirkte. Sie trug ihre schönen Kleider, ihren teuren Schmuck und ihr Make-up wie einen Panzer.

Wenn sie nach einem weiteren glitzernden, fröhlichen Abend ins Haus zurückkamen und sie ihre Rüstung ablegte, war es, als würde sie zu einem Nichts zusammenschrumpfen. Das einzige, was übrigblieb, war ein zitterndes, unsicheres Kind, das sich schutzsuchend an ihn klammerte. Während ihrer ganzen Ehe hatten ihn die verschiedensten Gefühle in bezug auf seine Frau hin und her gerissen. Ihre Schönheit und Zerbrechlichkeit weckten seine Zärtlichkeit und seinen Beschützerinstinkt, der Mann in ihm war gefordert; aber ihre mangelnde Bereitschaft, den schwierigen Dingen des Lebens ins Auge zu schauen, trieb ihn zuweilen bis zum Wahnsinn. Am meisten ärgerte ihn, daß sie, wie er wußte, eigentlich nicht dumm war, doch hatte man ihr beigebracht, daß eine Frau um jeden Preis verbergen mußte, irgendeine Art von Intelligenz zu besitzen. Statt dessen sollte sie all ihre Energie einsetzen, um schön zu sein und hilflos zu wirken. Um zu gefallen. Als sie jung verheiratet waren, hatte er sich daran nicht gestört, der Geist der Zeit war damals so. Aber die Zeiten hatten sich geändert und stellten ganz andere Anforderungen an Männer und Frauen. Er hatte sich angepaßt, doch seine Frau hatte das nie getan. Dieser Tag würde deshalb sehr schwer für sie werden. Karl-Erik glaubte, daß sie im Innersten wußte, was er zu tun beabsichtigte. Deshalb war sie jetzt fast zwei Stunden lang durch die Zimmer gelaufen. Aber er wußte auch, sie würde es nicht kampflos zulassen, daß er ihre Familiengeheimnisse ans Licht brachte.

»Warum muß Henrik dabei sein?« Birgit wandte sich zu ihm um und rang ängstlich die Hände.

»Die Polizei will mit der Familie sprechen, und Henrik gehört doch wohl dazu?«

»Ja, aber ich finde es einfach unnötig, ihn da hineinzuziehen. Die Polizei will doch sicher nur ein paar allgemeine Fragen stellen, und ihn deshalb herzuholen ... Nein, ich finde es einfach unnötig.«

Ihre Stimme stieg und fiel im Takt mit den unausgesprochenen Fragen. Er kannte sie ja so gut.

»Jetzt kommt er.« Birgit wich rasch vom Fenster zurück. Es dauerte ein paar Minuten, bevor es an der Tür klingelte. Karl-Erik holte tief Luft und ging öffnen, während sich Birgit schnell ins Wohnzimmer zurückzog, wo Henrik auf dem Sofa saß, tief versunken in eigene Gedanken.

»Guten Tag. Ich bin Patrik Hedström.«

»Karl-Erik Carlgren.«

Sie gaben sich höflich die Hand, und Karl-Erik schätzte, daß der Beamte in Alex' Alter war. Dergleichen tat er jetzt öfter. Verglich Leute mit Alex.

»Bitte, kommen Sie herein. Ich schlage vor, wir setzen uns ins Wohnzimmer und reden.«

Patrik wirkte leicht verwundert, als er Henrik erblickte, faßte sich aber rasch und begrüßte auch Birgit Carlgren und dann Henrik höflich. Sie setzten sich um den Sofatisch, und ein paar Minuten herrschte gedrücktes Schweigen. Am Ende ergriff Patrik das Wort.

»Ja, das hier kam ja etwas kurzfristig, aber ich bin dankbar, daß Sie dennoch bereit waren, mich zu empfangen.«

»Wir haben uns gerade gefragt, ob etwas Besonderes passiert ist. Sind Sie auf was Neues gestoßen? Wir haben ja eine Zeitlang nichts von Ihnen gehört, so ...« Der Satz blieb in der Luft hängen, und Birgit sah Patrik voller Hoffnung an.

»Es geht langsam, aber sicher voran, das ist wohl das einzige, was ich im Moment sagen kann. Der Mord an Anders Nilsson hat die Sache auch in ein anderes Licht gerückt.«

»Ja, das ist klar, sind Sie dahintergekommen, ob dieselbe Person, die unsere Tochter ermordet hat, auch Anders umgebracht hat?«

Birgits Geplapper hatte einen frenetischen Ton, und Karl-Erik mußte sich beherrschen, um sich nicht vorzubeugen und beruhigend seine Hand auf die ihre zu legen. Heute war er gezwungen, sich gegen die Beschützerrolle, die er so sehr verinnerlicht hatte, zu verwahren.

Einen Augenblick lang verlor er sich in Gedanken, versetzte sich aus dem Heute in eine Vergangenheit, die ihm jetzt unendlich fern erschien. Er blickte sich mit einem Gefühl im Wohnzimmer um, das an Ekel grenzte. Wie leicht sie der Versuchung erlegen waren, man konnte fast den Geruch des Blutgeldes spüren. Das Haus in Kålltorp war mehr, als sie sich damals, als Alex noch klein war, zu erträumen gewagt hatten. Es war groß und geräumig, die dreißiger Jahre waren in den Details bewahrt, und zugleich hatten sie sich jeden Komfort gegönnt. Mit dem Gehalt, das der Job in Göteborg einbrachte, hatten sie es sich endlich leisten können.

Das Zimmer, in dem sie saßen, war der größte Raum des Hauses. Viel zu vollgestellt für seinen Geschmack, aber Birgit hatte eine Vorliebe für glitzernde und funkelnde Dinge, und alles war so gut wie brandneu. Ungefähr jedes dritte Jahr fing Birgit an zu klagen, daß alles so abgewetzt aussehe und wie sehr sie die Dinge leid sei, die in ihrer Wohnung standen, und nach ein paar Wochen voll unentwegter bittender Blicke gab er gewöhnlich nach und zückte wieder das Portemonnaie. Man hatte den Eindruck, die Tatsache, daß alles um sie herum ständig erneuert wurde, gestattete ihr, sich selbst und ihr Leben unablässig neu zu erfinden. Derzeit befand sie sich in einer Laura-Ashley-Phase, und der Raum war so voller Rosenmuster und Volants, daß er geradezu erstickend feminin wirkte. Aber er wußte ja, daß er all das höchstens ein paar Jahre ertragen mußte, und wenn er beim nächsten Dekorationswechsel Glück hatte, dann bekam Birgit ein Faible für Chesterfield-Sessel und englische Jagdmotive. Hatte er Pech, folgten demnächst aber vielleicht Tigermuster.

Patrik räusperte sich. »Ich bin auf ein paar Ungereimtheiten gestoßen, und um die auszuräumen, brauche ich Ihre Hilfe.«

Niemand sagte etwas, also fuhr er fort: »Wissen Sie etwas darüber, auf welche Weise Alex und Anders Nilsson sich kannten?«

Henrik sah verblüfft aus, und Karl-Erik begriff, daß er keine Ahnung hatte. Das schmerzte ihn, aber ändern konnte er an der Sache nichts.

»Sie gingen in eine Klasse, aber das war ja vor so vielen Jahren.« Birgit rutschte nervös auf dem Sofa hin und her, wo sie neben ihrem Schwiegersohn Platz genommen hatte.

Henrik fügte hinzu: »Mir ist der Name bekannt. Hatte Alex nicht einige seiner Bilder zum Verkauf in der Galerie?«

Patrik nickte, und Henrik fuhr fort: »Ich verstehe nicht, sollte es da noch einen anderen Zusammenhang zwischen den beiden gegeben haben? Was hätte jemand für einen Grund, meine Frau und einen ihrer Künstler zu ermorden?«

»Genau das versuchen wir herauszufinden.« Patrik zögerte, bevor er weitersprach. »Leider haben wir auch feststellen müssen, daß die beiden ein Verhältnis hatten.«

In der Stille, die darauf folgte, sah Karl-Erik, wie auf den Gesichtern von Birgit und Henrik, die ihm gegenübersaßen, die verschiedensten Gefühle sichtbar wurden. Er selbst verspürte nur gelinde Verwunderung, aber die legte sich rasch zugunsten der Überzeugung, daß das, was der Mann da sagte, wahr sein mußte. Es war nur natürlich, wenn man die Umstände bedachte.

Birgit hielt die Hand vor den Mund in einem Ausdruck des Entsetzens, und aus Henriks Gesicht wich langsam alle Farbe. Karl-Erik sah, daß sich Patrik Hedström in der Rolle dessen, der schlechte Nachrichten überbrachte, sehr unwohl fühlte.

»Das kann nicht stimmen.« Verwirrt blickte Birgit im Kreis umher, fand aber nirgendwo Unterstützung.

»Weshalb sollte unsere Alex es mit so einem haben?«

Sie schaute Karl-Erik auffordernd an, aber der lehnte es ab, ihrem Blick zu begegnen, und starrte statt dessen auf seine Hände hinunter. Henrik sagte nichts, aber es war, als würde er in sich zusammenfallen.

»Sie wissen nicht, ob die beiden weiter in Kontakt geblieben sind, nachdem Sie weggezogen waren?«

»Nein, das kann ich mir nicht vorstellen. Alex hat alle Verbindungen abgebrochen, als wir aus Fjällbacka wegzogen.«

Wieder hatte Birgit gesprochen, während Henrik und Karl-Erik schweigend dasaßen.

»Da ist noch was, wonach ich fragen wollte. Sie sind mitten im Halbjahr der sechsten Klasse umgezogen. Wie ist es dazu gekommen? Das alles ging ja auch sehr schnell.«

»Daran ist nichts Merkwürdiges. Karl-Erik bekam eine großartige Stelle angeboten, die er ganz einfach nicht ablehnen konnte. Er mußte sich rasch entscheiden, man brauchte dort sofort jemanden, und deshalb ging alles so plötzlich.« Sie bewegte beim Sprechen unentwegt die Hände im Schoß.

»Aber Sie haben Alex nicht in einer Göteborger Schule angemeldet. Statt dessen besuchte sie ein Internat in der Schweiz. Was war denn der Grund dafür?«

»Mit Karl-Eriks neuer Arbeit hatten wir ganz andere finanzielle Voraussetzungen, und wir wollten Alex einfach die besten Möglichkeiten bieten, die wir uns leisten konnten«, sagte Birgit.

»Aber gab es denn in Göteborg keine guten Schulen, in die sie hätte gehen können?«

Unerbittlich hämmerte Patrik mit seinen Fragen auf sie ein, und Karl-Erik konnte nicht umhin, das Engagement des Mannes zu bewundern. Früher einmal war er selbst genauso jung und enthusiastisch gewesen. Jetzt war er nur noch müde.

Birgit fuhr fort: »Sicher gab es die, aber stellen Sie sich doch mal vor, was für Verbindungen sie durch ein solches Internat erhielt – sogar ein paar Prinzen waren auf dieser Schule – und mit was für Kontakten sie dann ins Leben hinaustreten konnte.«

»Haben Sie Alex in die Schweiz begleitet?«

»Natürlich waren wir mit ihr dort, um sie anzumelden, wenn Sie das meinen. Selbstverständlich.«

Patrik schaute auf seinen Notizblock, um sich recht zu erinnern. »Alexandra hat im Frühjahrshalbjahr 77 aufgehört. Im Internat wurde sie im Frühjahr 78 angemeldet, und zum gleichen Zeitpunkt haben Sie, Karl-Erik, mit der Arbeit hier in Göteborg angefangen. Meine Frage ist deshalb, wo Sie in dem Jahr dazwischen gewesen sind?«

Eine Falte zeigte sich zwischen Henriks Augenbrauen, und er schaute zwischen Birgit und Karl-Erik hin und her. Beide wichen seinem Blick aus, und Karl-Erik verspürte einen bohrenden Schmerz in der Herzgegend, der langsam stärker wurde.

»Ich verstehe nicht, wohin Sie mit diesen Fragen kommen wollen? Was hat das mit der Sache zu tun, ob wir 77 oder 78 umgezogen sind? Unsere Tochter ist tot, und Sie kommen hierher und befragen uns in einer Weise, als ob wir schuldig wären? Da hat sich wohl irgendwo ein Fehler eingeschlichen. Jemand hat eine falsche Jahreszahl ins Register geschrieben, so muß es einfach sein. Wir sind im Frühjahr 77 hierhergezogen, und da hat Alexandra in dem Schweizer Internat angefangen.«

Patrik schaute Birgit, die immer erregter wurde, mit Bedauern an. »Es tut mir leid, Frau Carlgren, daß ich Ihnen Unannehmlichkeiten bereite. Ich weiß, daß Sie es im Augenblick sehr schwer haben, aber ich muß diese Fragen stellen. Und meine Angaben stimmen. Sie sind erst im Frühjahr 78 hergezogen, und für das Jahr davor gibt es keinerlei Hinweise, daß Sie sich überhaupt in Schweden aufgehalten haben. Also muß ich noch einmal fragen: Wo waren Sie in dem Jahr zwischen Frühjahr 77 und 78?«

Mit Verzweiflung im Blick suchte Birgit Hilfe bei Karl-Erik, aber der wußte, daß er ihr die gewünschte Unterstützung nicht mehr geben konnte. Er glaubte, daß er es auf lange Sicht für das Wohl der Familie tat, aber er wußte auch, daß es Birgit im Moment zugrunde richten konnte. Dennoch hatte er keine Wahl. Er schaute seine Frau traurig an und räusperte sich dann.

»Wir befanden uns in der Schweiz, ich, meine Frau und Alex.«

»Sei still, Karl-Erik, sag nicht noch mehr!«

Er ignorierte ihren Einwurf. »Wir befanden uns in der Schweiz, weil unsere zwölfjährige Tochter schwanger war.«

Ohne Erstaunen sah er, wie Patrik Hedström vor Bestürzung der Stift aus der Hand fiel. Was immer dieser Mann auch erwartet oder vermutet hatte, es war etwas anderes, wenn man es laut gesagt hörte. Wie hätte sich auch jemand etwas so Grausames vorstellen können?

»Meine Tochter wurde ausgenutzt – vergewaltigt. Sie war noch ein Kind.«

Er fühlte, wie ihm die Stimme versagte, und er preßte die Faust gegen die Lippen, um sich zu sammeln. Nach einigen Minuten konnte er weitersprechen. Birgit war nicht bereit, ihn auch nur anzusehen, aber jetzt gab es kein Zurück.

»Wir merkten, daß etwas nicht stimmte, aber wir wußten nicht, was. Früher war sie immer fröhlich und ausgeglichen gewesen. Irgendwann zu Beginn der sechsten Klasse begann sie sich zu verändern. Sie wurde schweigsam und verschlossen. Niemand von ihren Freunden kam mehr zu Besuch, und sie konnte stundenlang wegbleiben, ohne daß wir wußten, wo sie war. Wir nahmen es nicht so ernst, sondern glaubten, es sei einfach so eine Phase, die sie gerade durchlief. Eine Vorstufe der Pubertät vielleicht, ich weiß nicht.« Er mußte sich erneut räuspern. Der Schmerz in der Brust wurde immer stärker. »Erst als sie im vierten Monat war, entdeckten wir, daß sie schwanger war. Wir hätten die Zeichen eher sehen müssen, aber wer konnte denn glauben … Wir konnten uns ja nicht mal vorstellen …«

»Karl-Erik, bitte.«

Birgits Gesicht wirkte wie eine graue Maske. Henrik sah wie betäubt aus, als könne er nicht glauben, was er da hörte. Und das konnte er sicher auch nicht. Selbst Karl-Erik bemerkte, wie unglaublich die Worte klangen, als er sie aussprach. Fünfundzwanzig Jahre lang hatten sie in seinen Eingeweiden rumort. Aus Rücksicht auf Birgit hatte er sein Bedürfnis unterdrückt, sie loszuwerden, aber jetzt quollen sie aus ihm heraus, ohne sich stoppen zu lassen.

»Einen Abort konnten wir uns nicht vorstellen. Nicht einmal unter diesen Umständen. Wir gaben Alex auch keine Möglichkeit der Wahl, falls sie dazu überhaupt fähig gewesen wäre. Wir haben sie nie gefragt, wie es ihr ging oder was sie wollte. Statt dessen haben wir die Sache totgeschwiegen, nahmen sie aus der Schule, fuhren ins Ausland und blieben dort, bis sie das Kind geboren hatte. Niemand durfte es erfahren. Denn was hätten die Leute sonst gesagt.«

Er hörte selbst, wie bitter das letzte klang. Nichts war wichtiger gewesen als das. Es rangierte sogar vor dem Glück und Wohlbefinden der eigenen Tochter. Er konnte die Schuld an dieser Entscheidung nicht allein Birgit zuschieben. Sie war immer diejenige von ihnen gewesen, der es vor allem darauf ankam, wie sich die Dinge nach außen darstellten. Nach Jahren der Selbstprüfung mußte er sich jedoch eingestehen, daß er sich ihrem Willen gefügt hatte, weil er selbst es wünschte, die Fassade zu wahren. Er spürte ein saures Aufstoßen im Hals, schluckte ausgiebig und redete weiter: »Nachdem sie das Kind bekommen hatte, meldeten wir sie im Internat an, fuhren zurück nach Göteborg und setzten unser Leben fort.«

Jedes Wort triefte vor Bitterkeit und Selbstverachtung. In Birgits Augen stand Zorn, vielleicht sogar Haß, als sie ihn durchdringend anstarrte, um ihn durch ihre Willenskraft zum Schweigen zu bringen. Aber er hatte gewußt, daß der Prozeß im selben Moment in Gang gekommen war, als man Alex tot in der Wanne fand. Er hatte gewußt, daß man nachforschen, jeden Stein umdrehen und alles, was darunter kroch, ins Sonnenlicht ziehen würde. Es war besser, sie selbst erzählten die Wahrheit mit ihren eigenen Worten. Oder mit seinen Worten, wie es jetzt wohl geschah. Vielleicht hätten sie es früher tun müssen, aber den Mut hatte er erst allmählich aufbringen können. Patrik Hedströms Anruf war der letzte Schubs gewesen, den er gebraucht hatte.

Er wußte, daß noch vieles ungesagt war, aber Müdigkeit legte sich wie eine Decke über ihn, und er wollte, daß Patrik die Sache übernahm. Er konnte die Fragen stellen, die alle Lücken schließen würden. Karl-Erik lehnte sich in seinem Sessel zurück und umklammerte die Armlehnen. Henrik kam Patrik zuvor. Seine Stimme zitterte spürbar. »Warum habt ihr nichts erzählt? Warum hat Alex nichts erzählt? Ich wußte, daß sie etwas vor mir verbarg, aber das hier?«

Karl-Erik hob resigniert die Hände. Es gab nichts, das er dem Mann seiner Tochter sagen konnte.

Patrik hatte hart gekämpft, um seine Professionalität zu wahren, aber es war ihm anzusehen, daß er erschüttert war. Er hob den Stift auf, der ihm aus der Hand gefallen war, und versuchte, sich auf den Block zu konzentrieren. »Wer war es, der sich an Alex vergriffen hat? War es jemand in der Schule?«

Karl-Erik nickte nur.

»War es …« Patrik zögerte. »War es Nils Lorentz?«

»Wer ist Nils Lorentz?« fragte Henrik.

Birgit antwortete ihm mit einem eisigen Klang in der Stimme. »Er war Hilfslehrer an der Schule. Er ist der Sohn von Nelly Lorentz.«

»Aber wo ist er jetzt? Er muß ja wohl im Gefängnis gelandet sein für das, was er Alex angetan hat?«

Es sah aus, als hätte Henrik hart zu kämpfen, um das zu verstehen, was Karl-Erik erzählt hatte.

»Er verschwand vor fünfundzwanzig Jahren. Keiner hat ihn seitdem gesehen. Aber ich hätte gern auch eine Antwort darauf, warum er nie angezeigt worden ist. Ich habe in unseren Archiven gesucht, und da gibt es keinerlei Meldung gegen ihn.«

Karl-Erik schloß die Augen. Patriks Aussage war nicht als Vorwurf gemeint, dennoch empfand er es so. Jedes Wort stach ihn wie eine Nadel in die Haut und erinnerte ihn an den furchtbaren Irrtum, den sie vor fünfundzwanzig Jahren begangen hatten.

»Wir haben keine Anzeige erstattet. Als wir dahinterkamen, daß Alex schwanger war, und sie erzählt hat, was passiert ist, raste ich zu Nelly Lorentz hoch und teilte ihr mit, was ihr Sohn gemacht hat. Ich hatte absolut vor, ihn bei der Polizei anzuzeigen, und das habe ich Nelly auch gesagt, aber …«

»Aber Nelly ist gekommen und hat mit mir geredet, hat vorgeschlagen, wir sollten die Sache ohne Polizei lösen. Sie sagte, es gäbe keinen Grund, Alex noch weiter zu demütigen, indem ganz Fjällbacka sich über das Geschehene den Mund zerriß. Wir konnten nicht anders, als ihr zuzustimmen, und kamen zu dem Schluß, daß es Alex weit mehr dienen würde, wenn wir es in der Familie regelten. Nelly versprach, sich in geeigneter Weise um Nils zu kümmern«, sagte Birgit, die kerzengerade auf dem Sofa saß.

»Nelly hat mir auch eine sehr gut bezahlte Stelle hier in

Göteborg besorgt. Ich vermute, wir waren keine guten Menschen, da dieses Versprechen von Gold und Geld uns blenden konnte.« Karl-Erik war schonungslos ehrlich zu sich selbst. Die Zeit des Leugnens war vorbei.

»Damit hatte das nichts zu tun. Wie kannst du so was sagen, Karl-Erik! Wir hatten nur das Beste unserer Tochter vor Augen. Was hätte es ihr gebracht, wenn alle gewußt hätten, was passiert war? Wir haben ihr die Chance gegeben, ihr Leben weiterzuleben.«

Sie sahen sich über den Tisch hinweg an, und Karl-Erik wußte, daß sich bestimmte Dinge nie reparieren ließen. Sie würde es nie verstehen.

»Und das Kind? Was ist mit dem geschehen? Wurde es zur Adoption freigegeben?«

Schweigen. Dann erklang eine Stimme von der Tür her. »Nein, das Kind wurde nicht weggegeben. Sie beschlossen, es zu behalten und das Mädchen darin zu belügen, wer es ist.«

»Julia! Ich dachte, du bist oben in deinem Zimmer!«

Karl-Erik drehte sich um und sah Julia in der Tür stehen. Sie mußte auf Zehenspitzen die Treppe hinuntergeschlichen sein, denn niemand hatte sie kommen hören. Er fragte sich, wie lange sie dort wohl schon gestanden hatte.

Sie lehnte am Türrahmen, die Arme verschränkt. Ihr ganzer unförmiger Körper signalisierte Trotz. Obwohl es schon vier Uhr nachmittags war, hatte sie noch immer den Schlafanzug an. Sie sah auch aus, als hätte sie mindestes eine Woche nicht geduscht. Karl-Erik fühlte, wie sich Mitleid und Schmerz in seiner Brust verbanden. Sein armes, kleines, häßliches junges Entlein.

»Wäre Nelly, oder soll ich sagen Großmutter, nicht gewesen, dann hättet ihr wohl nie etwas gesagt, oder? Es wäre euch nie eingefallen zu erzählen, daß meine Mutter nicht meine Mutter ist, sondern meine Großmutter, und daß mein Vater nicht mein Vater ist, sondern mein Großvater, und vor allem, daß meine Schwester nicht meine Schwester gewesen ist, sondern meine Mutter. Können Sie folgen, oder soll ich das Ganze noch mal herunterbeten? Es ist schließlich ein bißchen kompliziert.«

Die maliziöse Frage war an Patrik gerichtet, und es sah beinahe so aus, als würde Julia es genießen, seinen entsetzten Gesichtsausdruck zu sehen.

»Pervers? Nicht wahr?« Sie senkte die Stimme, so als würde sie im Theater soufflieren, und legte den Zeigefinger an die Lippen. »Aber psst, Sie dürfen es niemandem erzählen. Denn was würden dann die Leute sagen? Man stelle sich nur vor, die würden plötzlich über die feine Familie Carlgren herziehen.«

Jetzt sprach sie wieder lauter. »Aber Gott sei Dank hat Nelly mir im Sommer, als ich in der Fabrik gearbeitet habe, alles erzählt. Hat mir gesagt, was zu wissen mein Recht ist. Wer ich eigentlich bin. Mein Leben lang habe ich mich nicht dazugehörig gefühlt. Habe gespürt, daß ich nicht in die Familie passe. Eine große Schwester wie Alex zu haben war auch nicht leicht, aber ich habe sie vergöttert. Sie war all das, was ich sein wollte, all das, was ich nicht war. Ich habe gemerkt, wie ihr sie angesehen habt und wie mich. Und Alex, die kein nennenswertes Interesse an mir zu haben schien, was mich nur dazu brachte, sie noch mehr anzuhimmeln. Jetzt verstehe ich, weshalb. Sie ertrug es wohl kaum, mich zu sehen. Den Bastard, der aufgrund eines Mißbrauchs geboren wurde, und ihr habt sie gezwungen, sich jedesmal daran zu erinnern, wenn sie mich zu Gesicht bekam. Begreift ihr wirklich nicht, wie grausam das gewesen ist?«

Karl-Erik zuckte zusammen bei ihren Worten, als hätte man ihm eine Ohrfeige verpaßt. Er wußte, daß sie recht hatte. Es war entsetzlich grausam gewesen, Julia zu behalten und Alex auf diese Weise zu zwingen, das schreckliche Ereignis, das ihre Kindheit beendet hatte, wieder und wieder zu erleben. Es war auch Julia gegenüber Unrecht gewesen. Birgit und er hatten es nicht vergessen können, auf welche Weise sie gezeugt worden war. Vermutlich hatte sie das von Anfang an gespürt, denn sie war schreiend zur Welt gekommen und hatte dann während ihrer ganzen Kindheit weitergeschrien und sich der Welt widersetzt. Julia hatte keine Gelegenheit verpaßt, sich unmöglich zu machen, und Birgit und er waren zu alt gewesen, um mit einem so kleinen Kind fertig zu werden, erst recht nicht mit einem so fordernden Kind wie Julia.

In gewisser Weise war es eine Erleichterung gewesen, als sie an einem Tag des letzten Sommers zornentbrannt nach Hause kam und sie mit der Sache konfrontierte. Es hatte sie beide nicht gewundert, daß Nelly Julia die Wahrheit auf eigene Faust erzählt hatte. Nelly war ein böses altes Weib und hatte nur ihre eigenen Interessen im Sinn, und wenn es ihr irgendwie nützen konnte, Julia über die Sache aufzuklären, dann tat sie es. Deshalb hatten sie versucht, Julia davon abzuhalten, den angebotenen Sommerjob zu akzeptieren, aber Julia hatte, eigensinnig wie immer, ihren Kopf durchgesetzt.

Als Julia die Wahrheit eröffnet worden war, hatte sich ihr eine neue Welt erschlossen. Zum erstenmal gab es jemanden, der sie wirklich haben, der zu ihr gehören wollte. Obwohl Nelly ja auch Jan hatte, zählten für sie vor allem Blutsbande, und sie hatte Julia gesagt, daß sie an dem Tag, wenn es soweit wäre, ihr Vermögen erben würde. Karl-Erik verstand durchaus, wie sehr das Julia beeindruckte. Sie war voller Zorn auf diejenigen, die sie bisher für ihre Eltern gehalten hatte, und vergötterte Nelly mit derselben Intensität wie früher Alex. All das fuhr ihm durch den Kopf, als er sie in der Türöffnung stehen sah, im Rücken das sanfte Licht aus der Küche. Das Traurige war nur, daß sie nie verstehen würde, daß Birgit und er, obwohl sie beim Anblick von Julia oft an das schreckliche Geschehen in der Vergangenheit denken mußten, sie dennoch wirklich liebten. Aber sie war wie ein fremder Vogel in ihrem Haus, und sie beide hatten sich ihr gegenüber linkisch und hilflos gefühlt. Das war noch immer so, und nun würden sie wohl akzeptieren müssen, daß sie Julia für immer verloren hatten. Physisch befand sie sich zwar noch hier, doch mental hatte Julia sie bereits verlassen.

Henrik sah aus, als würde er kaum Luft bekommen. Er beugte den Kopf zu den Knien hinunter und schloß die Augen. Einen Moment lang fragte sich Karl-Erik, ob es richtig gewesen war, Henrik herzubitten, damit er dabei war. Er hatte es getan, weil er der Meinung war, Henrik verdiente es, die Wahrheit zu erfahren. Auch er hatte Alex geliebt.

»Aber Julia …«

Birgit streckte ihr die Arme in einer unbeholfenen, bittenden

Geste entgegen, doch Julia drehte ihr nur verächtlich den Rükken zu, und sie hörten, wie sie die Treppe hinaufstapfte.

»Es tut mir wirklich leid. Mir war klar, daß etwas nicht stimmte, aber das hier hätte ich mir nie vorstellen können. Ich weiß nicht, was ich sagen soll.« Patrik hob resigniert die Hände.

»Ja, wir wissen wohl selber nicht richtig, was wir sagen sollen. Vor allem nicht zueinander.« Karl-Erik sah seine Frau forschend an.

»Wie lange fand dieser Mißbrauch statt, wissen Sie das?«

»Wir wissen es nicht genau. Alex wollte nicht darüber reden. Vermutlich zumindest ein paar Monate, vielleicht sogar bis zu einem Jahr.« Er zögerte. »Und hier haben Sie auch die Antwort auf Ihre vorherige Frage.«

»Welche meinen Sie?« fragte Patrik.

»Die über den Zusammenhang zwischen Alex und Anders. Anders war auch eins der Opfer. Am Tag bevor wir wegziehen wollten, fanden wir einen Zettel, den Alex an Anders geschrieben hatte. Daraus ging hervor, daß auch er von Nils ausgenutzt worden war. Offenbar hatten sie irgendwie verstanden oder erfahren, daß sie beide in derselben Situation waren, auf welche Weise, ist mir nicht bekannt, und suchten beieinander Trost. Ich nahm den Zettel und bin persönlich damit zu Vera Nilsson gegangen. Ich habe ihr erzählt, was mit Alex und vermutlich auch mit Anders passiert ist. Das war eins der schwierigsten Dinge, die ich je habe tun müssen. Anders ist, oder war«, berichtigte er sich rasch, »das einzige, was sie besaß. Irgendwo hatte ich wohl gehofft, daß Vera das tun würde, wofür uns der Mut gefehlt hat – nämlich, daß sie Nils anzeigen und er für das, was er getan hatte, zur Verantwortung gezogen würde. Aber nichts geschah, also nehme ich an, Vera war genauso schwach wie wir.«

Unbewußt hatte er angefangen, sich mit der Faust die Brust zu massieren. Der Schmerz nahm ständig zu und strahlte nun bis in die Finger aus.

»Und Sie haben keine Ahnung, wohin Nils verschwunden ist?«

»Nein, überhaupt keine. Aber wo er sich auch befindet, so hoffe ich, daß es diesem Scheißkerl dreckig geht.«

Der Schmerz wuchs jetzt lawinenartig an. Die Finger waren

gefühllos geworden, und er begriff, daß etwas nicht stimmte. Ernstlich nicht stimmte. Der Schmerz schränkte sein Blickfeld ein, und obwohl er sah, daß sich die Münder bewegten, war ihm, als würden ihn alle Bilder und Laute nur im Zeitlupentempo erreichen. Einen Moment lang freute er sich, daß der Zorn aus Birgits Augen verschwand, aber als er sah, daß er durch Unruhe ersetzt wurde, begriff er, daß gerade etwas Folgenschweres geschah. Dann brach Dunkelheit über ihn herein.

Nach dem panikartigen Krankentransport saß Patrik jetzt in seinem Auto und versuchte zu Atem zu kommen. Er war dem Rettungswagen im eigenen Fahrzeug gefolgt und bei Birgit und Henrik geblieben, bis sie den Bescheid erhalten hatten, daß Karl-Eriks Herzinfarkt zwar ernst gewesen, die kritischste Phase aber jetzt vorüber sei.

Dieser Tag war einer der erschütterndsten in Patriks Leben. Er hatte in seinen Jahren bei der Polizei so manches Elend gesehen, aber nie hatte er von einer so herzzerreißenden Tragödie gehört wie jener, die Karl-Erik am Nachmittag erzählt hatte.

Obwohl Patrik die Wahrheit erkannte, wenn sie vor ihm ausgebreitet wurde, fiel es ihm dennoch schwer, das Gehörte zu akzeptieren. Wie konnte jemand sein Leben weiterleben, wenn er so etwas wie Alex durchgemacht hatte? Nicht nur, daß sie mißbraucht und ihrer Kindheit beraubt worden war, sie mußte außerdem den Rest ihres Lebens mit der ständigen Erinnerung an das Geschehene verbringen. Wie sehr er sich auch bemühte, so konnte er das Verhalten ihrer Eltern doch nicht verstehen. Er konnte sich beim besten Willen nicht vorstellen, daß er den Täter davonkommen lassen würde, wenn sein Kind mißbraucht worden wäre, und noch weniger begriff er, wie es möglich war, daß man sich für die Vertuschung der Sache entschied. Wie konnte der äußere Schein wichtiger sein als Leben und Gesundheit des eigenen Kindes? Das zu verstehen fiel ihm ungeheuer schwer.

Er saß mit geschlossenen Augen und legte den Kopf an die Stütze. Es hatte angefangen zu dämmern, und er mußte wieder in Richtung Heimat fahren, aber er fühlte sich schwach und willenlos. Nicht einmal der Gedanke daran, daß Erica auf ihn wartete, konnte ihn dazu bringen, den Motor zu starten und loszufahren. Seine eigentlich positive Einstellung zum Leben war in ihren Grundfesten erschüttert worden, und zum erstenmal kamen ihm Zweifel, ob das Gute im Menschen wirklich das Schlechte überwog.

In anderer Hinsicht fühlte er sich auch ein wenig schuldig, weil die entsetzliche Geschichte ihn zwar tief berührt, er als Kriminalbeamter aber zugleich Zufriedenheit verspürt hatte, als sich endlich eins zum anderen fügte. So viele Fragezeichen waren an diesem Nachmittag gelöscht worden. Trotzdem empfand er jetzt eine größere Frustration als zuvor. Denn obwohl er für so vieles eine Erklärung erhalten hatte, tappte er noch immer im dunkeln, wenn es um die Person oder die Personen ging, die Alex und Anders ermordet hatten. Vielleicht lag das Motiv in der Vergangenheit verborgen, vielleicht aber hatte es auch nichts mit jener zu tun, obwohl ihm das unwahrscheinlich vorkam. Trotz allem war diese Sache hier der einzige deutliche Zusammenhang, den er zwischen Anders und Alex gefunden hatte.

Aber weshalb sollte jemand sie wegen eines Mißbrauchs ermorden wollen, der fünfundzwanzig Jahre zurücklag? Und weshalb dann erst jetzt? Was war es, das etwas in Bewegung gebracht hatte, was so viele Jahre still geruht hatte und was nun, im Abstand von nur wenigen Wochen, gleich zu zwei Morden geführt hatte? Was ihn am meisten frustrierte, war, daß er keine Ahnung hatte, in welcher Richtung er weitersuchen sollte.

Der Nachmittag hatte einen großen Durchbruch bei den Ermittlungen gebracht, aber zugleich steckten sie jetzt in einer Sackgasse fest. Patrik ging im Kopf all das durch, was er am Tag gemacht und gehört hatte, und er kam darauf, daß ein höchst konkreter Anhaltspunkt bei ihm im Auto lag. Etwas, das er durch die Nachwirkungen des Besuches bei Carlgrens und den Tumult aufgrund Karl-Eriks dramatischer Erkrankung vergessen hatte. Jetzt spürte er wieder denselben Enthusiasmus wie am Vormittag, und ihm fiel ein, daß er außerdem eine einzigartige Möglichkeit hatte, die Sache näher zu untersuchen. Das einzige, was er brauchte, war ein bißchen Glück.

Er stellte sein Handy an, ignorierte den Bescheid, daß er drei Nachrichten in der Mailbox hatte, und rief die Auskunft an, um die Nummer des Krankenhauses zu bekommen. Man gab ihm die Nummer der Zentrale, und er bat darum, dorthin verbunden zu werden.

»Sahlgrensches Krankenhaus.«

»Ja, hallo, mein Name ist Patrik Hedström. Ich möchte gern wissen, ob bei Ihnen ein Robert Ek in der gerichtsmedizinischen Abteilung arbeitet.«

»Einen Augenblick, ich werde nachsehen.«

Patrik hielt die Luft an. Robert war ein alter Studienkollege von der Polizeihochschule, der später eine Weiterbildung zum Gerichtstechniker gemacht hatte. Sie waren während der Studienzeit sehr eng befreundet gewesen, hatten aber später den Kontakt verloren. Patrik glaubte gehört zu haben, daß er jetzt im Sahlgrenschen Krankenhaus arbeitete, und drückte sich selbst die Daumen, daß dem wirklich so war.

»Wollen mal sehen. Ja, wir haben hier einen Robert Ek. Soll ich Sie verbinden?«

Patrik jubelte insgeheim. »Ja, danke.«

Nach ein paar Sekunden hörte er Roberts vertraute Stimme. »Gerichtsmedizin, Robert Ek.«

»Tag, Robbi, hörst du, wer hier ist?« Patrik war überzeugt, daß Robert seine Stimme nicht wiedererkennen würde, und wollte ihm gerade auf die Sprünge helfen. Aber da vernahm er einen Aufschrei im Hörer.

»Patrik Hedström, du altes Haus. Verdammt, das ist ja ewig her! Wie kommt es, daß du was von dir hören läßt? Ich meine, das ist ja nicht gerade das Übliche.«

Roberts Stimme klang spöttisch, und Patrik fühlte, daß er sich ein wenig schämte. Er war sich bewußt, daß er furchtbar schlecht darin war, mit Leuten in Verbindung zu bleiben. Robert hatte das bedeutend besser im Griff, aber schließlich hatte er es wohl aufgegeben, als Patrik nie von sich aus anrief. Er schämte sich noch mehr, als er daran dachte, daß er jetzt, wo er sich endlich meldete, Robert um einen Gefallen bitten wollte. Aber er konnte nun kaum einen Rückzieher machen.

»Nein, ich weiß, ich bin verdammt nachlässig. Aber jetzt sitze ich tatsächlich auf dem Parkplatz vor dem Krankenhaus, und da fiel mir ein, irgendwie gehört zu haben, daß du hier arbeitest. Also wollte ich mal sehen, ob du da bist, um vielleicht guten Tag zu sagen.«

»Ja, klar. Komm rein, das ist doch richtig irre.«

»Wie finde ich dich? Wo sitzt du?«

»Wir sitzen im Keller. Geh durch den Eingang, nimm den Fahrstuhl nach unten, biege nach rechts ab und geh, so weit du kannst, den Flur hinunter. Ganz hinten ist eine Tür, und dahinter sitzen wir. Klingle dort einfach, dann lasse ich dich rein. Wirklich cool, dich endlich mal wiederzusehen.«

»Finde ich auch. Ja, dann in ein paar Minuten.«

Wieder schämte sich Patrik, daß er im Begriff war, einen alten Freund auszunutzen, aber andererseits hatte er bei Robert so einiges gut. Als sie zusammen studierten, war Robert mit einem Mädel, das Susanne hieß, verlobt, sie wohnten sogar zusammen, gleichzeitig hatte Robert aber eine heftige Affäre mit einer aus ihrer Gruppe, mit Marie, die ihrerseits auch fest liiert war. Fast zwei Jahre ging das so, und die Male, wo er Roberts Haut gerettet hatte, ließen sich kaum zählen. Wieder und wieder hatte er als Alibi gedient und unglaublich viel Phantasie aufbringen müssen, wenn Susanne anrief und fragte, ob er wisse, wo Robert sei.

Jetzt im nachhinein fand er wohl, daß die Sache weder ihm noch Robert zur Ehre gereichte. Aber damals waren sie noch so jung und unreif gewesen, und um ehrlich zu sein, fand er es wohl ziemlich cool und war vielleicht sogar ein bißchen neidisch auf Robert, der gleich mit zwei Weibern rummachte. Natürlich war die Sache zum Schluß geplatzt und hatte damit geendet, daß Robert ohne Wohnung und ohne Frauen dastand. Aber als der geborene Charmeur, der er war, mußte er nicht gerade viele Wochen auf Patriks Couch schlafen, bevor er ein neues Mädel hatte, bei dem er einziehen konnte.

Als man Patrik erzählt hatte, daß Robert im Sahlgrenschen Krankenhaus arbeitet, hatte man auch gesagt, daß der jetzt verheiratet sei und zwei Kinder habe, aber das war etwas, was Patrik sich nur schwer vorstellen konnte. Jetzt würde sich ja herausstellen, wie es damit stand.

Er ging suchend durch die anscheinend unendlichen Krankenhauskorridore, und obwohl die Sache so einfach geklungen hatte, als Robert ihm den Weg beschrieb, gelang es Patrik, zweimal falsch abzubiegen, bevor er endlich am richtigen Ort ankam. Er drückte auf die Klingel und wartete. Die Tür flog auf.

»Hallooo!«

Sie umarmten sich herzlich und traten dann jeder einen Schritt zurück, um zu sehen, wie die Zeit mit dem anderen umgegangen war. Patrik konnte feststellen, daß sie Robert nicht sonderlich zugesetzt hatte, und hoffte, daß dieser von ihm dasselbe dachte. Sicherheitshalber zog er den Bauch ein und schob den Brustkorb ein bißchen mehr heraus.

»Komm rein, komm rein.«

Robert führte ihn in sein Büro, das sich als kleine Kammer erwies, die kaum für eine Person Platz bot, geschweige denn für zwei. Patrik studierte Robert näher, als er auf einem Stuhl ihm gegenüber vor dem Schreibtisch Platz genommen hatte. Roberts blonde Haare waren genauso ordentlich gekämmt wie in jüngeren Jahren, und unter dem weißen Laborkittel waren die Sachen genauso gut gebügelt. Patrik hatte immer gedacht, daß Roberts Bedürfnis nach einem ordentlichen und gepflegten Äußeren als Gegengewicht zu dem Chaos funktionierte, das er in seinem Privatleben stets und ständig anrichtete. Seine Blicke wurden von einem Foto auf dem Regal hinterm Schreibtisch angezogen.

»Ist das deine Familie?« Es gelang ihm nicht völlig, seine Verwunderung zu verbergen.

Robert lächelte stolz und holte das Bild herunter. »Yes, das sind meine Frau Carina und meine zwei Kinder, Oscar und Maja.«

»Wie alt sind sie?«

»Oscar ist zwei und Maja sechs Monate alt.«

»Toll. Wie lange bist du schon verheiratet?«

»Jetzt sind es drei Jahre. Du hättest dir wohl nie vorstellen können, daß aus mir mal ein Familienvater wird?«

Patrik lachte. »Nein, ich muß zugeben, das ist wirklich eine totale Überraschung.«

»Ja, du weißt, wenn der Teufel alt wird, wird er fromm. Und du? Du hast wohl inzwischen ein ganzes Rudel?«

»Nein, das hat sich nicht richtig ergeben. Ich bin übrigens geschieden. Keine Kinder, was unter diesen Umständen vielleicht ein Glück ist.«

»Tut mir leid zu hören.«

»So schlimm ist es nicht. Ich habe was im Gange, was sehr vielversprechend wirkt, also werden wir mal sehen.«

»Und wie kommt es, daß du nach all den Jahren hier plötzlich auf der Bildfläche erscheinst?«

Patrik wand sich ein bißchen. Wurde noch einmal daran erinnert, wie peinlich es war, daß er erst so lange nichts von sich hören lassen hatte und dann nur herkam, um einen Gefallen zu erbitten.

»Ich war wegen einer polizeilichen Angelegenheit in der Stadt, und da fiel mir ein, daß du in der Gerichtsmedizin arbeitest. Da ist eine Sache, bei der ich Hilfe brauchte, und ich habe ganz einfach nicht die Zeit, es durch die normalen administrativen Kanäle laufen zu lassen. Es würde Wochen dauern, bevor ich dann eine Antwort bekäme, und dazu habe ich weder die Zeit noch die Geduld.«

Robert sah aus, als wäre seine Neugier geweckt. Er preßte die Fingerspitzen aneinander und wartete darauf, daß Patrik weitersprach.

Der beugte sich nach unten und holte ein in einer Plastikfolie steckendes Papier aus der Tasche. Er reichte es Robert, der es unter der starken Schreibtischlampe anwinkelte, um besser sehen zu können, was es war.

»Ich habe es von einem Block aus der Wohnung eines Mordopfers. Ich kann sehen, daß sich darauf Abdrücke von dem befinden, was auf dem Blatt darüber stand. Aber die sind zu schwach, als daß ich mehr als nur ein paar Brocken lesen könnte. Ihr habt doch bestimmt die Ausrüstung hier, um genau solche Abdrücke sichtbar zu machen?«

»Jaa, die haben wir schon.« Robert zog die Antwort ein wenig in die Länge, während er das Blatt weiter unter der Lampe studierte. »Aber wie du schon sagst, gibt es ziemlich feste Regeln, wie und in welcher Reihenfolge die Angelegenheiten abgewikkelt werden. Hier liegt schon ein ganzer Haufen, der auf Bearbeitung wartet.«

»Ja, ja, ich weiß. Aber ich dachte, das hier könnte fix und einfach zu machen sein, wenn ich dich um den Gefallen bitte, nur mal schnell nachzusehen, ob man was herausbekommt, also vielleicht …«

Eine Falte erschien zwischen Roberts Augenbrauen, als er über Patriks Worte nachdachte. Dann lächelte er schalkhaft wie immer und erhob sich vom Stuhl. »Ja, man soll ja nicht zu bürokratisch sein. Wie du schon sagst, dauert das ja nur ein paar Minuten. Komm mit.«

Er ging Patrik in dem engen kleinen Flur voraus und dann durch die Tür, die seinem Zimmer gegenüberlag. Der Raum war groß und hell, angefüllt mit allerhand Geräten, die ein merkwürdiges Aussehen hatten. Alles war blitzsauber, und die weißen Wände und die chromblitzenden Tische und Schränke ließen den Raum sehr klinisch wirken. Der Apparat, den Robert benötigte, stand ganz hinten im Zimmer. Mit größter Vorsicht nahm er nun das Papier aus der Folie und legte es auf eine Platte. Dann drückte er auf den On-Knopf an der Seite, und ein bläuliches Licht ging an. Im selben Moment traten die Worte auf dem Papier mit gewünschter Deutlichkeit hervor.

»Siehst du? Ist es das, was du erhofft hast?«

Patrik überflog den Text rasch. »Es ist genau das. Ist es möglich, das Blatt kurz liegenzulassen, damit ich es schnell abschreiben kann?«

Robert lächelte. »Das können wir leichter haben. Mit dieser Ausrüstung kann ich von dem Text ein Foto für dich machen.«

Ein breites Lächeln erschien auf Patriks Gesicht. »Super! Das wäre perfekt. Ich danke dir.«

Eine halbe Stunde später konnte Patrik das Haus mit einer Fotokopie des Blattes von Anders' Schreibblock verlassen. Er hatte hoch und heilig versprochen, sich etwas öfter bei Robert zu melden, und er hoffte, daß er sein Versprechen einhalten würde. Leider kannte er sich viel zu gut.

Die Fahrt nach Hause war von Nachdenklichkeit geprägt. Er liebte es, im Dunkeln zu fahren. Die Stille, wenn ihn die samtschwarze Nacht umschloß, nur unterbrochen von den Lichtern einzelner entgegenkommender Autos, ließ ihn sehr viel klarer denken. Stück für Stück fügte er das, was er bereits wußte, zu dem, was er jetzt auf dem Papier gelesen hatte, und als er in die Auffahrt des Hauses in Tanumshede bog, war er sich ziemlich sicher, zumindest eins der Rätsel, das ihn plagte, gelöst zu haben.

Es war ein merkwürdiges Gefühl, sich ohne Erica ins Bett zu legen. Schon komisch, wie schnell man sich an etwas gewöhnen konnte, wenn es nur etwas Schönes war, und er stellte fest, daß es ihm jetzt schwerfiel, allein einzuschlafen. Es hatte ihn gewundert, wie groß seine Enttäuschung gewesen war, als Erica ihn auf dem Heimweg auf dem Handy anrief, um ihm zu sagen, daß ihre Schwester überraschend zu Besuch gekommen sei und es wohl besser wäre, wenn er zu Hause bei sich übernachtete. Er hatte noch mehr fragen wollen, aber an Ericas Stimme gehört, daß sie nicht antworten konnte, und sich deshalb damit begnügt zu sagen, daß sie morgen telefonieren würden und er sie vermisse.

Jetzt behinderten Bilder von Erica und die Gedanken an all die Dinge, die er am morgigen Tag erledigen mußte, seinen Schlaf, und die Nacht wurde für Patrik sehr lang.

Als die Kinder am Abend eingeschlummert waren, bekamen sie beide endlich Gelegenheit zum Reden. Erica hatte schnell etwas Fertiges aus dem Tiefkühler aufgetaut, weil Anna so aussah, als müßte sie ein bißchen was in den Magen bekommen. Außerdem hatte sie selbst vergessen zu essen, und jetzt plagte sie der Hunger.

Anna stocherte meist nur mit der Gabel im Essen, und Erica empfand die übliche Sorge um die kleine Schwester. Genau wie damals, als sie Kinder waren, wollte sie Anna in die Arme nehmen, sie hin und her wiegen und sagen, daß alles gut werden würde, wollte ein Küßchen auf die schmerzende Stelle drücken, so daß das Schlimme verschwand. Aber sie waren jetzt erwachsen, und Annas Probleme überstiegen bei weitem den Schmerz einer Schürfwunde am Knie. Diesen Dingen gegenüber war Erica hilflos und ohnmächtig. Zum erstenmal in ihrem Leben erschien ihr die Schwester wie eine Fremde, und sie fühlte sich unbeholfen und unsicher und wußte nicht, wie sie mit ihr reden sollte. Also saß sie schweigend da und wartete darauf, daß Anna ihr den Weg zeigte. Die tat es erst nach geraumer Zeit.

»Ich weiß nicht, was ich tun soll, Erica. Was wird aus den Kindern und mir? Wo sollen wir hin? Wie soll ich uns ernähren? Ich bin so lange zu Hause gewesen und kann nichts.«

Erica sah, daß Anna den Tisch umklammerte, als wollte sie die Situation physisch in den Griff bekommen.

»Ach, denk jetzt nicht daran. Das wird schon werden. Jetzt mußt du erst mal einen Tag nach dem anderen nehmen, und du kannst ja, so lange du willst, mit den Kindern hier bleiben. Das Haus gehört schließlich auch dir, ist doch so.«

Sie erlaubte sich ein schiefes Lächeln und sah zu ihrer Freude, daß Anna es erwiderte. Anna wischte sich mit dem Handrücken leicht die Nase und fingerte nachdenklich am Tischtuch herum.

»Ich kann mir nur selber nicht verzeihen, daß es so weit gekommen ist. Er hat Emma weh getan, wie konnte ich zulassen, daß er Emma weh tut?« Die Nase begann wieder zu laufen, und sie nahm diesmal das Taschentuch. »Warum habe ich das zugelassen? Habe ich vielleicht gewußt, daß so etwas passieren würde, aber aus eigener Bequemlichkeit einfach die Augen zugemacht?«

»Anna, wenn ich etwas hundertprozentig weiß, dann ist es, daß du nie absichtlich zulassen würdest, daß jemand deinen Kindern etwas antut.« Erica beugte sich über den Tisch und nahm Annas Hand. Die war erschreckend dünn. Man wurde an Vogelknochen erinnert, die zerbrachen, wenn man zu fest zupackte.

»Was ich auch nicht verstehen kann, ist, daß ich ihn irgendwo in mir, trotz allem, was er getan hat, immer noch liebe. Ich habe Lucas so lange geliebt, daß diese Liebe wie ein Stück von mir geworden ist, das zu dem, was ich bin, dazugehört, und egal, was er auch getan hat, so kann ich dieses Stück einfach nicht loswerden. Am liebsten würde ich ein Messer nehmen und es mir aus dem Körper schneiden. Ich fühle mich widerwärtig und schmutzig.« Mit der freien Hand strich sie sich zitternd über die Brust, wie um zu zeigen, wo das Schlimme saß.

»Das ist nicht unnormal, Anna. Du brauchst dich nicht zu schämen. Jetzt mußt du nur alles tun, damit es dir wieder besser geht.« Sie legte eine Pause ein. »Nur eins ist nötig, du mußt Lucas anzeigen.«

»Nein, Erica, nein, ich kann nicht.« Die Tränen liefen ihr über die Wangen, und ein paar Tropfen blieben am Kinn hängen, bevor sie hinunterfielen und feuchte Flecke auf dem Tischtuch hinterließen.

»Doch, Anna, du mußt. Du kannst ihn nicht einfach so davonkommen lassen. Sag nicht, daß du selber damit leben kannst, daß er deiner Tochter fast den Arm gebrochen hat, ohne dafür zur Verantwortung gezogen zu werden!«

»Nein, ja, ich weiß nicht, Erica. Ich kann nicht klar denken, es ist, als wäre mein Kopf voller Watte. Ich kann im Moment nicht darüber nachdenken, vielleicht später.«

»Nein, Anna. Nicht später. Jetzt. Später ist zu spät. Du mußt es jetzt tun. Ich begleite dich morgen zum Polizeirevier, aber du mußt es tun, nicht nur wegen der Kinder, sondern auch wegen dir.«

»Ich bin nur nicht sicher, ob ich die Kraft dazu habe.«

»Du hast sie, ich weiß es. Im Unterschied zu dir und mir haben Emma und Adrian eine Mama, die sie liebt und die bereit ist, alles für sie zu tun.« Sie konnte nicht verhindern, daß Bitterkeit in ihrer Stimme mitklang.

Anna seufzte. »Du mußt dich davon frei machen, Erica. Ich habe seit langem akzeptiert, daß wir eigentlich nur Papa hatten. Ich habe auch aufgehört, darüber nachzugrübeln, warum das so war. Was weiß ich? Vielleicht wollte Mama keine Kinder? Vielleicht waren wir nicht die Kinder, die sie haben wollte? Wir werden es jetzt nie mehr erfahren, und es bringt nichts, die Sache ständig wiederaufzurollen. Aber ich war ja auch die von uns, die das meiste Glück hatte. Weil du da warst. Vielleicht habe ich dir das nie gesagt, aber ich weiß, was du für mich getan hast und wie wichtig du für mich in der Kinderzeit warst. Du hattest niemanden, Erica, der sich statt Mama um dich gekümmert hätte, doch du darfst nicht bitter werden, versprich mir das. Glaubst du etwa, ich sehe nicht, daß du dich sofort zurückziehst, wenn du jemanden kennenlernst, mit dem es ernst werden könnte? Bevor du Gefahr läufst, ernstlich verletzt zu werden. Du mußt lernen, die Vergangenheit loszulassen, Erica. Es scheint, als hättest du im Moment was richtig Gutes laufen, und du darfst es diesmal nicht einfach wieder sausenlassen. Ich will ja schließlich irgendwann mal Tante werden.«

Jetzt lachten sie beide unter Tränen, und Erica war an der Reihe, sich mit der Serviette zu schneuzen. All die Gefühle im Raum ließen das Atmen schwer werden, aber zugleich war es, als bekomme die Seele einen Frühjahrsputz verpaßt. Es gab so viel Unausgesprochenes, so viel Staub in den Ecken, und sie spürten beide, daß es Zeit war, den Kehrbesen zur Hand zu nehmen.

Sie redeten die ganze Nacht, bis die Winterdunkelheit vom grauen Morgendunst verdrängt wurde. Die Kinder schliefen länger als üblich, und als Adrian schließlich mit durchdringendem Geschrei zu erkennen gab, daß er wach war, bot Erica an, sich am Vormittag um die Kleinen zu kümmern, damit Anna noch ein paar Stunden schlafen konnte.

Ihr war leichter zumute als je zuvor. Natürlich bedrückte sie das noch immer, was Emma passiert war, aber Anna und sie hatten im Laufe der Nacht über vieles geredet, was schon seit langem hätte ausgesprochen werden müssen. Ein paar Wahrheiten, die sie gehört hatte, waren unangenehm gewesen, aber notwendig, und es erstaunte Erica, mit welcher Leichtigkeit die jüngere Schwester sie durchschaute. Erica mußte sich eingestehen, daß sie Anna wohl unterschätzt hatte, ja, daß sie manchmal vielleicht sogar etwas herablassend gewesen war und Anna nur als großes, verantwortungsloses Kind betrachtet hatte. Sie war viel mehr als das, und es freute Erica, die wirkliche Anna endlich zu sehen.

Sie hatten auch eine ganze Menge von Patrik geredet, und mit Adrian auf dem Arm meldete sich Erica jetzt bei ihm. Zu Hause ging er nicht an den Apparat, also versuchte sie es auf dem Handy. Anzurufen erwies sich als größere Herausforderung, als sie gewohnt war, da Adrian total entzückt von dem wunderbaren Spielzeug war, das sie da in der Hand hielt, und sich aufgeregt bemühte, es zu fassen zu bekommen. Als Patrik sich nach dem ersten Klingeln meldete, verschwand die Müdigkeit der Nacht wie durch einen Zauberschlag.

»Hallo, Liebling.«

»Mmmm, es gefällt mir, wenn du das sagst.«

»Wie geht's?«

»Danke, einigermaßen. Wir haben hier eine kleine Familienkrise. Ich erzähle mehr, wenn wir uns sehen. Es ist viel passiert, und Anna und ich haben die ganze Nacht dagesessen und geredet, und jetzt kümmere ich mich um die Kinder, damit sie noch ein paar Stunden schlafen kann.«

Er hörte, daß sie ein Gähnen unterdrückte. »Du klingst müde.«

»Ich *bin* müde. Und wie. Aber Anna braucht den Schlaf noch dringender als ich, also muß ich noch ein paar Stunden durchhalten. Die Kinder sind noch nicht alt genug, um allein klarzukommen.«

Adrian lallte zustimmend.

Patrik entschloß sich sofort. »Man kann das anders lösen.«

»Ach ja, und wie? Soll ich sie ein paar Stunden am Treppengeländer festbinden?« Sie lachte.

»Ich komme vorbei und passe auf sie auf.«

Erica kicherte mißtrauisch. »Du und auf die Kinder aufpassen?«

Er ließ seine Stimme äußerst beleidigt klingen. »Willst du damit sagen, ich sei nicht Manns genug, mich der Aufgabe anzunehmen? Wenn ich mit eigener Hand zwei Einbrecher niederringen kann, werde ich wohl mit zwei so extrem kurzen Menschen fertig werden. Oder hast du kein Vertrauen zu mir?«

Er legte eine Kunstpause ein und hörte Erica am anderen Ende der Leitung theatralisch seufzen. »Tja, du kriegst es vielleicht hin. Aber ich warne dich, es sind zwei richtige kleine Wildkatzen. Bist du wirklich sicher, daß du dieses Tempo aushältst, in deinem Alter, meine ich?«

»Ich werde es versuchen. Sicherheitshalber stecke ich lieber meine Herzmedikamente ein.«

»Nun ja, dann nehmen wir das Angebot wohl an. Wann kommst du?«

»Jetzt sofort. Ich war wegen einer anderen Sache schon unterwegs nach Fjällbacka und bin gerade an der Minigolf-Anlage vorbeigefahren. Also sehen wir uns in etwa fünf Minuten.«

Sie stand in der Tür und wartete auf ihn, als er aus dem Auto stieg. Auf dem Arm hielt sie einen pausbäckigen Jungen, der frenetisch winkte. Hinter ihr, kaum sichtbar, stand ein kleines Mädchen, den Daumen im Mund und den anderen Arm in Gips und in der Schlinge. Er wußte noch immer nicht, aus welchem Grund Ericas Schwester so plötzlich aufgetaucht war, aber nach dem, was Erica über ihren Schwager erzählt hatte, und angesichts des gegipsten Arms der Kleinen kam ihm ein schrecklicher Verdacht. Er fragte nicht, Erica würde bei Gelegenheit schon erzählen, was passiert war.

Er begrüßte sie alle drei hintereinander. Erica bekam einen Schmatz auf den Mund, Adrian ein Tätscheln auf die Wange, und dann hockte er sich hin, um die ernst blickende Emma zu begrüßen. Er nahm ihre gesunde Hand und sagte: »Guten Tag, ich heiße Patrik. Wie heißt denn du?«

Die Antwort kam nach langem Zögern. »Emma.«

Dann fuhr der Daumen wieder in den Mund.

»Sie taut schon noch auf.«

Erica übergab Adrian an Patrik und wandte sich an Emma: »Mama und Tante Erica müssen ein bißchen schlafen, also wird Patrik ein Weilchen auf euch aufpassen. Geht das in Ordnung? Er ist ein Freund von mir, und er ist ganz, ganz lieb. Und wenn du ganz, ganz lieb bist, dann kann es sein, daß Patrik für dich ein Eis aus dem Tiefkühler holt.«

Emma sah Erica mißtrauisch an, aber die Möglichkeit, ein

Eis zu bekommen, übte eine unwiderstehliche Verlockung aus, und sie nickte widerstrebend.

»Ja, was meinst du? Wollen wir eine Runde Schach spielen? Nicht? Und wie wär's, wenn wir ein bißchen Eis zum Frühstück essen? Du findest, das klingt gut? Okay. Wer der letzte am Kühlschrank ist, kriegt bloß 'ne Mohrrübe.«

Langsam kämpfte sich Anna zur Oberfläche ihres Bewußtseins hoch. Ihr war, als hätte sie wie Dornröschen hundert Jahre geschlafen. Als sie die Augen aufschlug, machte es ihr erst Mühe, sich zu orientieren. Dann erkannte sie die Tapeten ihres Mädchenzimmers wieder, und die Wirklichkeit stürzte wie eine Tonne Ziegel über sie herein. Sie setzte sich hastig auf. Die Kinder! Dann hörte sie Emmas fröhliches Geschrei aus dem Erdgeschoß und erinnerte sich, daß Erica versprochen hatte, sich um die Kinder zu kümmern. Sie legte sich wieder hin und beschloß, noch ein paar Minuten in der Bettwärme zu bleiben. Sobald sie aufgestanden war, würde sie den Tag in Angriff nehmen müssen, also verschaffte sie sich auf diese Weise noch eine Atempause.

Langsam drang ihr ins Bewußtsein, daß sie nicht Ericas Stimme von unten vernahm, zusammen mit Emmas und Adrians Lachen. Einen Augenblick lang überlief es sie eiskalt, und sie glaubte, Lucas sei hier, aber dann begriff sie, daß Erica ihn eher auf der Stelle erschossen hätte, als ihn ins Haus zu lassen. Es dämmerte ihr, wer der Besucher war, und neugierig schlich sie sich auf Zehenspitzen auf den Treppenabsatz und spähte zwischen den Latten des Geländers durch. Unten im Wohnzimmer sah es aus, als wäre eine Bombe explodiert. Die Sofakissen waren zusammen mit vier Eßzimmerstühlen und einer Decke zur Bude geworden, und Adrians Bauklötze waren über den ganzen Fußboden verstreut. Auf dem Wohnzimmertisch lag Eispapier in einer Menge, die Anna hoffen ließ, daß Patrik ein Großverbraucher dieser Gaumenfreude sei. Seufzend sah sie ein, daß es wohl äußerst schwer werden würde, ihre Tochter mittags und auch abends zum Essen zu bringen. Besagte Tochter ritt auf den Schultern eines dunkelhaarigen Mannes mit sympathischem Aussehen und warmen braunen Augen. Das Mädchen lachte so sehr, daß es kaum Luft bekam, und Adrian teilte offenbar ihre Freude unten auf dem Fußboden, wo er, nur mit der Windel bekleidet, auf der Decke lag. Doch derjenige, dem es am meisten Spaß zu machen schien, war Patrik, und genau in diesem Augenblick eroberte er für ewig einen Platz in Annas Herz.

Sie richtete sich auf und hüstelte leicht, um die Aufmerksamkeit der drei Spielkameraden zu wecken.

»Mama, guck mal, ich hab' hier ein Pferd.« Emma demonstrierte ihre totale Macht über das »Pferd«, indem sie es fest an den Haaren zog, aber Patriks Proteste waren viel zu sanft, als daß es die kleine Diktatorin scherte.

»Emma, du mußt mit dem Pferd vorsichtig sein. Sonst darfst du vielleicht nicht mehr darauf reiten.«

Dieser Hinweis brachte die Reiterin ein wenig zum Nachdenken, und vorsichtshalber streichelte sie mit der gesunden Hand Patriks Mähne, um sicherzugehen, daß sie ihre Reiterprivilegien nicht verlor.

»Hallo, Anna, ziemlich lange her, was?«

»Ja, wirklich. Ich hoffe nur, die haben dich nicht völlig geschafft?«

»Nein, wir hatten ganz viel Spaß miteinander.« Er sah plötzlich ein bißchen bekümmert aus. »Ich bin ganz vorsichtig mit ihrem Arm gewesen.«

»Da bin ich sicher. Es scheint ihr bestens zu gehen. Schläft Erica?«

»Ja, sie hörte sich so müde an, als wir heute morgen telefonierten, daß ich mich angeboten habe, hier einzuspringen.«

»Und offensichtlich mit vollem Erfolg.«

»Ja, obwohl es hier jetzt ein bißchen chaotisch ist. Ich hoffe nur, Erica wird nicht böse, wenn sie aufwacht und sieht, daß ich ihr Wohnzimmer völlig verwüstet habe.«

Anna fand seine beunruhigte Miene äußerst erheiternd. Es schien, als hätte auch Erica ihn schon zugeritten.

»Wir werden dann gemeinsam aufräumen. Aber erst brauche ich eine Tasse Kaffee, wirklich. Willst du auch eine?«

Sie tranken Kaffee und redeten wie alte Freunde. Der Weg zu Annas Herz führte über die Kinder, und die Vergötterung in Emmas Augen ließ sich nicht übersehen. Sie hing an Patrik herum, der nur abwinkte, als Anna die Tochter zu bewegen versuchte, ihn ein Weilchen in Ruhe zu lassen. Als Erica ungefähr eine Stunde später noch ganz verschlafen herunterkam, hatte Anna Patrik schon nach allem ausgefragt, angefangen bei seiner Schuhgröße bis zu dem Grund, warum er sich hatte scheiden lassen. Als Patrik am Ende sagte, jetzt müsse er gehen, protestierten alle Mädels, und Adrian hätte wohl auch eingestimmt, wenn er nicht erschöpft in den Mittagsschlaf gesunken wäre.

Sobald sie sein Auto wegfahren hörten, wandte sich Anna mit aufgerissenen Augen zu Erica um. »Mein Gooott, er ist ja wirklich der Traum aller Schwiegermütter geworden. Hat er nicht vielleicht 'nen jüngeren Bruder?«

Erica lächelte nur glücklich darauf.

Patrik hatte also ein paar Stunden Aufschub gehabt, bevor er sich an die Aufgabe machen mußte, die der Erledigung harrte. Der Gedanke daran war es unter anderem gewesen, der an seinem unruhigen Nachtschlaf schuld gewesen war. Selten hatte es ihm mehr vor etwas gegraut. Er kannte die Lösung für einen der zwei Morde, aber es war keine Sache, die ihn freute.

Patrik fuhr langsam von Sälvik zum Zentrum hinunter. Er wollte die Angelegenheit so lange wie möglich vor sich her schieben, aber der Weg war nur kurz, und er war schneller am Ziel, als ihm lieb war. Er stellte den Wagen auf den Parkplatz bei Evas Supermarkt und ging das letzte Stück zu Fuß. Das Haus lag ganz oben an einer der Straßen, die steil zu den Bootshäusern am Wasser abfielen. Es war ein schönes altes Haus, aber es sah aus, als wäre es viele Jahre vernachlässigt worden. Bevor er an die Tür klopfte, atmete er tief durch, aber sobald seine Finger an das Holz gepocht hatten, war nur noch Professionalität gefragt. Keine persönlichen Gefühle durften sich einmischen. Er war Kriminalbeamter, und als solcher war er gezwungen, seine Arbeit zu machen, egal, wie der private Patrik sich zu der Aufgabe verhielt.

Vera öffnete fast umgehend. Sie schaute ihn fragend an, aber trat gleich zur Seite, als er darum bat, hineinkommen zu dürfen. Sie ging ihm in die Küche voraus, und beide setzten sich an den Küchentisch. Patrik fiel auf, daß sie nicht fragte, was er wünsche, und einen Moment dachte er, daß sie es vielleicht schon wußte. Wie dem auch sein mochte, er mußte jedenfalls eine Möglichkeit finden, das, was er sagen wollte, so schonend wie möglich vorzubringen.

Ruhig sah sie ihn an, aber er bemerkte dunkle Ringe unter ihren Augen, ein Zeichen der Trauer nach dem Tod des Sohnes. Auf dem Tisch lag ein altes Fotoalbum, und er vermutete, wenn er es öffnete, würde er Bilder aus Anders' Kindheit sehen. »Vera, als wir uns das letzte Mal begegnet sind, geschah das unter äußerst traurigen Umständen, und ich möchte zu Anfang sagen, daß ich den Tod Ihres Sohnes wirklich bedaure.«

Sie nickte nur zur Antwort und wartete schweigend, daß er weitersprach.

»Aber auch wenn ich nachfühlen kann, wie schwer es für Sie ist, habe ich doch die Aufgabe, zu ermitteln, was mit Anders geschehen ist. Ich hoffe, Sie verstehen das.«

Patrik sprach deutlich wie zu einem Kind. Warum, wußte er nicht genau, aber er fühlte, daß es für ihn wichtig war, daß sie wirklich verstand, was er meinte.

»Wir haben Anders' Tod als Mord angesehen und auch nach einem Zusammenhang mit dem Mord an Alexandra Wijkner gesucht, einer Frau, die, wie wir wissen, eine Beziehung zu ihm hatte. Wir haben keine Spuren eines möglichen Mörders gefunden und sind auch nicht dahintergekommen, wie der Mord selbst abgelaufen ist. Wenn ich ehrlich sein soll, hat uns das großes Kopfzerbrechen verursacht, und keiner hat eine vernünftige Erklärung für den Hergang gefunden. Aber dann habe ich das hier in Anders' Wohnung entdeckt.«

Patrik legte die Fotokopie des Blattes vor Vera auf den Küchentisch, so daß sie den Text lesen konnte. Ein Ausdruck der Verwunderung glitt über ihr Gesicht, und ihr Blick ging mehrmals zwischen Patrik und dem Papier hin und her. Dann nahm sie es auf und drehte es um. Befühlte die Buchstaben mit den

Fingern und legte es wieder auf den Tisch, noch immer voller Verblüffung.

»Wo haben Sie das gefunden?« Ihre Stimme war ganz heiser vor Trauer.

»Zu Hause bei Anders. Sie sind erstaunt, weil Sie dachten, Sie hätten das einzige Exemplar dieses Briefes mitgenommen, nicht wahr?«

Sie nickte. Patrik sprach weiter: »Das haben Sie auch, eigentlich. Aber ich habe den Block gefunden, auf dem Anders den Brief geschrieben hat, und als er den Stift aufdrückte, hat dieser Abdrücke auf dem darunter liegenden Blatt hinterlassen. Die haben wir jetzt sichtbar machen können.«

Vera lächelte bitter. »Ja, daran habe ich nicht gedacht, natürlich nicht. Pfiffig von Ihnen, daß Sie das herausgefunden haben.«

»Ich glaube, ich weiß ungefähr, was passiert ist, aber ich möchte es gern von Ihnen hören, mit Ihren eigenen Worten.«

Sie tastete einen Moment an dem Papier herum und befühlte die Worte mit den Fingerspitzen, als lese sie eine Blindenschrift. Ein tiefer Seufzer, und dann folgte sie Patriks freundlicher, aber bestimmter Aufforderung.

»Ich bin mit einem Beutel voll Lebensmittel zu Anders gegangen. Die Tür war nicht abgeschlossen, aber das war sie fast nie, also habe ich nur ein bißchen gerufen und bin reingegangen. Es war still, totenstill. Ich habe ihn sofort gesehen. Es war, als würde mir in dem Moment das Herz stehenbleiben. Genauso hat es sich angefühlt. Als würde das Herz aufhören zu schlagen und in der Brust nur Stille herrschen. Er schwang leicht hin und her. Als gäbe es Wind im Zimmer, was, wie ich wußte, ja völlig unmöglich war.«

»Warum haben Sie nicht die Polizei gerufen? Oder den Krankenwagen?«

Sie zuckte die Schultern. »Ich weiß nicht. Mein erster Impuls war, zu ihm hinzustürzen und ihn irgendwie da runterzuholen, aber als ich ins Wohnzimmer kam, sah ich, daß es zu spät war. Mein Junge war tot.«

Zum erstenmal während ihrer Erzählung zitterte ihre Stimme leicht, aber dann schluckte sie und zwang sich, mit erschreckender Ruhe weiterzureden.

»Ich habe diesen Brief hier in der Küche gefunden. Sie haben ihn gelesen, Sie wissen, was drin steht. Daß das Leben eine einzige lange Qual für ihn gewesen ist und daß er jetzt keine Kraft mehr hat zu kämpfen. Es gab keinen Grund mehr für ihn, weiterzuleben. Ich habe dort in der Küche bestimmt eine Stunde, vielleicht auch zwei gesessen, ich weiß nicht genau. Den Brief in die Handtasche zu stecken war Momentsache, und dann brauchte ich nur den Stuhl zu nehmen, den er zum Hochsteigen benutzt hatte, und ihn wieder in die Küche zurückzustellen.«

»Und warum? Warum denn nur? Was sollte das bringen?«

Ihr Blick war fest, aber Patrik sah an ihren leicht zitternden Händen, daß die äußere Ruhe trügerisch war. Er konnte sich nicht einmal vorstellen, was für ein Grauen es für eine Mutter sein mußte, ihren Sohn an der Decke hängen zu sehen, mit dikker blauer Zunge und vorquellenden Augen. Es war schwer genug für ihn gewesen, Anders' Anblick zu ertragen, und seine Mutter mußte nun den Rest ihres Lebens mit diesem Bild auf der Netzhaut leben.

»Ich wollte ihm weitere Demütigungen ersparen. All die Jahre haben ihn die Leute hier verächtlich angesehen. Haben mit dem Finger auf ihn gezeigt und gelacht. Wenn sie an ihm vorbeigegangen sind, haben sie die Nase hoch getragen und sich als was Besseres gefühlt. Was würden sie sagen, wenn sie hörten, daß sich Anders erhängt hat? Ich wollte ihm die Schande ersparen und habe es auf die einzige Weise getan, die mir eingefallen ist.«

»Aber ich verstehe immer noch nicht. Warum ist es schlimmer, sich das Leben zu nehmen, als ermordet zu werden?«

»Sie sind zu jung, um das zu verstehen. Die Verachtung für Selbstmeuchler, wie man sie früher hier nannte, sitzt bei den Leuten in der Küstenregion noch immer tief. Ich wollte nicht, daß sie so über meinen kleinen Jungen reden. Man hat sich all die Jahre genug das Maul über ihn zerrissen.«

In Veras Stimme war Härte zu spüren. Jahrzehntelang hatte

sie ihre ganze Energie darauf verwendet, den Sohn zu beschützen und ihm zu helfen, und auch wenn Patrik ihr Motiv nicht richtig verstand, war es vielleicht nur natürlich, daß sie Anders, auch als er tot war, beschützen wollte.

Vera streckte die Hand nach dem Fotoalbum auf dem Tisch aus und öffnete es, so daß sie beide hineinschauen konnten. Nach der Kleidung zu urteilen, glaubte Patrik, daß die Bilder aus den siebziger Jahren stammten. Anders' Gesicht lächelte ihm von all den leicht vergilbten Aufnahmen offen und sorglos entgegen.

»War er nicht wunderbar, mein Anders?« Veras Stimme klang verträumt, und sie strich mit dem Zeigefinger über die Bilder.

»Er ist immer ein so lieber Junge gewesen. Es hat nie Probleme mit ihm gegeben.«

Patrik betrachtete die Fotos interessiert. Es war unglaublich, daß das hier derselbe Mensch war, den er nur noch als Wrack kennengelernt hatte. Was für ein Glück, daß der Junge auf den Bildern nicht gewußt hatte, welches Schicksal ihn erwartete. Eins der Fotos weckte Patriks besonderes Interesse. Ein mageres blondes Mädchen stand neben Anders, der auf einem Fahrrad mit schmalem Sattel und BMX-Lenker saß. Sie zeigte nur ein winziges Lächeln und schaute schüchtern unter ihrem Pony hervor.

»Das ist doch wohl Alex?«

»Ja.« Veras Ton war schroff.

»Haben die beiden als Kinder viel zusammen gespielt?«

»Nicht oft. Aber es kam schon vor. Sie gingen ja schließlich in dieselbe Klasse.«

Vorsichtig begab sich Patrik auf schwieriges Terrain. Bei jedem Schritt tastete er sich erst langsam vor. »Soviel ich weiß, hatten sie eine Weile Nils Lorentz als Lehrer?«

Vera schaute ihn forschend an. »Ja, schon möglich. Es ist so lange her.«

»Wie ich mitbekommen habe, wurde eine ganze Menge über Nils Lorentz geredet. Nicht zuletzt, als er dann einfach verschwand.«

»Hier in Fjällbacka reden die Leute über alles mögliche. Also haben sie bestimmt auch über Nils Lorentz geredet.«

Es war nicht zu übersehen, daß er jetzt in einer eitrigen Wunde stocherte, aber er mußte weitermachen und noch tiefer bohren. »Ich habe mit Alex' Eltern gesprochen, die einige Behauptungen in bezug auf Nils Lorentz aufgestellt haben. Behauptungen, die auch Anders betrafen.«

»Ach ja.« Sie gedachte es ihm offenbar nicht leicht zu machen.

»Nach dem, was sie sagten, hat sich Nils Lorentz an Alex vergriffen, und sie behaupteten, daß auch Anders betroffen gewesen war.«

Vera saß steif wie ein Stock auf der äußersten Kante des Küchenstuhls, und sie antwortete nicht auf seine Äußerung, eine Äußerung, die als Frage gedacht war. Er beschloß zu warten, und nach mehreren Minuten inneren Kampfes schlug sie langsam das Album zu und stand vom Stuhl auf.

»Ich will nicht über alte Geschichten reden. Ich will, daß Sie jetzt gehen. Wenn Sie Maßnahmen ergreifen wollen wegen dem, was ich in Anders' Wohnung gemacht habe, dann wissen Sie ja, wo ich zu finden bin, aber ich habe nicht vor, Ihnen zu helfen, in Dingen zu wühlen, die man am besten begraben sein läßt.«

»Nur eine Frage noch: Haben Sie mit Alexandra jemals darüber geredet? Soviel mir bekannt ist, wollte sie das, was geschehen war, aufrollen, und da wäre es nur natürlich, wenn sie auch mit Ihnen gesprochen hätte.«

»Ja, das hat sie getan. Ich habe dort in ihrem Haus gesessen, vielleicht eine Woche bevor sie starb, und habe mir ihre naiven Vorstellungen angehört. Daß sie mit der Vergangenheit aufräumen und alle Leichen aus dem Keller holen will und so weiter und so weiter. Moderner Blödsinn, meine ich. Heute scheinen alle besessen davon zu sein, ihre schmutzige Wäsche in der Öffentlichkeit zu waschen, und behaupten noch, es sei gesund, seine Geheimnisse und Sünden bloßzulegen. Aber bestimmte Dinge sollten auch weiterhin privat bleiben. Das habe ich auch zu ihr gesagt. Ich weiß nicht, ob sie auf mich gehört hat, aber ich hoffe es. Sonst hätte mir meine Mühe nur eine hartnäckige Blasenentzündung eingebracht von dem Sitzen dort in ihrem saukalten Haus.«

Damit signalisierte Vera deutlich, daß die Diskussion zu Ende war, und ging in den Flur hinaus. Sie öffnete Patrik die Tür und verabschiedete sich äußerst kühl.

Als er sich wieder draußen in der Kälte befand, die Mütze tief über die Ohren gezogen und die Fäustlinge an den Händen, wußte er buchstäblich nicht, auf welchem Fuß er stehen sollte. Er hüpfte umher, um warm zu werden, und ging dann rasch zum Auto.

Vera war eine komplizierte Frau, soviel hatte er bei ihrem Gespräch verstanden. Sie gehörte einer anderen Generation an, aber befand sich dennoch in vieler Hinsicht im Konflikt mit deren Werturteilen. Bis zu Anders' Tod hatten beide von ihrer Hände Arbeit gelebt. Selbst nachdem der Sohn erwachsen war und allein hätte klarkommen sollen, hatte sie ihm unter die Arme gegriffen. Sie war in gewisser Weise eine emanzipierte Frau, die all die Jahre ohne Mann zurechtgekommen war, aber zugleich war sie an jene Regeln gebunden, die für Frauen und übrigens auch für Männer ihrer Generation galten. Patrik konnte nicht umhin, eine gewisse Bewunderung für sie zu empfinden.

Er wußte nicht, welche Folgen es für Vera haben könnte, daß sie Anders' Tod als Mord kaschiert hatte. Er mußte das Polizeirevier auf jeden Fall informieren, aber was dann passieren würde, war ihm völlig unklar. Wenn er etwas zu sagen hätte, würden sie ein Auge zudrücken, aber er konnte nicht versprechen, daß es genauso geschah. Rein gesetzlich gab es die Möglichkeit, sie etwa wegen Behinderung der Ermittlungen anzuklagen, aber er hoffte sehnlichst, daß es nicht dazu kam. Er mochte Vera, das ließ sich nicht leugnen. Sie war eine Kämpfernatur, und solche Menschen gab es nicht viele.

Als er im Auto saß und das Handy einschaltete, entdeckte er, daß eine Nachricht auf ihn wartete. Es war Erica, die ihn angerufen hatte. Sie teilte mit, daß drei Damen und ein sehr, sehr kleiner Herr darauf hofften, daß er mit ihnen zu Abend esse. Patrik schaute auf die Uhr. Es war schon fünf, und er kam ohne weitere innere Diskussion zu dem Schluß, daß es sowieso schon zu spät sei, ins Revier zu fahren, und was sollte er schon zu Hause? Bevor er den Motor anließ, rief er Annika an und erzählte kurz, womit er sich tagsüber beschäftigt hatte, aber er ließ die Details aus, weil er die Sache im Zusammenhang berichten wollte, wenn er Mellberg Auge in Auge gegenübersaß. Er wollte um jeden Preis verhindern, daß die Situation mißverstanden und von Mellberg, nur zu dessen eigenem Vergnügen, eine enorme Operation in Gang gesetzt würde.

Als er zu Erica zurückfuhr, kreisten seine Gedanken unentwegt um den Mord an Alex. Es frustrierte ihn, daß er auf eine weitere falsche Spur gestoßen war. Zwei Morde ergaben eine doppelt so große Chance, daß der Mörder einen Fehler gemacht haben könnte. Jetzt befand sich Patrik wieder bei Null, und zum erstenmal kam ihm der Gedanke, daß er die Person, die Alex umgebracht hatte, nie finden würde. Das machte ihn seltsam traurig. Irgendwie hatte er das Gefühl, er würde Alex besser kennen als sonst irgend jemand. Was er über ihre Kindheit und ihr Leben nach dem Mißbrauch in Erfahrung gebracht hatte, berührte ihn tief. Er wollte ihren Mörder finden, koste es, was es wolle.

Aber er mußte es sich einfach eingestehen: Er steckte in einer Sackgasse fest, und er wußte nicht, wohin er von hier aus gehen oder wo er suchen sollte. Er zwang sich selbst, die Sache für heute beiseite zu schieben. Jetzt sollte er Erica, ihre Schwester und nicht zuletzt die Kinder treffen, und er spürte, daß er genau das heute abend brauchte. Von all dem Elend fühlte er sich völlig am Boden zerstört.

Mellberg trommelte ungeduldig mit den Fingern auf der Schreibtischplatte. Wo blieb der Bengel nur? Glaubte der, das hier sei ein verdammter Kindergarten? Wo er kommen und gehen konnte, wie er wollte? Zwar war heute Samstag, aber wenn einer dachte, daß er freimachen könne, bevor diese Geschichte hier vorbei war, dann irrte der sich gründlich. Nun ja, er würde diesen Irrtum schon bald ausräumen. Hier in seinem Revier galten feste Regeln, und es herrschte Disziplin. Eine klare Führung. Das waren die Zeichen der Zeit, und wenn es jemanden gab, der mit Führungsqualitäten geboren war, dann war er es. Seine Mutter hatte immer gesagt, daß aus ihm etwas Großes werden würde, und auch wenn er zugeben mußte, daß es vielleicht etwas länger gedauert hatte, als sie beide dachten, so hatte er doch nie daran gezweifelt, daß sich seine hervorragenden Qualifikationen früher oder später bezahlt machen würden.

Deshalb war es so frustrierend, daß die Ermittlungen anscheinend feststeckten. Er konnte seine Chance förmlich riechen, aber wenn seine miserablen Mitarbeiter nicht bald mit irgendwelchen Ergebnissen aufwarteten, dann konnte er in den Mond gucken, was seine Beförderung und die Versetzung anbetraf. Nichts als Versager hier. Dorfpolizisten, die wohl nicht mal den eigenen Hintern fanden, auch nicht mit beiden Händen und mit Hilfe einer Taschenlampe. Er hatte gewisse Hoffnungen in den jungen Hedström gesetzt, aber der schien ihn nun auch zu enttäuschen. Noch hatte er ihm jedenfalls kein Ergebnis von seiner Göteborg-Fahrt mitgeteilt, also hatte das vermutlich nichts anderes ergeben als eine Belastung der Kostenseite. Jetzt war es bereits zehn nach neun, und er hatte noch immer nicht die Spur von dem Kerl gesehen.

»Annika.« Er schrie in Richtung der offenen Tür und spürte, wie der Ärger weiter zunahm, als es gut und gern eine Minute dauerte, bevor sie sich vom Stuhl hochhievte, um seinem Ruf Folge zu leisten.

»Ja, was ist?«

»Hast du was von Hedström gehört? Macht er sich's noch immer im warmen Bett gemütlich, oder?«

»Das glaube ich kaum. Er hat angerufen und gesagt, daß er heute morgen Probleme hatte, das Auto in Gang zu kriegen, aber er ist unterwegs.« Sie schaute auf die Uhr. »Er dürfte ungefähr in einer Viertelstunde hier sein.«

»Was denn, er kann ja wohl herlaufen.«

Die Antwort dauerte, und er sah zu seiner Verwunderung ein kleines Lächeln um Annikas Mundwinkel spielen. »Jaa, er war wohl nicht zu Hause, glaube ich.«

»Wo, zum Teufel, war er dann?«

»Das mußt du Patrik schon selber fragen«, sagte Annika, drehte ihm den Rücken zu und ging zurück in ihr Zimmer.

Daß Patrik also tatsächlich einen guten Grund haben könnte für sein Zuspätkommen, reizte Mellberg irgendwie noch mehr. Konnte man nicht ein bißchen vorausschauend sein und morgens etwas mehr Zeit einplanen, um eventuellen Ärger mit dem Auto auszugleichen?

Fünfzehn Minuten später kam Patrik herein, nachdem er erst rücksichtsvoll an die offene Tür geklopft hatte. Er wirkte außer Atem und war rot im Gesicht, schien unverschämt fröhlich und munter, obwohl er seinen Chef fast eine halbe Stunde hatte warten lassen.

»Glaubst du, wir arbeiten in diesem Amt nur halbtags, was? Und wo warst du gestern? Du bist ja wohl vorgestern nach Göteborg gefahren?«

Patrik setzte sich in den Besucherstuhl vor dem Schreibtisch und antwortete ruhig auf Mellbergs vorwurfsvolle Fragen. »Ich bitte um Entschuldigung, daß ich mich verspätet habe. Der Wagen wollte heute morgen nicht anspringen, und ich brauchte mehr als eine halbe Stunde, um ihn in Gang zu bringen. Ja, in Göteborg bin ich vorgestern gewesen, und davon will ich erst berichten, bevor ich erzähle, was ich gestern gemacht habe.«

Mit einem Brummen gab Mellberg widerstrebend seine Zustimmung. Patrik erzählte, was er über die Kindheit von Alex erfahren hatte. Er ließ keines der widerwärtigen Details aus, und bei der Neuigkeit, daß Julia die Tochter von Alex war, fühlte Mellberg, daß ihm der Unterkiefer herunterklappte. Nie zuvor hatte er eine solche Geschichte vernommen. Patrik erzählte weiter von Karl-Eriks überstürztem Transport ins Krankenhaus und wie es kam, daß er ein Papier aus Anders' Wohnung in aller Eile analysiert erhielt. Er erklärte, daß sich dieses Blatt als Abdruck eines Abschiedsbriefes eines Selbstmörders herausgestellt hatte, und kam damit natürlich auf das zu sprechen, was er gestern und aus welchem Grund gemacht hatte. Patrik faßte dann vor dem ungewöhnlich stummen Mellberg zusammen: »Also der eine unserer Morde hat sich als Selbstmord erwiesen, und was den anderen anbetrifft, haben wir noch immer nicht die geringste Ahnung, wer es gewesen ist und weshalb es geschah. Ich habe das Gefühl, daß die Sache mit dem zusammenhängt, was Alexandras Eltern erzählt haben, aber ich habe absolut keine Beweise oder Fakten, die das stützen. So, jetzt weißt du alles, was ich auch weiß. Hast du irgendeine Idee, wie wir weitermachen sollen?«

Nach ein paar Minuten Stille gelang es Mellberg, die Fassung zurückzugewinnen. »Tja, das ist ja eine unglaubliche Geschichte. Ich persönlich würde eher auf diesen Typen setzen, mit dem sie ein Techtelmechtel hatte, als auf diese ollen Kamellen von vor fünfundzwanzig Jahren. Ich schlage vor, du sprichst mit Alex' Lover und ziehst diesmal die Daumenschrauben etwas fester an. Ich glaube, es wird sich zeigen, daß wir auf diese Weise unsere Ressourcen bedeutend besser nutzen.«

Direkt nachdem Patrik ihn informiert hatte, wer der Vater des Kindes ist, war Dan bei Mellberg an die oberste Stelle der Verdächtigenliste gerückt.

Patrik nickte, in Mellbergs Augen auffällig bereitwillig, und stand auf, um zu gehen.

»Äähh, öhmm, gute Arbeit, Hedström«, kam es widerstrebend von Mellberg. »Kümmerst du dich also darum?«

»Absolut Chef, betrachte die Sache als bereits erledigt.«

War da ein ironischer Ton zu hören? Patrik aber sah ihn mit völlig unschuldiger Miene an, und Mellberg ließ den Verdacht fallen. Der Junge hatte wohl einfach genug Grips, um zu kapieren, daß hier einer aus Erfahrung sprach.

Es war der Zweck eines Gähnens, dem Gehirn mehr Sauerstoff zuzuführen. Patrik zweifelte sehr daran, daß das in seinem Fall wirklich Nutzen brachte. Die Müdigkeit nach der gestrigen Nacht, wo er sich zu Hause im Bett hin und her gewälzt hatte, steckte ihm noch in den Gliedern, aber wie üblich war Schlaf von Erica übereinstimmend abgelehnt worden. Er schaute müde auf die inzwischen nur zu gut bekannten Papierstapel auf seinem Tisch und mußte dem Impuls widerstehen, die Bündel zu nehmen und sie in den Papierkorb zu stopfen. Er hatte diese Ermittlung jetzt total satt. Es war, als seien Monate vergangen, während es in Wirklichkeit nur um höchstens vier Wochen ging. So viel war geschehen, und dennoch war er nicht weitergekommen. Annika, die an seinem Zimmer vorbeigegangen war und gesehen hatte, wie er sich die Augen rieb, kam mit einer dringend benötigten Tasse Kaffee und blieb vor ihm stehen.

»Macht es dir zu schaffen?«

»Ja, ich muß zugeben, daß es mir im Moment ein bißchen zuwider ist. Aber man muß einfach noch mal von vorn anfangen. Irgendwo in den Papierbergen hier liegt die Antwort, da bin ich sicher. Das einzige, was ich brauche, ist ein ganz kleiner Anhaltspunkt, der mir bisher entgangen ist.«

Er warf den Bleistift resigniert auf einen der Haufen.

»Und sonst?«

»Was denn?«

»Ja, wie ist die Lage, abgesehen von der Arbeit? Du weißt schon, was ich meine ...«

»Ja, Annika. Ich weiß, was du meinst. Was genau willst du wissen?«

»Ist immer noch Bingozeit?«

»Bingozeit?«

»Ja, du weißt schon. Fünfe hintereinander ...« Darauf schloß sie die Tür mit einem spöttischen Lächeln auf den Lippen.

Patrik lachte glucksend vor sich hin. Ja, so konnte man es vielleicht nennen.

Er zwang seine Gedanken zurück zur Arbeit und kratzte sich nachdenklich mit dem Stift am Kopf. Irgendwas stimmte nicht. Bei dem, was Vera gesagt hatte, stimmte etwas nicht. Er nahm den Block zur Hand, auf dem er sich bei dem Gespräch Notizen gemacht hatte, und ging sie methodisch Wort für Wort durch. Ein Gedanke nahm langsam Gestalt an. Er betraf nur ein kleines Detail, aber das konnte wichtig sein. Routiniert zog er ein Papier aus einem der Stapel auf dem Schreibtisch. Der Eindruck von Unordnung war trügerisch. Er wußte genau, wo sich die einzelnen Dinge befanden.

Patrik las auch dieses Blatt nachdenklich und mit großer Sorgfalt durch und griff dann nach dem Telefon.

»Ja, guten Tag, hier ist Patrik Hedström von der Polizei in Tanumshede. Ich wollte nur hören, ob Sie noch ein Weilchen zu Hause sind, ich habe ein paar Fragen. Das sind Sie. Sehr gut, dann bin ich in etwa zwanzig Minuten bei Ihnen. Wo wohnen Sie? Genau an der Einfahrt nach Fjällbacka. Nach rechts direkt nach der Steigung und dann das dritte Haus linker Hand. Ein rotes Haus mit weißen Ecken. Okay, das werde ich schon finden. Sonst rufe ich an. Bis gleich.«

Kaum zwanzig Minuten später stand Patrik vor der Tür. Er hatte keine Schwierigkeiten gehabt, das kleine Haus zu finden, wo Eilert Berg vermutlich schon seit vielen, vielen Jahren mit seiner Familie wohnte. Als er mit dem Finger an die hölzerne Tür klopfte, wurde sie fast sofort von einer Frau mit säuerlichem, vergrämtem Aussehen geöffnet. Sie stellte sich überschwenglich als Svea Berg, die Frau von Eilert, vor und wies ihn in ein kleines Wohnzimmer. Patrik begriff, daß sein Anruf hektische Tätigkeit ausgelöst hatte. Das Festtagsporzellan stand auf dem Eßtisch, und sieben Sorten Gebäck waren auf einer Etagere in drei Ebenen angerichtet. Dieser Fall hier würde ihn, bevor er abgeschlossen war, mit einer ordentlichen Speckrolle versehen, sagte sich Patrik, still seufzend.

Genauso instinktiv, wie ihm Svea Berg mißfiel, nahm ihn der Mann für sich ein, als ihn dessen muntere, leuchtend blaue Augen bei einem festen Händedruck ansahen. Er spürte die Schwielen in Eilerts Hand und verstand, daß dieser Mann sein Leben lang schwer gearbeitet hatte.

Der Sofabezug war knittrig geworden, als Eilert aufstand, und mit gerunzelter Stirn war Svea sogleich zur Stelle und glättete ihn wieder, während sie ihrem Mann einen vorwurfsvollen Blick zuwarf. Das ganze Haus war blitzsauber und ohne jede Knitterfalte, man konnte kaum glauben, daß hier jemand wohnte. Eilert tat Patrik leid. Der Mann sah in seinem eigenen Haus ganz verloren aus.

Sveas blitzschneller Wechsel zwischen einem anbiedernden Lächeln, wenn sie sich Patrik zuwandte, und einer vorwurfsvollen Grimasse, wenn sie sich zu ihrem Mann umdrehte, wirkte beinahe komisch. Patrik fragte sich, was ihr Mann wohl getan hatte, um eine solche Irritation auszulösen, aber vermutete dann, daß Eilerts bloße Anwesenheit für Svea eine ständige Quelle des Verdrusses war.

»Nun, Herr Wachtmeister, setze er sich, dann gibt's ein bißchen Kaffee und Kuchen.«

Patrik nahm gehorsam auf dem Stuhl Platz, der in Richtung Fenster stand, und Eilert machte Anstalten, sich auf den Stuhl daneben zu setzen.

»Nicht dort, Eilert, das begreifst du ja wohl. Nimm den da drüben.«

Sie zeigte befehlend auf den Stuhl an der Schmalseite, und Eilert gehorchte brav. Patrik ließ den Blick umherschweifen, während Svea wie ein ruheloser Geist durchs Zimmer fegte, Kaffee eingoß und zugleich unsichtbare Falten an Tischtuch und Gardinen beseitigte. Die Wohnung war offenbar von jemandem eingerichtet worden, der den Anschein von Wohlstand vermitteln wollte, den es jedoch nicht gab. Alles hier waren nur schlechte Kopien von wirklich echten Dingen, angefangen bei den Gardinen, die aussehen sollten, als seien sie aus Seide, mit jeder Menge Volants und Schleifen in gewagten Arrangements, bis zu Unmengen von Zierat aus Neusilber und in Goldimitation. Eilert wirkte wie ein fremder Vogel in all dieser falschen Pracht.

Zu Patriks Ärger dauerte es eine Zeit, bis er auf sein eigentliches Anliegen kommen konnte. Svea plapperte ununterbrochen, während sie zugleich geräuschvoll ihren Kaffee schlürfte.

»Dieses Service hier, versteht er, das habe ich von meiner Schwester in Amerika. Sie ist dort reich verheiratet und schickt immer so schöne Geschenke. Dieses Geschirr hier ist sehr kostbar.«

Sie hob vielsagend die schnörkelig verzierte Tasse in die Höhe. Patrik war äußerst skeptisch, was die Kostbarkeit des Services anbetraf, aber er behielt seinen Kommentar klugerweise für sich.

»Ja, ich wäre ja auch nach Amerika gefahren, wenn ich nicht immer Probleme mit der Gesundheit gehabt hätte. Wäre das nicht gewesen, könnte ich dort heute auch reich verheiratet sein, statt nun schon fünfzig Jahre in dieser Bruchbude zu hocken.«

Svea warf Eilert einen anklagenden Blick zu, doch der ließ

den Kommentar ruhig passieren. Das war bestimmt eine Leier, die er schon oft gehört hatte.

»Es ist die Gicht, versteht er, Herr Wachtmeister? Meine Gelenke sind völlig kaputt, und ich habe von früh bis spät Schmerzen. Ein Glück, daß ich nicht so jemand bin, der ständig jammert. Bei der schrecklichen Migräne, die mich außerdem plagt, hätte ich allen Grund zu klagen, aber das liegt mir nicht, Herr Wachtmeister. Nein, seine Beschwerden hat man mit Gleichmut zu tragen. Ich weiß nicht, wie oft man schon zu mir gesagt hat: Wie stark du doch bist, Svea, läufst mit all deinen Gebrechen trotzdem tagaus, tagein herum. Aber so bin ich nun mal.«

Sie schlug verschämt die Augen nieder, während sie demonstrativ die Hände rang, die Patrik mit seinem Laienverstand für alles andere als von Gicht geplagt hielt. Was für eine Schreckschraube, dachte er. Getüncht mit einer dicken Schicht Schminke und behängt mit viel zuviel billigem Schmuck. Das einzige Positive, was er über ihr Aussehen sagen konnte, war, daß es wenigstens zur Einrichtung paßte. Wie, um Gottes willen, konnte ein so ungleiches Paar wie Eilert und Svea fünfzig Jahre lang verheiratet sein? Er vermutete, daß es einfach eine Generationsfrage war. Scheiden ließ man sich in dieser Generation nur wegen bedeutend schlimmerer Dinge, als es die Unterschiedlichkeit der Partner war. Wirklich schade. Eilert konnte in seinem Leben nicht viel Spaß gehabt haben.

Patrik räusperte sich, um Sveas Wortschwall zu unterbrechen. Sie verstummte gehorsam und heftete den Blick auf seine Lippen, um zu hören, was für spannende Neuigkeiten er wohl mitteilen würde. Bestimmt würde er in dem Fall nicht mal die Tür hinter sich schließen können, bevor der Dschungeltelegraf in Gang war.

»Ja, ich habe ein paar Fragen zu den Tagen, bevor Sie Alexandra Wijkner gefunden haben. Als Sie dort waren und nach dem Haus gesehen haben.«

Er schwieg und wartete auf Eilerts Antwort. Aber Svea kam ihrem Mann zuvor.

»Ja, was soll man dazu sagen. Daß so was hier passiert ist.

Und daß ausgerechnet mein Eilert sie finden mußte. Hier ist in den letzten Wochen von nichts anderem geredet worden.«

Ihre Wangen glühten vor Erregung, und Patrik mußte sich beherrschen, um keine scharfe Erwiderung abzugeben. Statt dessen lächelte er hinterhältig und sagte: »Sie müssen entschuldigen, aber könnte ich mit Ihrem Gatten vielleicht ein Weilchen ungestört reden? Es ist Standard bei der Polizei, daß wir Zeugenaussagen ausschließlich ohne die Anwesenheit Dritter aufnehmen.«

Reine Lüge, aber er bemerkte zu seiner Zufriedenheit, daß sie, trotz ihres großen Ärgers darüber, aus dem Zentrum der Spannung verbannt zu werden, seine diesbezügliche Autorität nicht in Zweifel zog und widerwillig vom Tisch aufstand. Patrik wurde umgehend mit einem anerkennenden, amüsierten Blick von Eilert belohnt, der seine Schadenfreude darüber nicht verbergen konnte, daß Svea so schmählich in die Röhre gucken mußte. Als sie, die Füße nachziehend, in die Küche geschlurft war, fuhr Patrik fort: »Wo waren wir stehengeblieben? Ja, könnten Sie zunächst von der Woche davor berichten, als Sie nach Alexandra Wijkners Haus gesehen haben.«

»Was soll denn das für eine Bedeutung haben?«

»Das weiß ich noch nicht genau. Aber es könnte wichtig sein. Also versuchen Sie bitte, sich an möglichst viele Einzelheiten zu erinnern.«

Eilert dachte ein Weilchen schweigend nach und nutzte die Zeit, um sich die Pfeife sorgfältig mit Tabak aus einer Tüte zu stopfen, auf der drei Anker zu sehen waren. Erst nachdem er die Pfeife zum Brennen gebracht und ein paar Züge gepafft hatte, ergriff er das Wort: »Wollen mal sehen. Ich habe sie am Freitag gefunden. Ich bin immer freitags hingegangen, um alles zu kontrollieren, bevor sie am Abend kam. Also war ich das letzte Mal davor am Freitag der vorhergehenden Woche dort. Ach nein, am Freitag wollten wir zum Vierzigsten unseres jüngsten Sohnes, also bin ich schon am Donnerstagabend hingegangen.«

»Und wie sah es da mit dem Haus aus? Haben Sie was Besonderes bemerkt?« Patrik fiel es schwer, seinen Eifer zu verbergen.

»Was Besonderes?« Eilert schmauchte gemächlich seine Pfeife, während er nachdachte. »Nein, alles war in Ordnung. Ich habe eine Runde durchs Haus und durch den Keller gemacht, aber alles war, wie es sein sollte. Ich habe auch sorgsam abgeschlossen, als ich ging. Ich hatte einen eigenen Schlüssel zur Verfügung.«

Patrik sah sich gezwungen, ganz deutlich nach der Sache zu fragen, die ihn beschäftigt hatte. »Und der Heizkessel. Funktionierte der? War das Haus warm?«

»Ja doch. Mit dem Heizkessel gab es da kein Problem. Der muß irgendwann, nachdem ich dort gewesen bin, kaputtgegangen sein. Ich begreife nicht ganz, was das für eine Bedeutung haben soll. Also, wann der Kessel kaputtging.« Eilert nahm einen Moment die Pfeife aus dem Mund.

»Um ganz ehrlich zu sein, weiß ich nicht, ob es eine Bedeutung hat. Aber ich danke Ihnen für die Hilfe. Es kann wichtig sein.«

»Bloß aus reiner Neugier, warum haben Sie das nicht gleich am Telefon gefragt?«

Patrik lächelte. »Ich bin wohl ein bißchen altmodisch, vermute ich mal. Finde, daß ich am Telefon nicht genausoviel in Erfahrung bringe, als wenn ich jemandem Auge in Auge gegenübersitze. Manchmal denke ich, daß ich eigentlich vor hundert Jahren geboren sein sollte, vor all den modernen Erfindungen.«

»Unfug, Junge. Glaube nicht all dem Gerede, daß es früher besser gewesen ist. Kälte, Armut und Schufterei von früh bis spät, das ist nichts, von dem man träumen sollte. Nein, du, ich nutze so viele von den Neuerungen, wie ich nur kann. Besitze sogar einen Computer mit Internetanschluß. Ja, du, das hast du von so einem alten Knacker wohl nicht erwartet.« Er zeigte mit der Pfeife bedeutsam auf Patrik.

»Eigentlich kann ich nicht behaupten, daß es mich total verwundert. Aber ja, jetzt muß ich los.«

»Ich hoffe, es hat was gebracht, so daß du dich nicht umsonst herbemüht hast.«

»Nein, nein, ich habe genau das erfahren, was ich wissen wollte. Außerdem bin ich so ja auch in die Genuß der guten Kuchen Ihrer Frau gekommen.«

Eilert schnaubte verächtlich. »Ja, backen kann sie, das muß man ihr lassen.«

Dann versank er in ein Schweigen, das fünfzig Jahre Entbehrungen zu umfassen schien. Svea, die sicher mit dem Ohr an der Tür dagestanden hatte, konnte sich nicht länger mäßigen und kam zu ihnen ins Zimmer.

»Nuun, hat er das erfahren, was er wissen wollte?«

»Ja, danke. Ihr Mann war sehr entgegenkommend. Ich möchte auch für den Kaffee und den guten Kuchen danken.«

»Das war doch nichts weiter. Schön, daß es geschmeckt hat. Also, Eilert, räume du jetzt ab, dann bringe ich den Wachtmeister zur Tür.«

Gehorsam begann Eilert Tassen und Teller zusammenzustellen, während Svea Patrik unter ständigem Geplapper nach draußen begleitete.

»Machen Sie die Tür jetzt ordentlich hinter sich zu. Ich vertrage keinen Zug, das versteht er sicher.«

Patrik stieß einen Seufzer der Erleichterung aus, als sich die Tür hinter ihr schloß. Was für ein gräßliches Weib. Aber die Bestätigung, auf die er aus gewesen war, hatte er erhalten. Jetzt war er sich ziemlich sicher, daß er wußte, wer Alexandra Wijkner ermordet hatte.

Zu Anders' Begräbnis war das Wetter nicht genauso schön wie bei Alexandras Beisetzung. Der Wind peinigte die Haut, wo sie ihm ausgesetzt war, und die Wangen wurden rot vor Kälte. Patrik hatte sich so warm angezogen, wie er nur konnte, aber das war noch immer nicht genug bei diesem unerbittlichen Wind, und er schlotterte an dem offenen Grab, während der Sarg langsam herabgelassen wurde. Die eigentliche Begräbniszeremonie war kurz und trostlos gewesen. Nur ein paar Leute waren in der Kirche erschienen, und Patrik selbst hatte diskret auf der hintersten Bank Platz genommen. Vorn saß Vera ganz allein.

Er hatte gezögert, ob er mit zum Grab gehen sollte, aber sich in letzter Sekunde dann doch dazu entschlossen, weil es das mindeste war, was er für Anders tun konnte. Vera hatte die ganze Zeit über, in der er sie im Blick hatte, nicht eine Miene verzogen, aber er glaubte nicht, daß ihre Trauer deshalb geringer war. Sie war einfach jemand, der seine Gefühle nicht zur Schau stellte. Patrik konnte das verstehen, und ihm gefiel eine solche Haltung. Auf eine Art bewunderte er Vera. Sie war eine starke Frau.

Nachdem die Beerdigung beendet war, entfernten sich die wenigen Begräbnisbesucher in verschiedene Richtungen. Vera ging mit gesenktem Kopf langsam auf dem Kiesweg zur Kirche hoch. Der eisige Wind pfiff ihnen um die Ohren, und sie hatte ihren Schal um den Kopf gebunden. Einen Moment lang zögerte Patrik. Er rang noch immer mit sich, wodurch der Abstand zwischen ihr und ihm auf mehrere Meter anwuchs, doch dann hatte er sich entschieden und schloß zu ihr auf.

»Eine schöne Zeremonie.«

Sie lächelte bitter. »Sie wissen genausogut wie ich, daß Anders' Begräbnis so pathetisch war wie der größte Teil seines Lebens. Aber trotzdem vielen Dank. Es war nett gesagt.« Veras Stimme ließ die Müdigkeit vieler Jahre hören. »Eigentlich sollte ich vielleicht dankbar sein. Vor nicht allzu langer Zeit hätte er auf dem öffentlichen Friedhof nicht einmal beerdigt werden dürfen. Er hätte einen abgelegenen Platz erhalten, außerhalb der geweihten Erde, an einem Ort, der für Selbstmörder vorgesehen war. Immer noch gibt es unter den Älteren viele, die glauben, daß Selbstmeuchler nicht in den Himmel kommen.«

Sie verstummte ein Weilchen. Patrik blieb schweigsam.

»Wird das, was ich bei Anders' Selbstmord getan habe, irgendwelche rechtlichen Folgen haben?«

»Nein, da kann ich wohl garantieren, daß nichts nachkommt. Es war bedauerlich, daß Sie sich so verhalten haben, und natürlich gibt es für so was auch Gesetze, aber nein, ich glaube nicht, daß es rechtliche Folgen haben wird.«

Sie kamen am Gemeindehaus vorbei und gingen langsam auf Veras Haus zu, das nur ein paar hundert Meter von der Kirche entfernt lag. Patrik hatte die ganze Nacht gegrübelt, wie er vorgehen sollte, und war auf eine grausame, aber hoffentlich erfolgreiche Lösung gekommen. Wie nebenher sagte er: »Was ich bei dieser Geschichte um den Tod von Anders und Alex am tragischsten finde, ist, daß auch ein Kind sterben mußte.«

Vera drehte sich abrupt zu ihm um. Sie blieb stehen und packte ihn heftig beim Mantelärmel. »Was für ein Kind? Wovon reden Sie?«

Patrik war dankbar, daß diese Information wider alle Erwartungen geheimgeblieben war.

»Alexandras Kind. Sie war schwanger, als sie ermordet wurde. Im dritten Monat.«

»Ihr Mann …«

Vera stammelte, aber Patrik fuhr mit erzwungener Gefühlskälte fort: »Ihr Mann hatte nichts damit zu tun. Offenbar hatten sie seit Jahren keinen Verkehr. Nein, der Vater scheint jemand zu sein, den sie häufig hier in Fjällbacka traf.«

Vera hatte sich in seinem Mantelärmel festgekrallt. »Mein Gott. O mein Gott.«

»Ja, ist das nicht grausam. Ein ungeborenes Kind zu töten. Nach dem Obduktionsprotokoll war es wohl ein kleiner Junge.«

Er war angewidert, zwang sich aber, jetzt nicht noch mehr zu sagen, sondern statt dessen auf die Reaktion zu warten, mit der er rechnete.

Sie standen unter dem großen Kastanienbaum, fünfzig Meter von Veras Haus entfernt. Als sie sich plötzlich ruckartig in Bewegung setzte, war er total überrascht. Sie rannte erstaunlich schnell für ihr Alter, und es dauerte ein paar Sekunden, bis Patrik fähig war, ihr hinterherzulaufen. Als er zu ihrem Haus kam, stand die Tür weit offen, und er trat vorsichtig ein. Schluchzende Laute drangen vom Badezimmer in den Flur, und dann hörte er, wie sie sich heftig erbrach.

Er fand es idiotisch, mit der Mütze in der Hand im Flur stehenzubleiben und zuzuhören, wie sie sich übergab, also zog er seine feuchten Schuhe aus, hängte den Mantel an den Haken und ging in die Küche. Als Vera ein paar Minuten später erschien, blubberte die Kaffeemaschine, und zwei Tassen standen auf dem Küchentisch. Sie war bleich, und zum erstenmal sah er Tränen. Nur eine Spur, ein Glänzen im Augenwinkel, aber das genügte. Vera nahm steif auf einem der Küchenstühle Platz.

In wenigen Minuten war sie um Jahre gealtert, und sie bewegte sich langsam, wie eine bedeutend ältere Frau. Patrik gewährte ihr ein paar weitere Minuten Aufschub, in denen er Kaffee in die Tassen goß, aber in dem Moment, als er sich setzte, ließ er sie durch einen auffordernden Blick verstehen, daß der Augenblick der Wahrheit gekommen war. Sie wußte, daß er es wußte, und es gab kein Zurück.

»Ich habe also mein Enkelkind umgebracht.«

Patrik nahm es als rhetorische Frage und gab keine Antwort. Wenn er es täte, müßte er vorläufig noch lügen. Jetzt, wo er so weit gekommen war, konnte er keinen Rückzieher machen. Die Wahrheit würde sie schon noch früh genug erfahren. Aber jetzt war erst mal er an der Reihe.

»Ich habe verstanden, daß Sie Alex ermordet haben, als Sie behaupteten, in der Woche vor ihrem Tod dort gewesen zu sein. Sie sagten, Sie hätten in ihrem kalten Haus gesessen und gefroren, aber der Heizkessel ist erst in der Woche darauf kaputtgegangen, also in der Woche, als sie starb.«

Vera schaute blicklos vor sich hin, und es schien, als würde sie überhaupt nichts von dem hören, was Patrik sagte. »Es ist merkwürdig. Erst jetzt begreife ich wirklich, daß ich einem anderen Menschen das Leben genommen habe. Alexandras Tod war nie richtig real für mich, aber das Kind von Anders … Ich kann es fast vor mir sehen …«

»Warum mußte Alex sterben?«

Vera hob abwehrend die Hand. Sie würde erzählen, aber in ihrem eigenen Tempo. »Es hätte einen Skandal ergeben. Alle hätten mit dem Finger auf ihn gezeigt und sich das Maul zerrissen. Ich habe damals getan, was ich für richtig hielt. Ich konnte nicht ahnen, daß er dennoch zum Gegenstand von Spott und Hohn werden würde. Daß mein Schweigen ihn von innen auffressen und ihm alles, was von Wert war, nehmen würde. Es war ja so einfach. Karl-Erik kam zu mir und erzählte, was geschehen war. Er hatte, bevor er gekommen war, mit Nelly gesprochen, und sie waren sich darin einig, daß nichts Gutes dabei herauskommen würde, wenn das ganze Dorf von der Sache erfuhr. Es sollte unter uns bleiben, und wenn ich wüßte, was das Beste für Anders sei, würde ich auch schweigen. Also schwieg ich. Schwieg all die Jahre. Und jedes weitere Jahr raubte Anders noch mehr als das Jahr davor. Er verkümmerte in seiner eigenen privaten Hölle, und ich wollte meinen Anteil daran nicht sehen. Ich räumte hinter ihm auf und griff ihm unter die Arme, so gut es ging, aber das einzige, was ich nicht tun konnte, war, das Schweigen ungeschehen zu machen. Schweigen läßt sich niemals zurücknehmen.«

Sie hatte ihren Kaffee in gierigen Zügen ausgetrunken und hielt Patrik die Tasse fragend hin. Er stand auf, holte die Kanne und schenkte ihr nach. Es schien, als würde das Normale am Kaffeetrinken ihr helfen, die Wirklichkeit festzuhalten.

»Manchmal glaube ich, daß das Schweigen schlimmer war als die Übergriffe. Wir haben nie darüber geredet, nicht einmal hier in diesen vier Wänden, und ich habe erst jetzt begriffen, was das aus ihm gemacht haben muß. Vielleicht hat er mein Schweigen als Vorwurf ausgelegt. Das ist das einzige, was ich nicht ertragen kann. Wenn er geglaubt haben sollte, daß ich ihm an dem, was geschehen ist, die Schuld gegeben habe. Dieser Gedanke ist mir nie gekommen, nicht für eine Sekunde, aber ich werde jetzt nicht mehr erfahren, ob er es gewußt hat.«

Einen Moment lang wirkte es, als würde ihre starre Maske aufbrechen, aber dann drückte Vera wieder den Rücken durch und zwang sich weiterzureden. Patrik konnte sich vorstellen, welch ungeheure Anstrengung sie das kostete.

»Mit den Jahren haben wir eine Art Gleichgewicht gefunden. Auch wenn das Leben für uns beide erbärmlich war, wußten wir, was wir hatten und woran wir bei dem anderen waren. Natürlich wußte ich, daß er Alex noch ab und zu traf und daß sie eine merkwürdige Zuneigung zueinander verspürten, aber ich habe trotzdem geglaubt, daß wir weitermachen könnten wie bisher. Dann ließ Anders mal fallen, daß Alex alles erzählen wollte, was mit ihnen passiert war. Daß sie alle alten Leichen aus dem Keller räumen wollte, so, glaube ich, sagte er. Er selber klang fast gleichgültig, als er das erwähnte, aber mir war, als hätte man mir einen elektrischen Schlag versetzt. Das würde alles ändern. Nichts mehr wäre wie zuvor, wenn Alex nach so vielen Jahren die alten Geheimnisse ans Licht zerrte. Was sollte das für einen Nutzen bringen? Und was würden die Leute sagen? Außerdem, selbst wenn Anders so tat, als machte ihm das nichts aus, so kannte ich ihn doch besser, und ich glaube, er wollte ebensowenig wie ich, daß sie all das öffentlich machte. Ich kenne – kannte meinen Sohn.«

»Also sind Sie zu ihr gegangen.«

»Ja, ich bin an jenem Freitagabend zu ihr gegangen und habe gehofft, sie zur Vernunft zu bringen. Wollte ihr verständlich machen, daß sie nicht einfach einen Beschluß fassen konnte, der uns alle betraf.«

»Aber sie hat es nicht eingesehen.«

Vera lächelte bitter. »Nein, das hat sie nicht.«

Vera hatte auch ihre zweite Tasse geleert, bevor Patrik kaum die Hälfte seines Kaffees ausgetrunken hatte, aber jetzt stellte sie die Tasse einfach weg und faltete die Hände auf dem Tisch.

»Ich habe sie angefleht. Habe ihr erklärt, wie schwer es für Anders werden würde, wenn sie erzählte, was passiert war, aber sie hat mir direkt in die Augen gesehen und behauptet, ich denke nur an mich selber, nicht an Anders. Er wäre froh, wenn es endlich herauskäme, sagte sie, er habe nie um unser Schweigen gebeten. Und außerdem warf sie mir an den Kopf, daß ich, Nelly, Karl-Erik und Birgit nicht an sie beide gedacht hätten, als wir beschlossen haben, die Sache geheimzuhalten, sondern daß es uns nur darum gegangen sei, unser eigenes Ansehen fleckenlos zu halten. Können Sie sich eine solche Frechheit vorstellen?«

Die blinde Wut, die einen Moment in Veras Augen aufflammte, erlosch genauso rasch, wie sie gekommen war, und wurde von einem gleichgültigen leblosen Blick ersetzt. Sie fuhr mit eintöniger Stimme fort: »Etwas in mir ist zerbrochen, als ich hörte, was für eine Ungeheuerlichkeit sie da behauptete. Daß ich das alles nicht zum Besten von Anders getan habe. Ich konnte beinahe hören, wie es klickte, und ich handelte, ohne zu denken. Ich hatte meine Schlaftabletten in der Handtasche, und als sie in die Küche ging, habe ich ein paar davon in ihren Cidre zerbröselt. Sie hatte mir ein Glas Wein eingegossen, als ich gekommen war, und als sie aus der Küche zurückkam, tat ich, als würde ich das von ihr Gesagte akzeptieren und fragte, ob wir nicht unsere Gläser als Freunde leeren könnten, bevor ich ging. Sie schien dankbar zu sein und leistete mir beim Trinken Gesellschaft. Nach einem Weilchen schlief sie auf dem Sofa ein. Ich hatte mir nicht richtig überlegt, was ich dann tun wollte, die Schlaftabletten waren eine momentane Eingebung gewesen, aber ich kam auf die Idee, daß ich es wie Selbstmord aussehen lassen konnte. Ich hatte nicht genug Schlaftabletten dabei, um ihr eine tödliche Dosis einzuflößen, das einzige, was mir einfiel, war, ihr die Pulsadern aufzuschneiden. Ich wußte, daß viele das in der Badewanne taten, also schien mir das eine gute und durchführbare Idee zu sein.«

Ihre Stimme klang monoton. Es war, als würde sie von einem ganz alltäglichen Ereignis erzählen und nicht von einem Mord.

»Ich zog ihr die Kleider aus. Ich dachte, ich würde es schaffen, sie dorthin zu tragen, vom jahrelangen Putzen habe ich Kraft in den Armen, aber die Sache erwies sich als unmöglich. Statt dessen mußte ich sie ins Badezimmer schleifen und sie in die Wanne wuchten. Dann schnitt ich ihr beide Pulsadern mit einer Rasierklinge auf, die ich im Badezimmerschrank gefunden habe. Da ich das Haus jahrelang einmal die Woche geputzt hatte, kannte ich mich gut aus. Das Glas, aus dem ich getrunken hatte, spülte ich aus, löschte das Licht, schloß ab und legte den Ersatzschlüssel an seinen Platz.«

Patrik war erschüttert, aber er bemühte sich, seine Stimme ruhig klingen zu lassen. »Sie verstehen sicher, daß Sie jetzt mitkommen müssen. Ich brauche doch wohl keine Verstärkung anzufordern, oder?«

»Nein. Das brauchen Sie nicht. Darf ich nur ein paar Sachen zum Mitnehmen zusammensuchen?«

Er nickte.

Sie stand auf. In der Türöffnung wandte sie sich um. »Wie sollte ich denn wissen, daß sie schwanger war? Sie hat zwar keinen Wein getrunken, das fiel mir schon auf, aber ich hatte keine Ahnung, daß es deshalb war. Vielleicht hielt sie sich bei Alkohol ja einfach zurück oder wollte mit dem Auto weg. Wie sollte ich das wissen? Das war doch unmöglich, nicht wahr?«

Ihre Stimme klang flehend, und Patrik merkte, daß er stumm nickte. Er würde ihr schon noch früh genug erzählen, daß das Kind nicht von Anders war, aber noch wagte er es nicht, um das Vertrauen, das sie ihm geschenkt hatte, nicht zu erschüttern. Es gab noch andere, denen sie ihre Geschichte berichten mußte, bevor man den Fall Alexandra Wijkner endgültig zu den Akten legen konnte. Aber etwas störte ihn noch. Seine Intuition sagte ihm, daß Vera noch immer nicht alles erzählt hatte.

Als er wieder im Auto saß, nahm er seine Kopie des Briefes zur Hand, den Anders als letzte Mitteilung an die Welt geschrieben hatte. Langsam las er ihn Zeile für Zeile durch, und erneut spürte Patrik, wie stark der Schmerz war, der ihm aus diesen Worten entgegenschlug.

6

»*Es ist mir oft durch den Sinn gegangen, welche Ironie mein Leben prägt. Daß ich die Fähigkeit habe, mit meinen Augen und Fingern Schönheit zu erschaffen, während ich in allem übrigen nur Häßlichkeit und Zerstörung zu bewerkstelligen vermag. Deshalb werde ich als letztes, was ich tue, meine Bilder vernichten. Um irgendeine Form von Konsequenz in meinem Leben zu erreichen. Besser konsequent zu sein und nur Dreck zu hinterlassen, als daß ich als komplexere Person dastehe, als ich verdiene.*

Eigentlich bin ich ganz einfach. Das einzige, was ich je gewollt habe, ist, einige wenige Monate und Ereignisse aus meinem Leben zu streichen. Ich finde nicht, daß das zuviel verlangt ist. Aber vielleicht habe ich das, was ich im Leben bekommen habe, ja verdient. Vielleicht hatte ich in einem früheren Leben irgend etwas Entsetzliches getan, wofür ich in diesem Leben den Preis bezahlen mußte. Nicht, daß das eigentlich eine Rolle spielt. Aber in dem Fall wäre es schön gewesen, zu erfahren, wofür ich hier bezahlte.

Warum wähle ich nun gerade diesen Zeitpunkt, um ein Leben zu verlassen, das so lange sinnlos gewesen ist? Das fragt Ihr Euch vielleicht. Ja, wer weiß. Warum tut man überhaupt etwas zu einem bestimmten Zeitpunkt? Habe ich Alex so sehr geliebt, daß das Leben seinen letzten Wert verloren hat? Das ist wohl eine der Erklärungen, nach der Ihr greifen werdet. Ich weiß eigentlich nicht, ob ich richtig aufrichtig sein soll. Der Gedanke an den Tod ist ein Kamerad, mit dem ich schon lange lebe, aber erst jetzt habe ich das Gefühl, bereit zu sein. Vielleicht hat genau die Tatsache, daß Alex starb, meine eigene Freiheit möglich gemacht. Alex ist immer die Unerreichbare gewesen, deren Schale niemand auch nur den kleinsten Kratzer zuzufügen vermochte. Daß sie sterben konnte, hatte zur Folge, daß die Tür zu diesem Raum plötzlich für mich weit of-

fen stand. Reisefertig war ich seit langem, jetzt heißt es nur noch los-
zugehen.

Verzeih mir, Mama.
Anders«

Die Gewohnheit, früh aufzustehen – oder mitten in der Nacht, wie gewisse Personen vielleicht sagen würden –, hatte er nie abschütteln können. Was ihm in diesem Fall von Nutzen war. Svea reagierte nicht, als er sich um vier Uhr erhob, aber sicherheitshalber schlich er sich leise die Treppe hinunter, die Kleider in der Hand. Im Wohnzimmer zog sich Eilert in aller Stille an und holte dann den Koffer vor, den er sorgfältig in der hintersten Ecke der Speisekammer versteckt hatte. Das hier war seit Monaten geplant, und nichts war dem Zufall überlassen worden. Mit dem heutigen Tag begann der Rest seines Lebens.

Das Auto startete trotz der Kälte beim ersten Versuch, und zwanzig nach vier ließ er das Haus hinter sich, in dem er die letzten fünfzig Jahre gelebt hatte. Er fuhr durch das schlafende Fjällbacka und gab erst Gas, als er die alte Mühle passiert hatte und nach Dingle abgebogen war. Bis Göteborg und Landvetter waren es gut zweihundert Kilometer, und er konnte sich Zeit lassen. Das Flugzeug nach Spanien ging nicht vor acht.

Endlich konnte er sein Leben leben, wie er es selbst wollte.

Das hier hatte er schon lange geplant. Die Gebrechen wurden mit jedem Jahr schlimmer und ebenso sein Frust über dieses Leben mit Svea. Eilert fand, er habe etwas Besseres verdient. Im Internet hatte er eine kleine Pension in einem Dorf an der spanischen Sonnenküste gefunden. Ein Stück entfernt von den Stränden und den Touristenmeilen, also war der Preis auch erschwinglich. Er hatte eine Mail geschickt und erfahren, daß er dort, wenn er wollte, das ganze Jahr über wohnen konnte, die Besitzerin würde ihm dann einen noch besseren Preis machen. Es hatte lange gedauert, das Geld zusammenzusparen, Svea hatte all sein Tun und Lassen streng überwacht, aber schließlich war es ihm gelungen. Er rechnete damit, von seinem jetzigen Ersparten ungefähr zwei Jahre leben zu können, wenn er das Geld ein bißchen zusammenhielt, und danach mußte er sich ganz einfach etwas einfallen lassen. Im Moment konnte nichts seinen Enthusiasmus dämpfen.

Zum erstenmal seit fünfzig Jahren fühlte er sich frei, und er überraschte sich dabei, wie er den alten Volvo aus reiner Freude ein bißchen schneller laufen ließ. Das Auto würde er auf dem Langzeitparkplatz stehen lassen, Svea würde schon noch früh genug erfahren, wo es sich befand. Obwohl das eigentlich keine Rolle spielte. Sie hatte nie die Fahrerlaubnis gemacht, sondern Eilert als kostenlosen Chauffeur benutzt, wenn sie irgendwohin fahren mußte. Das einzige, was sein Gewissen ein wenig belastete, waren die Kinder. Andererseits waren sie immer mehr Sveas Kinder als seine gewesen, und sie waren zu seinem Kummer genauso kleinlich und engstirnig geworden wie ihre Mutter. Woran er vermutlich nicht schuldlos war, da er von früh bis spät gearbeitet und alle möglichen Gründe gesucht hatte, um soviel wie möglich von zu Hause fernzubleiben. Dennoch hatte er beschlossen, ihnen vom Flugplatz eine Karte zu schicken, worauf er ihnen mitzuteilen gedachte, daß er aus freien Stücken verschwand und sie sich um ihn keine Sorgen zu machen brauchten. Er wollte ja auch nicht, daß sie irgendeine große Polizeiaktion in Gang setzten, um ihn zu finden.

Es war leer auf den Straßen, auf denen er in der Dunkelheit entlangfuhr, und er stellte nicht einmal das Radio an, sondern genoß die Stille. Jetzt begann das Leben.

»Ich kann es nur nicht richtig verstehen. Daß Vera Alex ermordet haben soll, damit sie nicht von dem Mißbrauch erzählt, der vor fünfundzwanzig Jahren an ihr und Anders verübt worden ist.« Erica drehte ihr Weinglas nachdenklich in den Händen.

»Man darf das Bedürfnis nicht unterschätzen, in einem kleinen Ort nicht aufzufallen. Wenn die alte Geschichte herausgekommen wäre, hätten die Leute erneut einen Grund gehabt, mit dem Finger auf sie zu zeigen. Ich glaube ihr nämlich nicht, wenn sie sagt, das habe sie für Anders getan. Vielleicht hat sie recht, daß auch Anders nicht wollte, daß alle erfuhren, was mit ihnen passiert ist, aber ich denke, vor allem hat Vera selber den Gedanken nicht ertragen, was die Leute hinter ihrem Rücken flüstern würden, wenn sie erfuhren, daß Anders nicht nur als Kind mißbraucht worden war, sondern daß sie auch nichts dagegen unternommen und sogar mitgeholfen hatte, es zu vertuschen. Ich glaube, es war diese Schande, die sie nicht ertragen hat. Alex zu töten war eine plötzliche Eingebung, als ihr klar wurde, daß sie nicht umzustimmen war. Sie folgte ihrem Impuls, methodisch und kaltblütig.«

»Wie nimmt sie die Sache jetzt auf? Ich meine, daß man ihr auf die Schliche gekommen ist.«

»Sie ist erstaunlich ruhig. Ich glaube, ihre Erleichterung war unfaßbar groß, als wir ihr erzählt haben, daß Anders nicht der Vater des Kindes war und sie deshalb nicht ihr ungeborenes Enkelkind umgebracht hat. Nach dieser Sache war es, als interessiere es sie nicht, was mit ihr passiert. Und weshalb sollte es das auch? Ihr Sohn ist tot, sie hat keine Freunde, kein Leben. Alles ist aufgedeckt, und es gibt nichts mehr, was sie verlieren kann. Nur ihre Freiheit, und die scheint ihr im Moment nicht viel zu bedeuten.«

Sie saßen in Patriks Haus und tranken eine Flasche Wein, nachdem sie zusammen gegessen hatten. Erica genoß die Ruhe und den Frieden. Sie liebte es, Anna und die Kinder bei sich zu haben, aber manchmal war es einfach zuviel, und heute war ein solcher Tag gewesen. Patrik hatte von früh an bei der Vernehmung gesessen, aber nach deren Ende war er gekommen und hatte Erica und ihre kleine Übernachtungstasche abgeholt, und jetzt hockten sie wie ein altes, züchtiges Paar nebeneinander auf dem Sofa.

Erica schloß die Augen. Dieser Augenblick war wunderbar und erschreckend zugleich. Alles war so perfekt, aber gleichzeitig konnte sie den Gedanken nicht loswerden, daß genau das der Grund sein könnte, daß von jetzt an alles nur noch bergab ging. An das, was passieren würde, wenn sie wieder nach Stockholm zurückzog, wollte sie lieber gar nicht denken. Sie und Anna hatten das Problem mit dem Haus tagelang vor sich her geschoben und in stiller Übereinkunft nicht darüber gesprochen. Erica glaubte auch nicht, daß Anna im Augenblick irgendwelche Beschlüsse fassen konnte, und hatte die Sache deshalb auf sich beruhen lassen.

Aber heute abend wollte sie nicht an die Zukunft denken. Es war besser, überhaupt nicht an morgen zu denken und statt dessen diese Minuten zu genießen, so gut es überhaupt ging. Sie zwang sich, die düsteren Gedanken wegzuschieben.

»Ich habe heute mit dem Verlag gesprochen. Wegen des Buches über Alex.«

»Und, was hat man gesagt?«

Sie bemerkte Patriks Eifer mit Zufriedenheit.

»Die Idee hielten sie für großartig und wollten, daß ich alles Material, was ich habe, so bald wie möglich hinschicke. Ich muß immer noch das Buch über Selma Lagerlöf fertigschreiben, aber ich bekam einen Monat Aufschub, und nun habe ich versprochen, daß es im September fertig ist. Ich glaube wirklich, es wird gehen, parallel an beiden Büchern zu arbeiten. Das hat schließlich bisher einigermaßen funktioniert.«

»Was meint der Verlag zu der rechtlichen Seite? Ob da ein Risiko besteht, daß die Familie von Alex dich verklagt?«

»Das Pressegesetz ist da ziemlich eindeutig. Ich habe das Recht, auch ohne deren Einverständnis darüber zu schreiben, aber ich hoffe natürlich, daß sie nichts dagegen haben, wenn ich ihnen das Projekt erst erkläre, also wie ich mir das mit dem Buch gedacht habe. Ich will wirklich keine substanzlose Sensationsgeschichte zusammenschmieren, sondern über die Ereignisse schreiben, die tatsächlich passiert sind, und darüber, wer Alex wirklich gewesen ist.«

»Und was den Markt angeht? Meint man, daß es ein Interesse an solchen Büchern gibt?«

Patriks Augen leuchteten. Er wußte, wieviel ihr dieses Buch bedeutete, und dementsprechend behandelte er das Thema.

»Wir waren uns eigentlich darüber einig, daß es das geben müßte. In den USA ist das Interesse für True-Crime-Bücher enorm. Die größte Autorin des Genres, Ann Rule, verkauft ihre Bücher millionenfach. Außerdem ist das hier ein ziemlich neues Phänomen. Es gibt ein paar wenige Bücher, die etwa auf gleicher Linie liegen, zum Beispiel das, was vor ein paar Jahren über den Fall des Arztes und Obduzenten erschienen ist, aber keines ist derart unverfälscht. Genau wie Ann Rule möchte ich großes Gewicht auf die Nachforschung legen. Die Fakten kontrollieren, mit allen Beteiligten sprechen und dann ein möglichst wahres Buch über das schreiben, was geschehen ist.«

»Glaubst du, Alex' Familie ist bereit, sich interviewen zu lassen?«

»Ich weiß nicht.« Erica drehte eine Haarlocke um den Finger. »Ich weiß es wirklich nicht. Aber ich werde auf jeden Fall fragen, und wenn sie nicht bereit sind, muß ich versuchen, das irgendwie zu umgehen. Ich habe einen enormen Vorteil, weil ich selber schon viel über jeden von ihnen weiß. Es graut mir schon ein bißchen vor der Frage, aber da muß ich durch. Wenn dieses Buch gut verkauft werden sollte, hätte ich nichts dagegen, weiter über interessante Rechtsfälle zu schreiben, und dann muß ich mich daran gewöhnen, die Angehörigen zu belästigen. Das gehört dazu. Ich glaube außerdem, daß die Leute ein Bedürfnis haben zu reden, daß sie froh sind, ihre Geschichte erzählen zu können. Sowohl aus der Perspektive des Opfers als auch der des Täters.«

»Mit anderen Worten, du willst auch versuchen, mit Vera zu reden.«

»Ja, absolut. Ich habe keine Ahnung, ob sie sich dazu bereit finden könnte, aber ich will es jedenfalls versuchen. Vielleicht will sie ja erzählen, vielleicht auch nicht. Ich kann sie nicht zwingen.«

Sie zuckte die Schultern, als ließe sie die Sache kalt, aber natürlich würde das Buch nicht halb so gut werden, wenn sie Vera nicht überreden konnte. Das, was sie bisher geschrieben hatte, war nur das Gerippe, jetzt mußte sie hart daran arbeiten, ein bißchen Fleisch auf die Knochen zu bekommen.

»Und du?«

Sie drehte sich ein bißchen auf dem Sofa und legte die Beine auf Patriks Schoß, der die Aufforderung verstand und brav anfing, ihr die Füße zu massieren.

»Wie ist dein Tag gewesen? Bist du jetzt der Held im Revier?«

Der schwere Seufzer, den Patrik ausstieß, gab zu verstehen, daß dem nicht so war. »Nein, du glaubst doch wohl nicht, daß Mellberg demjenigen Ehre zukommen läßt, dem Ehre gebührt.

Er ist heute wie der Blitz zwischen Vernehmungszimmer und diversen Presseinterviews hin und her gesaust. ›Ich‹ war das Pronomen, das er im Gespräch mit den Journalisten ständig gebrauchte. Es würde mich wundern, wenn er meinen Namen überhaupt erwähnt hat. Aber scheiß drauf. Wer will schon seinen Namen gedruckt sehen? Ich habe gestern eine Mörderin festgenommen, und das ist mir weit wichtiger.«

»Wie edel man doch sein kann.« Erica boxte ihn kokett gegen die Schulter. »Gib zu, daß du auf einer großen Pressekonferenz gern vorn am Mikrofon gestanden und mit geschwellter Brust erzählt hättest, mit welcher Genialität du dahintergekommen bist, wer den Mord begangen hat.«

»Na ja, schön wäre es schon gewesen, wenn die Lokalpresse einen wenigstens mal erwähnt hätte. Aber jetzt ist es nun mal, wie es ist. Mellberg wird sich die ganze Ehre zuschanzen, und dagegen kann ich nicht das geringste tun.«

»Glaubst du, er wird die Versetzung bekommen, die er sich so wünscht?«

»Das wäre zu schön. Nein, ich habe den Verdacht, daß die Leitung in Göteborg sehr zufrieden damit ist, ihn hier zu wissen, also befürchte ich, wir müssen mit ihm zurechtkommen, bis er in Rente geht. Und dieses Datum scheint mir im Moment unglaublich fern zu liegen.«

»Armer Patrik.«

Sie strich ihm über den Schopf, und er nahm es als Signal, um sich über sie zu werfen und sie unter sich auf dem Sofa zu begraben.

Der Wein ließ die Glieder schwer werden, und die Wärme von seinem Körper übertrug sich langsam auf sie. Sein Atem veränderte sich und wurde heftiger, aber sie hatte noch immer ein paar Fragen an ihn. Also arbeitete sie sich wieder in Sitzstellung hoch und schubste Patrik mit sanfter Gewalt in seine eigene Ecke zurück.

»Aber bist du denn damit zufrieden? Was ist zum Beispiel mit dem Verschwinden von Nils? Du hast aus Vera nicht mehr rausbekommen?«

»Nein, sie behauptet, nichts darüber zu wissen. Leider glaube ich ihr nicht. Ich denke, sie hatte einen gewichtigeren Grund, Anders zu schützen, als den, daß alle Welt erfährt, daß Nils sich an ihm vergangen hat. Ich glaube, daß sie genau weiß, was mit Nils passiert ist, und dieses Geheimnis mußte um jeden Preis bewahrt werden. Aber ich muß zugeben, es stört mich, daß es noch immer nur Vermutungen sind. Menschen lösen sich nicht einfach in Luft auf. Er ist irgendwo, und es gibt außerdem jemanden oder mehrere, die wissen, wo das ist. Aber ich habe jedenfalls eine Theorie.«

Er ging Schritt für Schritt den vermuteten Hergang durch und berichtete von den Umständen, auf die er seine Idee stützte. Erica fühlte, daß es sie schauderte, trotz der Wärme im Zimmer. Das klang unglaublich, aber dennoch möglich. Sie verstand auch, daß Patrik nie etwas von dem, was er sagte, beweisen könnte. Und das würde ja vielleicht auch nichts bringen. So viele Jahre waren vergangen. So viele Leben waren bereits zerstört worden, daß man das Gefühl hatte, es nützte niemandem, noch ein weiteres zu zerstören.

»Ich weiß, daß das hier nie etwas nach sich ziehen wird. Zugleich aber will ich es wissen, um meinetwillen. Ich habe jetzt wochenlang mit diesem Fall gelebt, und ich muß ihn zum Abschluß bringen.«

»Aber was willst du machen? Was kannst du überhaupt machen?«

Patrik seufzte. »Ich werde einfach um eine kleine Antwort bitten. Wenn man nicht fragt, erfährt man auch nichts, stimmt's?«

Erica betrachtete ihn forschend. »Ich weiß nicht, ob das eine so gute Idee ist, aber du wirst schon wissen.«

»Ja, ich hoffe es. Können wir für heute abend vielleicht Tod und Trübsal verlassen und uns lieber miteinander beschäftigen?«

»Das scheint mir eine wunderbare Idee zu sein.«

Mit seinem ganzen Gewicht legte er sich wieder auf sie, und diesmal scheuchte ihn keiner weg.

Als er von zu Hause losfuhr, lag Erica noch immer im Bett. Er hatte es nicht übers Herz gebracht, sie zu wecken, sondern war leise aus dem Zimmer geschlichen, hatte sich angezogen und war gefahren.

Er hatte eine leise Verwunderung, aber auch ein vorsichtiges Abwarten verspürt, als er diese Verabredung getroffen hatte. Als Bedingung war ein diskretes Treffen verlangt worden, und Patrik hatte es kein Problem bereitet, darauf einzugehen. Deshalb war er jetzt an einem Montagmorgen schon um sieben Uhr früh unterwegs, und als er in der Dunkelheit in Richtung Fjällbacka fuhr, kamen ihm nur vereinzelt Autos entgegen. Er bog an einem Verkehrsschild ab, auf dem »Väddö« stand, und hielt auf einem leeren Parkplatz, der sich ein Stück die Straße hinunter befand. Dann wartete er. Nach zehn Minuten kam ein weiterer Wagen auf den Parkplatz gefahren und stoppte neben seinem. Der Fahrer stieg aus, öffnete die Tür an Patriks Auto und setzte sich auf den Beifahrersitz. Patrik schaltete den Motor auf Leerlauf, damit die Heizung weiterlief, sonst wären sie bald zu Eis erstarrt.

»Wirkt regelrecht spannend, sich heimlich im Schutz der Dunkelheit zu treffen. Die Frage ist nur, weshalb?«

Jan machte einen vollkommen entspannten Eindruck, doch schien er leicht verwundert. »Ich dachte, die Ermittlungen sind abgeschlossen. Ihr habt doch die Person, die Alex ermordet hat, nicht wahr?«

»Ja, das stimmt. Aber da sind noch immer ein paar Puzzleteile, die nicht richtig zusammenpassen wollen, und das irritiert mich.«

»Aha, und was könnte das sein?«

Keinerlei Gefühle ließen sich auf Jans Gesicht erkennen. Patrik fragte sich, ob er wohl ganz umsonst zu nachtschlafender Zeit aufgestanden war. Aber jetzt befand er sich nun einmal hier, und so konnte er das, was er angefangen hatte, auch zu Ende bringen.

»Wie du vielleicht gehört hast, sind Alexandra und Anders von deinem Stiefbruder Nils mißbraucht worden.«

»Ja, ich habe es gehört. Entsetzlich. Besonders im Hinblick auf Mutter.«

»Obwohl das für sie ja nicht gerade neu war. Sie hat es bereits gewußt.«

»Natürlich hat sie das. Sie ist mit der Situation auf die einzige Weise umgegangen, die sie kennt. Mit größtmöglicher Diskretion. Der Familienname mußte natürlich geschützt werden. Alles andere hatte dahinter zurückzustehen.«

»Und wie stellst du dich dazu? Daß dein Bruder ein Pädophiler war und deine Mutter es gewußt hat und ihn schützte?«

Jan ließ sich nicht aus dem Gleichgewicht bringen. Er klopfte ein paar unsichtbare Staubfussel vom Mantelrevers und hob nur eine Augenbraue, als er Patrik nach ein paar Sekunden Bedenkzeit antwortete.

»Ich kann Mutter natürlich verstehen. Sie verhielt sich auf die einzige Weise, die sie beherrschte, und der Schaden war ja nun mal geschehen, oder?«

»Ja, so kann man es selbstverständlich auch sehen. Die Frage ist nur, wohin Nils dann verschwunden ist. In der Familie hat keiner je wieder was von ihm gehört?«

»Dann hätten wir als gute Bürger dieser Gesellschaft natürlich die Polizei informiert.« Die Ironie im Tonfall war so geschickt verborgen, daß sie kaum zu vernehmen war.

»Aber ich begreife, daß er es vorzog zu verschwinden. Was hätte er hier gehabt? Mutter wußte nun, was er in Wirklichkeit für einer war, und in der Schule konnte er auch nicht mehr bleiben, dafür zumindest hätte Mutter gesorgt. Also ist er abgehauen. Vermutlich lebt er irgendwo in einem warmen Land, wo der Zugang zu kleinen Mädchen und Jungen einfacher ist.«

»Das glaube ich nicht.«

»Ach ja, und warum nicht? Hast du eine Leiche im Keller gefunden?«

Patrik ignorierte den spöttischen Tonfall. »Nein, das haben wir nicht. Aber, weißt du, ich habe eine Theorie …«

»Sehr interessant, wirklich.«

»Ich glaube nicht, daß nur Anders und Alex von Nils mißbraucht worden sind. Ich glaube, an erster Stelle gab es ein Opfer in der nächsten Umgebung des Täters, zu dem er den leichtesten Zugang hatte. Ich glaube, daß auch du mißbraucht worden bist.«

Zum erstenmal meinte Patrik einen Riß in Jans blank polierter Fassade zu erkennen, aber eine Sekunde darauf hatte der sich wieder unter Kontrolle, so schien es wenigstens.

»Wirklich eine interessante Theorie. Worauf baust du die auf?«

»Auf nicht viel, muß ich zugeben. Aber ich habe eine Verbindung zwischen euch drei gefunden. Aus der Kindheit. Ich habe ein kleines Lederstückchen in deinem Arbeitszimmer gesehen, als ich dich dort aufgesucht habe. Das hat offenbar eine ziemlich große Bedeutung für dich. Es symbolisiert irgend etwas. Einen Pakt, ein Gefühl der Zusammengehörigkeit, eine Blutsbrüderschaft. Du hast es über fünfundzwanzig Jahre aufgehoben. Das haben Anders und Alex mit ihren Lederstückchen auch getan. Auf der Rückseite eines jeden davon ist ein verwischter blutiger Fingerabdruck zu sehen, deshalb glaube ich, daß ihr auf die dramatische Weise von Kindern eine Blutsbrüderschaft eingegangen seid. Auf der Vorderseite des Leders waren außerdem drei Buchstaben eingebrannt: ›D.D.M.‹ Das habe ich nicht entschlüsseln können. Vielleicht kannst du mir in diesem Punkt helfen?«

Patrik sah förmlich, wie in Jans Brust zwei Seelen miteinander stritten, doch er baute auf Jans Ego. Er hätte darauf wetten können, daß es für Jan unwiderstehlich war, vor jemandem sein Herz auszuschütten, der mit Interesse zuhörte. Er beschloß, ihm die Entscheidung einfacher zu machen.

»Alles, was heute hier gesagt wird, bleibt unter uns. Ich habe weder die Kraft noch die Mittel, um einer Geschichte nachzugehen, die vor fünfundzwanzig Jahren passiert ist, und ich glaube auch kaum, daß ich, selbst wenn ich es versuchen würde, irgendwelche Beweise fände. Es ist für mich persönlich von Gewicht. Ich muß es einfach wissen.«

Jan widerstand der Versuchung nicht länger. »Die Drei Musketiere, das ist es, wofür das ›D.D.M.‹ steht. Albern und verdammt romantisch, aber so haben wir uns gesehen. Wir drei gegen die ganze Welt. Wenn wir zusammen waren, konnten wir vergessen, was mit uns passiert war. Wir haben nie darüber geredet, das brauchten wir auch nicht. Wir haben es trotzdem gewußt. Wir haben einen Pakt geschlossen, daß wir immer füreinander dasein wollten. Mit einer Glasscherbe schnitten wir uns in den Finger, vermischten das Blut und stempelten unser Emblem damit. Ich war der Stärkste von uns. Ich mußte der Stärkste sein. Die anderen konnten sich zumindest zu Hause sicher fühlen, ich habe mich unentwegt umgedreht, um hinter mich zu schauen, und abends lag ich mit der Decke bis zum Kinn und lauschte auf die Schritte, die, wie ich wußte, kommen würden, erst durch die Diele und dann immer näher und näher.«

Es war, als wäre ein Damm gebrochen. Jan redete in einem wahnsinnigen Tempo, und Patrik hielt sich zurück, um nicht zu riskieren, daß die Wortflut gestoppt wurde. Jan zündete sich eine Zigarette an, drehte die Scheibe eine Spur herunter, damit der Rauch abzog, und fuhr fort: »Wir lebten in einer eigenen Welt. Wir trafen uns, wo uns niemand sah, und suchten Trost und Geborgenheit beieinander. Es war merkwürdig, obwohl uns der Anblick der anderen eigentlich an das Schreckliche hätte erinnern müssen, konnten wir doch nur zusammen ein Weilchen der Wirklichkeit entfliehen. Ich weiß nicht mal, wieso wir Bescheid wußten. Wie es kam, daß wir uns zusammenschlossen. Aber irgendwie haben wir es gewußt. Es war unausweichlich, daß wir zueinanderfanden. Ich war dann derjenige, der auf die Idee kam, die Sache auf unsere eigene Weise zu lösen. Alex und Anders hielten es erst für ein Spiel, aber ich wußte, daß daraus Ernst werden mußte. Es gab keinen anderen Ausweg. An einem kalten, klaren Wintertag gingen wir aufs Eis, mein Bruder und ich. Es war nicht schwierig, ihn mitzulocken. Er war total begeistert, daß ich die Initiative ergriff, und freute sich auf unseren kleinen Ausflug. Ich hatte in jenem Winter viele Stunden auf dem Eis verbracht und wußte genau, wohin ich ihn führen mußte. Anders und Alex warteten dort. Nils war verwundert, als er sie erblickte, aber er war so arrogant, daß er keinen Moment eine Bedrohung darin sah. Wir waren ja trotz allem nur Kinder. Der Rest war leicht. Ein Eisloch, ein Stoß, und er war weg. Anfangs waren wir total erleichtert. Die ersten Tage waren wunderbar. Nelly war außer sich vor Unruhe, fragte sich, wohin Nils verschwunden war, aber ich lag abends in meinem Bett und lächelte. Ich genoß das Ausbleiben der Schritte. Dann ging die Hölle los. Die Eltern von Alex hatten irgend etwas bemerkt, wie, weiß ich nicht, und sie gingen zu Nelly. Alex schaffte es wohl nicht, all dem Druck und den Fragen zu widerstehen, sondern erzählte alles, auch von mir und Anders. Nicht von dem, was wir mit Nils gemacht hatten, sondern von dem, was davor passiert war. Wenn ich geglaubt hatte, von meiner Pflegemutter irgendwelche Sympathien erwarten zu können, dann habe ich damals meine Lektion gelernt. Nelly hat mir nie mehr in die Augen gesehen. Sie hat auch nie mehr wissen wollen, wo Nils ist. Manchmal frage ich mich, ob sie etwas geahnt hat.«

»Vera hat ebenfalls von dem Mißbrauch erfahren.«

»Ja, aber Mutter war geschickt. Sie setzte auf Veras Wunsch, Anders zu schützen und in bezug auf die eigene Person den Schein zu wahren, und so brauchte sie Vera nicht einmal zu bezahlen oder mit einem guten Job zu bestechen, damit sie schwieg.«

»Glaubst du, daß Vera früher oder später auch erfahren hat, was mit Nils passiert ist?«

»Da bin ich mir ganz sicher. Ich glaube nicht, daß Anders das jahrelang vor ihr verschweigen konnte.«

Patrik überlegte laut. »Also hat Vera Alex vermutlich nicht nur deshalb getötet, damit der Mißbrauch nicht bekannt wird, sondern weil sie Angst hatte, daß Anders des Mordes angeklagt wird.«

Jans Lächeln war beinahe schadenfroh. »Was fast komisch ist, wenn man bedenkt, daß der Mord einerseits verjährt ist und sich andererseits wohl niemand darum scheren würde, nach so langer Zeit Anklage gegen uns zu erheben, auch weil wir damals noch Kinder waren.«

Gegen seinen Willen mußte Patrik ihm recht geben. Es hätte keine Folgen gehabt, wenn Alex zur Polizei gegangen wäre und alles erzählt hätte, aber vermutlich hat Vera das nicht begriffen, sondern geglaubt, es bestehe tatsächlich die Gefahr, daß Anders wegen Mordes ins Gefängnis kommt.

»Habt ihr hinterher weiter Kontakt gehalten? Alex, Anders und du?«

»Nein. Alex ist umgehend weggezogen, und Anders verkroch sich in seiner eigenen kleinen Welt. Wir haben uns zwar manchmal gesehen, aber erst als Anders mich nach dem Tod von Alex anrief und herumbrüllte, ich hätte sie ermordet, haben wir nach fünfundzwanzig Jahren das erste Mal wieder miteinander geredet. Ich habe es natürlich bestritten, ich hatte ja nichts mit ihrem Tod zu tun, aber er ließ nicht locker.«

»Hast du nicht gewußt, daß sie zur Polizei gehen und von Nils' Tod erzählen wollte?«

»Nicht, bevor sie starb. Anders hat es erzählt, nachdem sie tot war.« Jan blies lässig ein paar Rauchringe vor sich hin.

»Was wäre passiert, wenn du es gewußt hättest?«

»Das werden wir nie erfahren, oder?«

Er drehte sich zu Patrik um und betrachtete ihn mit seinen kalten blauen Augen. Patrik schauderte. Nein, das würden sie nie erfahren.

»Aber wie gesagt, niemand hätte sich darum geschert, uns deshalb dranzukriegen. Allerdings will ich gern zugeben, daß es das Verhältnis zwischen mir und meiner Mutter wohl ein bißchen kompliziert hätte.« Dann wechselte Jan abrupt das Thema. »Nach dem, was ich gehört habe, gingen Anders und Alex offenbar zusammen ins Bett. Wahrhaftig die Schöne und das Biest. Ich hätte vielleicht selbst die Gelegenheit nutzen sollen, sozusagen aus alter Freundschaft ...«

Patrik empfand keinerlei Mitgefühl für den Mann neben sich. Zwar hatte er als Kind die Hölle durchlaufen, aber da war noch mehr an ihm als das. Etwas Böses, Verkommenes, das aus allen Poren sickerte. Ganz spontan fragte er: »Deine Eltern sind ja unter tragischen Umständen gestorben. Weißt du etwas mehr darüber als das, was bei den Ermittlungen herausgekommen ist?«

Ein Lächeln umspielte Jans Mundwinkel. Er drehte die Scheibe noch einen Zentimeter herunter und warf die Kippe zielsicher durch den Spalt.

»Ein Unglück passiert so leicht, stimmt's? Eine Lampe kippt

um, eine flatternde Gardine. Kleine Umstände, die zusammen einen einzigen großen Zufall ergeben. Dann kann man es ja die Hand Gottes nennen, wenn das Unglück Menschen ereilt, die es verdient haben.«

»Weshalb warst du bereit, mich zu treffen? Weshalb sprichst du überhaupt?«

»Es hat mich tatsächlich selber erstaunt. Ich wollte eigentlich nicht kommen, aber die Neugier siegte, nehme ich an. Ich fragte mich, wieviel du weißt und wieviel du errätst. Und schließlich haben wir ja alle das Bedürfnis, jemandem von unseren Taten zu erzählen. Besonders wenn dieser Jemand mit dem, was er zu hören bekommt, nichts anfangen kann. Nils' Tod liegt so lange zurück, mein Wort steht gegen deins, und ich befürchte, niemand würde dir glauben.«

Jan stieg aus dem Auto, drehte sich dann noch einmal um und beugte sich in den Wagen. »Ich nehme an, daß Verbrechen sich für manche doch lohnen. Eines Tages werde ich ein beträchtliches Vermögen erben. Ich bezweifle, daß ich mich in dieser Situation befunden hätte, wenn Nils noch lebte.«

Er verabschiedete sich, indem er scherzhaft zwei Finger zum Gruß an die Stirn legte, schloß die Autotür und ging zu seinem Wagen. Patrik spürte, wie sich auf seinem Gesicht ein schadenfrohes Grinsen breitmachte. Jan wußte offenbar weder von Julias Beziehung zu Nelly noch von der Rolle, die Julia am Tag der Testamentseröffnung spielen würde. Gottes Wege waren zweifellos unergründlich.

Die warme Brise streichelte ihm die runzligen Wangen, als er jetzt dort auf seinem kleinen Balkon saß. Die Sonne wärmte und heilte die schmerzenden Glieder, und mit jedem Tag, der verstrich, bewegte er sich ungehinderter. Jeden Morgen ging er zu seiner Arbeit auf dem Fischmarkt, wo er half, den Fang zu verkaufen, der früh am Tag von den Fischerbooten an Land gebracht wurde.

Hier versuchte keiner, älteren Menschen das Recht zu verwehren, sich nützlich zu machen. Statt dessen fühlte er sich weitaus mehr respektiert und geschätzt als je zuvor in seinem

Leben. Langsam, aber sicher hatte er in dem kleinen Dorf auch Freunde gefunden. Zwar ging das mit der Sprache nur so lala, aber er stellte fest, daß man sich mit Gesten und guten Absichten durchaus verständlich machen konnte, und sein Wortschatz nahm auch langsam, aber sicher zu. Ein kleiner Schnaps oder auch zwei nach einem guten Tagewerk taten ein übriges, um die Befangenheit loszuwerden, und er bemerkte zu seiner Verwunderung, daß er sich allmählich zu einer Art Quasselstrippe entwickelte.

Als er jetzt auf seinem Balkon saß und auf das wuchernde Grün hinaussah, hinter dem ein Wasser folgte, das so blau war, wie er es nie zuvor gesehen hatte, fühlte Eilert, daß er dem Paradies nicht näher kommen konnte.

Eine weitere Würze des Daseins war der tägliche Flirt mit Rosa, der üppigen Besitzerin der Pension, und er gestattete sich zuweilen den Gedanken, daß diese Sache mit der Zeit vielleicht zu etwas mehr als nur einem scherzhaften Flirt werden könnte. Die Anziehung war da, daran bestand kein Zweifel, und der Mensch war schließlich nicht zum Alleinsein geschaffen.

Einen kurzen Moment dachte er an Svea dort zu Hause. Dann verjagte er den unangenehmen Gedanken, schloß die Augen und genoß die wohlverdiente Siesta.

CAMILLA LÄCKBERG
Der Prediger von Fjällbacka
Roman
Aus dem Schwedischen
von Gisela Kosubek
407 Seiten
ISBN 978-3-7466-2400-6

»Camilla Läckberg ist die Krimi-Queen.« BILD AM SONNTAG

Im mondänen Badeort Fjällbacka wird eine Urlauberin tot aufgefunden. In ihrer Nähe tauchen die Skelette zweier vor Jahrzehnten verschwundener Frauen auf. In ihrem zweiten Fall kämpfen Erica Falck und Patrik Hedström gegen sommerliche Hitze und religiösen Fanatismus. Ins Visier rückt schon bald die zerrüttete Familie des freikirchlichen Predigers Ephraim Hult, dessen Söhne Johannes und Gabriel in der Vergangenheit blutige Schuld auf sich geladen haben. Es ist nicht der Gott der Versöhnung, dem die Hults dienen – es ist der Gott der Rache. »Der Prediger von Fjällbacka« eroberte die Bestsellerlisten im Sturm und wurde als bester schwedischer Krimi nominiert.

»Camilla Läckberg schafft es, Spannung, Alltagsleben und schwedische Sommer-Atmosphäre kunstvoll zu verweben.« NDR

Mehr Informationen erhalten Sie unter www.aufbau-verlag.de
oder in Ihrer Buchhandlung

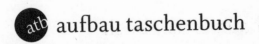

atb aufbau taschenbuch

CAMILLA LÄCKBERG
Die Töchter der Kälte
Kriminalroman
Aus dem Schwedischen
von Gisela Kosubek
474 Seiten
ISBN 978-3-7466-2476-1

Eiskalte Spannung

Frans Bengtsson macht einen fürchterlichen Fang: Mit seinem Netz
holt der Fischer den leblosen Körper eines Mädchens ein. Die Autop-
sie ruft die Polizei auf den Plan. Im Leichnam finden sich Spuren von
Süßwasser und Seife. Die siebenjährige Sara ist ertränkt worden, und
zwar nicht im Meer. Patrik Hedström und seine Kollegen ermitteln.
Gerade dieser Fall macht dem jungen Kommissar und seiner Frau
Erica Falck zu schaffen, da sie selber erst Eltern einer Tochter geworden sind. Doch gegen alle Widerstände lösen sie Rätsel um Rätsel.
Dabei tut sich hinter der idyllischen Fassade von Fjällbacka eine
abscheuliche Realität auf: Familienfehden, Perversion und eine weit
zurückreichende Schuld.

Mehr Informationen erhalten Sie unter www.aufbau-verlag.de
oder in Ihrer Buchhandlung

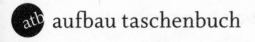

atb aufbau taschenbuch